A HISTÓRIA SECRETA DO OCIDENTE

NICHOLAS HAGGER

A HISTÓRIA SECRETA DO OCIDENTE

A INFLUÊNCIA DAS ORGANIZAÇÕES SECRETAS NA
HISTÓRIA OCIDENTAL DA RENASCENÇA AO SÉCULO XX

Tradução
Carlos Salum e Ana L. Franco

Editora
Cultrix
SÃO PAULO

Título original: *The Secret History of the West.*

Copyright © 2005 Nicholas Hagger

Publicado originalmente em 2005 na Grã-Bretanha pela O Books, uma divisão da John Hunt Publishing Ltd., Deershot Lodge, Park Lane, Ropley, Hants, SO24 0BE, UK

Publicado mediante acordo com O Books/ John Hunt Publishing Ltd.

Todos os direitos reservados. Nenhuma parte deste livro pode ser reproduzida ou usada de qualquer forma ou por qualquer meio, eletrônico ou mecânico, inclusive fotocópias, gravações ou sistema de armazenamento em banco de dados, sem permissão por escrito, exceto nos casos de trechos curtos citados em resenhas críticas ou artigos de revistas.

A Editora Pensamento-Cultrix Ltda. não se responsabiliza por eventuais mudanças ocorridas nos endereços convencionais ou eletrônicos citados neste livro.

Coordenação Editorial: Denise de C. Rocha Delela e Roseli de Sousa Ferraz
Preparação de originais: Denise de C. Rocha Delela
Revisão: Maria Aparecida Andrade Salmeron

Dados Internacionais de Catalogação na Publicação (CIP)
(Câmara Brasileira do Livro, SP, Brasil)

Hagger, Nicholas
A história secreta do Ocidente : a influência das organizações secretas, a história ocidental da Renascença ao Século XX / Nicholas Hagger ; tradução Carlos Salum e Ana L. Franco. – São Paulo: Cultrix, 2010.

Título original: The secret history of the west.
Bibliografia.
ISBN 978-85-316-1103-2

1. Civilização Ocidental – História   2. Revoluções
3. Sociedades secretas – História I. Título.

10-12299   CDD-909.09821

Índices para catálogo sistemático:

1. Revoluções : Ocidente : Organizações secretas : História   909.09821

O primeiro número à esquerda indica a edição, ou reedição, desta obra. A primeira dezena à direita indica o ano em que esta edição, ou reedição, foi publicada.

Edição	Ano
1-2-3-4-5-6-7-8-9-10-11	10-11-12-13-14-15-16-17

Direitos de tradução para o Brasil
adquiridos com exclusividade pela
EDITORA PENSAMENTO-CULTRIX LTDA.
Rua Dr. Mário Vicente, 368 — 04270-000 — São Paulo, SP
Fone: 2066-9000 — Fax: 2066-9008
E-mail: pensamento@cultrix.com.br
http://www.pensamento-cultrix.com.br
que se reserva a propriedade literária desta tradução.
Foi feito o depósito legal.

AGRADECIMENTOS

Tenho uma dívida com Michael Mann por sugerir a ideia deste livro, e com Charles Beauclerk, com quem discuti quase todas as revoluções e que também leu este texto e fez valiosas sugestões. Sou grato a John Baldock, que leu o texto e fez observações. Estou em dívida também com John Hunt, que percebeu imediatamente a ligação deste livro com *A Corporação* e como ele devia ser projetado, e cujo sábio aconselhamento agradeço.

SUMÁRIO

Prefácio	15
Introdução: 550 anos de revoluções	17

PARTE UM: A REVOLUÇÃO PROTESTANTE

Capítulo Um: A Revolução da Reforma	23
A Revolução Cátara	24
Mani	24
A Pureza Cátara	25
O Graal	28
Os Primeiros "Heréticos": Wycliffe e Hus	30
A Revolução da Renascença	31
Os Medici e Ficino	32
Pico	34
O Priorado de Sião e a Rosa Tudor	35
A Revolução de Savonarola	36
A Revolução Protestante	40
Lutero	40
Calvino	45
O Regime Político Antipapista	46
Henrique VIII e Thomas Cromwell	46
More	47

Consolidação: Derrota dos Papistas, a Revolução Imperial 49

Contrarreforma 49

Elizabeth I 52

Cecil 53

Dee 54

Sidney e o Círculo de Raleigh 55

Colombo e os Navegadores 57

Navegações Inglesas 58

Bartholomew Gosnold e o Império no Novo Mundo 59

Sumário: A Dinâmica Revolucionária da Reforma 60

Capítulo Dois: A Revolução Puritana 67

Os Israelitas Ingleses 68

Tyndale 68

Niclaes 69

A Ascensão do Puritanismo 70

Bacon 72

A Revolução Rosacruciana 72

A Sociedade Rosi Crosse de Bacon 72

Frederico V, Elizabeth Stuart e o Palatinado 74

Andreae 76

Fludd 78

O Colapso do Estado Rosacruciano 81

Os Rosa-Cruzes na Clandestinidade 83

A Invisibilidade Rosacruciana de Bacon 85

A Sociedade Rosacruciana Invisível de Hartlib 90

Hartlib e Andreae 90

O Grupo Rosacruciano Invisível de Hartlib 92

Hartlib e Milton 95

A Ascensão de Oliver Cromwell 96

Menasseh e os Judeus de Amsterdã 100

Carvajal e o Novo Exército (New Model Army) 105

O Colégio Invisível de Boyle 108

O Exército Sequestra o Rei 110

A Execução de Carlos I 114

Consolidação: O Protetorado 118

Menasseh e o Retorno dos Judeus à Inglaterra 122

Messias/Retorno dos Judeus em 1656 124

Os Judeus Retornam 129

Sumário: A Dinâmica Revolucionária da Revolução Inglesa 131

Capítulo Três: A Revolução Gloriosa **143**

Contrarrevolução: A Restauração de Carlos II 144

A Tentativa de Revolução Anticatólica de Shaftesbury 147

Boyle e a Royal Society 147

O Inescrupuloso Shaftesbury 149

O Complô Papista 153

A Crise de Exclusão 155

A Tentativa de Revolução de Monmouth 159

A Revolução Rosacruciana de Guilherme de Orange 163

Shaftesbury Incita Guilherme de Orange a se Casar com Mary 163

O que Antecedeu à Invasão de Guilherme 170

Guilherme Invade 175

O Exílio de Jaime II 176

A Revolução Constitucional 177

A Consolidação da Revolução Rosacruciana 180

A Irlanda e a Batalha de Boyne 180

O Banco da Inglaterra 183

Sucessão Rosacruciana ao Trono Inglês 187

Sumário: A Dinâmica Revolucionária da Revolução Gloriosa 190

PARTE DOIS: RUMO A UMA REPÚBLICA UNIVERSAL

Capítulo Quatro: A Revolução Americana **197**

A Origem Europeia do Templarismo Norte-Americano 198

Bacon e a Franco-Maçonaria Inglesa 198

Templários Escoceses 200

Viagens Utópicas à Nova Atlântida 201

Templários Jacobitas e o Sionista Radclyffe 203

A Revolução de Bonnie Prince Charlie 204

Os Templários do Rito Escocês e o Sionista Charles de Lorraine 205

Os Illuminati Sionistas de Weishaupt e o Templarismo 207

A Revolução Americana Contra o Colonialismo Inglês 209

O Templarismo Norte-Americano 209

Franklin 210

Os Templários e o Chá de Boston 214

A Declaração da Independência 217

A Guerra da Independência 220

O Templarismo Norte-Americano e Republicanismo Político 225

O Grande Selo dos Estados Unidos 225

Os Fundadores 229

A Constituição Templária 231

O Desenho Maçônico de Washington D.C. 233

George Washington como Símbolo de Virtude 236

A Consolidação de Jackson 239

A Guerra de 1812 Contra a Grã-Bretanha 239

Jackson e os Índios 241

Jackson e os Ingleses 243

Sumário: A Dinâmica Revolucionária da Revolução Americana 245

Capítulo Cinco: A Revolução Francesa 249

A União de Weishaupt entre o Priorado e os Templários 250

Rousseau e o Priorado 250

Weishaupt Cria os Illuminati para o Priorado de Sião 255

Weishaupt Esconde os Illuminati no Grande Oriente
Templário de Orléans 263

Cagliostro 267

Complô Iluminatista para Desacreditar a Monarquia 269

Os Illuminati são Banidos 270

O Grande Oriente Iluminizado: Mendelssohn e Mirabeau 272

As Quatro Revoluções Francesas 274

A Revolução Orléanista 274

A Revolução Girondina 282

O Julgamento e a Execução de Luís XVI 288

A Revolução Jacobina.. 296

A Ditadura de Robespierre e o Reinado do Terror 297

A Revolução Termidoriana... 301

Paine.. 301

Babeuf 302

A Consolidação de Napoleão 304

A Europa se Transforma numa República Templária 304

O Priorado Derruba Napoleão... 307

Sumário: A Dinâmica Revolucionária da Revolução Francesa............ 310

Capítulo Seis: A Revolução Imperialista na Grã-Bretanha
e na Germânia 315

O Imperialismo Sionista Europeu dos Rothschilds............................ 316

A Fortuna dos Rothschilds 316

A Revolução de 1830 na França 321

A Revolução Industrial... 322

As Revoluções Templárias Europeias de Mazzini............................ 323

Mazzini, Marx e as Revoluções de 1848 323

Palmerston... 328

Garibaldi 330

Os Impérios Prussiano e Britânico.. 331

Os Rothschilds Sionistas e a Guerra Civil Norte-Americana 331

O Império Prussiano de Bismarck Derrota a França......................... 333

A Revolução de 1871 em Paris.. 335

Mazzini e Pike do Grande Oriente Planejam Dois
Impérios Opostos na Europa 336

Consolidação dos Impérios Britânico e Alemão 338

Os Rothschilds e o Império Britânico.. 338

O Império Alemão.. 341

O Grande Oriente Iluminizado Atiça uma Guerra............................ 343

Gavrilo Princip do Grande Oriente Mata o Arquiduque 344

O Grande Oriente Faz a Guerra... 345

Os Templários do Grande Oriente Governam a Europa 347

Sumário: A Dinâmica Revolucionária da Revolução
Imperialista do Século XIX 349

Capítulo Sete: A Revolução Russa 357

O Grande Oriente e os Comunistas 359
Hegel 359
Marx e Engels 359
Herzen 363

Anarquistas e Niilistas Intelectuais 365
Alexandre II e os Niilistas 365
Bakunin e o Anarquismo 367
Atos Terroristas Niilistas 370
O Assassinato de Alexandre II 374

Três Revoluções Russas 376
Alexandre III 376
O Grande Oriente e a Tentativa de Revolução de Lenin em 1905 377
Os Protocolos de Zião e Rasputin 381
A Revolução de "Fevereiro de 1917", dos Rothschilds e de Kerensky ... 384
O Grande Oriente e a Revolução de Outubro de 1917 387

Lenin como Líder Político da Revolução Soviética 392
O Plano Maçônico de Lenin 392
Guerra Civil 394
O Assassinato do Czar 395
O Terror Vermelho 396
A Morte de Lenin 398

A Consolidação de Stálin Através de Expurgos 399
Stálin, Sucessor de Lenin 399
Isolamento de um Estado Maçônico 400
O Acordo do Petróleo de Stálin com os Rockefellers 401
O Exílio de Trotsky 402
O Grande Expurgo 404

Sumário: A Dinâmica Revolucionária da Revolução Russa 405

Capítulo Oito: Conclusão – A Fonte Comum das Revoluções.............. 411

 Revoluções como Utopias Franco-Maçônicas Destrutivas................... 412

 Inspiração Luciferiana das Revoluções 415

APÊNDICES

A. A Mão Oculta na História Ocidental................................. 421

 Apêndice 1: Conceito e Dinâmica de Revolução 421

 Apêndice 2: Civilizações e Revoluções: Duas Dinâmicas 435

B. A Mão Oculta: As Raízes Cabalísticas de Revolução........................ 439

 Apêndice 1: O Cativeiro Babilônico dos Judeus 439

 Apêndice 2: As Duas Cabalas.. 443

 Apêndice 3: O Messias Essênio.. 447

 Apêndice 4: Gnosticismo 451

 Apêndice 5: A Diáspora.. 455

 Apêndice 6: Septimania.. 459

 Apêndice 7: O Priorado e os Templários................................. 463

 Apêndice 8: A Inquisição Espanhola 471

 Apêndice 9: Os Judeus na Espanha.. 473

 Apêndice 10: A Israel Britânica na Reforma e as Revoluções Puritanas .. 475

C. A Política Externa Veneziana e a Maçonaria Rosacruciana............... 477

Nota ao Leitor sobre as Notas/Fontes.................................... 485

Notas/Fontes 487

Bibliografia 523

PREFÁCIO

Este é o primeiro estudo importante sobre a influência das organizações secretas na história do Ocidente – por meio de suas principais revoluções. Ele explica as revoluções em termos de sociedades secretas, situações e influências que até agora permaneciam não enunciadas, ocultas, "secretas". Relaciona as revoluções às atividades de facções no interior da Franco-Maçonaria e de famílias como a dos Rothschilds, narrando assim uma "história secreta do Ocidente". Por reunir uma grande quantidade de materiais novos, este estudo é inovador. Prepara o caminho para o livro que vem depois deste, *The Syndicate: The Story of the Coming World Government* (publicado em outubro de 2004)*, que traz a sequência dessa história, de 1900 até nossos dias.

Ao mapear as atividades das organizações secretas, este livro apresenta uma narrativa cronológica de todas as revoluções, da Renascença (que começou em 1453) até a Revolução Russa. Cobre as realizações mais importantes de todos os revolucionários legendários, como Robespierre e Lenin. Mostra como as visões utópicas de sociedades ideais terminam em massacres e guilhotinamentos, contendo assim uma advertência. Apresentei cada revolução em termos de uma dinâmica revolucionária em quatro partes, nova e original. Um idealista tem uma visão oculta, que outros enunciam em termos intelectuais. Ela é corrompida por um regime político e tem como resultado a supressão física (como nos expurgos de Stálin). O Sumário, no final de cada capítulo, inclui tabelas que resumem essa dinâmica, de acordo com cada revolução.

---

* *A Corporação – A História Secreta do Século XX e o Início do Governo Mundial do Futuro*, Editora Cultrix, SP, 2009.

Este livro considera todas as revoluções de inspiração secreta como ondas numa maré de revolução mundial que atingiu sua marca mais alta no governo mundial que está sendo estabelecido nos dias de hoje. Assim, ele o ajudará a entender as raízes da Revolução da Nova Ordem Mundial, da qual tratei em separado em *A Corporação*.

Um homem de letras ocidental se concentra no mapa cultural da Europa e no efeito de acontecimentos tais como as revoluções sobre a saúde da cultura europeia. Foi uma fascinação para mim considerar esse material, pois poetas de Sidney a Yeats, dramaturgos de Marlowe a Shaw e escritores de Ficino a Dostoievsky, escreveram obras coloridas por organizações secretas. Particularmente, na minha condição de poeta épico (com *Overlord*, que se remete à história secreta), sempre tive muito interesse em como Milton baseou seu Satã em Cromwell, que ele conheceu, e escreveu admiravelmente sobre revolução, como o fizeram também Blake e Wordsworth. Muitos escritores realizaram os desejos de organizações secretas tão devotadamente quanto ativistas revolucionários, e foi um prazer situar suas opiniões na história secreta do Ocidente, para que seu real valor possa ser apreciado e para que a nossa compreensão da crise enfrentada pela cultura europeia possa avançar. Embora tais poetas, dramaturgos e escritores possam ser compreendidos em termos de suas relações com as organizações secretas, a cultura europeia mais saudável é encontrada nos poetas, dramaturgos e escritores que se mantiveram afastados e resistiram à mão oculta da Franco-Maçonaria.

Nicholas Hagger

INTRODUÇÃO

550 ANOS DE REVOLUÇÕES

Este livro conta a história de como a revolução mundial brotou dos últimos 550 anos. É o primeiro livro a examinar as raízes da revolução mundial e a contar a história submersa dos eventos que deram forma a nosso tempo, a história que não aparece nos livros de história ou nos jornais. A que tipo de Nova Ordem Mundial tendem as civilizações norte-americana e europeia? Para entender o movimento revolucionário mundial em nossos dias, é vital obter uma visão aprofundada da Nova Ordem Mundial como processo moldado pelo impacto de sucessivas revoluções.

Até onde é preciso retroceder em busca das revoluções que culminaram na Revolução da Nova Ordem Mundial? Retrocedendo, a Revolução Russa tem uma ligação causal com a Revolução da Nova Ordem Mundial, assim como a Revolução Imperialista do século XIX. Ambas se originaram no clima criado pelas revoluções Americana e Francesa. O clima que criou essas revoluções não teria ocorrido sem as três revoluções protestantes anteriores: a da Reforma, a Puritana e a Gloriosa.

Estamos focalizando o período que vai da Reforma até o início do século XX. Depois da longa estabilidade das Idades Médias dominadas pela Igreja, quando havia heresias, cruzadas, dinastias familiares e conflitos pelo poder, as revoluções se multiplicaram. A Renascença foi uma revolução cujo início pode ser fixado em 1453. Em 1485, a investida de Henry Tudor na Inglaterra não deixou de ser uma revolução. Em 1494, os Medici foram depostos, fugiram de Florença e Savonarola instituiu uma breve república democrática. Seus sermões contra a corrupção papal inspiraram a Reforma, que começou com Lutero, expandiu-se nos anos 1530 para a Inglaterra, onde Thomas Cromwell levou a cabo uma revolução social, e para a França através de Calvino, dividindo a Cristandade. Para ser bem compreendida, a Reforma tem que ser vista como uma revolução que tinha por detrás a ação de uma mão oculta. A Contrarreforma dos anos 1550 ampliou mais ainda a separação entre católicos e protestantes. A chamada revolução "ceciliana" (de William Cecil) no governo da Inglaterra durante o reinado de Elizabeth I criou uma nova visão imperialista, enquanto a Revolução Puritana posterior dominou o século XVII. A Restauração foi uma contrarrevolução contra os puritanos. Então veio a Revolução Gloriosa: o católico Jaime II foi expulso do trono e a Inglaterra finalmente se tornou protestante, aumentando ainda mais a divisão na Cristandade. Mais uma vez, uma organização secreta agia nos bastidores.

No século VIII, a Revolução Americana chocou a Inglaterra, o que levou quase imediatamente à Revolução Francesa e à chamada Idade da Razão. Organizações secretas estavam em ação por trás dessas duas revoluções. Do revolucionarismo nasceu o Romantismo (em si mesmo uma revolução), enquanto a nova religião da Razão gerou a Revolução Industrial, que impulsionou o (segundo) Império Britânico e o Império Germânico. Nesse cenário, houve supostas revoluções na Europa em 1830, 1848 e 1871. Na Rússia, houve muita atividade revolucionária na segunda metade do século XIX, culminando com a Revolução de 1917 e o advento de Stálin. Organizações Secretas estavam em ação. No século XX, uma sucessão de mudanças leva a uma revolução mundial.

Durante 550 anos, as revoluções influenciadas por associações secretas se sucederam, como um terremoto depois do outro, uma maré depois da outra. Todas essas revoluções começaram com uma ideia oculta, embora a mídia as faça parecer meramente políticas. Em todas, o idealismo estimulado nos primeiros dias se corrompeu na prática.

Qual é o significado dos mais recentes acontecimentos da revolução mundial que está ocorrendo agora? Para compreendê-lo, temos que voltar ao passado e examinar as principais revoluções dos últimos 550 anos para ver se emerge um padrão que também esteja por trás dos mais recentes acontecimentos.

Nosso método será começar há 550 anos e formar um quadro progressivo da influência das organizações secretas sobre cada revolução, uma a uma, o que nos permitirá compreender o tempo presente. À medida que passarmos de uma revolução à outra, examinaremos cada um dos quatro estágios de nossa dinâmica revolucionária, que é um conceito inteiramente novo. (Para uma explicação mais completa, ver Apêndices A, Apêndice 2.) Avançaremos em ordem cronológica, selecionando os acontecimentos necessários para que a dinâmica revolucionária seja revelada, mas também os que possam fornecer um quadro da revolução e uma percepção do seu significado. Isso pode envolver algum detalhamento. Esse detalhamento é essencial, pois o que falta na nossa compreensão dessas revoluções é o seu significado. Os acontecimentos não se perderam: foram deixados pela maré da História, como cascas de siri, algas ou pedregulhos numa praia, mas a maré de significado retrocedeu. Para entender a presente revolução mundial, temos que redescobrir o conhecimento perdido que suscitou os acontecimentos das revoluções passadas, o que só pode ser feito reinterpretando de maneira nova os detalhes relativos a esse conhecimento perdido que mais se destacam. Tendo recapturado a dinâmica revolucionária de uma revolução por meio de seus principais acontecimentos e de seu significado perdido, vamos então nos deter para refletir e nos reconectar ao nosso tema principal.

Esse método trará à tona a influência de organizações secretas na dinâmica revolucionária de cada revolução e mostrará que as organizações secretas usaram a revolução como força motriz da moderna história ocidental com o objetivo de chegar a uma sociedade "melhor". Revelará também que as utopias revolucionárias têm a infeliz propensão de terminar em massacre e que todas as revoluções fazem parte de um único movimento revolucionário mundial, comprometido com a criação de um governo mundial.

Em todas essas revoluções, a mudança parece vir de dentro da própria nação. No entanto, sem exceção, todas foram geradas de fora, por organizações secretas localizadas além das fronteiras de cada nação. Sem exceção, todas essas revoluções foram tramadas e financiadas no exterior. Será que há conspiradores e financiadores recorrentes? Há um padrão? Quais são as organizações secretas que conceberam e orquestraram as revoluções do passado? Será que todas as revoluções a partir de 1776 – de 1453, na verdade – têm uma fonte de inspiração comum? Algumas de nossas conclusões serão surpreendentes e os leitores são aconselhados a não tomar partido antes de assimilar o quadro *inteiro*, todas as evidências (corroborativas e circunstanciais) que serão expostas ao seu exame – para não formar opiniões apressadas demais.

Em todas as nossas revoluções veremos que a visão oculta (literalmente "escondida" da Igreja e portanto "herética") degenera no momento em que é transposta para a realidade física. Vezes seguidas encontraremos, lado a lado, uma visão nobre do homem e um arsenal de execução sistemática, como por exemplo a guilhotina. Parece que uma visão idealista, que é utópica e contrária a uma determinada classe social, contém em si um lado obscuro, que alcança seus fins matando e é inspirada pelo lado sombrio da psique humana. Como veremos, a visão utópica e o massacre são igualmente trazidos pelas organizações secretas inspiradoras das revoluções.

As raízes da Nova Ordem Mundial podem ser encontradas no desmantelamento da velha Europa Católica, e é a Reforma e o seu efeito sobre o mundo elisabetano que examinaremos primeiro, uma revolução que influenciou utopistas nos 550 anos seguintes.

PARTE UM

A REVOLUÇÃO PROTESTANTE

CAPÍTULO UM

A REVOLUÇÃO DA REFORMA

Os merovíngios tinham uma "Doutrina Secreta" (também chamada de "Grande Plano") que reivindicava em parte a criação de um Trono Universal na Europa [...]. O ocupante do Trono Universal deveria [...] possuir a Lança do Destino; [...] e também ser o Sagrado Imperador Romano; e [...] ter o título de "Rei de Jerusalém"[...]. O Plano começou ... depois que o Priorado de Sião se separou oficialmente dos Templários em 1188 [...]. Os merovíngios planejavam diminuir a influência da Igreja através de [...] uma tradição clandestina [...] que encontrou expressão no pensamento hermético e esotérico, como nas sociedades secretas rosacrucianas e franco-maçônicas.

John Daniel, *Scarlet and the Beast*

Tomada como um todo, a Reforma, que durou de 1453 a 1603 e foi um movimento muito mais religioso do que político e social, se resumiu numa revolução contra o Papado com o objetivo de reformar a Igreja. Buscava transformar todos os europeus em protestantes, que desprezariam a Igreja corrupta.

Para entendê-la plenamente, temos que buscar sua origem nos cátaros, que resistiram ao Papado em suas fortalezas no sul da França, sendo esmagados por forças papais no século XIII. E também em Mani, o fundador do Maniqueísmo no século III d.C.: influenciado pelo cabalismo, ele inspirou a visão cátara.

A REVOLUÇÃO CÁTARA

A rebelião cátara contra a Igreja Católica retomou o Maniqueísmo dualista.[1] O dualismo vê e descreve o Universo e a criação em termos de um conflito de opostos: Luz e Trevas, forças da Luz e forças das Trevas, bem e mal. O dualismo herético iraniano do século III d.C., o Zoroastrismo, ensinava que as Trevas eram um Demiurgo responsável pela criação material, incluindo o homem. Ele tinha os próprios Anjos das Trevas, demônios que podiam ser invocados e aplacados com a aplicação das leis de Ahriman, o deus iraniano das Trevas, ou pela magia, um nome que vem dos magos zoroastristas. As trevas eram cocriadoras e havia, assim, dois criadores. Com isso, a unidade do conhecimento espiritual era abalada e o mal era exaltado. Nesse mundo dualista (como ele o via) surgiu o líder maniqueísta Mani, "o Iluminador", "o Apóstolo da Luz", para ensinar regras ascéticas aos Eleitos que combateriam as Trevas.

Mani

Mani foi criado entre os batistas judaico-cristãos, ou Elcasitas, uma seita com influência gnóstica à qual seu pai se juntou depois de ouvir uma voz no Templo de Ctesifon (a capital de inverno iraniana parta, que fica hoje no Iraque). Nessa seita, Mani aprendeu sobre Jesus e sobre os gnósticos Marcion e Bardesanes (ver Apêndices B, Apêndice 4), que atribuíam a criação do Universo a um Demiurgo.

No dualismo de Mani, as Trevas atacam a Luz. O princípio do bem vive com cinco emanações ("seres da Luz") no lugar da Luz, e o princípio do mal (o Rei das Trevas, o Demiurgo) vive em cinco mundos de Trevas, um eco das dez Sefirot da Cabala. O Homem Primal de Mani lembra também o primeiro ser arquetípico da Cabala, Adam Kadmon. Em 240, com 24 anos de idade, Mani, o Apóstolo da Luz, o Iluminador, alcançou a iluminação e foi chamado a salvar a alma das Trevas e conduzi-la à Luz. Como Cristo, a Luz do Mundo, ele foi executado – esfolado até a morte e decapitado – depois de 26 dias de paixão perante os magos zoroastristas, uma revivescência das provações de Jesus, que Mani afirmava ser mortal. (Como Basílides, ele sustentava que Jesus não morreu na cruz, que o homem crucificado e morto era um substituto.)

Mani criou regras ascéticas para os Eleitos, uma elite monástica que influenciou o monasticismo cristão. Através da meditação, tornavam-se parte do

Reino de Luz na Terra e iam para o "Paraíso de Luz", sendo transportados para a Lua por um "Navio de Luz" e depois elevados até o Sol sobre a roda do Zodíaco, como numa gigantesca roda-gigante. Daí os mortos iam para o Mundo de Luz. Segundo a promessa maniqueísta, o poder das Trevas seria destruído no final e a Luz seria preservada.

A Pureza Cátara

A ênfase cabalística de Mani no dualismo, nos Eleitos monásticos, no Sol e em viver perto da Luz alcançou o sul da França e foi mantida viva em Languedoc, nas escolas cabalísticas judaicas de Lunel e Narbonne, onde ficava o principado judaico de Septimânia (ver Apêndices B, Apêndice 6). Foi transmitida aos cátaros,[2] que floresciam por volta de 1140. Nessa época, eles tinham a própria língua (*langue d'Oc*) e constituíam uma igreja organizada com hierarquia, liturgia e doutrinas próprias, que retomavam o dualismo maniqueísta influenciado pela Cabala e sustentavam que o mundo material havia sido criado por um Demiurgo, sendo assim intrinsecamente mau. Havia entre os cátaros a ideia de que esse Demiurgo era o Deus de Israel. Para se distanciar da ortodoxia católica da época, os cátaros em geral identificavam esse Demiurgo com Satã ou Lúcifer. Viam o homem como um estranho num mundo mau e desejavam retornar ao mundo da Luz do qual estavam separados. Afastando-se do mundo, foram para o alto das montanhas e lá construíram fortalezas próximas da luz. Quando se sobe até a fortaleza da capital, Montségur, que está a 1.207 metros de altura, é impossível evitar o impacto, tão perto o sol parece estar: os picos dos Pirineus parecem ser muito menores e há enormes abismos até o mundo lá embaixo.

Houve muitas fortalezas cátaras em Languedoc: Minerve, Termes, Puivert, Cabaret, Foix, Peyrepertuse, Puilaurens, Quéribus e Arques, para mencionar apenas algumas. Em choupanas que se agrupavam à volta das fortalezas, os cátaros viviam com suas famílias em extremo ascetismo – carne e sexo (exceto para a procriação da descendência) eram proibidos – e em comunhão com a Luz. Seus sacerdotes eram os *Parfaits* ("Perfeitos"). Eram escoltados nas estradas do sul da França pelos defensores de Montségur.

O único rito permitido aos fiéis pelos *Parfaits* era a festa mística em que se usava uma espécie de cálice do Graal. Essa festa, chamada *manisola*, era ao mesmo tempo uma cerimônia de iniciação e uma Missa ou comunhão. Nas ruínas da fortaleza de Montségur, vê-se ainda duas janelas solares com seteiras, uma voltada para o Leste e a outra para o Oeste. No dia do Solstício de Verão (21 de junho), a luz do sol entra por uma delas e sai pela outra. Parece que uma espécie de cálice do Graal ficava entre as duas janelas, banhado pela luz solar, que ainda ilumina toda a câmara e simbolizava a Luz. Depois da *manisola* eles trocavam beijos – passavam um beijo de um para o outro na roda da congregação e recebiam uma imposição "pura" de mãos ("o consolamentum"). Esse sacramento transformava o fiel num "Bon Homme" (homem bom) e o direito de recebê-lo no leito de morte era garantido a todos. *Manisola* sugere "Mani" e "solar", e sem dúvida a cerimônia tinha suas raízes na visão maniqueísta que Mani tinha do sol: um abrigo a meio caminho para o mundo da Luz.

Os cátaros consideravam Jesus um anjo e negavam a Encarnação. Para eles, o Deus de Israel era falso, um Demiurgo que maculava o desígnio do verdadeiro Deus, que era o Pai da Luz. Criticavam a corrupção da Igreja Católica e se referiam a Montségur como "Monte Tabor", que foi o cenário da Transfiguração de Cristo pela Luz (Mt 17,1-3). Com isso, as doutrinas cátaras desafiavam o Catolicismo ortodoxo e as instituições políticas da Cristandade francesa – e a Igreja e o Estado se uniram para atacá-las. Dois *Parfaits* haviam reconstruído Montségur entre 1204 e 1209 por ordem de Raymond de Péreille, cossenhor de Lavelanet, atendendo a um pedido da hierarquia cátara. A decisão de ampliar a fortificação de Montségur foi tomada no sínodo cátaro de 1206, realizado em Mirepoix, a cidade de Pierre-Roger de Mirepoix. Este era visto pela Igreja Católica como um herético fervoroso que dera expressão intelectual à Revolução Cátara, e essa decisão selou o destino dos cátaros.

O Papa Inocêncio III (1198-1216) tentou instigar Raymond VI, Conde de Toulouse, a juntar forças com ele para suprimir os cátaros. Raymond não se interessou e, em 1208, foi implicado no assassinato do legatário papal e excomungado. Convocou-se uma cruzada contra os heréticos, que se tornou conhecida como Cruzada Albigense. Um grupo de 6 mil barões ou cavaleiros, os "Soldados de Deus", e seus seguidores, reuniram-se em Lyons, ao norte da França, liderados pelo Abade de Cîteaux, e marcharam para o sul, tomando Béziers. Os infantes que assistiam os cavaleiros e serviam como valetes ou cavalariços invadiram a cidade e a pilharam. Aborrecidos porque os barões franceses exigiam a sua parte na pilhagem, atearam fogo às construções de madeira e a cidade inteira se incendiou. Como parte da população era cátara e parte católica, conta-se que perguntaram ao Abade de Cîteaux e líder da cruzada, Arnaud Amaury, como distinguir os cátaros dos católicos. Ele teria respondido: "Matem-nos a todos: o Senhor reconhecerá os seus". A população aterrorizada de Béziers buscou refúgio na igreja de Santa Maria Madalena e na Catedral de São Nazário. As pessoas amontoaram-se no interior dessas igrejas, mas os cruzados atearam fogo a ambas, matando a população inteira: 20 mil pessoas.

Os Cruzados marcharam então para Carcassone e sitiaram a cidade medieval, cortando o suprimento de água. A rendição veio em duas semanas e todos os cidadãos tiveram permissão para sair, "levando apenas os seus pecados". Simon de Monfort fixou residência no Castelo, o Château Comtal. Foi do pátio desse castelo que ele comandou a Cruzada. Os Cruzados rezaram na basílica de São Nazário, em Carcassone. Juntaram-se na praça e partiram para Montségur, que apelidaram de "Vaticano da Heresia", "Cabeça do Dragão" e "Sinagoga de Satã".[3] Não igreja de Satã, mas *sinagoga* de Satã. Isso sugere que acreditavam haver um forte envolvimento judaico/cabalista entre os cátaros.

Os Cruzados não conseguiram tomar Montségur e a Cruzada se arrastou até 1215, quando Toulouse caiu e Simon de Monfort se proclamou Conde de Toulouse. Houve piras funerárias e massacres na implacável perseguição aos cátaros. Em 1218, durante o cerco de Toulouse, Simon foi morto. (A pedra que registra esse cerco, juntamente com a lápide do túmulo de Simon, se encontra hoje na basílica de São Nazário, em Carcassone.)

A perseguição aos cátaros continuou por mais vinte anos. Em 1232, o chefe da Igreja Cátara, Guilhabert de Castres, que também deu expressão intelectual à Revolução Cátara, perguntou a Raymond de Péreille se podia fixar "o chefe e a sede" da sua igreja em Montségur. Raymond consentiu, mesmo sabendo do risco que corria. Pierre-Roger de Mirepoix lá estabeleceu uma guarnição de 50 cavaleiros e escudeiros. O clero cátaro, pressionado por grandes dificuldades, passou a considerar Montségur como seu centro.

Finalmente, o Papa Luís IX exigiu a supressão final da heresia e ordenou a Raymond VII, Conde de Toulouse, que defendesse a fé católica e liquidasse o "ninho de hereges". Raymond fez que aceitava e conduziu suas tropas para Montségur. Depois de um cerco simbólico, retirou-se. Na verdade, ele estava em conluio com os heréticos e planejava um levante cátaro. Nesse momento, deu expressão política à Revolução Cátara. Em maio de 1242, soldados de Montségur mataram dois Inquisidores em Avignonet e Raymond VII foi responsabilizado. Em 1243, o Concílio de Béziers decidiu que "a cabeça do dragão" (uma referência a Satã) devia ser "decepada". A nova ação foi liderada por Hugues des Arcis e pelo Arcebispo de Narbonne. Em maio de 1243, os Cruzados tomaram posição ao pé do *pog* ("pico", em occitano). Não houve qualquer progresso até pouco antes do Natal de 1243, quando uma tropa de Bascos escalou durante a noite a face rochosa da montanha para tomar a Rocha da Torre. Deve ter sido nesse momento que um *Parfait*, Pierre Bonnet, e um fiel, Mathieu, fugiram com o tesouro da igreja cátara, que esconderam numa caverna em Sabarthès. Os cruzados conseguiram então bombardear o barbacã e o castelo. A posição dos cátaros piorou rapidamente. No começo do cerco havia 160 fiéis e 180 *Parfaits*, mas esse número foi diminuindo. Em março, o líder cátaro Pierre-Roger de Mirepoix pediu uma trégua de 15 dias para negociar. Ordenaram aos cátaros que renunciassem à sua fé, mas eles recusaram. Um dia antes da data marcada para a rendição, quatro *Parfaits* escaparam com fundos e, segundo os rumores, com um tesouro: talvez o Graal. Esconderam tudo no castelo Usson e desapareceram.

Em 16 de março, os cruzados tomaram a fortaleza. Foi construída uma enorme pira num campo ao pé da escarpa. Esse fogo simbolizava as chamas do inferno, para onde os cruzados acreditavam que cátaros iriam, e era uma forma de garantir que nenhuma das energias "sombrias" que neles viviam sobrevivesse. Duzentos cátaros desceram a montanha e foram queimados. Deram-se as mãos, subiram voluntariamente os degraus e se lançaram às chamas aos pares, alegremente, na certeza de que, conservando a fé, entrariam no mundo da Luz. Era o fim do desafio dos cátaros heréticos ao Catolicismo.

O tesouro cátaro pode muito bem ter passado para uma outra seita herética, fundada em 1118: os Templários, ou "Pobres Cavaleiros de Cristo e do Templo de Salomão", para chamá-los pelo nome completo. Derrotados, muitos cátaros se juntaram aos Templários e, com o passar do tempo, seus descendentes se tornaram maçons templários.

O Graal

Quando a notícia da queda de Montségur se espalhou, cresceu o interesse pela literatura da região sobre o Graal.[4] Wolfram von Eschenbach, autor de *Parzival* (1207), pode ter sido cátaro. Ele parece ter baseado seu Muntsalvache ou Montsalvat – a Montanha da Salvação ou do Paraíso, onde ficava a capela ou templo do Graal – na fortaleza cátara de Montségur. A *Divina Comédia* de Dante surgiu bem no início da Renascença franco-espanhola. Vivendo no exílio por discordar do papa, Dante era a favor dos cátaros, e o Monte Paraíso em seu *Paraíso* (cerca de 1318-1321) parece ser inspirado em Montségur.

Chrétien de Troyes introduz o misterioso "Graal" (um cálice de prata coberto de pedras preciosas) em *Perceval* ou *Le Conte du Graal* (cerca de 1190).

Robert de Boron, em *Joseph d'Aramathie* ou *Roman de L'estoire dou Saint Graal* (cerca de 1200-1210) relaciona o "Graal" ao cálice usado por Cristo na Última Ceia. Em ambos, o contexto é cristão, assim como nas duas versões em prosa do poema de Robert, uma em alemão e outra em francês antigo – *Quest del Saint Graal* (cerca de 1220). *Parzival*, de Wolfram, entretanto, contém elementos orientais: o "Graal" é uma pedra preciosa caída do Céu, que sugere a esmeralda caída da coroa de Lúcifer.

Wolfram aparentemente obteve o seu material de uma fonte em Toledo, um astrônomo judeu chamado Flegetanis, cujo manuscrito em árabe teria sido entregue a Wolfram por um trovador chamado Koyt. Parece que o judeu sefardita Flegetanis tinha ligações com os Mouros ou Sarracenos na Espanha, e com o Oriente Médio, onde Jerusalém acabara de cair, e a ideia do Graal como pedra preciosa caída da coroa de Lúcifer parece ter vindo da falsa Cabala (ver Apêndices B, Apêndice 2).

Segundo a lenda, originalmente Satã possuía a pedra. Por ocasião de sua queda do Céu como Satanael ou Lúcifer, o filho mais velho de Deus, perdeu uma esmeralda de seu diadema. Essa pedra teria sido encontrada e levada a um famoso joalheiro que fez um cálice de jaspe ou lápis-lazúli e nele engastou a esmeralda. Foi chamado de Cálice da Esmeralda.[5] Esse cálice tornou-se o Cálice de Deus, Abraão e Jesus, o Santo Graal, simbolizando o poder de Deus e de seu segundo filho, Jesus, sobre o poder das Trevas. Depois, quando Alarico saqueou Roma, o Cálice caiu nas mãos dos Visigodos que, quando transformaram Narbonne em sua capital, esconderam-no numa caverna próxima a Montségur. Os cátaros o encontraram, prossegue a lenda, e o usaram na cerimônia *manisola*. Ele ficava entre as duas janelas e conta-se que foi tirado de lá pouco antes da rendição de Montségur aos cruzados, em 1244, por uma mulher cátara chamada Esclarmonde de Foix. (Mais tarde, o cálice do Graal pode ter sido encontrado pelo Padre Saunière, sacerdote da região de Rennes-le-Château. Sabendo que Satã ainda o reivindicava, Saunière colocou uma estátua de Asmodeus logo na entrada de sua igreja. Na mitologia, Asmodeus é o guardião do tesouro oculto em que Lúcifer está interessado.)[6]

Assim, a história cristã reconta lendas em que nobres cavalheirescos buscam o cálice da Última Ceia de Cristo, que brilha e que pode ter sido parte do tesouro trazido do saque de Roma ou do saque de Jerusalém. A falsa Cabala, por outro lado, situa a taça de Lúcifer no centro da história do Graal.

Se os cátaros de Montségur eram judeus, como sugere o apelido "Sinagoga de Satã" dado pelos cruzados, então há uma forte ligação judaico-cabalista entre a lenda do Graal luciferiano, a sinagoga de Montségur que tem a forma de cinco pontas do pentágono, e os cátaros.

Laurence Gardner, em *Bloodline of the Holy Grail,* afirma que os cátaros eram conhecidos como "adeptos do simbolismo oculto da Cabala".[7] Eram por certo bastante tolerantes com relação à cultura judaica e parecem ter sido originalmente judeus – e não infiltrados por judeus e instigados a subverter o Cristianismo. A observância estrita dos Puros lembra as práticas da Observância Estrita dos judeus. Há uma forte ligação entre o velho reino judaico de Septimânia (ver Apêndices B, Apêndice 6) e o que aconteceu em Montségur.

É certo que, depois da Cruzada Albigense contra o que pode ter sido uma fortaleza judaica ("Sinagoga de Satã"), a perseguição aos judeus na Europa aumentou. Em 1290, Eduardo I expulsou todos os judeus da Inglaterra e, em 1306, os judeus foram finalmente expulsos da França.

Os Primeiros "Heréticos": Wycliffe e Hus

A Reforma que engatilhou a história revolucionária moderna veio de dúvidas relacionadas à interpretação católica da tradição judaico-cristã. Algumas dessas dúvidas vieram à tona na visão cátara dos séculos XII e XIII, causando a Cruzada Albigense contra os cátaros e a supressão da Ordem dos Templários. Tanto os cátaros quanto os Templários desafiaram a Igreja com a sua visão oculta e ajudaram a precipitar a Reforma. Nos séculos XII e XIII, os reformadores dominicanos e franciscanos pediam reformas na Igreja.

Na década de 1370 o intérprete oculto – literalmente "oculto à visão, escondido, mantido em segredo", no sentido de "escondido da ortodoxia, da Igreja estabelecida, e herético" – da Revolução da Reforma era o teólogo inglês John Wycliffe.[8] O movimento "Lollard" de Wycliffe afirmava que a Igreja não devia ter propriedades e que os sacramentos eram menos importantes do que a fé pessoal. Os Lollards espalharam pregadores pobres pela Inglaterra, exigindo reformas e negando as doutrinas da Igreja. O poema épico *Piers Plowman* (Piers, o Lavrador) de William Langland captura a antiga visão protestante de um homem pobre para quem os papas, cardeais, bispos, clérigos, monges e frades não tinham qualquer importância. Wycliffe era apoiado pelo rei da Inglaterra Eduardo II e seu filho John de Gaunt, mas o seu movimento revolucionário (declarado herético pela Igreja) influenciou um outro intérprete oculto da Revolução da Reforma, Jan Hus, um professor da Boêmia que ensinava algumas doutrinas de Wycliffe na Universidade de Praga. Hus atacou a Igreja pelo interesse em assuntos mundanos, negou a supremacia do papa e alegava que os clérigos pecadores tinham que ser impedidos de praticar o sacerdócio. Ao contrário de Wycliffe, ele não tinha apoio em meios influentes e o papa o excomungou como herético. A Igreja atacou a heresia em toda a Europa e, na Inglaterra, foi punida com a fogueira pela primeira vez em 1401.

Em 1410, o Sacro Imperador Romano Sigismundo deu a Hus um salvo-conduto para discursar no Concílio de Constança com o intuito de sanar o Grande Cisma. Mas depois cancelou o salvo-conduto, alegando que promessas feitas a heréticos não eram válidas, e permitiu que Hus fosse queimado como herético. Os boêmios ficaram ultrajados e quando, logo depois, Sigismundo foi eleito rei da Boêmia (no lugar de Wenceslau IV, que tinha morrido), muita gente se negou a reconhecê-lo. O papa convocou uma cruzada contra os hussitas, que invadiu a Alemanha mas não conseguiu subjugá-los. Os extremistas hussitas se denominavam taboritas (os cátaros chamavam Montségur de Monte Tabor). Jamais foram subjugados e acabaram por formar a Irmandade Boêmia ou Moraviana.

A REVOLUÇÃO DA RENASCENÇA

Em certo sentido, a Renascença começou quando os muçulmanos tomaram Constantinopla em maio de 1453, depois de um cerco que durou dois meses. O último Imperador de Bizâncio foi visto pela última vez no meio do combate. Com Constantinopla, caíram o Império Bizantino (c.330-1453) e a Cristandade oriental – para um Império Otomano liderado pelo Sultão Mehmet, de 21 anos. Os sobreviventes gregos formariam uma comunidade autogovernada dentro do Império do Sultão. Os Bizantinos fugiram para o Norte, em direção à Rússia Ortodoxa mas, quando cessaram os estupros e as pilhagens, o horror tinha se espalhado através da Cristandade. Depois de todas as Cruzadas, os muçulmanos tinham prevalecido. Nada era seguro. Os estudiosos gregos tiraram os manuscritos mais preciosos das bibliotecas saqueadas e migraram para a Itália, a sede da Cristandade ocidental. Quando os estudiosos italianos começaram a estudar os textos clássicos da Grécia e de Roma, que tinham ficado trancados em bibliotecas durante toda a Idade Média, e a procurar mais obras clássicas nos monastérios, o contato com o mundo antigo foi renovado. Com a difusão da imprensa, essas obras-primas clássicas foram reproduzidas e vendidas, transformando-se em bens preciosos da civilização europeia. Descendentes dos bárbaros que haviam saqueado Roma, esses italianos ficaram fascinados pelo homem greco-romano que estava na base da civilização ocidental e, com isso, um novo espírito de busca intelectual transformou a arte, a música, a literatura, a ciência e a religião.

A Renascença Humanista italiana,[9] a primeira expressão intelectual da Reforma, foi uma revolução de rápidas mudanças de atitude intelectual, social e econômica contra o *ethos* medieval. Foi uma revolução na consciência que considerava o homem heroico e semelhante a um deus. Revelou-se nas atitudes sociais e nas artes e, como a Revolução Industrial, teve reflexos na mudança econômica e social que transformou as cidades do século XV. Com ela, veio um novo interesse pelo homem, uma nova consciência urbana que se espalhou pela Europa. Começou em Florença, na corte dos Medici, a grande família de banqueiros florentinos que forneceu gerações de déspotas iluminados que governaram em esplendor – e em benefício das artes.

Os Medici e Ficino

O primeiro deles foi Cosimo de Medici, cujo retorno a Florença em 1434 iniciou o principado dos Medici. Em 1418, ele quis viajar para a Terra Santa em busca de manuscritos gregos, mas foi designado para trabalhar no banco dos Medici como banqueiro do Papado. Na década de 1430, construiu o Palazzo Medici, San Marco e outras admiráveis construções da Renascença, patrocinando também Ghiberti, Donatello e Fra Angelico.

O interesse italiano em Platão despertou com a visita de Gemistos Plethon, filósofo bizantino e sábio humanista, em maio de 1439, quando a delegação do Imperador Bizantino, enviada para aproximar a fé Ortodoxa e a fé Católica, foi recebida em Florença por Cosimo de Medici. Gemistos falou "Sobre a Diferença entre Aristóteles e Platão" e renovou o interesse dos humanistas italianos por Platão. Gemistos (na capacidade de platonista e não de clérigo ortodoxo) sugeriu a Cosimo (que tinha então 50 anos) que todas as obras de Platão deveriam ser traduzidas, inspirando Cosimo a fundar a Academia Platônica de Florença. Cosimo entregou o projeto aos cuidados do médico de seu filho, Marsilio Ficino, que (como originador revolucionário oculto) traduziu todos os trabalhos de Platão para o latim e reviveu a Academia de Platão que existira de 385 a.C. até 529 d.C.

A partir de 1462, a nova Academia passou a funcionar na *villa* de Careggi, que Cosimo havia dado a Ficino naquele ano. Ficino traduziu também o

Corpus Hermeticum (documentos cabalistas-gnósticos dos séculos I a III d.C., que tinham sido descobertos por um dos agentes de Cosimo), uma obra que teria uma enorme influência sobre seu pensamento. É possível que o cabalismo e o gnosticismo de Ficino o tenham feito aceitar prontamente as Formas de Platão. Cosimo reviveu os ensinamentos dos gregos e inspirou o interesse no humanismo. Morreu em Careggi e seu sucessor foi Piero que, em 1469, foi sucedido por Lorenzo, o Magnífico.

Quando menino, Lorenzo jogava xadrez com Cosimo, que o deixava assistir às discussões filosóficas. Lorenzo vivia próximo da natureza – como nos vinhedos de Careggi – como atestam seus versos. Em seu governo, Ficino continuou dirigindo a Academia. Ordenou-se padre em 1473 e, como Clemente de Alexandria, uniu os ensinamentos cristãos, platônicos e hermético-cabalistas. (O espiritual e o oculto se misturavam na Florença de 1470, resultando num tom cinzento de Humanismo.) Mais tarde, Ficino escreveu um estudo sobre a imortalidade da alma (*Theologica Platonica*, 1482), extraindo de Platão, Plotino e dos escritos Herméticos, a ideia de que parte da alma individual é imortal e divina.

A divindade da alma foi a base da "dignidade do homem", que os escritores e artistas da Renascença procuraram exprimir de muitas maneiras. Para Ficino, a melhor expressão da dignidade do homem era Lorenzo, o Magnífico, que conseguia passar da guerra e dos negócios de Estado à filosofia, à erudição, à poesia, à música e à arte, sempre com desempenho excelente. Nela, a autoridade vinha naturalmente de sua natureza e não da posição. Absorveu as ideias humanistas de Ficino nos anos 1460 e as introduziu na administração do Estado Florentino quando chegou ao poder em 1469.

Foi grande a influência de Ficino nas cortes dos Medici e, sob Lorenzo o Magnífico, o maior príncipe renascentista da época – um governante eficaz da cidade-estado florentina e também poeta –, houve uma Renascença artística italiana. Ficino reuniu na Academia o grupo mais brilhante da Europa moderna: Lorenzo o Magnífico, Alberti, Poliziario, Landino e Pico della Mirandola. Os grandes artistas da Renascença foram diretamente inspirados por Ficino: Botticelli (Grão-Mestre do Priorado de Sião, ver Apêndices B, Apêndice 7, de 1483-1510), Michelangelo, Rafael, Ticiano e Dürer. O neoplatonismo de Ficino influenciou Boticelli em 1478, quando pintava o *Nascimento de Vênus* e *Primavera*, onde o princípio criativo da primavera é mostrado como Vênus, a deusa da terra, uma personificação da divina realidade de Platão.

A ideia dessa personificação foi transmitida para Leonardo da Vinci, que sucedeu Botticelli como Grão-Mestre do Priorado de Sião em 1510. Para ser sucessor de Botticelli, ele já devia estar envolvido com o Priorado de Sião antes dessa data e a sua Mona Lisa, que começou em 1503 e que o ocupou até sua morte em 1519, foi o seu equivalente da Beleza espiritual (ou talvez oculta) ficiniana, que Botticelli representou como Vênus. Na versão de Leonardo, era uma deusa terrena e ao mesmo tempo uma Vênus espiritual (ou talvez oculta) – daí o sorriso enigmático.

O conhecimento secreto da Beleza espiritual/oculta e dos avanços científicos teria sido transmitido a Leonardo através do Priorado. Isso lança uma nova luz sobre seus desenhos científicos de inovações de mecânica e de engenharia – como os protótipos de um planador e de um escafandro. Como membro do Priorado, deve ter tido acesso ao pensamento inovador de outros membros e é provável que tenha atuado como ilustrador. Leonardo não foi, portanto, um gênio solitário, imaginando invenções que só seriam implementadas no século XX, mas porta-voz e ilustrador de um grupo secreto que forneceria material para Fludd, Andreae, Boyle e Newton, que foram também Grão-Mestres do Priorado.

Toda a vida intelectual de Florença do século XV esteve sob a influência de Ficino: ele se correspondia com figuras eminentes de toda a Europa – Colet (reitor de St. Paul, Inglaterra), de Ganay (Chanceler do Parlamento francês), o humanista alemão Reuchlin, o Rei Matias da Hungria – e despertou a Europa para a significância da tradição platônica.

Pico

Pico della Mirandola, seguidor de Ficino, cristão cabalista e autor do manifesto humanista da Renascença, *Oratio de Hominis Dignitate*, desenvolveu a ideia do Mago, o homem ideal (muitas vezes retratado como Cristo), que dominava "a Magia e a Cabala" praticando o Cristianismo. Pregando um Cabalismo Cristão que importava uma religião universal e realizando um trabalho científico que antecipou a revolução científica puritana do século XVII, que culminou na Real Society, na obra de Boyle e Newton, Pico via Jesus como um Mago que continuou a tradição da Cabala. No cerne da Renascença humanista estava a nova concepção (inspirada em textos clássicos) de Jesus como um místico versado em Magia e Cabala. Para os humanistas, Jesus era um homem como eles, embora tivesse poderes mágicos.

O Priorado de Sião e a Rosa Tudor

No século XV, espalhava-se pela Europa uma nova revolução social. Em todos os países europeus, o feudalismo estava sendo destruído, o mercantilismo avançava e a nobreza fundiária era atacada pela nova elite burocrática. A nação-estado evoluía em toda parte e mais intensamente na Inglaterra onde, depois das Guerras das Rosas, a Casa de Lancaster derrotou a Casa de York na batalha de Bosworth, em 1485, e a nova dinastia Tudor de Henrique VII subiu ao poder tendo como emblema a Rosa Tudor: uma mistura do branco York e do vermelho Lancaster para simbolizar a unificação nacional depois da divisão provocada pela guerra civil.

O Grão-Mestre do Priorado de Sião, Jean de Gisors, fundou a Ordem da Verdadeira Cruz Vermelha (Rose-Croix) antes de 1220.[10] Sua rosa parece ter sido o embrião do Rosacrucianismo, que não emergiu oficialmente até a publicação dos primeiros textos rosacrucianos de 1614-16. Esses textos combinavam "a Magia, a Cabala e a Alquimia" da tradição hermético-cabalista da Renascença formulada por Ficino e Pico — mas acredita-se que tenha começado mais cedo, talvez com a Rose-Croix Sionista de Gisors. Seria a Rosa Tudor um símbolo do apoio de Sião à dinastia Tudor depois da supressão da Ordem dos Templários? Teria o ouro templário (ver Apêndices B, Apêndice 7) chegado à Inglaterra para ser guardado pelo Priorado, e teria o homem do Priorado vencido a batalha de Bosworth para governar como um testa de ferro sionista? Será que o Priorado de Sião estava por trás da nova perspectiva mercantil Tudor?

Henry Tudor, que mal tinha direito ao trono, abraçou a causa de Lancaster, invadiu a Inglaterra com um exército francês, derrotou e matou Ricardo III e tomou o trono inglês, como os soldados-aventureiros italianos. Legitimou o seu reinado casando-se com Elizabeth Woodville, filha de Eduardo IV e, portanto, herdeira da Casa de York. Para responder à questão da Rosa Tudor, é preciso estabelecer uma ligação entre Henry Tudor e um dos Grão-Mestres contemporâneos do Priorado de Sião listados nos *Dossiers Secrets*, os registros secretos do Priorado de Sião, supostamente encontrados pelo Padre Saunière no oco de um suporte de altar do século VIII, em Rennes-le-Château (ver Apêndices B, Apêndice 7):[11] René d'Anjou (1418-1480); a filha de René, Iolande de Bar (1480-1483) e Sandro Felipepi, aliás o pintor Botticelli (1483-1510). Marguerite d'Anjou, também filha de René, casou-se em 1445 com Henrique V da Inglaterra, último rei da Casa de Lancaster antes das Guerras das Rosas, e desempenhou um importante papel nessas guerras, que começaram em 1455. Foi a irmã de Marguerite, Iolande, que se tornou Grã-Mestra do Priorado de Sião em 1480 e que, no fim da vida, pode ter organizado nos bastidores o exército francês que levaria Henry Tudor ao poder. Se isso ocorreu, o Priorado de Sião estava por trás da revolução Tudor, que levou uma nova dinastia ao trono inglês, e das novas ideias renascentistas que invadiram a Inglaterra.

A REVOLUÇÃO DE SAVONAROLA

Os príncipes que governaram as cidades italianas eram soldados-aventureiros que contrataram exércitos mercenários, conquistaram e mantiveram sua posição pela força. Em Milão, os Visconti e Francesco Sforza e, em Roma, Cesare Borgia, foram essa espécie de *condottieri*. Todos foram patronos das artes, que tinha se tornado mais naturalista: Giotto, Ticiano, Leonardo da Vinci (Grão-Mestre do Priorado de Sião depois de Botticelli), Santi e Michelangelo refletiram a nova perspectiva religiosa. No cenário de uma sociedade mais secular e de cidades mundanas, em que a ambição e a busca de riquezas terrenas eram consideradas virtudes, tomou impulso a visão humanista de que a humanidade é mais importante do que Deus. Mas a despeito do fato dos seres humanos passarem para o primeiro plano, Deus ainda era bastante onipresente.

Na Renascença, os papas passaram a ser como os príncipes. Os primeiros papas humanistas, Nicolau V e Pio II, colecionavam manuscritos e patrocinavam o reflorescimento clássico e erudito. Sexto IV, Alexandre IV e Júlio II foram déspotas italianos típicos, assim como patronos das artes e construtores de belas edificações. Todos eles precisavam de dinheiro, tanto para a manutenção da Cúria quanto para suas atividades estéticas, que eram sustentadas com a venda de indulgências. As indulgências perdoavam pecados e aliviavam a dor no Purgatório e – o que era mais importante – ajudavam a encher os cofres da Igreja. Os próprios papas eram permissivos em matéria de moralidade – tinham amantes e alguns punham pinturas eróticas nas paredes do quarto de dormir – e nenhum deles tentou fazer a reforma da Igreja, que os cristãos italianos reclamavam ao vê-la se tornar cada vez mais corrupta.

A ascensão de Savonarola,[12] que articulou o sentimento antipapista mas era contra a permissividade da Renascença, deve ser vista no contexto da Inquisição de 1492, um ano central no nascimento da história revolucionária moderna, quando Tomás de Torquemada, que foi Grande Inquisidor ou Inquisidor Geral até morrer em 1498, expulsou os judeus da Espanha. Foi ele que instituiu a Inquisição Espanhola na Espanha, por volta de 1480, seguindo a inspiração do Cardeal Mendoza, e nomeou Inquisidores por toda a Espanha, para conduzir tribunais como instrumentos de política real (ver Apêndices B, Apêndice 8).

Os dominicanos participavam em grande número da Inquisição e se devotaram à erudição. Os Franciscanos também abraçaram a erudição e não mais ajudavam os pobres. As duas ordens ficaram ricas e ambas vendiam indulgências em nome do papa. No final do século XV, os Dominicanos e Franciscanos, criados para pregar verdades religiosas e ajudar os pobres, também precisavam de uma reforma.

Por volta de 1490, Girolamo Savonarola, dominicano reformista e pregador apaixonado, condenou a corrupção da Igreja e defendeu a necessidade de uma reforma: a Igreja tinha que ser punida e depois renovada. Ele tinha chegado ao Convento de São Marcos, em Florença, em 1482. Deixou Florença em 1487 para trabalhar em Bolonha e foi enviado para pregar em diferentes cidades até que, em 1490, Lorenzo de Medici pediu que retornasse. Foi nessa época que ele condenou a corrupção do governo de Lorenzo em seus sermões.

Savonarola usava roupas rústicas, comia pouco e não bebia. Era um homem pequeno e feio, com nariz adunco e voz áspera, mas fazia sermões poderosos. São Marcos logo transbordava de gente e, para acomodar a todos, ele passou a pregar na Catedral. Criticou duramente a falta de moral dos Florentinos, seus carnavais dissolutos, sua jogatina, suas roupas elegantes, seus perfumes e os prazeres sensuais que os impediriam de alcançar o Reino dos Céus. Também atacou a Renascença – as obras pagãs de Aristóteles e Platão, que agora estavam no Inferno, afirmava ele – e exortou Florença a se arrepender enquanto era tempo. Seus sermões impressionaram Michelangelo, aterrorizaram Botticelli e deixaram Pico della Mirandola de cabelo em pé.

Lorenzo morreu em 1492 na Villa Careggi, o palácio de verão dos Medici. Pico levou Savonarola ao seu quarto. O humanista Lorenzo pediu que lessem para ele a Paixão de Cristo e acompanhou a leitura até a hora da morte. Pediu a Savonarola a Absolvição. Embora há quem sustente que Savonarola se recusou a absolvê-lo, o consenso é que atendeu ao pedido e que Lorenzo morreu cristão. Sucedeu-o o jovem Piero, que não sabia como controlar o pregador puritano.

Savonarola promoveu uma rápida revolução em Florença depois da invasão de Carlos VIII, rei da França, que se considerava um instrumento de Deus enviado para forçar Florença à obediência, e cuja chegada Savonarola tinha predito em 1492. Os Medici foram destronados, os nobres foram expulsos e, de 1494 a 1498, Savonarola ficou sozinho no comando de Florença. Instituiu uma república democrática e purificou a cidade. Sua atitude lembra o cabalismo dos cátaros, os "Puros", e o cabalismo de Ficino, que tinha impregnado a corte dos Medici. Ele teve sem dúvida a influência do cabalismo cristão de Pico. O seu governo foi um governo puritano que antecipava o de Cromwell: tinha fundado uma Cidade de Deus em Florença, uma república cristã bem organizada, capaz de iniciar a reforma da Itália e da Igreja – seus objetivos gêmeos. A muitos, parecia que o Paraíso havia chegado a Florença.

Agora, com o crucifixo nas mãos, Savonarola pedia apoio ao governo. Ordenou aos cidadãos de Florença que deixassem de lado as roupas e ornamentos elegantes, vendessem suas joias e dessem o dinheiro aos pobres. Os candelabros de prata e livros iluminados deviam ser removidos dos monastérios. Convocou as crianças para marchar pelas ruas e revistar as casas em busca de objetos de vaidade e luxúria, e exortou seus pais a abandonar o vício e escolher a virtude. O povo de Florença obedeceu. As cortesãs não saíam às ruas, a moda ficou discreta e as mesas de jogo desapareceram.

Isso foi demais para seus detratores, que fundaram um partido florentino, os *arrabbiati*, para enfrentá-lo. Aliaram-se ao Duque de Milão e ao papa, que se unira à Liga Sagrada contra Carlos VIII da França. (Florença havia rejeitado a Liga.) O Papa Alexandre VI elogiou Savonarola e o chamou a Roma para ouvir pessoalmente suas profecias. Savonarola percebeu que o encontro era uma armadilha e disse que estava doente demais para viajar. O papa enviou uma segunda carta, agora cheia de críticas, mas Savonarola respondeu respeitosamente, apontando dezoito erros no documento do papa. Em outubro de 1495, o papa escreveu de novo, proibindo-o de pregar e admitindo que a proibição tinha partido da Liga Sagrada. Embaixadores florentinos exigiram que a proibição fosse revogada e, embora o papa concordasse não oficialmente com a revogação, negou-se a formalizá-la. Savonarola começou a fazer sermões atacando a Corte Romana e mencionando a escandalosa vida privada de Alexandre VI. O papa se ofendeu e convocou um colegiado de teólogos para estudar o que Savonarola dizia. Ao ver que estes estavam a favor de Savonarola, o papa propôs torná-lo cardeal, mas ele recusou.

Pressionado pela Liga e pelos *arrabbiati*, o papa pôs a congregação de São Marcos sob anátema. Se Savonarola obedecesse, perderia sua autoridade; se desobedecesse seria excomungado. Ele não desobedeceu: simplesmente continuou pregando, e ninguém cumpriu os desejos do papa.

Na Quaresma de 1497 seus sermões foram sobre Ezequiel e ele ordenou a famosa "fogueira das vaidades": todos os ornamentos pessoais, frascos de perfumes, perucas, *rouge*, espelhos, colares, mesas de jogos e gravuras de mulheres bonitas seriam queimados na Piazza della Signoria, ao pé de um cadafalso. Livros de Boccaccio e pinturas sensuais foram lançados às chamas. Savonarola declarou que não queimar tais coisas seria uma ofensa capital. Foi com esses métodos que implementou a Cidade de Deus, sobre a qual pregava tão apaixonadamente.

Os *arrabbiati* estavam agora no governo e deram um fim à pregação de Savonarola incitando tumultos contra ele. Conseguiram uma bula de excomunhão que, no entanto, continha erros que a invalidaram. O papa a desconsiderou, mas condicionou a revogação da censura à participação de Florença na Santa Liga. Savonarola estudou, rezou e recomeçou a pregar na Quaresma de 1498. Apelou a um Concílio da Igreja, mas suas cartas foram queimadas.

Então, um de seus seguidores, o Frade Domenico da Pescia, cometeu um erro. Aceitou o desafio de um franciscano, que convidava qualquer um que considerasse inválida a excomunhão de Savonarola a participar de uma provação pelo fogo. Domenico e o franciscano participariam da provação e o perdedor seria o primeiro a voltar atrás. Todos em Florença desejavam que a provação se realizasse. O franciscano não apareceu. Foi dito então que a ausência do franciscano não inocentava Savonarola, que ele só seria inocentado se Domenico sobrevivesse miraculosamente às chamas.

No dia seguinte, os *arrabbiati* conduziram a multidão a São Marcos, repeliram os defensores e prenderam Savonarola, Frade Domenico e um outro seguidor, Frade Silvesto. Savonarola foi interrogado pelos inimigos e torturado. Depois de um julgamento eclesiástico, ele e seus dois companheiros foram enforcados e queimados com aprovação papal na Piazza della Signoria.

Uma forca tripla foi erguida no centro da Piazza. Uma escada conduzia a seus três braços, que se juntavam num ombro comum. Antes de subir ao cadafalso, Savonarola recebeu a absolvição e a indulgência do papa. Seriam enforcados em sequência, Savonarola por último. Um por vez, subiram a escada. A queda foi pequena e os três levaram um longo tempo para morrer. Em seguida, foi acesa uma fogueira na plataforma, as cordas foram cortadas e os corpos caíram no fogo. Suas cinzas foram espalhadas no rio Arno, para que nenhum vestígio sobrevivesse.

A REVOLUÇÃO PROTESTANTE

Lutero

Na véspera do Dia de Todos os Santos, 31 de outubro de 1517, um obscuro monge alemão de 33 anos de idade, levando nas mãos um maço de papéis e um martelo, atravessou a praça da igreja e pregou uma série de documentos na porta norte da igreja do Castelo em Wittenberg – documentos que desafiavam o Papado.[13] As marteladas de Martinho Lutero iniciaram a Reforma e reverberam através da história desde então.

A porta da igreja era usada como quadro de avisos e o maço de papéis continha 95 teses que anunciavam uma nova abordagem ao Cristianismo. Escritas em linguagem moderada e acadêmica, propunham entre outras coisas uma discussão sobre a teologia das indulgências. Entretanto, rapidamente se espalhou pela Europa a notícia de que a autoridade da Igreja Católica havia sido acerbamente desafiada.

A Revolução da Reforma foi expressa inicialmente por Lutero, que articulou os clamores pela reforma da Igreja que já eram ouvidos há 300 anos, desde os tempos dos cátaros, e que tinham aceitação política entre os príncipes alemães que protestavam.

Lutero nasceu em Eisleben, na Saxônia alemã, em 1483, filho de um mineiro que desejava que ele se tornasse advogado. Estudou na Universidade de Erfurt, obtendo os títulos de Bacharel em Artes e Ciências e Mestre em Artes e Ciências, e depois se tornou monge agostiniano, tendo sido ordenado sacerdote. Ensinou na Universidade de Wittenberg de 1508 a 1546, onde obteve o doutorado em Teologia no ano de 1512, e foi nomeado Professor de Teologia Bíblica. Em 1514, passou a ser o pregador da igreja da paróquia.

Ali pelo final do século XV, a Renascença Italiana se espalhou para além dos Alpes, depois da invasão da Itália por Carlos VIII, que trouxe para a França exemplos de realizações culturais italianas para que fossem imitadas. Na Alemanha, na França e na Inglaterra houve um renascimento dos estudos clássicos: os clássicos gregos e latinos tinham agora mais influência na atividade literária e o estudo da Bíblia passou a ser tratado com mais rigor. Pesquisadores como o alemão Reuchlin (estudioso do hebraico e do grego) e o francês d'Etaples descobriram discrepâncias em textos latinos da Bíblia e suas obras foram banidas. O holandês Desiderius Erasmus escreveu um Novo Testamento em latim e traduziu vários clássicos gregos.

Martinho Lutero

No começo do século XVI, o sistema de indulgências tinha se transformado num abuso. Originalmente, uma indulgência era um perdão misericordioso que liberava o pecador da penitência imposta por um padre, mas a prática original foi corrompida e as indulgências se transformaram em garantia de que não haveria punições no Purgatório, garantia essa que era trocada por dinheiro. A Igreja ensinava que, se os moribundos fossem perdoados e abençoados por um padre, entrariam no Céu (já que era a Igreja que detinha as chaves do Céu). Mas antes de chegar ao Céu, os mortos tinham que se purificar dos pecados por meio de uma dolorosa estadia no Purgatório. Até mesmo Dante acreditava nisso. Só o papa tinha autoridade para fechar os portões do Inferno e abrir a porta do Paraíso. A estadia no Purgatório podia durar centenas de anos – calcula-se que as relíquias da igreja do Castelo em Wittenberg tenham poupado aos peregrinos 1.909.202 anos e 270 dias no Purgatório[14] – e as indulgências diminuíam esse tempo.

Em todos os mercados da Europa, sob uma bandeira simbolizando a autoridade papal, clérigos e agentes de banqueiros vendiam indulgências que absolviam os compradores de seus pecados e diminuíam seu tempo no Purgatório. Isso podia lhes custar um mês ou até um ano de ordenado, dependendo do peso dos pecados de cada um, mas era possível comprar a libertação do Purgatório depois de uma vida de lassidão moral. Lutero desafiou a autoridade do papa, acreditando que as indulgências afastavam a mente dos homens da clemência de Deus e de Cristo. Cada um podia viver como bem entendesse e depois comprar a remissão do Purgatório.

Lutero sustentava que a fé em Deus remia os homens do Purgatório: não havia necessidade de comprar indulgências. Em outras palavras, Lutero substituía a autoridade do papa pela palavra de Deus na Bíblia. Através da Europa, as pessoas entenderam imediatamente que Lutero tinha questionado a autoridade da Igreja e da prática diária da Cristandade nos mercados. Por toda a Europa, perguntava-se: o papa ou a Bíblia? As indulgências ou a fé? Comprar uma garantia contra o Purgatório ou rezar para Deus?

Agora que as indulgências vendidas compravam a garantia de um lugar no Céu, não importando o quanto o comprador tivesse sido perverso, muitos europeus começaram a duvidar de que uma Igreja tão corrupta pudesse ser um intermediário eficaz entre a humanidade e Deus. Dizia-se a meia voz que deveria ser instituída uma outra Igreja. O Papa Júlio II aumentou a venda de indulgências para pagar o túmulo que Michelangelo ia esculpir para ele. Quando um novo vendedor de indulgências chegou à Alemanha em 1517 e bons cristãos acorreram a ele, Martinho Lutero pregou as suas 95 teses na porta da igreja de Wittenberg. Uma delas dizia: "As indulgências não conferem bem algum às almas no que se refere à salvação ou à santidade". Os homens podiam ser salvos pela misericórdia de Deus, e portanto pela fé. Somente a fé era necessária para a salvação. A salvação era uma questão entre o indivíduo e Deus e não envolvia a Igreja: "cada homem é seu próprio sacerdote". A Bíblia, e não a Igreja, era a única autoridade sobre o homem.

As 95 teses de Lutero foram dirigidas a Alberto, Arcebispo de Mainz, como um protesto contra a venda de indulgências. O arcebispo enviou os documentos ao papa em Roma. Numa bula papal, Lutero recebeu ordens de se retratar em dois meses, sob pena de ser excomungado. Ele revidou queimando a bula papal numa fogueira, juntamente com livros da lei canônica. Finalmente, foi excomungado pelo papa em 1520 e proscrito pelo Sacro Imperador Romano Carlos V em Worms, no ano de 1521.

Agora, sem a proteção do papa e do imperador, Lutero ficou muito vulnerável. O Eleitor Frederico, que se ressentia dos lucros ilícitos do Catolicismo com a venda de indulgências – eram dele as 17.433 relíquias da igreja do Castelo –, simulou um suposto sequestro de Lutero e o escondeu no castelo de Wartburg por algum tempo, protegendo-o com uma espécie de prisão. Depois de algum tempo, Lutero fechou sua casa monástica de cânones agostinianos, arrumou casamento para as freiras residentes e, em 1525, tornou a última delas, Katherina von Bura, sua mulher. Desse momento em diante, os clérigos protestantes não mais viveriam separados dos pecados do mundo, incluindo o casamento.

O ato de Lutero introduziu a Reforma Protestante, pois sua afirmação da relação pessoal entre homem e Deus permitiu que uma nova Igreja Luterana se separasse da velha Igreja Católica. As 95 teses foram uma sensação e Lutero teve que responder a seus superiores eclesiásticos e finalmente ao Sacro Imperador Romano, Carlos V, que o convocou para uma Dieta. Os príncipes alemães protestaram contra a oposição do imperador à nova religião reformada e usaram a questão como pretexto para se libertarem dos direitos que o papa tinha sobre o clero alemão e fundarem as próprias igrejas. Lutero estava sob a proteção de Frederico o Sábio, da Saxônia, que lhe deu um salvo-conduto para a dieta imperial. O imperador honrou sua palavra (ao contrário do seu predecessor, Sigismundo, que deixou de honrar o salvo-conduto para Hus). Os príncipes alemães achavam que a posição de Lutero tinha mérito, pois agora podiam nomear bispos e ficar com os proventos que antes iam para o Papado.

A teologia de Lutero tinha muito em comum com o Gnosticismo. Ao contrário de Calvino, Lutero considerava o mundo incorrigível, sendo melhor deixá-lo com o Diabo (ou Demiurgo): nisso seu pensamento era essencialmente dualista. Sua teoria da predestinação (diferente da de Calvino) levou-o a acreditar numa elite (os Eleitos), deixando a grande massa da humanidade fora dos limites da salvação, enquanto a estrutura episcopal da Igreja Católica era substituída, nessa visão, por um "sacerdócio de todos os fiéis". Pode-se fazer aqui uma comparação com a distinção cátara entre os *Parfaits* (ou sacerdotes) e os fiéis. Para crer, o fiel de Lutero precisava apenas de fé.

Lutero escreveu na margem de uma página da sua Bíblia: "Viva por *Fides Sola*" (só pela fé).[15] Parece que a "justificação só pela fé" de Lutero foi influenciada pela fé da Cabala no Inefável Nome de Deus. Descendentes de judeus

O selo de Lutero. Como o emblema rosacruciano,
baseia-se no motivo da rosa e da cruz.

cabalistas que estavam por trás do cátaros tinham ligações com Lutero e Calvino e há algumas evidências de que exerceram uma influência cabalística sobre ambos. Veja-se o selo de Lutero (acima), que se baseava no motivo da rosa e da cruz dos rosa-cruzes. Parece que foram cabalistas que incentivaram Lutero a pregar as 95 teses na porta da igreja, talvez como parte de um plano deliberado para dividir a Cristandade. É certo que Lutero foi influenciado por lendas judaicas a respeito de Jesus encontradas no *Talmud* e no *Midrash* na Idade Média e no *Toledot Yeshu* (Vida de Jesus), anterior à Idade Média.

Essa visão cabalista judaica de Jesus, escrita por um rabino iniciado nos mistérios da Cabala, apresenta Jesus como Jeschu: filho ilegítimo de uma cabeleireira de Belém (Miriam), foi iniciado nas doutrinas secretas do clero egípcio ainda menino e, voltando para a Palestina, praticava magia e mostrava interesse pelo Tetragrammaton ou Schem Hamphorash, o Inefável Nome de Deus. Segundo o *Toledot Yeshu*, Jesus leu o Nome no Santo dos Santos. Foi levado diante do Sinédrio e morto para que seu conhecimento fosse suprimido. Esse livro foi traduzido por Raymond Martin no final do século XIII e Lutero o resumiu em alemão – *Schem Hamphoras* – uma evidência de que se abrira ao cabalismo,[16] em que só a fé no Nome Inefável salva.

Lutero não se considerava um revolucionário. Via o Papado como uma instituição estrangeira que não tinha lugar na Alemanha e apoiou os príncipes alemães que se rebelaram, criando as próprias igrejas, e enfrentaram os camponeses que tentaram usar o conflito religioso para derrubá-los. Discordou de Zwinglio, que começou a Reforma em Zurich em 1518, e de Erasmo, cujo pensamento sobre a Igreja inspirou a posição de Lutero, embora tenha continuado católico. Erasmo era contra a violência e o extremismo e contestou a Igreja Católica, que recorria à ignorância e à superstição. (A Inquisição considerou o pensamento de Erasmo uma heresia, assim como o Luteranismo.) Entretanto, Erasmo considerava Lutero um autoritário e não gostava do seu desprezo pela vontade humana.

Calvino

Depois dos massacres de anabatistas[17] dos anos de 1520, João Calvino se converteu subitamente ao Protestantismo em 1530. Calvino, que nascera em Noyon, na Picardia Francesa, em 1509, era de família judaica (Cauin, talvez um afrancesamento de Cohen).[18] Ele escreve: "Todos os que estavam procurando uma doutrina mais pura começaram a vir a mim para aprender". Em 1534, deixou Paris e se estabeleceu na Suíça, onde escreveu *As Institutas da Religião Cristã* (1536). Liderou em Genebra o movimento do Protestantismo reformado, que chegou à França como Huguenotismo e depois à Escócia, sob a liderança de John Knox, como Presbiterianismo.

A predestinação de Calvino era diferente da de Lutero, pois afirmava que cada homem é predestinado antes do nascimento para a salvação ou a danação: a vontade humana é impotente para mudar esse destino, por mais fé luterana que possa ter. O comportamento virtuoso na terra mostrava que a pessoa pertencia aos Eleitos (uma crença cátara), assim como o comportamento ímpio demonstrava que a pessoa estava condenada ao inferno. Os ímpios não tinham direito de interferir nas ações dos virtuosos, que supervisionavam os costumes da comunidade.

Assim, se o Estado fosse governado por um tirano ímpio, um calvinista devia resistir e tentar fazer uma revolução. O jornalista John Evelyn (30 de janeiro de 1685) associou Calvino "àqueles pretensos reformistas que, em diversos escritos, favoreceram a Matança de Reis que, segundo eles, não concordavam com sua disciplina; entre eles [...[estimou que *Calvine* (que) tende implicitamente para esse caminho". Na Holanda, os calvinistas, revoltados contra o regente de Habsburgo, Felipe II da Espanha, consideravam justa sua revolta, já que era contra um tirano ímpio. Calvino acabou sendo substituído por Theodore Beza, que relacionavam sua filosofia de predestinação a Deus e à Providência e não à condenação e salvação de Cristo. O Calvinismo francês, "uma doutrina mais pura" para o Eleito, guarda ecos do Catarismo Cabalista, uma doutrina para os Puros do Eleito.

Há evidências de que Calvino, para quem "o Sabá tinha sido um costume judaico, limitado ao povo sagrado" (Isaac D'Israeli),[19] organizou grupos de oradores revolucionários em Genebra e os enviou à Inglaterra e à Escócia. Nesses dois países, esses oradores pregaram uma religião que exigia uma rígida observância do Sabá e, afirma D'Israeli, a nação se dividiu entre "Sabatistas e violadores do Sabá". Essa ligação entre "uma doutrina mais pura" e uma estrita observância judaica pode ser encontrada um século depois na ascensão do Puritanismo.

É interessante notar que, em 1630, numa carta para o Arcebispo Abbott, Matthew Brook, o mestre do Trinity College, em Cambridge, escreveu: "Essa doutrina de pré-destinação é a raiz do puritanismo e o puritanismo é a raiz de todas as rebeliões [...] e de todo cisma e insolência no país."[20]

O REGIME POLÍTICO ANTIPAPISTA

Henrique VIII e Thomas Cromwell

A Revolução da Reforma recebeu expressão política na Inglaterra com Henrique VIII.[21] Ele refutou as teses de Lutero em 1521 e o papa lhe concedeu o título de "Defensor da Fé" (que o monarca inglês curiosamente ainda detém). Entretanto, ficou ao lado de Lutero quando queria anular seu casamento com Catarina de Aragão, a tia de Carlos V (Rei da Espanha e Sacro Imperador Romano), que exortou o papa a negar sua permissão.

O propósito de Henrique era assumir o poder supremo fora do controle do papa, e Thomas Cromwell lhe apresentou uma ideia clara (e inteligente) para atingir esse propósito: destruir o poder de Roma na Inglaterra e substituí-lo pela supremacia real, o que permitiria a anulação do casamento. Cromwell estava por trás do primeiro ataque ao Papado (em 1532) e da oposição de Henrique – e dos príncipes alemães – à prática dos bispos pagarem a Roma os rendimentos do seu primeiro ano. Em 1533, ele impediu as apelações a Roma em certos processos legais.

Henrique rompeu com o papa. O dia em que expirou o ultimato dado pelo papa, sexta-feira da Paixão de 1533, foi retratado por Holbein no quadro *Os Embaixadores*, que mostra dois embaixadores franceses na Abadia de Westminster com os olhos perturbados e cheios de maus pressentimentos – no dia em que nasceu a Igreja da Inglaterra. Henrique se divorciou de Catarina, casou-se com Ana Bolena e (re)criou a Igreja da Inglaterra. Ainda se via como católico, mas um católico que repudiara a liderança papal da Igreja na Inglaterra, assumindo-a para si.

Thomas Cromwell tinha agora controle total do governo, embora tivesse o cuidado de dizer sempre que estava agindo com autorização do rei. Em 1534, conseguiu a aprovação do Ato de Supremacia, que tornou Henrique VIII chefe supremo da Igreja da Inglaterra. Cromwell foi então nomeado Vigário Geral do Rei, com poderes para visitar e reformar todas as instituições monásticas.

Henrique não sabia bem o que fazer. O Cardeal Wolsey tinha mostrado o caminho ao dissolver alguns priorados e monastérios para que pudesse construir suas instituições de ensino: o Colégio dos Cardeais em Oxford, que se tornou a Igreja de Cristo, e o Colégio dos Cardeais em Ipswich, que era para ser a maior escola no país, rivalizando com Eton e Winchester e preparando alunos para Oxford. Essa escola foi aberta em 1528. (Henrique confiscou-a depois da queda de Wolsey, em 1529, e a fechou.)

Não há evidências claras que liguem Thomas Cromwell ao Cabalismo e podemos apenas fazer especulações. Thomas Cromwell nasceu por volta de 1485 em Putney, Londres, e ainda muito jovem viajou para o exterior. Residiu nos Países Baixos, visitou a Itália e esteve envolvido com os Aventureiros Mercantes, comerciantes ingleses que negociavam com a Holanda espanhola principalmente tecidos (um produto de exportação do comércio de lã da Inglaterra). É possível que, na Holanda, tenha encontrado judeus sefarditas, expulsos da Espanha em 1492, que incentivaram sua oposição à Igreja Católica da Inquisição, que os perseguia.

More

Na questão do divórcio de Henrique, entrou *Sir* Thomas More, um homem fantástico. Ele teve uma boa educação na melhor escola da sua cidade e na casa do Arcebispo de Canterbury, além de estudar em Oxford e em Lincoln's Inn. Passou depois quatro anos num monastério cartusiano perto de Lincoln's Inn vivendo uma vida de monge, enquanto trabalhava como jurisconsulto e causídico. Casou-se em 1504-5 com uma mulher que exigia muito do seu tempo. Erasmo viveu em sua casa por 20 anos. More acordava cedo, rezava, jejuava e usava uma camisa tecida de crina para ficar próximo a Deus. A despeito de sua vida ativa, ainda tinha tempo para atividades humanistas. Quando sua mulher morreu em 1511, provavelmente de parto, voltou a se casar poucas semanas depois e transformou sua casa numa escola para meninas, que oferecia uma educação clássica e cristã.

Homem renascentista de muitas facetas, *Sir* Thomas More escreveu sobre uma utopia em que os homens podiam viver como seres humanos livres e traduziu o cabalista cristão Pico della Mirandola. Sua *Utopia* começou a ser escrita em Flandres: em maio de 1515, ele fez parte de uma delegação que foi a Bruxelas para revisar um tratado comercial entre a Inglaterra e a Holanda e começou a escrever o livro para outros humanistas cristãos. Influenciado por suas discussões com Erasmo, seu subtítulo era "A respeito do mais alto estado da república e a nova ilha da Utopia". Ele descreve uma cidade-estado governada pela razão que contrasta com a desmedida ganância da Europa cristã. A Utopia é comunista: o viajante Raphael Hythloday afirma que uma forma inicial de Comunismo (que vê "a ilha inteira [...] como [...] uma única família" numa "comunidade de bem-estar público") é a única cura para a ganância egoísta na vida pública e privada. More descreve todos os aspectos da sua Utopia: o sistema carcerário, a educação, a tolerância religiosa, as leis do casamento (incluindo o divórcio), a prática da eutanásia e os direitos das mulheres – e parece que Wolsey, o Lorde Chanceler, tinha simpatia por algumas de suas ideias. Retomando a República de Platão, More introduziu na literatura inglesa o gênero que inspiraria *A Nova Atlântida* de Bacon, e *As Viagens de Gulliver*, de Swift.

More fez campanha para restabelecer a ligação entre a teologia e os estudos gregos, uma ideia que fazia parte das propostas religiosas e culturais de Erasmo. Na descrição de Erasmo, More foi o humanista europeu perfeito. Em 1523, More defendeu Henrique VIII contra Lutero e foi nomeado porta-voz da Câmara dos Comuns e Chanceler do Ducado de Lancaster. De 1528 a 1533, seu trabalho era ler todas as heresias e refutá-las, e foi durante esse período que escreveu *A Dyalogue Concerning Herecies*. Em 1529, substituiu Wolsey como Chanceler.

More, um homem da Contrarreforma que queria o fim da Revolução da Reforma e a restauração da autoridade da Igreja Católica, foi apanhado na questão do desejo do rei de se divorciar da mulher. Tentou se demitir em 1531 e novamente em 1532, quando o clero já dava sinais de reconhecer Henrique VIII como chefe da Igreja. Mas as acusações contra ele começaram a tomar vulto quando se recusou a comparecer à coroação de Ana Bolena.

Em 1534, More foi aprisionado na Torre, o que estava de acordo com sua vida de orações, e em 1535 foi julgado diante de Richard Rich, o Procurador Geral, para quem More tinha negado o título de chefe supremo da Igreja da

Inglaterra a Henrique VIII. More declarou: "Nenhum homem temporal pode ser chefe da espiritualidade (reino do espírito)". Foi sentenciado à decapitação e, no cadafalso, pôs sobre os olhos a própria venda. Erasmo o descreveu como "omnium horarum homo" (que Robert Bolt traduziu por *A Man for All Seasons* no título de sua peça teatral), cuja "alma era mais pura do que a neve" e cujo "gênio foi tal que a Inglaterra jamais teve e jamais terá outro igual".

Thomas Cromwell aplicou a tática de Wolsey na nação inteira. Entre 1536 e 1540, obteve a rendição dos maiores monastérios através de muita pressão e insistência. Por volta de 1540, todos os monastérios já estavam fechados e Henrique se apossou de suas riquezas. Na sua opinião, estava tomando tais riquezas do papa, o que horrorizou os católicos.

Cromwell era agora representante do rei como chefe da Igreja e estava associado à Reforma. Favoreceu uma aliança com os luteranos e tentou forçar uma aliança com os príncipes alemães, instigando Henrique a se casar com Ana de Cleeves. Henrique odiava sua quarta mulher e, em 1540, a aliança com os príncipes alemães não era mais necessária. O rei decidiu que Cromwell era um herético e ele foi decapitado sem julgamento em julho.

Com a expulsão do Papado, Thomas Cromwell transformou a Inglaterra num Estado nacional soberano, independente de Roma. Tinha promovido uma revolução administrativa que fortaleceu o administrador real, mas que teria consequências perigosas, cem anos mais tarde, quando os puritanos desafiaram a autoridade espiritual do rei.

CONSOLIDAÇÃO: DERROTA DOS PAPISTAS, A REVOLUÇÃO IMPERIAL

Contrarreforma

A consolidação física da Revolução da Reforma teve como pano de fundo a Contrarreforma Espanhola.[22] No começo, a Igreja Católica pouco fez para neutralizar a expansão da Reforma. O Papa Leão X, um Medici, que parecia não se dar conta de que a Igreja precisava de uma reforma, baniu os trabalhos de Lutero na Alemanha e o excomungou.

Michelangelo é um exemplo típico dos católicos que continuaram leais ao papa. Apoiou o Papado contra Savonarola e os Medici e, enquanto trabalhava no túmulo de Júlio II, foi leal ao seu patrocinador e não a Lutero, que contestava os métodos de Júlio para levantar fundos para o projeto. Antes de trabalhar no afresco do Juízo Final na Capela Sistina do Vaticano (1531-1541), foi inspirado pelo hino medieval "Dies Irae" e pela obra de Dante. Admirava Dante e escreveu num poema: "Quisera eu ser ele!" Tentou capturar na sua pintura o orgulho espiritual dos gigantes da Renascença e da Reforma, representando-os no movimento de alcançar alto demais, dada sua posição abaixo de Deus:

"Gigantes são eles de tal altura
Que a cada um parece dar prazer
Subir até o sol para ficar cego com a luz",

e

"Um gigante há de tal altura
Que aqui embaixo seus olhos não nos veem...."[23]

Em outras palavras, Michelangelo era um crítico dos humanistas da Renascença e dos gigantes da Reforma.

Foi só quando Carlos V da Espanha pressionou o Papado para que chegasse a um acordo com os protestantes que a Igreja Católica começou a agir no sentido de neutralizar a Reforma. O Papa Paulo III concordou em convocar um Concílio que se realizou em Trento, a intervalos, entre 1545 a 1563.

Como resultado do Concílio de Trento, os reformadores derrubaram o Papado da Renascença, com suas atitudes e políticas mundanas, e tomaram a iniciativa. Achavam impossível chegar a um acordo com os protestantes que defendiam a justificação pela fé, mas a dessecularização da Igreja conteve as críticas e deteve a expansão do Protestantismo na Europa. Decidiram que a doutrina católica tinha que ser exposta mais claramente e que todos os católicos tinham que ser instruídos no catecismo; deveria haver também um Índice de Livros Proibidos. Uma Inquisição tinha sido criada em 1542 e agora era preciso fortalecer essa Inquisição. Novas ordens religiosas foram fundadas, como os Teatinos, os Capuchinhos, os Ursulinos e os Jesuítas.

Os países que tinham se afastado da Igreja Católica tinham que ser reconquistados: especialmente a Alemanha do Sul, a Inglaterra, partes dos Países Baixos, a Polônia e a Hungria. A Igreja entregou esse trabalho à Sociedade de Jesus, fundada em 1534 por Santo Inácio de Loyola (1491-1556), que a tinha organizado em moldes militares. Loyola era um ex-soldado espanhol que abraçara o Cristianismo enquanto se recobrava de um ferimento provocado por uma bala de canhão: teve uma visão espiritual em 1522, às margens do rio Cardoner, em Manresa.[24] Foi esse impulso militante que levou os protestantes a chamá-la de "Contrarreforma". Os jesuítas prestavam um voto de obediência ao seu General que, por sua vez, prestava um voto de lealdade ao papa. Entraram nos países apóstatas concentrando-se em pessoas influentes e tiveram sucesso no Sul da Alemanha, nos Países Baixos, na Polônia e na Hungria, mas não na Inglaterra, onde foram acusados de traição. São Francisco Xavier, com quem Santo Inácio dividiu um quarto em Paris por volta de 1529, levou a causa jesuíta para a Índia, Malásia e Japão e instituiu os jesuítas como missionários em todo o mundo.

Enquanto isso, em 1546, Carlos V atacou os príncipes alemães e a guerra continuou até a Paz Religiosa de Augsburgo em 1555, que permitiu aos referidos príncipes manter a religião protestante. Em 1558, na Inglaterra, morreu Mary, que era católica. Felipe da Espanha, seu viúvo, tentou então impor a Contrarreforma no reino de Elizabeth I, até que a Armada Espanhola foi derrotada em 1588. Algum tempo depois, os Habsburgos católicos promoveram a Guerra dos Trinta Anos para recuperar a Boêmia e a Polônia para a Contrarreforma, mas foram finalmente derrotados em 1648.

A Contrarreforma encontrou expressão através da Ordem Carmelita, que Santa Teresa de Ávila reformou em 1562, de acordo com uma série de visões ocorridas em 1555. Em 1568, ela conheceu um jovem padre Carmelita, São João da Cruz, que se tornou seu confessor e iniciou a Reforma Carmelita para os homens. Mais tarde, São Francisco de Sales continuou esse trabalho dos Carmelitas.

Sir Walter Raleigh, ao escrever a Introdução da sua *History of the World*, acusou os jesuítas de fomentar a revolução mundial com sua reconversão e atividades missionárias. Muito se especulou sobre uma ligação entre os judeus e os jesuítas. Sabe-se que, em 1714, os jesuítas usaram os mistérios da Rose-Croix cabalista.[25] Seriam eles uma organização rosacruciana criada para aumentar a divisão da Cristandade? Estariam os judeus cabalistas tão empenhados em se infiltrar entre os jesuítas católicos quanto entre os protestantes? É interessante notar que Adam Weishaupt foi criado por jesuítas e modelou os Illuminati segundo a estrutura organizacional jesuíta. E já se sugeriu – fantasticamente – que os jesuítas foram os inspiradores secretos dos Illuminati.

Os jesuítas aprofundaram por certo o cisma católico/protestante. Influenciaram os protestantes reformistas e os católicos contrarreformistas na tentativa secreta de aumentar o abismo. Na peça teatral *O Judeu de Malta*, Marlowe descreve essa espécie de traição através do personagem do próprio judeu, Barrabás:

"E depois disso fui engenheiro,
E nas guerras entre França e Alemanha,
Fingindo ajudar Carlos o quinto,
Assassinei amigo e inimigo com meus estratagemas." (II, iii, 190-3)

Elizabeth I

Na Inglaterra, a Revolução da Reforma levou a um novo imperialismo na medida em que a Inglaterra pretendia derrotar a Espanha. Henrique VIII foi sucedido pelo filho doente de 10 anos, Eduardo VI e, quando Eduardo morreu, sucedeu-o sua irmã mais velha, Mary (filha de Catarina de Aragão), que restaurou o Catolicismo. Mary era casada com Felipe II da Espanha (herdeiro dos domínios ocidentais de Carlos V) e trouxe para a Inglaterra cinco sangrentos anos de Contrarreforma (1553-8). Foi sucedida pela filha mais nova de Henrique VIII, a protestante Elizabeth I (1558-1603),[26] filha de Ana Bolena, cujo casamento com Henrique VIII foi considerado ilegal pelo papa. Elizabeth fez o país progredir e deu a ele um senso de identidade nacional. Embora vários governantes estrangeiros tenham pretendido a sua mão, incluindo o próprio Felipe da Espanha, ela recusou todos eles (sem dúvida consciente da impopularidade do casamento de sua meia-irmã Mary com Felipe). Não se casou com nenhum dos seus súditos, mas reinou manipulando seus pretendentes e protegidos, mantendo a imagem de solteirona – uma "rainha virgem" –, e evitou a guerra para não ser obrigada a convocar um Parlamento que impusesse condições. Em especial e com o intuito de aumentar a influência calvinista, não quis que o Parlamento questionasse o Estabelecimento da Igreja de 1559, que havia instituído o ritual católico anglicano.

Depois da morte de seu pai, em 1547 (quando tinha 14 anos), teve como guardiã a rainha viúva Catarina Parr, que se casou com o Lorde Almirante Thomas Seymour. O irmão mais velho deste último, o Duque de Somerset, foi protetor do reino durante a minoridade de Eduardo VI. Thomas começou então a tramar contra ele mas, em janeiro de 1549, foi preso por traição e acusado de conspirar para se casar com Elizabeth, então com 16 anos, para governar o reino. Nas audiências, constatou-se que tinha sido visto várias vezes flertando com Elizabeth e tomando liberdades com ela. Thomas Seymour foi decapitado.

Cecil

É possível que, aos 16 anos, Elizabeth tenha tido um filho de Thomas Seymour e que William Cecil tenha resolvido o problema e mantido o episódio em segredo. Seja ou não verdadeira essa especulação e tivesse ele ou não algum controle sobre ela, fato é que Elizabeth nomeou William Cecil seu principal Secretário de Estado na manhã em que subiu ao trono, em 1558 – e ele a serviu por 40 anos (também como Lorde Tesoureiro, depois de 1571) como seu mais fiel conselheiro. Foi o mais poderoso homem do governo – até Walsingham, chefe do serviço secreto, estava abaixo dele – e mais tarde recebeu o título de Lorde Burghley.

Foi grande a contribuição de Cecil para a Reforma enquanto revolução. Em *William Cecil, the Power behind Elizabeth*, Alan Gordon Smith observou que a Reforma foi uma revolução social, econômica, moral e religiosa com repercussões de alcance tão grande quanto as revoluções francesa e russa. Seu triunfo na Inglaterra foi basicamente obra de Cecil, que impôs uma grande mudança a um povo relutante e, no decorrer de uma geração, converteu a nação à nova religião, uma mistura de nacionalismo e individualismo que fez surgir a Inglaterra moderna.[27]

A revolução ceciliana no governo (1558-98) teve como base as reformas de Thomas Cromwell. William Cecil organizou um novo governo centralizado e uma nobreza burocrática, que vieram a ser conhecidos como "regnum Cecilianum". A Igreja da Inglaterra que, no plano místico, tinha raízes no Cristianismo céltico e na mensagem inviolada de Jesus, foi instituída como decisão política. Foram lançadas as bases do Império Britânico com as viagens de descobrimento e a tentativa de colonizar a América. Com isso, o poder naval da Inglaterra aumentou muito – Elizabeth mantinha uma frota que podia ser suplementada com navios da frota mercante – e a Inglaterra conseguiu derrotar a Armada Espanhola em 1588. Essa frota espanhola pretendia tomar a Inglaterra para o rei católico Felipe II da Espanha, viúvo de Mary, que acatara a excomunhão de Elizabeth em 1570, pelo Papa Pio V, e a proclamação do Papa Gregório XIII, em 1580, segundo a qual não havia pecado em livrar o mundo de uma herética miserável como a Rainha da Inglaterra.

No centro da revolução de Cecil no governo, estava o apelo pessoal carismático de Elizabeth. Sem um exército permanente, uma força policial eficiente ou uma burocracia eficaz, Elizabeth tinha que aumentar os impostos, através de um Parlamento relutante, para governar. Teve êxito usando seu charme e eloquência, como quando falou aos soldados em Tilbury, um dia antes do ataque à Armada. Sua tática foi incentivar um culto do amor, em que ela era vista como Diana, a deusa da Lua, Astreia, a deusa da justiça e Gloriana, a rainha das fadas – a fada-rainha de Spencer. Assim ela expressava seus objetivos diplomáticos na linguagem do amor.

Do reinado de Elizabeth nasceu um novo imperialismo secular, que Shakespeare criticou em suas peças. *Hamlet* e *Troilo e Créssida* denunciam Cecil/Burghley através de Polônio e Pândaro. Da mesma maneira, Shakespeare exaltou os conceitos de soberania e cavalheirismo, como em *Ricardo II* (o discurso de Gaunt sobre "esta ilha coroada") e em *Henrique V*, com seu apelo ao patriotismo antes de Agincourt. Shakespeare contestou o novo ethos mercantil adotado por Lorde Burghley e é em parte por ser tão avesso a Burghley que se acredita que "Shake-speare" (que teria sido um *nom de plume* usado pela primeira vez em 1593) não era o Shakespeare of Stratford (como se lê no registro da Paróquia) – filho de pais analfabetos, que nunca saiu da Inglaterra, não ensinou os filhos a ler e nem deixou livro algum quando morreu – , mas Edward de Vere, o 17º Conde de Oxford. Oxford tinha casado com a filha de Lorde Burghley, Ann Cecil (Ofélia, em *Hamlet*) e rompido com o sogro depois que ela engravidou quando ele estava vivendo em Veneza e viajando pela Itália (Verona, Pádua, Mântua etc.) em 1575-6. Deve-se enfatizar que muitos acreditam, com boas razões, que Shakespeare of Stratford escreveu as obras de Shakespeare.

Dee

Por trás do novo imperialismo ceciliano, a que deu continuidade o filho de Lorde Burghley, Robert Cecil (mais tarde Lorde Salisbury), que convidou Jaime I para suceder Elizabeth, estava o galês John Dee. Alquimista, astrólogo e matemático que fazia palestras na Europa antes de se tornar o astrólogo de Mary, foi preso por ser mago, mas libertado para praticar astrologia e calcular horóscopos na corte de Elizabeth. (Ele também deu aulas à rainha, sobre a interpretação de seus escritos.) Era um imperialista – foi Dee que cunhou o termo "Império Britânico" em 1568 – que desejava ver a Inglaterra como uma potência marítima mundial. Dee aconselhou navegadores que explorariam o Novo Mundo e, em 1577, escreveu um *Tratado sobre a Defesa Naval*, que era um projeto de uma frota imperial que governaria as ondas e protegeria os interesses britânicos em todo o mundo.[28]

Dee era uma figura central na corte de Elizabeth, além de ser o professor da rainha. Era um mago erudito, como Pico della Mirandola. Suas raízes estavam no neoplatonismo oculto de Ficino e ele afirmava corajosamente o poder do cabalismo: "nenhuma ciência dá melhor prova da divindade de Cristo do que a magia ou a Cabala". De 1583 a 1589, viajou pela Polônia e pela Boêmia, apresentando sua magia para muitos príncipes europeus, e se aproximou de Giordano Bruno, o Mago Hermético, que o visitou na Inglaterra em 1583. Através de Pico, a Renascença tinha produzido a figura do Mago, o intelectual que praticava artes mágicas, "Magia e Cabala", e que passou a ser visto como o homem ideal. Bruno e Dee representam um Neoplatonismo oculto que estava imerso em Cabalismo mágico.

Shakespeare parece ter baseado Próspero, de *A Tempestade*, em Dee. Parece que, para Shakespeare, foi Dee que conjurou Ariel, causou o naufrágio com sua mágica e prometeu queimar seus livros no final da peça. Bruno foi queimado na fogueira por suas crenças "panteístas" em 1600, mas Dee sobreviveu e tornou-se diretor do Manchester College em 1595.

Sidney e o Círculo de Raleigh

O crescente conflito católico-puritano na Inglaterra elisabetana fez com que muita gente – como Sidney, Raleigh e seu Círculo da Casa Durham de Northumberland, Hariot, Hues, Warner, Cavendish e White – começasse a se interessar pelo trabalho de Bruno e Dee, além de outras fontes ocultas, incluindo o Priorado de Sião.

Sir Philip Sidney, a flor da juventude elisabetana e aluno de John Dee, brigou com o 17º Conde de Oxford e parece ter sido satirizado como o personagem *Sir* Andrew Agyecheek. Morreu em combate na Holanda em 1586. Escreveu *Arcadia* em Wilton, em 1582, o ano em que foi visitado pelo Grão-Mestre do Priorado de Sião (1575-1595) Louis de Nevers, um Gonzaga de Mântua que conhecia Bruno e estava envolvido com sociedades herméticas. (O propósito de sua visita à Inglaterra era passar algum tempo com Sidney e John Dee.)[29] Nevers teria trazido consigo a tradição de René d'Anjou, um antigo Grão-Mestre do Priorado de Sião que tinha pintado *La Fontaine de la Fortune* (1457), com base na lenda da fonte que o "feiticeiro Virgílio" fez aparecer em Arcádia. (Essa fonte é Alpheus na cultura ocidental, Alph em Coleridge.)

O conceito de Arcádia, tão vibrante em 1582, está misteriosamente relacionado aos papéis descobertos pelo Abade Saunière, em Rennes-le-Château.

Em 1781, diz essa história, o Abade Antoine Bigou, vigário durante sete anos em Rennes-le-Château, recebeu de *Lady* Blanchefort, que era descendente de Bertrand de Blanchefort e sabia que estava para morrer, documentos reveladores de um segredo. O segredo pode ter sido que Jesus sobreviveu à crucificação e se casou com Maria Madalena, teve filhos (dos quais os Merovíngios diziam ser descendentes) e se retirou para a França, tendo morrido em Rennes-le-Château. O abade ficou apavorado com o que descobriu e, quando a França se tornou revolucionária em 1789, escondeu os documentos no pilar carolíngio que sustentava o altar da igreja de Santa Maria Madalena, esperando preservar o segredo para gerações futuras. Eram esses os documentos que o Abade Saunière disse ter encontrado, que traziam uma lista dos Grão-Mestres dos Templários e do Priorado. Em 1791, Bigou colocou uma grande pedra tumular sobre a tumba da Marquesa de Blanchefort. Nela estava gravada uma inscrição em grego, que dizia: *"Et in Arcadia Ego"*. Essa pedra tinha sido removida do túmulo de Arquez, um túmulo muito antigo (destruído em 1988 por seu novo proprietário) que tem uma semelhança marcante com o túmulo da pintura de Nicolas Poussin *Les Bergers d'Arcadie* (cerca de 1640-2), que também exibe a inscrição críptica *"Et in Arcadia Ego"*. O simbolismo oculto de Arcádia apareceu pela primeira vez na arte ocidental na pintura de Guercino, *Et in Arcadia Ego* (cerca de 1618), e novamente na obra do mesmo nome de Poussin, onde figuras estão lendo a inscrição em um túmulo (1629-39). A essa altura, Arcádia tinha claramente uma significação além daquela do Éden pastoril da Grécia clássica. Tratava-se de um trocadilho com Arques: Arques-adia.

Por que De Nevers, possuidor da tradição arcadiana desde 1457, estava ao lado de Sidney quando este escreveu *Arcadia* em 1582? Teria Sidney ligações com os Templários ou o Priorado de Sião? Já vimos que o Priorado iniciou a Rosa-Cruz no século XIII e que o Rosacrucianismo cultuava a tumba de Christian Rosycross (ou seja, Rosenkreutz). Christian Rosycross pode ter sido um pseudônimo críptico para o Jesus pós-crucificado, sugerindo que Cristo sobrevivera à crucificação e fora depois sepultado numa tumba (vazia quando aberta nos anos 1920) em Arques, a 9 quilômetros de Rennes e a 5 quilômetros de Blanchefort na Arques-adia/Arcadia francesa. Arcadia tinha claramente um significado rosacruciano (Arques-adia).[30] Saberia Sidney que o quartel-general dos Templários era em Rennes-le-Château? Certamente ele se valia do conhecimento hermético de De Nevers e de suas relações com Bruno.

Sir Walter Raleigh também conheceu John Dee e o recebeu, juntamente com o matemático Hariet, em seu escritório na parte de cima do Castelo Sherborne. (Ele fica bem no alto da casa, numa área fechada ao público.)[31] Histórias do envolvimento de Raleigh com o ocultismo de Dee se espalharam por Dorset. Sua casa em Londres, a Durham House, também foi um ponto de encontro, onde os que tinham se desencantado com o Cristianismo, depois da Reforma e do crescimento do Puritanismo Calvinista, iam atrás de uma alternativa cabalista, sem saber que os que procuravam destruir o Cristianismo através do cisma eram os mesmos que estavam promovendo a nova magia cabalística de Dee e Bruno.

A obra globalista de Raleigh, *The History of the World*, escrita na Torre de Londres e publicada em 1614, tornou-se "a espinha dorsal do pensamento antiautoritário" e do revolucionário "Das Kapital do século XVII".[32] Raleigh se opunha a Jaime I, que o havia encarcerado, e argumentava ser legítimo destronar um rei que não tem o apoio do povo. Oliver Cromwell leu o livro e o recomendou a seu filho. Para John Milton, era "incalculável" a dívida que tinha com esse livro.[33] Marvell e Lilburne o elogiaram. O questionamento de Raleigh acerca do direito divino dos reis foi um distante toque de clarim convocando as revoluções dos séculos XVII e XVIII.

Colombo e os Navegadores

A Europa protestante se tornou expansionista e imperialista ao consolidar a Reforma da Revolução e voltou os olhos para o Novo Mundo. A colonização europeia da América do Norte foi parte de uma expansão europeia mais ampla através do globo.[34] Essa expansão tinha sido liderada pelas viagens portuguesas à África Ocidental (1418) e à África do Sul (1487) até o Cabo da Boa Esperança (que permitiu aos exploradores contornar a África e subir pela costa oriental, como Vasco da Gama em 1497), e ao Brasil (1500). Os espanhóis não ficaram atrás dos portugueses depois que Colombo chegou à América, indo para o Caribe, para a Nova Espanha e para o Peru.

Em 1492, tendo como pano de fundo a Inquisição, o marinheiro genovês Cristóvão Colombo, com três navios e o apoio de Fernando e Isabel da Espanha, descobriu a América. Pirata a serviço de René d'Anjou nos anos 1470, ele acreditava ter sido divinamente escolhido para essa viagem e tinha lido o livro *Imago Mundi* do cardeal francês Pierre d'Ailly, convencendo-se de que a Terra era esférica e de que era possível chegar às Índias Orientais navegando em direção ao Ocidente. Essa obra era considerada herética pela Igreja. Partindo das profecias em *Isaías* 11,10-12 e do apócrifo *Segundo Livro de Esdras* 3,18, que confirmava ser a Terra esférica, tentou alcançar a Índia pelo Ocidente. Depois de uma viagem de 33 dias, aportou em outubro na ilha de Guanaami, perto do Estreito da Flórida, pensando ter alcançado o Extremo Oriente. Foi para Cuba e tomou posse de São Domingos (Hispaniola) e então voltou à Espanha onde foi recebido em triunfo em março de 1493, sem perceber que havia descoberto um novo mundo. Depois de duas outras viagens (às Índias Ocidentais e à América do Sul), morreu esquecido em 1506.

Entretanto, novos exploradores retornaram à Venezuela e ao Amazonas e perceberam que essas terras eram diferentes da Ásia. Em 1497, um italiano a serviço da Inglaterra, John Cabot, descobriu a Ilha Cape Breton, na América do Norte. Em 1507, o florentino Américo Vespucci, outro italiano a serviço dos espanhóis, viajou ao Brasil e reconheceu que as novas descobertas eram um continente separado. Foi dele que veio o nome da América. Logo depois, um português a serviço da Espanha, Fernão de Magalhães, circum-navegou o mundo, partindo de Sevilha em 1519. Foi morto nas Ilhas Filipinas, cuja posse reivindicou para a Espanha, mas um dos seus navios voltou em 1522. Os franceses tinham ido para Newfoundland em 1534 e também tentaram fundar colônias na Flórida e no Brasil. A visão de mundo da Renascença estava mudando para incluir a América e as novas possibilidades de exploração que se abriam em direção ao Oeste.

Navegações Inglesas

Quanto às navegações, os ingleses tinham ficado para trás dos portugueses e dos espanhóis. Embora tivessem navegado até a América do Norte (1497, John Cabor), dependiam de companhias privadas, como a Muscovy Company (1554), mais interessadas em expansão comercial do que em expansão territorial. A Revolução da Reforma incitou o imperialismo inglês e inspirou viagens ao Novo Mundo, audaciosas naquele tempo, quando ainda se pensava que os marinheiros podiam despencar na borda do mundo, como de uma cachoeira. Foram viagens comparáveis às expedições à Lua, feitas pelos astronautas em nossa época.

Martin Frobisher fez três viagens em busca da Passagem Noroeste para o Extremo Oriente (1576-78), numa das quais Edward de Vere (o 17º Conde de Oxford) foi um dos investidores e perdeu 3 mil libras para Michael Look (talvez satirizado depois como Shylock). *Sir* Francis Drake navegou pelo mundo em 1577, saqueando a América do Sul no caminho. Em 1578, *Sir* Humphrey Gilbert tentou fundar colônias na América do Norte e em Newfoundland, mas não teve muito sucesso. (Morreu afogado nos Açores em setembro de 1583.)

Sir Walter Raleigh, meio-irmão de Gilbert, fundou então uma colônia (1584-6) com mais de cem pessoas na Ilha Roanoke, Carolina do Norte, que foi aparentemente aniquilada por índios, a quem os sobreviventes se misturaram. (Até hoje há histórias de índios de olhos azuis nessa parte dos Estados Unidos.) Foi na colônia Roanoke que viveu Virginia Dare, a primeira menina a nascer no Novo Mundo, que pode ter sido o modelo de Shakespeare para Miranda, em *A Tempestade*. Shakespeare também pode ter pensado em Próspero integrando a expedição de Raleigh.

Bartholomew Gosnold e o Império no Novo Mundo

Depois dos fracassos de Frobisher, Gilbert e Raleigh, um jovem treinado pelo Conde de Essex, Bartholomew Gosnold, fez duas tentativas de colonizar a América do Norte, ambas visionárias – ele pretendia formar uma nova civilização de língua inglesa – e não puramente mercantis. A primeira tentativa em 1602 – que pode ter sido planejada em Otley Hall, Suffolk, onde seu tio era secretário de Essex, e financiada por um amigo de Cambridge (e patrono de Shakespeare), o Conde de Southampton – terminou em fracasso depois de 12 semanas em Cuttyhunk, perto de Martha's Vineyard, um nome dado em homenagem à filha bebê de Gosnold. Ao voltar, Gosnold parece ter contado a Shakespeare sobre um encontro com índios na região, pois *A Tempestade* de Shakespeare se baseia na geografia de Martha's Vineyard.[35]

A segunda tentativa – que também pode ter sido planejada em Otley Hall, que funcionava como base de recrutamento – teve sucesso. Levou três anos para ser organizada e, com Gosnold como "principal motor", 150 colonos fundaram o Forte Jamestown em 1607. Cerca de quarenta desses primeiros moradores vieram de aldeias em torno de Otley. Bartholomew Gosnold morreu no Forte Jamestown e John Smith assumiu a administração da colônia que Gosnold planejara e organizara. A estátua de John Smith, e não a de Gosnold, domina hoje o recentemente descoberto Forte Jamestown. A Colônia de Jamestown foi a primeira colônia não espanhola, não indígena e de língua inglesa, a sobreviver.

Isso foi 13 anos antes da partida do *Mayflower* de Plymouth. Assim, o fundador da Colônia de Jamestown deveria ser considerado o fundador da moderna América de língua inglesa. Essa pessoa pode muito bem ser Bartholomew Gosnold.

Gosnold tinha prometido aos colonos 500 acres de terra, o que lhes teria sido inviável na Inglaterra, com seu sistema de classes fixo, hierárquico e fundiário. Gosnold exportou para a Virginia o modo de vida do campo elisabetano, que ainda existia em torno de Richmond antes da Guerra Civil Norte-Americana, e cujo desaparecimento ainda é lamentado no nostálgico Sul dos Estados Unidos. Gosnold também exportou a visão cristã para a América, que acabou sendo incorporada pela primeira igreja de Jamestown.

Gosnold era primo em segundo grau de Francis Bacon e sua colônia americana antecipou *A Nova Atlântida* de Bacon (1624), obra escrita na tradição da *Utopia* de *Sir* Thomas More e inspirada na descoberta da América. Se Bacon não tivesse condenado o Conde de Essex e obtido a pena de morte depois da rebelião de Essex em 1601, afastando dessa forma os Gosnolds pró-Essex, é possível que tivesse sido um dos que estiveram por trás da viagem de 1607, oferecendo apoio como *Sir* Thomas Smythe, um parente da mulher de Gosnold, que tinha se tornado o mais rico mercador de seu tempo e fretou os três navios no final de 1606. Gosnold convenceu vários parentes a se envolver na viagem e, em 1597, quando Bacon se tornou representante de Ipswich no Parlamento – foi escolhido novamente em 1601 e em 1610[36] –, a apenas doze quilômetros de Otley Hall, estava muito próximo da sede dos Gosnolds. Foi certamente através de Bacon que a América se tornou o foco da ambição rosacruciana por uma Nova Atlântida.

SUMÁRIO: A DINÂMICA REVOLUCIONÁRIA DA REFORMA

Sobre a dinâmica revolucionária e a forma pela qual é interpretada e intelectualizada a visão oculta, ver Apêndices A, Apêndice 1 e Apêndice 2. Os cátaros cabalistas santificaram a visão oculta e a passaram a seus intérpretes ocultos, Wycliffe e Hus. Seu originador revolucionário oculto foi Ficino, que interpretou a visão em termos de seu neoplatonismo secreto. O intelectual reflexivo que deu à visão oculta um novo viés foi o cristão cabalista Pico della Mirandola, que conheceu Ficino em Florença. Ambos, Ficino e Pico, também deram expressão intelectual ao sentimento antipapista. Os intérpretes intelectuais semipolíticos foram primeiro Savonarola, que governou Florença por quatro anos, e depois Lutero, que foi influenciado pelo cabalismo cristão e liderou os príncipes alemães. A primeira parte da dinâmica revolucionária da Revolução da Reforma pode ser definida como segue:

Visão oculta herética	Intérpretes ocultos heréticos	Originador revolucionário oculto	Intérprete intelectual reflexivo	Intérpretes intelectuais semipolíticos
cátaros cabalistas	Wycliffe / Hus	Ficino	Pico della Mirandola	Savonarola / Lutero

A Revolução da Reforma encontrou sua expressão intelectual em Ficino, Pico, Savonarola, Lutero e Calvino. Sua expressão política foi incorporada por Henrique VIII e por Thomas Cromwell, com a dissolução dos monastérios. Sua expressão física pode ser encontrada na Alemanha através dos príncipes alemães, que aceitaram o Luteranismo e se juntaram na Liga de Smalkade em 1531 para defender as novas igrejas; e na guerra que irrompeu entre os protestantes e a Espanha: entre os príncipes alemães e Carlos V até a Paz Religiosa de Augsburg em 1555, e entre a Inglaterra e Felipe II, durante o reinado de Elizabeth I, que se contrapôs ao imperialismo espanhol fundando o Primeiro Império Britânico.

Frederico o Grande disse da Revolução da Reforma: "uma revolução tão grande e tão singular que mudou quase todo o Sistema da Europa merece ser examinada com olhos filosóficos".[37] Olhando "com olhos filosóficos", podemos resumir a dinâmica revolucionária da Revolução da Reforma da seguinte maneira:

Inspiração herética oculta	Expressão intelectual	Expressão política	Consolidação física
cátaros cabalistas / Wycliffe / Hus	Ficino / Pico della Mirandola / Savonarola / Lutero / Calvino	Henrique VIII / Thomas Cromwell / Príncipes alemães / destruição de monastérios	Derrota da Contrarreforma espanhola: guerra dos príncipes alemães e da Inglaterra contra a Espanha / Primeiro Império Britânico no Novo Mundo

A fase de incubação da Revolução da Reforma pode se encontrada entre os cátaros (os "Puros") de Languedoc. Pode-se argumentar que o movimento cátaro foi mais uma religião do que uma revolução. Para muitos, os cátaros queriam viver isolados do mundo e não transformar as instituições sociais. Entretanto, o movimento tinha uma visão herética oculta (uma visão considerada herética pela ortodoxia religiosa da época – a visão de Mani) e uma expressão intelectual (Pierre-Roger de Mirepoix e Guilhabert de Castres). Teve uma expressão política: Raymonds VI e VII (Condes de Toulouse), que também comandaram a fase física que incluiu ataques a representantes da Igreja Católica. Mirepoix foi o líder militar dos cátaros de Montségur durante quase toda a primeira metade do século XIII. Num certo sentido, o movimento buscava transformar toda a sociedade – em cátaros protestantes – e embora os exércitos cátaros nunca tenham ameaçado Paris, o movimento levou a duas guerras civis (a Cruzada Albigense e o cerco final a Montségur) que envolveram Paris como centro de recrutamento. Ao atacar a ortodoxia religiosa de sua época, os cátaros foram os precursores dos puritanos, que levaram a efeito sua revolução matando o rei inglês, em vez de um legatário papal e dois inquisidores. Os puritanos fizeram uma revolução bem-sucedida e há argumentos para se considerar o movimento cátaro como uma revolução sem sucesso que tentou criar uma sociedade não papal de *parfaits* e fiéis. Há igualmente argumentos para considerá-los como separatistas de uma sociedade em seu desejo de serem deixados em paz.

A dinâmica revolucionária da frustrada revolução cátara pode ser apresentada como se segue:

Inspirador herético oculto	Expressão intelectual	Expressão política	Consolidação física
Mani	Pierre-Roger de Mirepoix / Guilhabert de Castres	Raymonds VI e VII	Ataques cátaros à Igreja Católica

A Renascença encontrou sua visão oculta herética em Platão e em outras obras clássicas. Como intérpretes heréticos ocultos teve Gemistos Plethon (atuando mais na condição de platonista do que na de clérigo ortodoxo) e Cosimo de Medici, que atuou como patrono depois de se tornar o único governante de Florença em 1434. Sendo o homem mais rico do seu tempo, evitou até 1455 a ribalta política e reuniu à sua volta artistas e humanistas que patrocinava. O originador revolucionário oculto foi Ficino, que reviveu a Academia de Platão. O intérprete intelectual foi Pico della Mirandola, que introduziu o conceito de Mago. O intérprete intelectual semipolítico, que mais tarde se tornou político, foi Lorenzo de Medici, o Magnífico, que absorveu as ideias humanistas de Ficino nos anos 1460 e introduziu-as no governo do Estado florentino quando assumiu o poder em 1469. A primeira dinâmica revolucionária da Revolução da Renascença é como segue:

Visão oculta herética	Intérprete herético oculto	Originador revolucionário oculto	Intérprete intelectual	Intérprete intelectual semipolítico
Platão / cabalistas	Gemistos Plethon / Cosimo de Medici	Ficino	Pico della Mirandola	Lorenzo de Medici, o Magnífico

A expressão política da Revolução da Renascença estava nos Medici, particularmente Lorenzo, o Magnífico (e Cosimo), em Carlos VIII e nos papas da Renascença. Sua expressão física foi exemplificada pela substituição do Cristianismo pelo oculto, na figura do Mago (por exemplo, Pico), e nos artistas que se inspiraram em Ficino, como Botticelli, refletindo na arte o novo Humanismo ao focalizar o corpo humano nu ou escassamente vestido (como a Vênus) e ao eliminar o halo e as preocupações contemplativas da pintura medieval. A dinâmica revolucionária completa foi:

Inspirador herético oculto	Expressão intelectual	Expressão política	Consolidação física
Platão / Gemistos	Ficino / Pico della Mirandola	Lorenzo de Medici (e Cosimo) / Carlos VIII / Papas da Renascença	O oculto substituindo o Cristianismo no Mago / Botticelli e outros

A Cidade de Deus de Savonarola foi o resultado de uma revolução contra os Medici e uma tentativa de revolução contra o Papado. Sua visão oculta remontou aos antigos cabalistas e se inspirou na revolução cátara. Savonarola deu expressão tanto intelectual quanto semipolítica à Revolução da Reforma. Também deu expressão intelectual e política à sua Revolução, mas foi morto pelos *arrabbiati* antes que houvesse um estágio físico mais violento. A dinâmica revolucionária da Revolução de Savonarola assim se apresenta:

Inspiração herética oculta	Expressão intelectual	Expressão política	Consolidação física
Cabalistas	Savonarola (sermões em São Marcos)	República de Florença (depois de 1494)	Cidade de Deus / fogueira das vaidades

O clímax da Revolução Imperial do Primeiro Império Britânico no Novo Mundo foi a fundação de Jamestown, em 1607, a primeira colônia de língua inglesa a sobreviver. Sua "visão herética oculta" (a visão interior intuitiva do mundo denunciada como herética pela ortodoxia religiosa da época, a Igreja, que afirmava que a terra era plana) pode ser encontrada na convicção do cardeal herético francês Pierre d'Ailly de que a terra é esférica e em sua descoberta pioneira do Novo Mundo. Os intérpretes heréticos ocultos foram Cristóvão Colombo – que adotou a visão de que a terra é esférica, entrou em conflito com a Igreja (Bispo Talavera de Ávila, confessor da Rainha Isabel, que se manifestou desfavoravelmente sobre a viagem proposta por Colombo) e arriscou a vida testando sua visão – e Américo Vespucci, que identificou a América como um novo continente. O originador revolucionário oculto, que deu um novo viés à visão, foi John Dee, o primeiro a cunhar a expressão "Império Britânico". Em 1550, aos 23 anos de idade, quando estava em Paris, Dee tinha conhecido Gulielmus Postellus, um cabalista que sonhava em instituir uma religião e um governo mundiais, um ideal que Dee também tinha. Alegava que, graças às conquistas do Rei Artur, Elizabeth I tinha direito a diversas terras estrangeiras, incluindo a Groelândia, a Islândia, a Frislândia, as ilhas do norte na direção da Rússia e o Polo Norte. Acreditava também que o Novo Mundo fora designado pela Divina Providência para os britânicos, uma visão que incentivou a expansão elisabetana.[38] O intérprete intelectual reflexivo da visão oculta de Dee foi

Sir Walter Raleigh, que organizou várias viagens (e depois produziu uma *History of the World*). O intérprete intelectual semipolítico, que mais tarde se tornou político, foi Bartholomew Gosnold, que iniciou a rota do sul para o Novo Mundo ao se estabelecer em Cuttyhunk em 1602 e ao organizar a fundação da Colônia de Jamestown em 1607. Ele foi o poder no Forte Jamestown até sua morte e seu funeral militar, lá realizado em agosto de 1607. A dinâmica revolucionária primitiva da Revolução Imperial do Primeiro Império Britânico foi como se segue:

Visão oculta herética	Intérpretes heréticos ocultos	Originador revolucionário oculto	Intérprete intelectual reflexivo	Intérprete intelectual semipolítico
D'Ailly (terra esférica)	Postellus (cabalista), Colombo (terra esférica), Vespucci (novo continente)	John Dee	Raleigh	Bartholomew Gosnold

A expressão intelectual da Revolução Imperial do Primeiro Império Britânico engloba as viagens de Frobisher, Gilbert e Raleigh e a expansão da ideia imperial através do Círculo de Durham. A expressão política pode ser encontrada nas tentativas de Elizabeth I de fundar o Primeiro Império Britânico sob o comando de Lorde Burleigh (William Cecil) e através da geografia de Hakluyt. A consolidação da Revolução pode ser encontrada na colônia de Jamestown, de Bartholomew Gosnold, sob o comando de *Sir* Robert Cecil, e o trabalho posterior de John Smith, que manteve Jamestown a salvo dos índios. A dinâmica revolucionária completa da Revolução Imperial do Império Britânico foi como segue:

Inspiração herética oculta	Expressão intelectual	Expressão política	Consolidação física
D'Ailly / Postellus / Colombo / Vespucci	Dee / Raleigh e Círculo de Durham / Bacon	Tentativas de Elizabeth I de fundar o Primeiro Império Britânico através de viagens e da geografia de Hakluyt	Colônia de Jamestown de Bartholomew Gosnold / John Smith

Avaliando as ideias por trás da Revolução da Reforma como um todo, podemos apresentar a dinâmica revolucionária das ideias subjacentes à Revolução da Reforma da seguinte forma:

Inspiração herética oculta	Expressão intelectual	Expressão política	Expressão física
Catarismo cabalista (rebelião contra o papa / Igreja Católica)	Humanismo renascentista	Protestantismo	Derrota dos papistas, império no Novo Mundo: guerra contra as nações católicas

Por volta de 1610, a Reforma tinha dividido a Cristandade em seitas que guerreavam entre si, levando os intelectuais ao neoplatonismo e ao rosacrucianismo. A partir da Reforma surgira uma nova força: o Puritanismo, cujo Calvinismo tinha sido adotado na Escócia pelo novo rei inglês, Jaime I. Comparado com a linha dura de Elizabeth I, Jaime foi mais tolerante em relação aos puritanos, e tanto estes quanto a tradição hermética ganharam influência no seu reinado.

CAPÍTULO DOIS

A REVOLUÇÃO PURITANA

> Oliver Cromwell era um sociniano e [...] introduziu a Franco-Maçonaria na Inglaterra. Certamente, as simpatias de Cromwell não iam para a Igreja preferida pelo monarca que suplantara, e ficavam muito mais com os Independentes. Se ele era sociniano, podemos facilmente compreender por que a sociedade secreta de Vicenza tinha atração por um de seus sentimentos ambiciosos e anticatólicos. Ele conferiu aos seus membros na Inglaterra [...] o título de maçons e inventou a alegoria do Templo de Salomão. [...] Esse Templo, destruído por Cristo pela ordem cristã, era para ser restaurado pela Franco-Maçonaria depois que Cristo e a ordem cristã fossem obliterados pela conspiração e pela revolução.
>
> Dillon, *Grand Orient Freemasonry Unmasked*

O acontecimento central da Revolução Puritana foi a decapitação de Carlos I, que era sabidamente favorável ao Catolicismo Romano. Esse foi o momento em que o poder foi transferido aos regicidas e a transformação da sociedade inglesa pôde de fato começar.

As origens da Revolução Puritana podem ser encontradas no sentimento antipapista da Reforma, que deu forma à ascensão do Puritanismo e à sua vontade de ver os ingleses como neoisraelitas. Esse sentimento foi reforçado por um novo desenvolvimento num reino cercado por estados alemães e expandido pela chegada de refugiados das guerras religiosas da Europa central à Inglaterra.

OS ISRAELITAS INGLESES

Os puritanos queriam ser israelitas britânicos[1] e usar roupas de estilo judaico (longos sobretudos pretos e chapéus). Na época, eram vistos em termos negativos, como não conformistas por recusar as vestimentas e a parafernália da alta Igreja da Inglaterra. De fato, o Puritanismo começou no final do século XVI como um movimento de Reforma na tradição cabalista/cátara de "purificar" a Igreja da Inglaterra do papismo católico que tinha sobrevivido com o Estabelecimento Religioso de Elizabeth I. Suas origens remontam aos Familistas holandeses (ou Família de Deus) do hermético Hendrik Niclaes, que uniu cristãos e judeus numa única seita, e ao tradutor da Bíblia, de influência cabalista, William Tyndale (falecido em 1536), o "Apóstolo da Inglaterra", que acreditava que – como Israel – a Inglaterra tinha uma aliança com Deus e que os britânicos eram neoisraelitas (ver Apêndices B, Apêndice 10). (O *Book of Common Prayer* de Cramner é impregnado com o sentimento do destino especial do povo britânico.)

Tyndale

Tyndale viveu na clandestinidade durante seus últimos doze anos no Continente, terminando a vida na Antuérpia, o que explica sua influência sobre Niclaes. Era considerado um grande herético. Em Cambridge, foi influenciado pela tradução latina do Novo Testamento feita por Erasmo. Depois, trabalhando como mestre-escola e capelão para um rico proprietário de terras de Cotswold, em Little Sodbury, acompanhou o desafio de Lutero à Igreja com grande interesse e pregou nas cidades vizinhas. Em 1523, um ano depois da tradução alemã do Novo Testamento feita por Lutero, foi para Londres e se tornou capelão na casa de um rico comerciante de tecidos, que lhe pagou uma rápida viagem para Hamburgo, na Alemanha. Lutero havia sido declarado herético na Inglaterra e seus livros tinham sido queimados diante da Catedral de São Paulo, em Londres. Tyndale procurou Lutero em Wittemberg, com um outro inglês, Roye, e traduziu seu Novo Testamento para o inglês. O livro começou a ser impresso em Colônia. Notícias da tradução vazaram quando um impressor se gabou com um padre chamado Dobneck, dizendo que a Inglaterra em breve se tornaria luterana, a despeito do rei do cardeal. Quando a impressão terminou, foi enviado um relatório a Henrique VIII e a Wolsey. Os dois ingleses escaparam de barco rio acima até Worms, e cópias da edição inacabada em formato in-quarto de 1525 foram enviadas à Inglaterra. Outra edição, em formato in-oitavo, foi impressa em Worms.

Traduções não autorizadas da Bíblia eram sujeitas a punições e, sem poder voltar à Inglaterra, Tyndale foi a Marburg e publicou dois trabalhos polêmicos e provocadores. *Sir* Thomas More os refutou e Tyndale escreveu uma resposta. Depois, traduziu o Antigo Testamento e foi nessa época que ficou impressionado com o paralelismo entre os israelitas e os ingleses. Thomas Cromwell tentou persuadi-lo a retornar à Inglaterra, oferecendo-lhe um salvo-conduto. Tyndale recusou e Henrique VIII denunciou-o ferozmente como "arqui-herético". No prólogo de seu *Livro de Jonas*, Tyndale exorta os ingleses a se arrependerem, assim como Jonas exortou os ninivitas.

Em 1535, More foi decapitado e a atmosfera na Inglaterra mudou, depois do casamento de Henrique VIII com Ana Bolena. Quatro reimpressões da tradução do Novo Testamento de Tyndale para o inglês foram enviadas à Inglaterra. Agora, ele vivia em Antuérpia e um falso amigo, Henry Philips, convidou-o para jantar e fez com que fosse preso pelas autoridades de Bruxelas. Morreu queimado na fogueira 135 dias depois, em outubro de 1536. Suas últimas palavras (de acordo com Foxe) foram: "Senhor, abre os olhos do Rei da Inglaterra." Sete anos depois, em cada paróquia da Inglaterra tinha uma Bíblia inglesa. E Tyndale era um herói para os membros da Família de Deus.[2]

Niclaes

Jaime I acreditava que a Família de Deus de Niclaes era a fonte do Puritanismo. Niclaes era um mercador holandês que operava em Emdem, na Frislândia, entre 1540 e 1560. Ele dava as boas-vindas a todos os fiéis em sua família universalista – todos os "amantes da verdade, seja de que nação e religião forem, cristãos, judeus, maometanos, turcos ou pagãos" – mas estavam todos no corpo de Cristo. Tinha assumido a doutrina hermética e acreditava que cada membro de sua Família do Amor se tornava um Filho de Deus. O maior número de seguidores de Niclaes estava na Inglaterra, mas Elizabeth I baniu os Familistas em 1580.

A Ascensão do Puritanismo

O breve reinado do rei-menino Eduardo VI, que terminou com sua morte em 1553, foi espetacular pela iconoclastia. Os reformadores protestantes pretendiam destruir as estátuas e imagens sagradas de mil anos de vida devocional e Eduardo era comparado a um outro rei-menino, Josias de Judá, que expurgou os ídolos de sua terra. Henrique VI se via ao mesmo tempo como Davi e Salomão. Seu filho também contemplava Israel e Judá e, além de se ver como Josias, o destruidor de ídolos, e Ezequias (salvo do cerco dos exércitos assírios por intervenção divina), via-se como Salomão, o construtor do Templo da religião divina.[3]

O Estabelecimento Religioso de Elizabeth, de 1559, permitia ao clero protestante usar qualquer tipo de roupa ao presidir a adoração. Muitos pregadores abandonaram as roupas formais e qualquer outra coisa que lembrasse a missa católica. Em 1564, Elizabeth ordenou ao Arcebispo de Canterbury, Mathew Parker, que uniformizasse a liturgia e ele, relutantemente, estipulou como regra vestes formais. Os que se recusavam a usá-las eram desdenhosamente chamados de "puritanos" ou *precisians* por se recusarem a se submeter à supremacia da rainha.

Na década de 1570, o puritano Thomas Cartwright voltou-se contra o "papismo" dos bispos e propôs o Presbiterianismo (um governo de conselhos locais formados por clérigos e leigos), uma proposta vigorosamente combatida por John Whitgift, que defendia os bispos. Na verdade, a maior parte dos puritanos apoiava os bispos de algum modo, mas um grupo de Separatistas rompeu com o sistema paroquial da Igreja da Inglaterra: instituíram novas congregações em aliança com Deus e puseram em prática as ideias puritanas a respeito dos serviços religiosos.

Os líderes puritanos não se tornaram separatistas, mas instituíram o "presbiterianismo no episcopado". Faziam reuniões públicas (chamadas *prophesyings*) do clero e dos leigos para estudar a Bíblia. Em 1576, a rainha ordenou ao novo Arcebispo de Canterbury que suprimisse esses encontros, pois representavam uma ameaça política. O Arcebispo Grindal se recusou e a rainha suspendeu seus direitos. Os encontros continuaram. Em 1583, quando Grindal morreu, o Arcebispo Whitgift, seu sucessor, acabou com os encontros e processou os líderes puritanos.

O Puritanismo moderado estava agora liquidado e, sem nenhuma perspectiva de impor uma reforma da Igreja ainda no reinado de Elizabeth, os puritanos se dispersaram em grupos, dedicando-se à pregação e à distribuição de panfletos. Alguns praticavam um congregacionalismo não separatista. Outros subverteram abertamente a Igreja da Inglaterra.

Na década de 1590, o Puritanismo não era um movimento teológico. Não tinha ideias originais em teologia, tomando por empréstimo ideias de Zwinglio e Calvino. O que o distinguiu de outros ramos do Protestantismo foi sua consciência moral, seu elevado respeito pela consciência individual, sua oposição a todas as formas de egoísmo (incluindo a avareza) e seu apoio ao clero. Os puritanos tomavam a Bíblia literalmente e buscavam a simplicidade em todas as coisas.

Shakespeare capturou o espírito puritano em Malvolio, que se opõe ao despreocupado *Sir* Toby Belch. A partir de Tyndale, o espírito puritano passou a ser identificado com Israel e Shakespeare logo fez uma ligação entre Puritanismo e Judaísmo ortodoxo. O seu Shylock, em *O Mercador de Veneza*, é um judeu puritano desvinculado do verdadeiro espírito da Cabala (graça, compaixão e beleza para toda a humanidade, incluindo os cristãos), que adere à interpretação literal da Lei (supostamente em obediência ao *Talmude* e ao *Zohar* cabalístico) em detrimento da justiça.

Os Templários (ver Apêndices B, Apêndice 7) controlavam a dinastia Stuart na Escócia e foi como templário que o Rei Jaime I foi para Londres em 1603. Jaime perpetuou a ideia de que a Inglaterra era Israel. Disse que o Senhor o havia feito "Rei sobre Israel" e, a caminho de Londres para a coroação, declarou que estava indo para a Terra Prometida. Jaime praticou a tolerância religiosa e por isso foi atacado pelos intransigentes puritanos, que no início tinham se alegrado por ter um rei calvinista. A Conspiração da Pólvora (1605) foi um ardil puritano planejado por Rober Cecil para incitar sentimentos anticatólicos e criar a impressão de que a Igreja da Inglaterra era tolerante demais com o Catolicismo e seus procedimentos traiçoeiros.[4]

As classes médias inglesas odiavam a classe governante por sua torpeza moral. A inglesa Lucy Hutchinson nos dá uma ideia do descontentamento geral em suas *Memórias*: "A corte do rei (Jaime I) era um viveiro de luxúria e intemperança. [...] A nobreza da terra estava completamente degradada. [...] Cada casa nobre do país logo se transformou numa pocilga de impurezas".[5] Quando tais sentimentos, atitudes e tensões se generalizaram, uma revolução começou a se formar. Mesmo antes de Carlos I subir ao o trono, houve proclamações contra livros "sediciosos e puritanos" e "libelos e escritos perigosos" que criticavam a classe governante.

Bacon

A Revolução Inglesa se formou em torno da concepção utópica milenarista de Francis Bacon, que interpretou a visão de Tyndale. Ele acreditava que o povo escolhido de Deus não era mais o israelita, mas o inglês e que o Templo de Salomão tinha que ser reconstruído pelos Israelitas Ingleses.[6] Essa visão de Bacon estava ligada à visão de Tyndale dos ingleses como israelitas modernos, à ênfase do Priorado de Sião – e dos Templários – no Templo de Salomão em Jerusalém, à defesa por parte de Sião do trono de Davi em Jerusalém, ocupado pelos reis merovíngios. Além de ser o intérprete oculto de Tyndale, acredita-se que Bacon inspirou a criação do Rosacrucianismo, que surgiu subitamente na cena europeia. A Revolução Puritana (que é distinta do Puritanismo) começou com os rosa-cruzes, cuja primeira aparição pareceu dramática.

A REVOLUÇÃO ROSACRUCIANA

Há quem afirme que as origens do Rosacrucianismo,[7] que, como veremos, pode ser considerada uma revolução mal-sucedida, são encontradas no Hermetismo, e que a Ordem foi fundada no século XV a.C. por Tutmés III – nome que significa "nascido de Thoth" –, o deus da sabedoria com a cabeça de íbis que era equivalente a Hermes, e que os três Reis Magos que estiveram presentes no nascimento de Jesus eram iniciados dessa Ordem. Carlos Magno pode ter fundado uma loja rosacruciana em Toulouse no século IX. Como vimos na página 38, a fundação da Rose-Croix é atribuída a Jean de Gisors, Grão-Mestre do Priorado de Sião, que escolheu uma cruz vermelha como emblema antes de 1220 (ver Apêndices B, Apêndice 7). Assim é possível que, entre os antigos Grão-Mestres da Ordem Rosa-Cruz, estivessem Raymond VI, Conde de Toulouse, o que confere uma nova dimensão ao seu conflito com a Igreja em socorro dos cátaros; Dante; Cornelius Agrippa, que escreveu sobre os Templários; Paracelso (alquimista suíço que morreu em 1541, a quem já foi atribuída a fundação do Rosacrucianismo); John Dee; Bruno e Bacon.

A Sociedade Rosi Crosse de Bacon

Há quem diga também que Bacon fundou o Rosacrucianismo pouco depois de ter fundado a Franco-Maçonaria. Em 1579, quando tinha 18 anos e ainda não existiam lojas de maçons na Inglaterra, Bacon viu a necessidade de manter seus estudos em segredo e de ter "irmãos de armas jurados". Há alusões (e piadas) na correspondência de Gabriel Harvey com Bacon sobre Franco-Maçonaria deste último.

Os Dois Pilares da Franco-Maçonaria.
Extraído de *Choice of Emblems*, de Whitney.

Em 1586, Bacon publicou *Choice of Emblems* de Whitney e, na página 53, aparecem os Dois Pilares da Franco-Maçonaria com um "Filho da Sabedoria" apontando para um dos lemas favoritos de Bacon, que pende entre os dois pilares: "Plus Ultra" ou "Além há mais". Com pouca idade, Bacon foi presidente da Ordem dos Cavaleiros do Elmo, que promovia o avanço do aprendizado. O aprendizado era simbolizado pela deusa conhecida como Minerva, Palas, Palas Ateneia ou Atenas, que usava um elmo (que lhe conferia a invisibilidade), portava uma lança e tinha uma serpente a seus pés. Para expressar o voto de invisibilidade, cada Cavaleiro beijava o elmo. Em 1586, aos 25 anos, a Ordem dos Cavaleiros do Elmo tinha gerado a Ordem Inglesa de Bacon, a Sociedade Fra Rosi Crosse, que se tornou um grau dos Cavaleiros do Elmo. A julgar por *A Nova Atlântida*, Bacon tinha planos de criar outras ordens além dessas duas, notadamente a dos Filhos de Salomão ou Sociedade da Casa de Salomão.[8]

Alfred Dodd, em *Francis Bacon's Personal Life-Story*, conta que a Sociedade Rosi Crosse de Bacon surgiu da nova Franco-Maçonaria que ele estava criando. Quando esteve no Continente – foi para a França em 1576-9 como membro da comitiva do embaixador inglês –, Bacon delineou o movimento maçom e o que hoje se conhece como Fraternidade Rosacruz. Ele e alguns pensadores continentais inauguraram esse movimento. Era uma reorganização da velha Ordem dos Cavaleiros Templários, cujo cerimonial de nove graus eles aproveitaram. O novo "Colégio Rosa-Cruz" seria instituído como um rito da Irmandade Franco-Maçônica, que ele planejava fundar na Inglaterra. Ninguém podia se tornar membro de um Colégio Rosa-Cruz Continental se já não fosse um Mestre Maçom.

Em sua segunda visita ao continente, em algum momento entre 1580 e 1582, ele relatou alguns progressos. A Franco-Maçonaria estava agora estabelecida na Inglaterra e o sistema de lojas podia ser transplantado para a França e a Alemanha. Bacon escreveu uma série de panfletos para divulgar as doutrinas e princípios do Rosacrucianismo e da Franco-Maçonaria, duas Ordens que compartilhavam os mesmos ideais. Esses panfletos explicavam que a ética tinha tomado o lugar dos credos; os atos filantrópicos de bondade o lugar da crença ingênua; a conduta correta o lugar da hipocrisia e da falsidade; o amor fraterno o lugar do ódio que dividia a Igreja. Com essa visão, trouxe consigo para o Continente os primeiros Manifestos Rosacrucianos. Em pouco tempo, os manifestos circulavam em segredo na Inglaterra e na Europa continental. Outros manifestos apareceram e acabaram sendo publicados anonimamente na Alemanha. Os Manifestos Rosacrucianos se baseavam nos princípios de Bacon, que ele chamava de *Philanthropia*.[9]

Frederico V, Elizabeth Stuart e o Palatinado

Invisíveis, os rosa-cruzes operaram secretamente até 1613, quando o novo e jovem regente do Palatinado entrou para a família real inglesa.

O Casamento do Eleitor Palatino e da Princesa Elizabeth.

Os rosa-cruzes anônimos logo se juntaram em torno de Frederico V, Eleitor Palatino do Reno,[10] calvinista e sobrinho do líder protestante francês Henri de la Tour d'Auvergne, que tinha ligações com o Priorado de Sião. Em 14 de fevereiro de 1613, Frederico (que havia sucedido a seu pai em 1610, quando ainda era um menino de 14 anos) casou-se com a filha de Jaime I da Inglaterra, Elizabeth Stuart, na Capela Real em Whitehall, Londres. Nos impressos do casamento, aparecia o Nome de Deus em hebraico (o Tetragrammaton) irradiando raios de sol que envolviam Frederico e Elizabeth. Houve apresentações de *Otelo* e *A Tempestade* de Shakespeare para celebrar a união. O Conde de Southampton, patrono de Shakespeare, provavelmente estava presente. De acordo com Chamberlain, *Sir* Francis Bacon foi o principal idealizador da mascarada apresentada em Gray's Inn, *The Marriage of the Thames and the Rhine*. Em junho, Elizabeth viajou a Heidelberg, no Palatinado, um país sem litoral, cercado por outros países: os Países Baixos Espanhóis, Lorraine, Württemberg e os vários estados alemães a sudoeste da moderna Frankfurt.

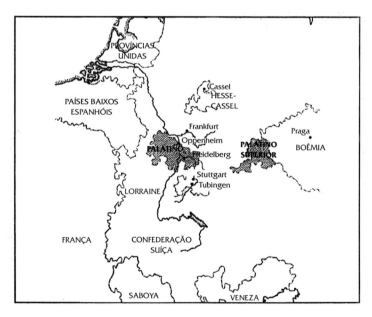

Mapa mostrando a posição do Palatinado no começo do século XVII

Parece que ela foi acompanhada pelo Conde de Southampton e logo depois construiu uma réplica do teatro Globe numa ala do castelo de Heidelberg.

(Ainda é possível visitar esse teatro: pode-se percorrer a parte de cima e ver lá embaixo, embora o "poço" esteja hoje em ruínas.)

Frederico V, Rei da Boêmia   Elizabeth, Rainha da Boêmia

A noiva e o noivo tinham ambos 17 anos e o casamento tinha ligações ancestrais com Marie de Guise, cujos dois casamentos uniram as casas de Lorraine e Stuart. Elizabeth conheceu Bacon na Inglaterra e era uma ávida leitora de seus livros: assim, foi apenas natural ele ter composto um dos entretenimentos para o casamento dela. A respeito desse casamento, Frances Yates escreveu que havia uma cultura em formação no Palatinado, uma cultura que viera da Renascença, mas agregara tendências mais recentes, "uma cultura que pode ser definida pelo adjetivo 'rosacruciana'". O movimento em torno de Frederico, Eleitor Palatino, era uma tentativa de dar expressão político-religiosa ao ideal de reforma hermética. Agora, havia um estado rosacruciano com uma corte em Heidelberg.[11]

Andreae

Em 1614, surgiram dois livros que causaram sensação na Europa: *Fama Fraternitatis* e *Confessio*, ambos atribuídos a Johann Valentin Andreae (ou Andrea, ou mesmo Andreas). Esses dois livros foram os primeiros dos chamados "Manifestos Rosacrucianos" e descreviam as viagens do alemão Christian Rosenkreutz que, dizia-se, tinha nascido em 1378 e falecido em 1484, com 106 anos de idade, tendo estudado a Cabala no Oriente. Em 1616, apareceu um terceiro Manifesto Rosacruciano. *As Núpcias Alquímicas de Christian Rosenkreutz*, saturado de ideias herméticas, que acabou sendo uma inspiração para o *Fausto* de Goethe. (Publicado anonimamente, sua autoria foi mais tarde reconhecida por Andreae.)

Andreae nasceu em Württemberg, o estado luterano vizinho ao Palatinado. Seu avô era um conhecido teólogo luterano, que tinha o apelido de "o Lutero de Württemberg". O próprio Andreae se tornou pastor luterano, mas manteve o interesse pelo Calvinismo. Em 1601, com 15 anos de idade, sua mãe o levou a Tübingen para estudar na universidade de Württemberg. Ainda estudante, escreveu duas comédias e uma primeira versão de *As Núpcias Alquímicas*, que foi reescrito antes de 1616 para incluir referências a Heidelberg e a Frederico V, Rei do Palatinado. Frederico I, o Duque de Württemberg, era um anglófilo

Johann Valentin Andreae

que visitara várias vezes a Inglaterra. John Dee tinha estado na Boêmia nos anos 1580 e sua influência cabalística pode ter chegado a Andreae através da corte do Duque de Württemberg ou através dos que rodeavam o Eleitor Palatino. Já em 1610, Andreae viajou pela Europa e dizia-se que ele era membro de uma sociedade secreta relacionada ao Hermetismo. (Talvez fosse o Priorado de Sião.)

Os Manifestos Rosacrucianos parecem ter emanado de movimentos em torno de Frederico. *As Núpcias Alquímicas de Christian Rosenkreutz* de 1616 traz referências ao Eleitor Palatino e sua corte em Heidelberg, aos dois primeiros Manifestos Rosacrucianos e ao casamento de Frederico. De fato, na versão de *As Núpcias Alquímicas*, reescrita por Andreae, o Casamento Real a que Rosenkreutz é convidado se baseia no casamento de Frederico V e Elizabeth. Além disso, o castelo de *As Núpcias Alquímicas* é inspirado no castelo de Heidelberg, cujos jardins (com seus labirintos) eram cheios de obras de Salomon de Caus (leões e fontes com cabeças de leões). Frederico tinha feito os jardins para sua mulher, cortando terraços nos penhascos íngremes abaixo do castelo, plantando laranjeiras e amoreiras e criando quedas d'água. Esperava-se na verdade que Frederico iniciasse a reforma anunciada em *Fama Fraternitatis* e *Confessio*, e houve uma breve idade de ouro hermética inspirada pelo movimento rosacruciano.

Fludd

O médico inglês Robert Fludd, filho do oficial encarregado do pagamento das tropas de Elizabeth I na França e nos Países Baixos, era um graduado de Oxford que viajou pela Europa, aprofundou-se na filosofia hermética e, em 1614, participou da primeira aparição na arena pública da Ordem da Rose-Croix. Em 1617, escreveu um tratado em defesa do *Tractatus Apologeticus Rose-Croix*, tendo claramente se inspirado na Cabala judaica. Foi o autor de *Philosophia Mosaica*, cujo título sugere um forte interesse cabalista. Ele pode ter sido influenciado pelos familistas. Ensinava que o Céu pode ser alcançado na terra: "Os rosa-cruzes se chamam de irmãos porque são 'Filhos de Deus'". Fludd era agora considerado o principal intérprete do Rosacrucianismo na Inglaterra, onde a nova filosofia era menos conhecida do que no Continente. Declarou seu apoio ao Rosacrucianismo anunciando que "o bem mais elevado" era "a Magia, a Cabala e a Alquimia dos Irmãos da Rosa-Cruz".

O Palatinado, um reino rosacruciano que inspirou o Colégio Invisível e enfatizou a invisibilidade como estilo de vida rosacruciano, foi responsável pela publicação dos mais importantes trabalhos rosacrucianos. A *magnum opus* de Robert Fludd foi publicada no Palatinado por Johann Theodore De Bry, em Oppenheim, durante o reinado de Frederico V. Os três volumes de *Utriusque Cosmi Historia*, ou *História do Macrocosmo e do Microcosmo*, apareceram em rápida sucessão, em 1617, 1618 e 1619, durante o reinado de Frederico, sendo o primeiro volume dedicado a Jaime I. A rapidez com que foram publicados esses três livros volumosos deixou claro que havia uma política para publicar o quanto antes qualquer material que favorecesse o movimento rosacruciano do Palatinado. A missão de Fludd era atualizar a filosofia da Renascença – "a Magia e a Cabala" da Renascença, os textos herméticos de Ficino e Pico della Mirandola, a alquimia de Paracelso e de John Dee, uma tradição da qual tirou muito material. Além disso, o seu plano para a reforma das ciências, apresentado nos três volumes, lembrava *O Avanço do Aprendizado* de Bacon.

Podemos apenas adivinhar a frequência das idas de Fludd ao Palatinado. O pai de De Bry tinha muitas ligações na Inglaterra e havia muitos mensageiros entre Londres e o Palatinado, já que Jaime I mantinha contato com sua filha Elizabeth Stuart. O serviço postal prestado por esses mensageiros permitia que Fludd e De Bry ficassem em contato. Fludd era muito próximo também de Janus Gruter, bibliotecário da biblioteca de Heidelberg (e amigo pessoal de Andreae), o que sugere que Fludd (como também Andreae) fazia visitas a Heidelberg para ver seu editor e visitar a biblioteca.

Um amigo de Robert Fludd, o alquimista alemão Michael Maier, que viajava muito para a Inglaterra, escreveu um tratado em defesa da Rose-Croix – *Apologia Compendiaria Fraternitatem de Rosea Croce* (1616, *Breve Apologia da Fraternidade da Rosa Cruz*). O seu *Atalanta Fugiens* foi publicado por De Bry no Palatinado em 1618. Como o inglês Fludd, Maier, um luterano de Praga, era um médico paracelsista; foi médico de Rudolf II no Palatinado e se tornou Conde. Era também o secretário rosacruciano e dirigia de fato a Ordem no Palatinado.

Fludd deve ter conhecido Andreae durante suas visitas ao amigo comum Gruter, em Heidelberg. Fludd foi Grão-Mestre do Priorado de Sião de 1595 a 1637, e Andreae o sucedeu, o que indica que se conheciam. Ambos exerceram várias funções.

Em 1602, Fludd era tutor de Charles, Duque de Guise, que se casou em 1610 com Henriette-Catherine de Joyeuse, cujas propriedades incluíam Couiza, perto de Rennes-le-Château, e Arques, o local da tumba que aparece na tela de Poussin – ambas vendidas depois à coroa. Em 1614, Andreae foi ordenado diácono de uma pequena cidade perto de Stuttgart e lá viveu até 1640, quando foi nomeado pregador e depois capelão do Duque de Brunswick. Essas funções deram aos dois a oportunidade de se encontrar no Continente.

O templário Jaime I subiu ao trono em 1603, chocando a Ordem do Priorado de Sião, que controlava os monarcas ingleses desde Henrique II. Isso pôs fim a uma linhagem de Tudors sionistas que usavam a rosa da Rose-Croix de Sião (supostamente fundada por De Gisors em 1220) e significava que tinham perdido o emblema que tinha sido deles por 400 anos.[12] O Grão-Mestre à época dessa perda era Fludd e é provável que o estado rosacruciano em torno de Elizabeth, filha de Jaime I, fosse uma tentativa de recuperar a Inglaterra: esperava-se que, um dia, Elizabeth sucedesse ao pai no trono inglês – com Frederico V como consorte sionista-rosacruciano. Esse pensamento deve ter ocorrido a Bacon e ao Conde de Southampton na época do casamento de Elizabeth Stuart, e pode ter sido um fator no aparecimento da Rose-Croix na Inglaterra em 1614, um ano após o casamento.

Supõe-se que Fludd tenha tido a ajuda de Francis Bacon para fundar a Ordem Rose-Croix na Inglaterra.[13] Até que ponto Fludd agiu em nome de Bacon ao levar a Rose-Croix para a arena pública? Como já vimos, parece que Bacon já havia fundado uma Sociedade Rosi Crosse antes de Fludd iniciar a Ordem ou Fraternidade da Rosacruz na Inglaterra. Paoli Rossi demonstrou que a obra de Bacon derivou da tradição hermética, na época personificada por Fludd, Grão-Mestre do Priorado de Sião e, segundo a *Encyclopaedia of Freemasonry* , "pai imediato da Franco-Maçonaria".[14] Yates escreve sobre o paralelismo entre os movimentos rosacruciano e baconiano.[15]

Dodd credita a Bacon a criação do Rosacrucianismo pós-1614 e também a redação dos Manifestos Rosacrucianos. Muitos livros comentam que tanto os Manifestos quanto os escritos de Robert Fludd são baconianos. (Frances Yates, entretanto, vê a mão de John Dee nos Manifestos.) Em *The Rosicrucian Enlightenment**, Yates afirma que, antes de *The Advancement of Learning* de 1605, não há qualquer evidência de que Bacon pensasse sobre os Manifestos Rosacrucianos.[16] Tudo o que podemos afirmar é que, entre 1614 e 1617, houve um movimento rosacruciano associado a Bacon, que tinha estudado as filosofias Hermética, Gnóstica e Neoplatônica, assim como a Cabala.

De acordo com Manly P. Hall,[17] em *The Secret Teachings of All Ages*, o programa original da Fraternidade Rosacruz era revolucionário e tinha três objetivos: (1) a abolição das formas monárquicas de governo e sua substituição "pelo governo da elite filosófica"; (2) a reforma da ciência, da filosofia e da ética; e (3) a descoberta do Remédio Universal, ou panaceia, para todas as formas de doenças.

Esses três objetivos foram perseguidos em segredo, já que a organização rosacruciana corria o risco de ser suprimida pelo Cristianismo dogmático. O objetivo antimonárquico do Rosacrucianismo não se tornou amplamente conhecido pelos rosa-cruzes antes de 1620, como veremos. Antes disso, era possível ser monarquista e rosa-cruz (o que provavelmente era o caso de Shakespeare). O segundo objetivo era baconiano e engloba o avanço do aprendizado e a *grande instauração* (a reorganização das ciências para devolver ao homem o domínio da natureza, que ele perdeu com a Queda). O terceiro objetivo envol-

---

* *Iluminismo Rosacruz*, Editora Pensamento, SP, 1983 (esgotado).

via a alquimia e a busca da pedra filosofal, uma panaceia universal que tornaria possível a juventude eterna.

O Colapso do Estado Rosacruciano

O envolvimento de Frederico V com a Boêmia foi sua ruína. Os boêmios tinham deposto Ferdinando II, um rei impopular disposto a abolir as liberdades políticas e religiosas. Simpático à Contrarreforma, Ferdinando reverteu a política de tolerância de seu predecessor e começou a suprimir as igrejas boêmias. Em Praga, onde os rebeldes desafiaram o soberano de Habsburgo e declararam que a coroa da Boêmia era eletiva, dois líderes católicos foram defenestrados. Tendo o Rosacrucianismo explorado a intransigência de Ferdinando, a coroa da Boêmia foi oferecida a Frederico, um protestante. (A Boêmia tinha sido percorrida pelo protestante John Dee na década de 1580.) Em setembro de 1619, Frederico aceitou a coroa da Boêmia e viajou para Praga. O clero hussita oficiou a coroação de Frederico e Elizabeth na catedral de Praga. A rainha da Boêmia era, agora, inglesa.

Sendo um católico educado por Jesuítas, Ferdinando resistiu. O decreto de sua deposição era datado de 16 de agosto de 1619 e, no dia 18 de agosto, foi escolhido para Imperador da Alemanha. Foi apoiado pelo poder dos Habsburgos e votou como rei da Boêmia na eleição imperial. Dos sete Eleitores, três eram católicos e três protestantes. Tendo votado em si mesmo, foi considerado imperador por todos os católicos, mas não pelos protestantes e boêmios. Assim começou a destrutiva Guerra dos Trinta Anos na Alemanha (1618-1648), entre católicos e protestantes, que dividiu ainda mais a Cristandade.

Frederico sobreviveu apenas dois anos como rei da Boêmia. Ferdinando II voltou-se para seu antigo reino e, com a ajuda do Duque da Bavária, derrotou Frederico na Batalha da Montanha Branca, perto de Praga, em novembro de 1620. A Boêmia foi incorporada às terras dos Habsburgos, enquanto forças da Espanha católica, comandadas pelo General Spinola, chegavam ao Palatinado. Heidelberg foi ocupada por tropas católicas e houve execuções e expurgos.

O rei Jaime I preferiu abandonar sua filha Elizabeth para não incorrer na ira dos Habsburgo, pois esperava obter um dote maior por meio de um casamento espanhol para o Príncipe de Gales. Seu objetivo era evitar a guerra contra o poder dos Habsburgos – seu maior medo – equilibrando o casamento da filha com um príncipe protestante alemão com o casamento do filho com uma princesa católica espanhola.

Podemos ver a situação do ponto de vista de Jaime. Seu genro tentava envolvê-lo numa cruzada anti-Habsburgo, a que ele se opunha, e numa filosofia rosacruciana com que não se sentia à vontade. Jaime era templário, Frederico – como Fludd – era sionista-rosacruciano. (Fludd dedicou o primeiro volume de *History of the Macrocosm and the Microcosm* (1617) ao rei, achando que Jaime teria interesse num livro publicado no reino do seu genro. Fludd era um dos intelectuais que tinham traduzido a Bíblia do Rei Jaime. Como Grão-Mestre do Priorado, sua participação nessa tradução talvez explique por que "Zion", grafia inglesa, aparece com a grafia francesa "Sion".) O rei, que se viu numa situação embaraçosa e desagradável, queria se afastar do Rosacrucianismo Sionista. O que tinha acontecido não passava de uma desastrosa tentativa dos rosacruzes de conquistar a coroa da Boêmia e expandir abertamente a causa rosacruciana. Agora, essa expansão tinha que ser clandestina.

Jaime, no entanto, pediu aos holandeses que defendessem os direitos de sua filha e consentiu que o Conde Dohna reunisse um corpo de voluntários na Inglaterra para defender o Palatinado. O Conde Dohna ofereceu o comando a *Sir* Horace Vere (primo de Eduardo de Vere, provavelmente o Horácio de *Hamlet*) que, desde a morte de seu irmão Francis, era o mais capaz dos soldados ingleses. Vere recebeu a permissão do rei para partir em julho de 1620. Comandava uma pequena força de uns 2.000 homens, que os príncipes alemães reforçaram com 4.000 cavalos e 6.000 infantes. Spinola, por outro lado, tinha 24.000 homens e Vere ficou em terrível desvantagem na Batalha da Montanha Branca. Depois da derrota protestante, Jaime não permitiu mais à filha voltar para a Inglaterra, por medo de ofender os Habsburgos. Um retrato de Jaime pintado por volta dessa época o mostra sentado sob uma rosa decorativa, o que pode sugerir seu apoio à filha rosa-cruz e também a continuação da tradição Tudor.

Durante o ano de 1621, os ingleses protegeram as três últimas fortalezas do Palatinado, mas estavam travando uma batalha perdida. Em junho de 1622, Frederico deixou Manheim para não mais voltar. Vere foi cercado em Manheim e voltou finalmente à Inglaterra em janeiro de 1624, sendo recebido pelo Rei Jaime, que estava tão grato que esqueceu de cobrir a cabeça ao saudá-lo.

Frederico e Elizabeth foram mandados para o exílio na Holanda e chegaram a Haia em 1622. Dali, o casal de rosa-cruzes olhava com raiva para o mar, na direção da Inglaterra, de onde o pai de Elizabeth enviaria somente ajuda financeira. Bacon discordou da política de Jaime e pediu apoio a Frederico, mas foi cauteloso, sabendo que o rei tinha mantido Dee a distância (ao contrário de Elizabeth, que pediu a Dee que explicasse *Monas Hieroglyphica* para ela).

Até que ponto Adreae queria fazer uma revolução rosacruciana no Palatinado? Será que pretendia criar uma monarquia rosacruciana que pudesse um dia substituir o templário Jaime I por sua filha Elizabeth, que era rosa-cruz e sionista? É bem possível. Supostamente ideia de Bacon, a expressão intelectual do Rosacrucianismo foi dada por Andreae, Fludd e Maier, e sua expressão política por Frederico V. O estado rosacruciano entrou em colapso antes que ocorresse sua consolidação física, abortando a revolução (se uma revolução foi pretendida). Não podemos dar uma resposta completa à pergunta sobre as intenções de Andreae sem saber a extensão do envolvimento de Bacon, mas os três Manifestos pelos quais Andreae recebeu o crédito, criaram um clima subitamente transformado, que pode ser considerado uma revolução.

Os Rosa-Cruzes na Clandestinidade

A expulsão de Frederico levou a algumas previsões de que 1620 seria o fim do movimento rosacruciano. De fato, os rosa-cruzes foram para a clandestinidade, readotando o voto de invisibilidade. Em 1623, em Paris, os Irmãos da Rosa-Cruz anunciaram num cartaz: "Nós, como representantes do principal Colégio dos Irmãos da Rosa-Cruz, estamos passando um tempo visível e invisível nesta cidade através da Graça do Altíssimo, para quem se voltam os corações do Justo. Mostramos e ensinamos sem livros nem sinais a falar todas as línguas dos países onde queremos estar e afastamos os homens do erro e da morte". Um trabalho anônimo publicado em 1623, intitulado *Pactos Horríveis entre o Diabo e os Pretensos Invisíveis* dizia: "Nós, representantes do Colégio da Rosa-Cruz, anunciamos a todos os que desejam entrar em nossa Sociedade e Congregação, que lhes ensinaremos o mais perfeito conhecimento do Altíssimo, em nome de quem hoje nos reunimos em assembleia, e os faremos de visíveis, invisíveis e de invisíveis, visíveis".[18]

Os Colégios Invisíveis agora se anunciavam como tal. Parece que muitos Irmãos eram leitores da falsa Cabala hermética, pois cada vez mais a adoração do diabo e a feitiçaria eram associadas aos Invisíveis por seus detratores. Michael Maier ainda era o secretário em 1623, mas dizia-se que havia 36 Invisíveis e os taverneiros penduravam rosas em suas tavernas para indicar que tudo o que lá se dizia tinha que permanecer secreto.

Em 1623, a supressão da Boêmia e do Palatinado estava completa e, tendo como pano de fundo a Guerra dos Trinta Anos, a Contrarreforma católica e o poder dos Habsburgos, começou uma campanha na França para suprimir as publicações, manifestos e cartazes rosacrucianos. Europeus desalojados, fugindo da Inquisição católica, começaram a fluir da Europa para a Inglaterra (país nativo de Elizabeth Stuart, ex-Rainha do Palatinado).

Tendo ainda como pano de fundo a Guerra dos Trinta anos entre a Espanha católica e os príncipes alemães/Palatinado, a publicação de *First Folio of Shakespeare's Works* se deu em 1623. Foi patrocinada por um genro do 17º Conde de Oxford, o Conde de Montgomery, e seu irmão, o Conde de Pembroke (que tinha ficado noivo de outra filha de Oxford). Tiveram o apoio de um grupo de nobres protestantes, incluindo o Conde de Southampton (patrono de Shakespeare). Esse grupo se opôs à proposta de Jaime I, que pretendia casar seu herdeiro, o Príncipe Charles, com a Infanta, filha de Felipe III da Espanha. É provável que estivessem em contato com a filha recentemente deposta de Jaime, Elizabeth Stuart que, esperavam os rosa-cruzes, sucederia a Jaime. O *First Folio* contém uma espantosa defesa da soberania inglesa, defendendo a monarquia inglesa (através de Hamlet por exemplo, contraposto pelo imperialista "batedor de carteiras do império", William Cecil/Polônio). Aparentemente, a publicação estava ligada ao exílio de Frederico V e Elizabeth em Haia. *Sir* Horace Vere, que conduzira as tropas de Jaime I para o Palatinado e comandava as forças do Palatinado em Manheim antes de Frederico deixar a cidade, deve ter discutido os trabalhos de Shakespeare com Frederico. Duas das peças de Shakespeare haviam sido representadas no casamento de Frederico e, como já vimos, sua mulher tinha construído uma réplica do teatro Globe no castelo de Heidelberg. Lá eram encenadas peças de Shakespeare e não é impossível que, em 1613, o Conde de Southampton tenha levado manuscritos para os atores estudarem e os tenha depositado na biblioteca do castelo, onde devem ter ficado até Frederico ser mandado para o exílio. (Uma busca pelos manuscritos perdidos de Shakespeare deveria começar em arquivos de castelos perto de Heidelberg e de Haia, onde Elizabeth Stuart viveu exilada.) *Sir* Horace pode até mesmo ter revelado que Shakespeare era um rosa-cruz pró-monarquista que tivera ligações com a Sociedade Rosi Crosse de Bacon e que era, de fato, seu parente Edward de Vere, o 17º Conde de Oxford. (Há quem pense que Horace de Vere tenha sido o modelo para o Horácio de *Hamlet*, que é instigado pelo herói, na cena final, a "relatar corretamente [sua] causa para os insatisfeitos".)

Frederico e Elizabeth não queriam que Jaime se aliasse à sua inimiga, a Espanha. A publicação do *First Folio* enviaria uma mensagem clara a Jaime: que ele prestasse atenção à conduta dos reis ingleses nas peças, que os reis ingleses tinham sido sempre nacionalistas e deviam continuar afirmando sua independência e soberania diante da Espanha. O Conde de Southampton pode ter atuado como intermediário (já que *Sir* Horace Vere ainda estava lutando na Alemanha). (Vimos que é provável que o Conde de Southampton estivesse presente no casamento real de Frederico e Elizabeth em 1613; o Príncipe Henrique, irmão de Elizabeth, queria que ele escoltasse Elizabeth até Heidelberg – ela chegou em 6 de junho para ser recebida pela mãe e pela irmã de Frederico – e sabe-se que ele estava no Continente nessa época.)[19] Frederico esperava recuperar seus tronos e era claramente um rosa-cruz pró-monarquista e não um republicano (ele teve duas coroas). Só depois o Rosacrucianismo ficou associado à oposição republicana à monarquia.

A Invisibilidade Rosacruciana de Bacon

Bacon foi nomeado Lorde Chanceler em 1618, mas foi destituído do poder em 1621, em meio a acusações de suborno. Depois de ficar preso na Torre, passou os últimos cinco anos de sua vida escrevendo freneticamente. Lamentou o fim do paraíso rosacruciano no Palatinado, que descreveu em *A Nova Atlântida,* 1624. O Palatinado, que tinha sido a mais próspera região da Alemanha antes de Frederico aceitar a coroa da Boêmia, estava agora devastado por sucessivos exércitos. O nome Salomão, que aparece em *A Nova Atlântida* ("a Casa de Salomão") se refere ao Palatinado, pois era o nome do projetista dos jardins do castelo de Heidelberg. Bacon recordava o Palatinado com nostalgia e fixou seu ideal rosacruciano na América, o primeiro assentamento permanente, que seu primo Bartholomew Gosnold tinha fundado. Simplificando, Nova Atlântida = Palatinado + Colônia de Jamestown, fundada por Gosnold. Ao mesmo tempo, a utopia em Bensalem, ou "filho de (Jeru)Salem", também sugere aquilo que a Inglaterra poderia ser.

Em *A Nova Atlântida,* há muitas evidências de que Bacon conhecia a história de Rosenkreutz. Um funcionário da Nova Atlântida entrega aos viajantes um rolo de pergaminho "assinado com um selo de asas de querubim, não abertas, mas pendendo para baixo, e ao lado delas uma cruz" (*A Nova Atlântida*). *Fama Fraternitatis*, obra rosacruciana, era selada no final "Sob a sombra das asas de Jeová". Os viajantes em Bensalem oferecem pagamento aos que cuidaram dos doentes, mas ele não é aceito. Os irmãos rosa-cruzes sempre curaram sem cobrar nada. Um funcionário na Casa dos Estrangeiros em Bensalem usa um turbante branco, "com uma pequena cruz vermelha no alto". Esse é um emblema rosacruciano. A cada doze anos, três oficiais na Casa de Salomão vão em missão ao mundo externo, adotando as roupas e costumes do país que visitam, para buscar "a primeira criação de Deus, que era a luz". Yates observa que, embora a Rosa-Cruz não seja mencionada em *A Nova Atlântida*, a "Nova Atlântida era governada por Irmãos R.C. (rosa-cruzes) viajando de maneira invisível como mercadores de luz".[20] Em outras palavras, os viajantes chegaram a um paraíso ou utopia rosacruciana.

Já se sugeriu que, como Bacon parece ter tanta participação na redação dos Manifestos Rosacrucianos, que foram baseados em seus princípios, talvez Andreae nunca tenha existido, tendo sido um pseudônimo – ou *nom de plume* – de Bacon. Há evidências disso em *The Anatomy of Melancholy*, de Robert Burton, que apareceu pela primeira vez em 1621, sob o nome de Democritus Junior. Burton era próximo de Bacon. Nessa obra, uma referência afirma que o fundador da Fraternidade de R.C. (Rosi Crosse) ainda estava vivo (em 1621) e há uma curta nota de rodapé, que Manly Hall considera "de estupenda significação": "Joh. Valent. Andreas, Lord Verulam". Bacon era Lorde Verulam (St. Albans) e a pontuação nessa nota de rodapé sugere que Andreae era um outro nome para Bacon.[21] Em outras palavras, é concebível que Andreae e Bacon fossem uma e a mesma pessoa.

Já se sugeriu que talvez Andreae tenha permitido que seu nome fosse usado como pseudônimo por Bacon e que talvez Bacon não tenha morrido na casa do Conde de Arundel perto de Highgate em 9 de abril de 1626, mas escapado para o Continente aos 65 anos e assumido a identidade do pastor Andreae, que foi Grão-Mestre do Priorado de Sião de 1637 a 1654, quando Bacon teria 93 anos. Neste caso, foi Bacon – e não Andreae – que em 1640 se tornou pregador e depois capelão do Duque de Brunswick (que deve ter participado da trama) e foi Bacon que ensinou Comenius, que se tornou baconiano. Mas não há qualquer evidência decisiva para essa especulação. (É interessante notar que Robert Fludd descendia, pelo lado materno, da antiga família de Andros, de Somerset. Criando um adjetivo feminino a partir de "Andros", chega-se a "Andrea". É, pois, possível que Fludd, e não Bacon, tenha sido Andreae.)

É provável que o Rosacrucianismo e a Franco-Maçonaria de Bacon estivessem sediados em um determinado edifício de Londres. Se Bacon, que era conhecido como o Salomão de sua época, foi o arquiteto da Franco-Maçonaria, que se concentrava na reconstrução do Templo de Salomão, então a sua primeira Loja de Maçons devia se reunir em Londres e não em Jerusalém. A tradição maçônica (por exemplo, a *Revised Encyclopaedia of Freemasonry*, edição de

1950, p. 601) afirma que todos os documentos maçônicos antigos vêm "da Loja do Sagrado São João de Jerusalém". *De* Jerusalém, não *em* Jerusalém. A "Loja do Sagrado São João de Jerusalém" (ou Cavaleiros do Elmo ou Maçons da Aceitação) ficava ao que parece em Londres, num prédio em Ckerkenwell conhecido como Priorado de São João de Jerusalém, cuja entrada sul era o St. John's Gate. Deixou de ser priorado com a dissolução de Thomas Cromwell e foi sede do Revels Office, de 1571 a 1610.[22] John Lyly (secretário do 17º Conde de Oxford durante a década de 1580) era o encarregado e, de acordo com *The Complete Works of John Lyly*,[23] de R. Warwick Bond, seu dever principal era ensaiar os atores em peças a serem representadas para a rainha. Pode ter havido ensaios no Salão do Revels Office nos tempos em que funcionou no priorado dissolvido. De outubro de 1591 a 1599, o Priorado ficou fechado aos atores, provavelmente por razões religiosas. Referências no palco ao conflito religioso atraíram a ira oficial para outros teatros em 1589.[24]

Bacon, que conhecia muito bem tanto o Priorado quanto Lyly, pode ter ajudado este último na preparação dos atores. Lyly, por sua vez, pode ter atuado como um dos primeiros ensaiadores maçônicos. Parece que os maçons da antiga Loja de Bacon se reuniam no Priorado por volta de 1586 e foram expulsos de lá antes de 4 de outubro de 1591, pois a rainha estava alarmada com os encontros secretos da Franco-Maçonaria de Bacon. Essa data praticamente coincide com o encontro dele (em julho de 1591) com o jovem Conde de Essex, o favorito da rainha, que ainda estava em desgraça com ela por ter-se casado, sem sua permissão, com a viúva de *Sir* Philip Sidney. Essex foi patrono de Bacon de 1591 a 1601, quando Bacon o denunciou como traidor e liderou o processo que levou à sua execução. Bacon parece ter voltado ao Priorado durante os anos rosacrucianos. Arrendou a Torre Canonbury, em Islington, no período entre 1616 e 1625, época em que havia uma passagem subterrânea da Torre até os portões do Priorado.[25]

O Priorado parece ter sido o foco da invisibilidade que Bacon exigiu de todos os seus seguidores. Juntamente com os membros da Ordem dos Cavaleiros do Elmo, Bacon tinha jurado assumir invisibilidade completa, inclusive em seus escritos, ao promover o avanço do conhecimento. É evidente que achou difícil manter o juramento porque, em 1597, publicou o primeiro ensaio com seu nome. Isso foi na época em que a Ordem dos Cavaleiros do Elmo e da Deusa da Sabedoria substituíam Atena pelo Grande Arquiteto do Universo Franco-Maçônico, o Deus da Suprema Sabedoria, celebrado na Ordem da Maçonaria da Aceitação, que não requeria invisibilidade total.[26] O desígnio da Franco-Maçonaria só ficou completo com a publicação de *A Nova Atlântida*, que forneceu seus fundamentos filosóficos. (Tal desígnio veio da Rose-Croix de Sião através da Sociedade Rosi Crosse de Bacon e da preparação de Fludd.)

A invisibilidade assumida pelos Cavaleiros do Elmo, que Bacon observou até 1597, pode ter sido responsável pela anonimato de Shakespeare. Se – "Shake-speare" é um pseudônimo, talvez então Shakespeare tenha sido membro da Sociedade Rosi Crosse – daí seu conhecimento de Dee/Próspero – e tenha tirado a ideia de *spear* (lança) das estátuas de Palas Atena. A ponta dourada da lança da estátua da deusa na Acrópole de Atenas cintilando ao sol era visível de alto-mar, dando à frota grega a certeza de que a deusa vigiava as ondas (como Britannia, que também usava um elmo e empunhava o equivalente a uma lança). Se assim for, vale observar que o elogio que o 17º Conde de Oxford recebeu de Gabriel Harvey na presença da rainha, em Audley End, "Thy countenance shakes spears" ("Teu semblante agita lanças") se refere possivelmente à lança de Palas Atena, familiar aos Cavaleiros do Elmo, que Harvey conhecia graças à sua correspondência com Bacon. Em 1593, Oxford mudou-se para Hackney, não muito longe do Priorado e de seu parente Bacon, e aí passou os últimos onze anos de sua vida, talvez em contato com ex-Cavaleiros do Elmo e fiel a um voto de invisibilidade que o próprio Bacon negligenciara. Esse voto de invisibilidade logo teria fortes ligações rosacrucianas.

Tanto Bacon quanto Shakespeare devem ter sido submetidos à "morte filosófica" rosacruciana. Manly Hall relata que o conselho supremo rosacruciano era composto de um certo número de indivíduos que tinham passado pelo que se conhece como "morte filosófica". Ao entrar na Ordem, o iniciado convenientemente "morria" em circunstâncias misteriosas. Na realidade, mudava de nome e endereço e um caixão cheio de pedras ou com o corpo de outra pessoa era enterrado em seu lugar. Acredita-se que isso aconteceu no caso de Bacon, que renunciou ao crédito de documentos que escreveu ou inspirou, permitindo que outros assumissem sua autoria.[27]

Os irmãos da Nova Atlântida e de seu colégio "não eram vistos" pelo mundo externo. O Grão-Mestre rosacruciano Maier escreveu em *Themis Aurea* que uma resolução tinha sido aprovada num encontro realizado em 1617, determinando que a Irmandade da Rose-Croix deveria manter total segredo por 100 anos (até 1717, o ano em que a Franco-Maçonaria foi oficialmente instituída). Em 31 de outubro de 1617, a Convenção dos Sete, em Magdeburg, decidiu se referir a seus membros como "Os Invisíveis", durante os cem anos seguintes. Renovava também o juramento de destruir a Igreja Cristã e decretava que, em

1717, transformaria a Rose-Croix numa associação que poderia divulgar abertamente a sua propaganda.[28]

A Maçonaria Rosacruciana e a clandestina estavam agora entrelaçadas e ainda assim invisíveis. Como disse De Quincey, "A Franco-Maçonaria não é nem mais nem menos do que o Rosacrucianismo modificado por aqueles que o transplantaram para a Inglaterra". Através de Fludd e de Andreae/Bacon, o Rosacrucianismo e a Franco-Maçonaria teriam uma enorme influência na direção política do Puritanismo.

Muito já foi dito para mostrar que o Rosacrucianismo Invisível – "a fraternidade Rosa-Cruz Invisível" – fluiu secretamente do Palatinado de 1619 para os que se reuniam em torno da obra de Bacon, de onde passaria para a Royal Society Inglesa em 1660. Os Invisíveis tinham jurado ser invisíveis no que fizessem durante a vida, morrer discretamente e ter um enterro sem ostentação e pompa. Ou não havia lápide, ou a inscrição era ambígua. Parece agora que a tumba em Arques e os pastores que examinam uma inscrição em Arcadia/Arques-adia transmitem a invisibilidade de um rosa-cruz; os pastores eram rosa-cruzes e a tumba e a inscrição representavam a tumba de Christian Rosenkreutz, em que havia uma inscrição ambígua (*Et in Arcadia Ego*), que se tornou o epitáfio de um Invisível.

Arcadia, então, parece ter sido uma referência ao Palatinado e à França, com seu paraíso rosacruciano perdido. A tumba sugere invisibilidade rosacruciana na morte. Através da Europa, os rosa-cruzes invisíveis mascaravam suas atividades chamando seus grupos de sociedades ou uniões cristãs: era uma rede de sociedades secretas operando sob um rótulo cristão. Da mesma forma, muitos rosa-cruzes exilados na Inglaterra se denominavam puritanos e se juntaram à Revolução Puritana.

Em *The Occult Philosophy in the Elizabethan Age*, Frances Yates conta como a fracassada revolução rosacruciana de Andreae no Palatinado penetrou na Revolução Puritana: "O movimento rosacruciano tinha fracassado no continente. Os refugiados foram em massa para a Inglaterra puritana, como refúgio contra o Anticristo. E a revolução puritana assumiu alguns aspectos da projetada revolução rosacruciana. É por isso que houve um 'ocultismo puritano', que foi publicada uma tradução inglesa dos Manifestos Rosacrucianos na Inglaterra de Cromwell e que a filosofia de John Dee foi cultivada por zelosos parlamentaristas."[29]

A SOCIEDADE ROSACRUCIANA INVISÍVEL DE HARTLIB

Muitos dos europeus que chegaram à Inglaterra como refugiados de exércitos religiosos na Alemanha eram associados pessoais de Andreae: Samuel Hartlib (amigo de Andreae), da Prússia ocupada; John Amos Komensky ou Comenius (com quem Andreae continuou a se corresponder), um morávio; Theodore Haak, amigo pessoal de Elizabeth Stuart; e o Dr. John Wilkins, capelão de Frederico V. Chegando à Inglaterra, foram atraídos para guildas e círculos maçônicos preparados por Fludd, agora ligados à Rose-Croix. Todos esses rosa-cruzes se tornaram puritanos. Conheceram Robert Moray, que foi admitido como membro de uma loja em 1641, assim como Elias Ashmole (maçom desde 1646) e o jovem Robert Boyle.

Hartlib e Andreae

Samuel Hartlib foi o elo entre Andreae e Oliver Cromwell, e deu expressão intelectual à visão oculta de Andreae. Veio de Elbing, na Prússia polonesa, e estava em Cambridge quando Milton ainda era estudante (1625-6), no último ano da vida de Bacon. Não há qualquer evidência de que Milton e Hartlib tenham se encontrado nessa época, mas Hartlib conhecia todo mundo,[30] incluindo Thomas Young, Joseph Mede, o reformador educacional escocês John Dury e Lady Ranelagh, cuja tia (irmã de Edward King, o Lycidas de Milton) se casou com Dury.

Depois de Cambridge, Hartlib voltou a Elbing e esteve no centro de uma sociedade mística e filantrópica. Era uma "Antilia": em outras palavras, um modelo de sociedade cristã baseada nos escritos de Andreae, que combinava piedade e ciência. Essa sociedade "reformada" era uma preparação para uma reforma universal. Assim, Hartlib conheceu os escritos de Andreae em 1627-8, e seu foco na nova ciência combinava ideias de Bacon e Andreae.

Andreae via suas Uniões Cristãs formando uma *societas Christiana*, como aparece em duas de suas obras, escritas em 1619 e 1620, *A Modell of a Christian Society* e *The Right Hand of Christian Love Offered*. Essas duas obras tinham sido dadas por perdidas, mas apareceram cópias nos papéis de Hartlib.[31] John Hall traduziu-as do latim em 1647 e escreveu para Hartlib: "O senhor mesmo (que conheceu alguns dos membros dessa Sociedade na Alemanha) pode testemunhar que isso é mais do que uma *Idaea*. É uma grande pena ter sido descontinuada logo ao ser instituída e não ter sido retomada." Em *Modell,* Andreae escreve: "O Chefe da Sociedade é um Príncipe alemão, um homem ilustríssimo por sua piedade, conhecimento e integridade, que tem sob seu comando doze Colegas, seus Conselheiros particulares, cada um deles eminente por algum dom de Deus".

Em 1642, Andreae escreveu ao Duque de Brunswick, de quem havia se tornado capelão, e insinuou que ele (o Duque de Brunswick) era o Príncipe. Na carta, Andreae dizia que o lugar onde a *Societas* começara seria em breve a sede de uma guerra porque o grupo já tinha se dividido na guerra de religião (ou seja, a Guerra dos Trinta Anos). O livro sobre a *Societas* fora queimado e os membros dispersos.[32]

Em *Modell,* lemos que nada se aproxima mais de Deus do que a unidade e que evitar a dissensão entre os homens é vital, e é por isso que os homens se juntam em sociedades. Os doze colegas do Príncipe alemão representavam diferentes ramos de estudo: religião, virtude, aprendizado, teologia, censura, filosofia, política, história, economia, medicina, matemática e filologia. Havia uma forte cultura científica na *Societas* de Andreae. Baseava-se na matemática e enfatizava a tecnologia e a utilidade. Um exame de *Fama* indica que os assuntos desses 12 especialistas não são diferentes dos assuntos oferecidos aos irmãos rosa-cruzes naquela obra. Andreae ampliou esses temas em *Christianopolis* (1629).

Entre 1619 e 1620, Andreae recomendou a criação de sociedades regidas pela ciência, sendo que a primeira delas teria a liderança do Duque de Brunswick. (Um dos primeiros exemplos surgiu em Elbin, por iniciativa de Hartlib.) A Guerra dos Trinta Anos pôs fim às sociedades na Alemanha, embora Andreae tenha tentado reiniciar a *Societas* rosacruciana em Nuremberg, em 1628. Mas, e é esse o ponto, a *Societas* continuou na Inglaterra através de um de seus principais entusiastas, o rosa-cruz Hartlib, cuja importância para Andreae pode ser entendida quando se recorda que só ele preservou as obras de Andreae escritas em 1619 e 1620.

Os católicos avançaram pelas regiões rurais da Prússia polonesa, calvinista desde o século XVI e defendida por exércitos mercenários, e tomaram Elbing. Em 1628, Hartlib voltou à Inglaterra como refugiado e colaborou com John Dury, que tinha conhecido em Elbing. Eles tinham as mesmas ideias sobre a necessidade de todas as igrejas protestantes se unirem para a educação universal, a reforma das escolas e a preparação de professores. Hartlib criou em Chichester uma escola para refugiados da Polônia, da Boêmia e do Palatinado, e voltou a Londres para organizar projetos filantrópicos, educacionais e científicos relacionados ao ardor religioso Invisível.

O Grupo Rosacruciano Invisível de Hartlib

Como amigo e correspondente de Andreae, Hartlib estava no centro de um grupo reformador na década de 1630, que produziu muitos panfletos e tratados. Ser reformista nos anos 1630 era se opor ao rei e, ao discutir a reforma educacional e a educação universal, Hartlib de fato estava falando de uma nova sociedade. Nesse contexto, esteve fortemente associado a John Pym, líder revolucionário da oposição, que "negava a própria existência de poder supremo",[33] e deu expressão política à Revolução Puritana, que substituiria a sociedade então existente através de meios revolucionários. De 1621 até sua morte em 1643, Pym teve assento em todos os Parlamentos e, a partir de 1629, reuniu os homens que liderariam a oposição parlamentar ao rei na década de 1640. Charles Webster, em seu exaustivo estudo do período, conta que, mesmo sem fundos, Hartlib tentava ajudar os outros. Pym persuadiu Hartlib a fornecer informações de fora e aconselhamento técnico para evitar inundações nas minas de carvão de Coventry. Pym estava em Fawsley, Northamptonshire, quando se correspondia com Hartlib e era de lá que distribuía aos outros políticos puritanos as notícias que recebia. Pym fazia pequenos pagamentos a Hartlib, que poderia ter que ajudar seus protegidos imbuídos de espírito público, e se empenhou em promover a visita de Comenius à Inglaterra. Essa correspondência revela uma relação calorosa entre Pym e Hartlib. Dury provavelmente estava certo ao considerar Hartlib um "amigo íntimo e constante de Pym".[34]

Segundo Hugh Trevor-Roper,[35] o maior apoio ao Grupo Rosacruciano Invisível de Hartlib e Dury nos anos 1630 veio de Elizabeth Stuart, rainha da Boêmia, testa de ferro real da oposição. Como viúva de Frederico V, Elizabeth recebeu refugiados do Palatinado, da Boêmia e de outras regiões da Europa assoladas pela guerra, e repassou a Hartlib parte dos fundos que recebeu do Parlamento Inglês e do governo holandês – talvez a pedido de Andreae. Assim a *Societas* de Hartlib em Londres, inspirada em Andreae, foi fundada por Elizabeth Stuart e, em troca, Hartlib se empenhou na restauração do filho de Elizabeth, Charles Louis, ao Palatinado. Em 1637, Charles Louis fez de Hartlib ministro do Eleitor Palatino através de uma patente, dados os seus serviços aos exilados do Palatinado (rosacruciano) e à sua reputação entre os "grandes".[36]

John Dury esteve em contato com Elizabeth da Boêmia e também se empenhou na restauração de Charles Louis.

O grupo de Hartlib ganhou expressão no começo da década de 1640, quando se tornou mais numeroso e mais influente. Comenius, amigo de Hartlib, que também era financiado por Elizabeth da Boêmia, tinha estudado na Universidade de Heidelberg no Palatinado, sendo influenciado pelos milenaristas, que acreditavam que o homem poderia alcançar a salvação na terra. Lera os trabalhos de Bacon com entusiasmo e acreditava que o milênio poderia ser atingido com a ajuda da ciência. Em Heidelberg, conheceu George Hartlib, irmão de Samuel, e pode também ter conhecido Andreae. Seja como for, tendo se matriculado 12 dias depois da chegada de Elizabeth Stuart, em junho de 1613, deve ter ouvido falar dos Manifestos Rosacrucianos. Quando os espanhóis cercaram Heidelberg em 1618, fugiu para a Polônia. Hartlib tinha lhe enviado estudos apoiando sua visão reformista e tinha traduzido muitas das obras de Comenius, incluindo *Pansophiae prodromus* (*pansophia* representando conhecimento universal).

Com a bênção do Parlamento, Hartlib convidou Comenius e Dury a se reunirem a ele na Inglaterra, em 1641. Deu a Comenius uma tarefa: fundar um colégio de reforma social para mudar a sociedade através da educação. Esse colégio se tornaria o Colégio Invisível e, mais tarde, a Royal Society. A chegada de Comenius aumentou a influência do grupo de Hartlib, que incluía John Hall, *Sir* Cheney Culpeper – que se aproximaram de Milton através de Hartlib –, Robert Boyle (irmão de Lady Ranelagh), que vivia no exterior, o matemático John Pell, Benjamin Worsley, John Sadler, Henry Oldenburg e Theodore Haak, um rosa-cruz do Palatinado.

Em 1641, Hartlib publicou *A Description of the Famous Kingdom of Macaria*, o esboço de uma utopia baseada em sua Antília (sua sociedade andreaeana), agora chamada de Macaria. Baseava-se nas ficções de *Sir* Thomas More e Bacon e na filosofia de Bacon e Comenius, e se dirigia ao Parlamento Longo (Long Parliament). Descreve uma terra de sonho rosacruciana, onde reina a alegria, como no Paraíso antes da Queda. Hartlib estava certo de que o Parlamento "lançaria a Pedra fundamental da alegria do mundo antes do recesso final".

Foi uma época emocionante, pois de repente a Inglaterra parecia ser a terra escolhida por Jeová, e sonhos de uma nação utópica pareciam próximos de se tornar realidade. Comenius e Dury eram mencionados no Parlamento como filósofos capazes de introduzir reformas. Comenius, que pode ter tido

Andreae como professor, acreditava que o Parlamento lhe havia conferido um mandato para construir a Nova Atlântida de Bacon na Inglaterra.

Também em 1641, Dury publicou um trabalho profetizando o avanço do aprendizado, a unidade protestante e a restauração do filho da Rainha da Boêmia no Palatinado. Havia esperança da Inglaterra escapar da sangrenta guerra civil em que a Alemanha tinha mergulhado e também do movimento em torno de Frederico V voltar a acontecer em torno de seu filho. Na Inglaterra de 1641, o relógio podia ser atrasado para o Palatinado de 1617.

No mesmo ano, Comenius escreveu *O Caminho da Luz*, cheio de esperança para o futuro. Ele visualizava um tempo de iluminação universal em que todos teriam "uma Arte das Artes, uma Ciência das Ciências, uma Sabedoria da Sabedoria, uma Luz da Luz". Os "livros universais" permitiriam que toda a humanidade participasse do avanço do aprendizado. Advogava também um Colégio, ou sociedade sagrada, devotado ao bem comum da humanidade e estruturado através de leis e regulamentos. Era para fundar esse colégio que ele tinha sido chamado à Inglaterra. Em Comenius, os mercadores de luz de Bacon se tornaram Irmãos Rosa-Cruzes.

Hartlib, Dury e Comenius, refugiados na Inglaterra para propagar a reforma universal, o avanço do aprendizado e os ideais utópicos, mergulharam no *revival* do baconismo, que florescia nos anos 1640. No grupo de Hartlib, os rosa-cruzes alemães e os ingleses baconianos se uniram numa nova tentativa de introduzir o avanço do aprendizado. Frances Yates conta como Hartlib, Dury e Comenius trouxeram o movimento de reforma à Inglaterra parlamentarista, que tinha voltado ao velho papel elisabetano de defensora da Europa Protestante. As esperanças rosacrucianas tinham aumentado com o casamento do Eleitor Palatino com uma princesa inglesa mas, frustradas essas esperanças, o grupo de Hartlib esperava que a Inglaterra recuperasse seu papel elisabetano.[37] Embora Andreae e seus seguidores, como Comenius, tivessem deixado de usar o termo "Rosa-Cruz", desacreditado durante a Guerra Civil, mantinham o ideal utópico de uma sociedade iluminada e filantrópica em contato com agências ocultas. O Utopismo Reformista proclamado pelas Sociedades Cristãs de Andreae foi uma grande força subterrânea nos anos da Guerra Civil.[38]

Entretanto, as esperanças de 1641 desmoronaram e, percebendo a iminência da guerra civil em 1642, Comenius deixou a Inglaterra para trabalhar na Suécia, e Dury partiu para trabalhar em Haia, com Elizabeth da Boêmia. Hartlib permaneceu na Inglaterra e continuou a planejar uma *Societas* – uma sociedade macariana – que fosse um modelo para o futuro. Agora ele operava sob o rótulo de "puritano".

Hartlib e Milton

Hartlib menciona Milton pela primeira vez em 1643: um "grande viajante, [...] cheio de projetos e invenções". (Milton tivera a ideia de escrever um poema épico durante suas viagens pela Itália em 1638-9, mas só o escreveria na década de 1660.) Milton era então membro do grupo de Hartlib e havia às vezes reuniões em sua casa, em Petty France, Londres. O poeta parece ter tido ligações com a tradição hermética através de seu vizinho em Buckingamshire, Robert Fludd. Tinha uma cópia dos escritos herméticos, refere-se ao "Hermes três vezes grande" (Hermes Trismegistus, do século III d.C.) num poema de estudante e duas vezes a John Dee. Os demônios em "Il Pensoroso" e o espírito presente em "Comus" podem ser herméticos, como as "criaturas espirituais" que "caminham invisíveis pela terra" em *Paraíso Perdido* 4, 677-8. Os nomes de alguns anjos de Milton vêm de Fludd, que deu a Satã o nome de Lúcifer antes da Queda – o que Milton imitou. Como Fludd, Milton usou argumentos matemáticos contra a Trindade e fez especulações sobre a luz ter sido criada ou ser eterna.

Desses e de muitos outros exemplos, podemos concluir que o grupo de Hartlib teve influência sobre Milton. Se Milton já não era rosa-cruz em 1643, então Hartlib o tornou um deles, pois é quase certo que Hartlib estivesse politizando os membros de seu grupo com ideias revolucionárias. Em 1644, persuadiu Milton a escrever o panfleto *Of Education*, que o poeta lhe dedicou.

Havia vários grupos nessa época – os Antinomianos, os Socinianos, os *Ranters* (os primeiros metodistas), os *Diggers* (camponeses revolucionários) e os primeiros *Quakers* – e todos eles enfatizavam a perfectibilidade do homem na terra e a possibilidade de todos os homens serem Filhos de Deus e, portanto, irmãos. Milton é um exemplo típico dessa crença na perfectibilidade. Ele via o Filho como um homem perfeito. Os textos herméticos ensinavam que o homem podia servir ao divino em si mesmo e, através da gnose, ser como um deus. Servetus compartilhava dessa visão hermética e, como Servetus e seus contemporâneos radicais, Milton derivou a Filiação de todos os cristãos mais do texto hermético de Fludd do que da tradição hermética familista, que lembrava o unitarismo antitrinitário e a Bíblia.[39] Em *Paraíso Perdido*, Deus Pai se dirige primeiro a Cristo e depois aos anjos:

"Então tu, teu cetro real deporás
Pois de cetro real não mais precisarás,
Deus estará todo em tudo. Mas todos vós, Deuses...."
(3.339-41)

Quando os homens se tornam deuses, a monarquia de Deus deixa de ser importante. Não precisamos de poder ou de obediência quando somos deuses. Winstanley ungia os fiéis para que se tornassem Cristos. Milton se referia ao "ungido" de Deus. Para Milton, o homem pode ser perfeito na terra porque há unidade calcada em filhos no Filho. De seu ponto de vista, a Igreja e o Estado definhariam até desaparecer.

Assim como a Guerra dos Trinta Anos frustrou as esperanças rosacrucianas, a Guerra Civil Inglesa frustrou as esperanças neobaconianas/neorrosacrucianas. Mas agora Hartlib preparava um programa que seria implementado depois do sucesso da revolução. Estava antecipando o Protetorado. Hartlib sofre a influência de Dee, mas estava basicamente dando expressão intelectual à visão oculta de Andreae que era uma reinterpretação da visão de Bacon. Se Andreae foi o Marx da Revolução Puritana, Hartlib foi o Trotsky.

A ASCENSÃO DE OLIVER CROMWELL

A ascensão de Oliver Cromwell,[40] implementador dos aspectos políticos e físicos da Revolução Puritana, foi notável. Ele nasceu de pais protestantes em Huntingdon, perto de Cambridge, Inglaterra, em 1599. Seu pai foi membro do parlamento nos Parlamentos da Rainha Elizabeth. Descendia de Thomas Cromwell, que dissolvera os monastérios nos anos 1530 e dera a mansão Hinchingbrooke em Huntingdon, na Inglaterra oriental, que tinha sediado um convento de freiras. Lá, o Rei Jaime visitou seu tio, *Sir* Oliver Cromwell, quando estava para ascen-

Oliver Cromwell

der ao trono em 1603. Conta-se que Cromwell, aos 4 anos de idade, deu um soco no nariz do Príncipe Charles Stuart (o futuro Rei Carlos I), quando este tinha 2 anos de idade.

A história de que Oliver era de ascendência judaica pode ter-se originado com a segunda mulher de *Sir* Oliver, Anne Hooftman, a viúva holandesa do católico genovês *Sir* Horatio Palavacino (falecido em 1600). Em 1578, Elizabeth I afiançou um empréstimo feito por Palavacino aos rebeldes holandeses que combatiam a Espanha. Palavacino era ligado a Anne Hooftman e Cromwell por laços de casamento entre seus filhos. Não se sabe ao certo se os Palavacinos eram judeus, pois viviam como católicos praticantes, mas havia rumores de que eram Marranos (judeus forçados a se tornar católicos romanos).

Oliver foi educado na escola de gramática de Huntingdon e estudou durante um ano no Sidney Sussex College, em Cambridge. Tanto seu mestre-escola quanto seu Mestre em Cambridge eram calvinistas (cabalistas) e ambos ensinaram a Cromwell que Deus guiava os Eleitos por caminhos retos. Depois de um ano em Cambridge, seu pai morreu e ele precisou cuidar da mãe viúva e das irmãs. Isso foi em 1617, quando vivia uma vida desregrada nas cervejarias de Huntingdon. Para que tivesse companhias mais saudáveis, a mãe mandou-o estudar em Lincoln's Inn e, em 1620, ele se casou com a filha de um comerciante de Londres, Elizabeth, com quem teve nove filhos.

Viveram na propriedade de Huntingdon, onde nascera. Aos 20 e poucos anos, Cromwell se afastou do Calvinismo e adotou a visão deísta do Unitarismo, que lembrava a Franco-Maçonaria e se reportava ao Antigo Testamento. Enfatizava Deus (o "Senhor") em vez de Cristo e afirmava que Deus é uma só pessoa e não uma Trindade.

De acordo com Dillon, o Unitarismo e a Franco-Maçonaria foram elaborados por Faustus Socinus, o sobrinho de Laelius Socinus, que chegou em Veneza aos 21 anos e participou de uma conferência de heréticos em Vicenza em 1547, quando foi decidida a destruição do Cristianismo. A República de Veneza capturou e depois estrangulou dois dos principais heréticos, mas Laelius escapou. Faustus, que herdou o antitrinitarianismo do tio, acabou por se estabelecer na Polônia, influenciou a fundação do Unitarismo e fundou a seita Sociniana, que nega a natureza divina de Cristo.

Segundo Dillon, o objetivo sociniano era destruir a Igreja e erguer outro templo, onde qualquer inimigo da ortodoxia (ou seja, da Igreja Católica de Roma) pudesse entrar livremente, onde todos os fiéis heterodoxos pudessem ser irmãos – Irmãos Unidos, Irmãos Poloneses, Irmãos Moravianos, Irmãos

Maçons e, finalmente, Maçons. A descrença sociniana na divindade de Cristo foi fundamental para a Franco-Maçonaria.

Dillon diz que Abbé Lefranc acreditava que Cromwell era sociniano, fundou a Franco-Maçonaria e inventou a alegoria do Templo deísta de Salomão, onde eram permitidos todos os credos. Esse Templo, destruído por Cristo (que virou as mesas no pátio do Templo), era para ser restaurado pela Franco-Maçonaria, depois do Cristianismo ter sido eliminado.

Não sabemos se Cromwell tinha conhecimento dessas considerações na época em que se tornou unitarista. Em 1627, a mansão Hinchingbrooke foi vendida e, no ano seguinte, Cromwell foi eleito membro do Parlamento por Huntingdon. Era conhecido como puritano impetuoso e rude, que dirigiu ataques calvinistas contra os bispos. (Falava em linguagem puritana, como se esperava de um membro de um Partido Independente majoritariamente puritano.) Até a dissolução do Parlamento em 1629, ele tinha problemas psicológicos profundos – talvez ligados à sua passagem do Calvinismo para o Unitarismo –, mas nesse ano, com quase 30 anos de idade, viveu uma conversão. Mais tarde (em 1638), descreveu-a à prima, Sra. St. John: "[...] eu vivia na escuridão que adorava e odiava a luz; era um chefe, o chefe de pecadores [...]. Minha alma está com a Congregação do Primogênito [...]. Ele me permitiu ver a luz, na Sua luz."

É a partir desse momento, em 1629, que ele começou a se ver como congregacionalista. Muitos anos mais tarde, um amigo que o conheceu nessa época escreveu: "A religião foi assim 'introduzida em sua alma com o martelo e o fogo'; não 'apenas entrou pela luz em seu entendimento'".[41]

Depois da conversão, sentiu que era um dos Escolhidos de Deus – um dos poucos, o Eleito – e que agora estava aberto às "providências súbitas nas coisas". Sentiu que era um instrumento cego nas mãos de um poder mais alto, que os acontecimentos históricos eram determinados pela vontade de Deus – "as revoluções de Deus" – e que sua tarefa era descobrir o propósito oculto por trás dos acontecimentos, ou "o que é a mente de Deus na corrente da Providência."

Em 1631, a propriedade de Huntingdon foi vendida e Cromwell se tornou arrendatário de uma fazenda em St. Ives, a uns oito quilômetros dali. Assim, durante quase toda a década de 1630, foi um cavalheiro do campo. As colheitas foram ruins em 1631 e 1632, e ele pensou em emigrar para a América. Quando finalmente se decidiu a emigrar, foi atraído pelo Novo Mundo puritano além dos mares.

A história é que em 1638 ele embarcou num navio que estava pronto para zarpar do Tâmisa, acompanhado por seus parentes Arthur Haselrig e John

Hampden. (Hampden tinha sido preso em 1637 por se recusar a pagar os 20 *shillings* do seu *Ship Tax* – um imposto polêmico. Ambos se tornaram líderes da oposição parlamentar.) Viajariam com a New Providence Company mas, no último minuto, o Conselho de Estado lhes negou a permissão para partir e os três tiveram que retornar pela prancha. Cromwell sempre achou que essa recusa do Conselho foi Providencial. Dez anos depois, o Conselho deve ter se arrependido de não tê-lo deixado ir embora. Na época dessa viagem frustrada, Cromwell herdou uma propriedade em Ely, de *Sir* Thomas, irmão de sua mãe, e voltou a viver perto da vastidão dos pântanos.

Em 1640, Carlos I convocou um novo Parlamento e Cromwell foi eleito representante por Cambridge. Viu-se em meio ao descontentamento de outros proprietários de terras, liderados por John Pym. Estavam todos indignados com a política de impostos de Carlos I, que impunha o pagamento de "Ship Money" a pessoas como John Hampden, e desiludidos com a corrupção do clero. Pym organizou um "Grande Protesto" em novembro de 1641, desafiando o rei. O rei revidou ameaçando prender cinco representantes parlamentares por traição. (Nessa época, Samuel Hartlib agia nos bastidores.)

Um documento posterior liga Cromwell (por meio do primo Oliver St. John) a Hartlib e aos que faziam campanha por um novo Parlamento entre abril e outubro de 1640: "A verdadeira causa da convocação do Parlamento Longo: na dissolução do antigo Parlamento Curto os membros, tanto Lordes quanto Comuns, tinham a convicção de que os negócios do rei logo exigiriam que ele os convocasse de novo. Assim, os que residiam perto de Londres encontravamse com frequência e passavam informações fornecidas por Samuel Hartlib [...] aos que viviam no campo. Em pouco tempo, fizeram uma convocação geral e todos vieram, trazendo também outros cavalheiros do campo, em quem confiavam. Oliver St. John trouxe consigo o Oliver Cromwell, sendo essa a primeira reunião pública a que este cavalheiro compareceu. Decidiram enviar uma petição ao rei em York, assinada por 20 Lordes e mais de 40 Comuns, suplicandolhe que convocasse um parlamento, que 2 Lordes e 4 Comuns entre eles se incumbiriam disso. [...] Os nomes dos Comuns me esqueci, mas tenho certeza de que Cromwell era o último."[42]

Estaria Cromwell ligado ao círculo rosacruciano de Hartlib em 1640? Sim. Cromwell tinha um grande respeito por Comenius, que chegou à Inglaterra em 1641 em meio a uma considerável publicidade, e o Parlamento deus as boas vindas a Hartlib, que lhe dirigiu a *Macaria* em 1641. Cromwell conhecia Hartlib desde 1640-1, pelo menos. E é possível que tenha chamado a atenção de Cromwell já em 1628, como puritano de visão rosacruciana. Como observa Christopher Hill em *Milton and the English Revolution*, Milton compartilhava seu "internacionalismo protestante revolucionário" com diversos homens, incluindo o poeta Andrew Marvell e Oliver Cromwell.[43] Ao longo de toda a sua ascensão ao poder, Cromwell esteve cercado por um Colégio Invisível de filósofos e teólogos estrangeiros, que tiveram todos contato com Hartlib, cuja visão essencialmente milenarista teve muita influência sobre os ideais e políticas do Protetorado.

Mas seria Cromwell um sociniano? Ele se cercou de rosa-cruzes – o Rosacrucianismo começou na década de 1610, nos seus tempos de estudante – e Puritanismo era por certo um eufemismo tanto para Rosacrucianismo quanto para Socinianismo, fosse a Franco-Maçonaria uma invenção de Bacon ou de Cromwell. Cromwell tinha uma forte ligação com a Maçonaria Rosacruciana e frequentava uma loja maçônica chamada *Crown* [Coroa], o que só seria possível se fosse um maçom rosa-cruz. Como veremos, parece que Cromwell prometeu reconstruir o Templo de Salomão dentro da Franco-Maçonaria em troca de apoio financeiro dos judeus de Amsterdã.

Menasseh e os Judeus de Amsterdã

Menasseh ben Israel,[44] um rabino, também se inspirou em Bacon, em Andreae e no Rosacrucianismo invisível do século XVII, que penetrou no Puritanismo e foi adotado pelo grupo de Hartlib. Menasseh, ou Manoel Dias Soeiro, nasceu em Lisboa, centro marítimo para viagens distantes, ou na Ilha da Madeira, numa família de marranos, judeus hispano-portugueses que afirmavam ser cristãos, mas praticavam secretamente o judaísmo. (Vale observar que a invisibilidade praticada pelos rosa-cruzes nas Uniões Cristãs copiava a abordagem dos judeus marranos, que praticavam a própria religião sob um outro rótulo.) O pai de Menasseh apareceu num *auto da fé* da Inquisição espanhola e a família escapou, atravessando a Europa até Amsterdã, onde era oficialmente permitido que os judeus se estabelecessem.

Os Países Baixos tinham se revoltado contra as políticas religiosas da Contrarreforma de Felipe II na Espanha (ver Capítulo 3). O Protestantismo tinha se espalhado pelo norte dos Países Baixos – primeiro o Luteranismo, depois o Calvinismo, que sempre fora um movimento internacional (como o Catolicismo). Em 1567, Felipe enviou o Duque de Alva para restaurar a ordem e logo os Países Baixos Espanhóis se revoltaram. O Duque de Palma chegou e garantiu a fidelidade das províncias católicas do sul, que continuaram espanholas até 1713, mas as províncias do norte, na época solidamente calvinistas, proclamaram a independência em 1581, sob o governo hereditário de Guilherme de Orange. As províncias do norte se transformaram então na República das Províncias Unidas, tornando-se a maior nação marítima da Europa, embora sua independência (como Províncias Unidas) só fosse reconhecida em 1648.

As Províncias Unidas viam com desconfiança a proximidade da Espanha e recebiam como amigos todos os inimigos de seu opressor católico – incluindo refugiados judeus da Inquisição, como a família de Menasseh. Eles lá chegaram num momento em que o Calvinismo internacionalista estava ruindo. O primeiro e último Concílio Calvinista internacional, o Sínodo de Dort, realizado em 1618-19, pressupôs que as igrejas calvinistas da Escócia, da Inglaterra, da Suíça, da Holanda, do Palatinado e da França ajudariam umas às outras contra os Católicos.[45] Mas – depois que Jaime I se recusou a intervir diretamente para salvar seu genro calvinista e sua filha da Espanha católica, seu inimigo comum no Palatinado, e do fracasso da Inglaterra e dos Países Baixos na tentativa de união contra a Espanha – Richelieu ocupou os territórios huguenotes (calvinistas) na França, enquanto Jaime negociava com a Espanha o casamento de seu filho Carlos com a Infanta. À medida que o espírito internacional calvinista diminuía na República das Províncias Unidas, a tradição cabalista dos refugiados judeus começou a se firmar.

Em 1622, Menasseh, que fora um brilhante aluno de teologia, tornou-se rabino de uma congregação de judeus portugueses em Amsterdã. Tinha apenas 18 anos. Em 1626, aos 22 anos, fundou a primeira gráfica hebraica de Amsterdã e, ao longo das três décadas seguintes, publicou suas obras em hebraico, latim, espanhol e português. Foi cabalista e rosa-cruz bem na tradição de Fludd e Andreae, mas trouxe uma ênfase judaica ao Rosacrucianismo. Dentro da República das Províncias Unidas, Amsterdã, onde ele vivia, ficava no condado da Holanda; assim como Haia, onde Frederico e Elizabeth Stuart se exilaram e perpetuaram a corte rosacruciana que tinham em Heidelberg, vivendo com o Príncipe Maurício de Orange até a morte deste em 1625.

Os rosa-cruzes do condado da Holanda tinham ligações com o Priorado de Sião, cujo Grão-Mestre era o rosa-cruz inglês Robert Fludd, e se opunham aos Templários que tinham tomado o trono inglês através de Jaime I. Jaime foi sucedido em 1625 por Carlos I, que tinha se casado com uma católica, Henrietta-Maria de França, irmã do rei francês Luís XIII, e que tinha fama de ser simpatizante do Catolicismo. Como vimos, o Priorado de Sião queria derrubar a dinastia templária Stuart e devolver a Inglaterra à Rosa de Sião, como acontecera quando Henrique Tudor foi restaurado, depois de dois reis de York.

Depois da morte de Frederico V, em 1632, o Priorado de Sião (Fludd e Andreae) ignorou Elizabeth Stuart como pretendente ao trono da Inglaterra, da Boêmia ou do Palatinado. Ela continuou exilada por 40 anos com os três filhos, Frederico Henrique (que morreu em 1629, três anos antes de seu marido), Carlos Luis (que foi restaurado ao trono do Palatinado em 1648 e ignorou seus apelos para retornar a Heidelberg) e o Príncipe Rupert, nascido em 1619 (que deixou o Continente para lutar na Guerra Civil Inglesa por seu tio Carlos). (Não se deve esquecer que o Príncipe Rupert viera do ambiente rosacruciano do Palatinado. Mas era jovem demais para ter absorvido muita coisa e Elizabeth o via como um príncipe inglês, e não como um príncipe da Boêmia ou do Palatinado.) Isso revela que ela era leal aos Stuarts templários e não foi uma surpresa Carlos permitir finalmente seu retorno à Inglaterra em 1661.

A partir de 1632, Menasseh adotou um estilo de vida rosacruciano cabalista, ignorando a corte de Elizabeth Stuart e publicando seus escritos, como por exemplo o *Conciliador* (1632-51), em três volumes, que reconciliava passagens contraditórias da Bíblia e que lhe valeu uma boa reputação entre as comunidades judaicas e cristãs de Amsterdã. Foi amigo do holandês Hugo Grotius (nascido em 1583), preso em 1618 pelo príncipe Maurício e sentenciado à prisão perpétua por se opor ao seu governo. (No passado, Grotius tinha exigido medidas drásticas contra espanhóis e portugueses e, em 1604, tinha defendido o sequestro de um navio português, o *Santa Catarina*, por um almirante holandês.) Em 1621, fugiu para a França. Voltou quando o príncipe Maurício morreu mas teve que fugir novamente da Holanda. Menasseh também foi amigo de Rembrandt, correspondeu-se com a rainha Cristina da Suécia e foi professor de Spinoza (que nasceu em 1632).

Menasseh ben Israel

Por volta de 1642, Menasseh ben Israel já era suficientemente importante para que seu retrato fosse pintado: seu rosto é largo e sorridente, com olhos grandes, cabelos penteados para a frente e uma barba pontiaguda, usando roupa preta com um grande colarinho branco, mostrando-se para o mundo inteiro como um inglês puritano.

Em 1642, Henriqueta Maria, rainha de Carlos I, foi a Amsterdã levando a filha Maria, de dez anos, para o noivo Guilherme, filho do Príncipe de Orange. Ela expressou o desejo de ver judeus orando e, no dia 22 de maio de 1642, visitou a Sinagoga de Hourgracht. Menasseh proferiu o discurso oficial de boas vindas e se referiu a ela como "a valorosa consorte do Muito Augusto Carlos, Rei da Grã-Bretanha, França e Irlanda".[46] Em 1647, Menasseh era conhecido na Inglaterra como o principal expoente da ciência judaica – e da ideia de que os judeus deviam voltar à Inglaterra.

Para entender as ações de Menasseh – que fez campanha pela volta dos judeus à Inglaterra, que conseguiu fundos para Cromwell e que o visitou em nome de todos os judeus – temos que saber o que lhe diziam seus estudos cabalísticos. A Cabala estudada por Menasseh era a cabala corrompida pelos fariseus durante o exílio na Babilônia (ver Apêndices B, Apêndice 1). Ela não mais se aplicava ao mundo inteiro: tinha se tornado nacionalista, aplicando-se apenas aos judeus.

Estudando a Cabala, Menasseh começou a acreditar que um Messias voltaria para reconduzir os judeus à Terra Santa quando a dispersão terminasse. Essa ideia veio da profecia de Moisés no Deuteronômio (28,64): "E Iahweh te dispersará por todos os povos, de um extremo da terra ao outro". Para os judeus, "canto da terra" sugeria o termo judaico *Kezeh-ha-Arez*, "ângulo ou limite da terra", que associavam à Inglaterra ("Angle-terre"). Os judeus tinham que voltar à Inglaterra para que a dispersão terminasse e fosse possível o retorno à Palestina. O Messias que conduziria os judeus de volta à Terra Santa via Inglaterra era o Messias nacionalista dos Fariseus e da falsa Cabala.

A expulsão dos judeus por Eduardo I em 1290 foi o ápice de um longo processo, em que as autoridades inglesas se voltaram sistematicamente contra os judeus. Durante séculos houvera uma revolta contra os agiotas judeus na Inglaterra. O sentimento contra os judeus já era forte em 1190, quando Cruzados que deviam aos agiotas judeus (Richard Malebysse e membros das famílias Percy, Faulconbridge e Darrell) atacaram as casas de duas famílias judaicas em York, levando os refugiados judeus a tomar o castelo. Quando o delegado do condado trouxe tropas armadas para desalojá-los, 150 judeus, liderados pelo rabino Yomtob de Joigny, atearam fogo a suas posses e ao castelo e se mataram. Na manhã seguinte, prometendo clemência aos que abraçassem o Cristianismo, as tropas massacraram todos os judeus que encontraram.

Em 1275, os judeus foram proibidos de emprestar dinheiro a juros. Outras medidas se seguiram e, em 1278, os judeus de todo o país foram presos e tiveram suas casas revistadas. Cerca de 680 judeus foram aprisionados na Torre de Londres e muitos foram enforcados no ano seguinte. Em 1290, famílias inglesas que deviam a agiotas judeus protestaram de tal forma em toda a Inglaterra que Eduardo I tomou medidas drásticas contra os judeus. Mas, vendo que essas medidas tinham falhado, resolveu que o banimento dos judeus era a única saída possível. Como, nessa época, os judeus não tinham importância fundamental para o Tesouro inglês, no dia 18 de julho de 1290, um decreto real determinou que todos os judeus deixassem a Inglaterra antes da festa de Todos os Santos (1º de novembro). Qualquer judeu que fosse encontrado na Inglaterra depois dessa data seria condenado à morte. Todas as sinagogas, cemitérios, casas e apólices eram agora propriedade do rei. As notícias foram saudadas com alegria pela população. Logo depois, os judeus foram também expulsos da França.

Menasseh lutou pelo retorno dos judeus à Inglaterra e comerciantes judeus que desejavam viver abertamente na Inglaterra deram as boas-vindas à sua mensagem.

A agenda comum de Menasseh e Cromwell se revela em *The Nameless War*, do Capitão Ramsay. Ele escreve: "Cabe a nós concluir a revelação. Para tanto, temos que recorrer a outros trabalhos como *The Jewish Encyclopedia*, a obra de Sombart, *The Jews and Modern Capitalism* e outros. Neles, aprendemos que Cromwell, a figura principal da revolução, estava em contato muito próximo com poderosos financistas judeus da Holanda: na verdade, recebeu grandes somas de dinheiro de Menasseh ben Israel, enquanto Fernandez Carvajal, 'O Grande Judeu', como era chamado, foi o principal fornecedor do Novo Exército (*New Model Army*)."

E continua: "Em *The Jews in England*, lemos: '1643 trouxe um grande contingente de judeus para a Inglaterra e seu ponto de encontro era a casa do embaixador português De Souza, um *Marrano* (judeu em segredo). Proeminente entre eles era Fernandez Carvajal, um grande financista e fornecedor do exército'."[47]

Carvajal e o Novo Exército (New Model Army)

Uma crescente desordem levou à necessidade de um novo exército. Depois que Carlos I tentou prender cinco representantes do Parlamento em janeiro de 1642, grupos de "operadores" calvinistas surgiram nas ruas de Londres. Eram grupos revolucionários armados, milícias insurgentes de trabalhadores, distribuindo panfletos e bradando: "Para vossas tendas, ó Israel!"[48] Em pouco tempo, o rei e sua família abandonaram o Palácio de Whitehall, e os cinco representantes do Parlamento fizeram um retorno triunfal a Westminster.

Cromwell começou então a organizar a resistência e, em julho de 1642, conseguiu que a Câmara dos Comuns permitisse a formação de tropas de defesa. Arregimentou, então, uma tropa de cavalaria em Huntingdon.

A guerra irrompeu quando o rei levantou seu estandarte em Nottingham, em agosto de 1642. Naquele mês de outubro, Cromwell foi capitão na batalha de Edgehill. Em fevereiro de 1643, foi nomeado Coronel e começou a recrutar um regimento de cavalaria. Serviu nos condados do leste, procurando evitar que os Realistas de Yorkshire penetrassem no sul. Em julho de 1643, venceu a batalha de Gainsborough em Lincolnshire. Como recompensa, tornou-se Governador da Ilha de Ely e um dos quatro coronéis sob o comando de Manchester, comandante dos condados do leste. Lutou ao lado de *Sir* Thomas Fairfax em Wincely, Lincolnshire, e sitiou Newark, em Nottinghamshire. Convenceu então os Comuns da necessidade de criar um novo exército.

Foi nesse cenário que o *marrano* de Souza, embaixador português na Inglaterra, conheceu Don Antonio Fernandez de Carvajal. Judeu francês de Rouen, Carvajal se fixou na Inglaterra e passou a juntar informações políticas para Cromwell. Um auxiliar de Carvajal, Moisés Athias, que se dizia rabino, tinha uma sinagoga secreta frequentada por *marranos* em Cree Church Lane, Leadenhall Street, Londres. Estimava-se que Carvajal, um comerciante conhecido como "o Grande Judeu", importava mais de 100.000 libras por ano em metais preciosos. Montava excelentes cavalos e colecionava armaduras. Vivia na rua Leadenhall, próximo ao Royal Exchange, como se vê numa carta enviada a ele por Thurloe, conservada até hoje, que é endereçada da seguinte maneira: *Monsieur Ferdinando Carnevall, Marchand Aupres de la Bourse*. "Carnevall" parece ter sido um *nom-de-plume* que ele usava em atividades secretas. Viveu com a mulher, Maria Fernandez Carvajal que quando ficou viúva, organizou uma petição a Carlos II, afirmando que os judeus realistas tinham apoiado o Rei Carlos na Holanda.

Parece que Carvajal, que movimentava 100.000 libras anuais em metais preciosos, era o fornecedor do Novo Exército, que Cromwell organizou entre o final de 1644 e o começo de 1645. Parece que o dinheiro era angariado por Menasseh ben Israel, que agia pelos judeus de Amsterdã. Sabe-se que Carvajal se tornou amigo de Cromwell tempos depois, mas não se sabe se já o conhecia em 1643. Em 1645, no entanto, um informante o denunciou por não frequentar uma igreja protestante – pode ser que as autoridades, achando que Carvajal estava tramando alguma coisa, arrumaram um pretexto para acusá-lo. Ele foi defendido por importantes comerciantes judeus e os Lordes retiraram a acusação. Será que isso aconteceu com o conhecimento de Cromwell ou até mesmo com o seu incentivo?

O filossemitismo puritano está bem documentado. Os cabalistas cristãos se concentravam no Antigo Testamento, e os literalistas bíblicos tinham muito interesse em Israel e na aliança de Deus com o povo da Nova Israel que, na sua interpretação, eram os ingleses. "Para as vossas tendas, ó Israel!", o brado de guerra dos grupos armados revolucionários, assim como os salmos cantados pelas tropas puritanas, são reflexos disso. O próprio Cromwell estava muito interessado na sobreposição das religiões cristã e judaica – um interesse unitarista – e na sobreposição do Cabalismo e do Puritanismo, que se mesclavam na Rose-Croix (a rosa representa o cabalismo rosacruciano; a cruz, o cristianismo puritano). No entanto, o financiamento do Novo Exército não se limitava a um mero filossemitismo.

O novo exército ficaria sob o controle do Conde de Manchester. Em 1644, Cromwell foi nomeado segundo em comando de Manchester, com a patente de Tenente-General e um salário de 5 libras diárias. Atacou Lincoln, juntou-se aos escoceses e aos parlamentaristas de Yorkshire no cerco de York, e venceu a batalha de Marston Moor, que deu às forças do Parlamento o controle do norte. Quando seu exército voltou para o leste da Inglaterra, Cromwell criticou a lentidão de Manchester e fez uma queixa ao Comitê dos Dois Reinos. Acabou retirando as queixas mas renovou-as diante da Câmara dos Comuns depois da derrota em Newbury. Manchester respondeu na Câmara dos Lordes e houve um plano para desacreditar Cromwell.

Em dezembro de 1644, Cromwell propôs que qualquer membro da Câmara dos Comuns ou dos Lordes ficasse impedido de ocupar cargos de comando nas forças armadas. Os Comuns aceitaram a proposta, o que excluiu Manchester e o próprio Cromwell. Ele propôs então o nome de Fairfax como comandante do novo exército, que ficou conhecido como New Model Army.

Os fatos sobre a organização e a força do Novo Exército devem ser examinados. No final de 1644, Cromwell foi posto em dois comitês. Um deles escreveu uma carta aos escoceses propondo uma aliança amigável entre o parlamento escocês e o inglês; o outro era um comitê subsidiário do Comitê dos Dois Reinos e tomaria decisões relativas à reorganização do Exército. Deveria haver dez regimentos (alguns falam em onze) de cavalaria de 600 homens cada um (ou seja, 6.000 cavaleiros ao todo), doze regimentos de infantaria de 1.200 homens cada um (ou seja, 14.400 infantes ao todo) e um regimento com 1.000 dragões. O grosso da cavalaria veio do antigo exército do Conde de Manchester, que tinha sido quase todo treinado por Cromwell. Faltava ainda recrutar 8.000 homens para a infantaria, que estava abaixo de sua força total quando começou a campanha. O total aproximado de 22.000 homens seria custeado através de uma arrecadação de 6.000 libras mensais (72.000 libras ao ano) em todos os distritos sob o controle do Parlamento. Em 21 de janeiro de 1645, *Sir* Thomas Fairfax foi escolhido para Comandante em chefe, por recomendação de Cromwell. Cromwell e *Sir* Henry Vane (que tinha se tornado líder dos Comuns depois da morte de Pym em 1643) participaram da votação e a indicação de Fairfax teve 101 votos a favor e apenas 69 contra.

O Novo Exército era supostamente financiado por impostos arrecadados. Mas, na verdade, tinham prometido fundos adicionais a Cromwell, tanto quanto precisasse para derrubar o rei e permitir a volta dos judeus à Inglaterra. O Parlamento não sabia sobre o financiamento adicional, nem o rei.

Cromwell planejou então o novo exército, que não tinha um segundo em comando. Mas, no verão de 1645, quando a Guerra Civil atingiu um clímax, Fairfax pediu que Cromwell fosse o seu número 2. Cromwell aceitou e os dois venceram as batalhas de Naseby e Langport, destruindo os exércitos realistas.

Terminada a guerra, o exército foi dissolvido. Desempregados, os soldados ficaram descontentes. Como solução, Cromwell propôs que fossem lutar na Irlanda. Em 1645-6, os Niveladores (*Levellers*) revolucionários – assim chamados por seus oponentes porque queriam "nivelar as classes sociais" – apareceram com um programa estritamente político e econômico. Eram radicalmente a favor do Parlamento, dispostos a ajudar os "pobres mortos de fome", tendo a simpatia de pequenos proprietários. Defendiam a soberania para os Comuns (e o fim da soberania do Rei e dos Lordes). Defendiam também a necessidade de parlamentos regulares com redistribuição das cadeiras, a descentralização do governo para as comunidades locais, a reabertura de áreas privativas e a total liberdade de culto.

O Colégio Invisível de Boyle

Durante o breve período de paz que se seguiu, foi fundado um Colégio Invisível Rosacruciano,[49] que se tornaria a sede do poder sionista e influenciaria Cromwell. Robert Boyle era filho do Conde de Cork, que tinha sido um dos assistentes de Bacon e deu ao filho a mesma educação que Bacon tivera: latim, francês e viagens pela Europa. Boyle foi criado como um baconiano e seu mentor em Eton, *Sir* Henry Wotton, tinha ligações com o círculo rosacruciano do Palatinado de Frederico. Em 1639, com 12 anos de idade, Boyle fez uma viagem pela Europa e passou algum tempo entre os Medici, em Florença, onde os descendentes do círculo de Ficino ainda eram bem-vindos, assim como Galileu. Além disso, estudou demonologia em Genebra. Ao voltar à Inglaterra, em 1645, entrou em contato com Samuel Hartlib, amigo de Andreae. Hartlib parece ter sido o "intermediário" entre Andreae (Grão-Mestre do Priorado de Sião de 1637 a 1654), Cromwell e Boyle, que seria Grão-Mestre do Priorado de Sião de 1654 a 1691.

Segundo John Willis, a Royal Society surgiu em 1645, de encontros organizados em Londres durante a Guerra Civil para discutir filosofia natural, a nova filosofia experimental e outras áreas do conhecimento humano.[50] Entre os presentes estava o Doutor Wilkins, capelão do Eleitor Palatino (o filho mais velho de Frederico V) em Londres e Theodore Haak, "um alemão do Palatinado que foi morar em Londres e que [...] foi o primeiro a sugerir esses encontros", escreveu Wallis. O Palatinado – o Rosacrucianismo, portanto – estava fortemente envolvido na criação da Royal Society.

Wilkins, cunhado de Cromwell, tinha feito a primeira sugestão séria de um voo tripulado à lua. Em 1640, dando seguimento ao tratado *The Discovery of a World in the Moone* (1638), fez uma descrição detalhada do maquinário necessário para voar até a lua, do comércio com alienígenas e da exploração do espaço: uma carruagem voadora (um barco com quatro rodas) movida por molas e mecanismos de corda, com asas feitas de penas que batiam como as de um pássaro e propulsores de pólvora que permitiriam à "espaçonave", com um homem de chapéu sentado perto do mastro, ultrapassar o campo magnético e gravitacional, que ele acreditava ter uns 30 quilômetros. Daí em diante, ela flutuaria no espaço. Na década de 1660, os colegas rosa-cruzes de Wilkins, Boyle e Robert Hooke, demonstraram a natureza do vácuo entre a terra e a lua – e a impossibilidade do projeto de Wilkins.

Em cartas de 1646 e 1647, Boyle fala do "Colégio Invisível", uma expressão que lembra os Manifestos Rosacrucianos. Em 1646, escreveu ao seu tutor contando que estava estudando filosofia natural segundo os princípios do "nosso novo colégio filosófico" e acrescenta que o tutor seria "extremamente bem vindo ao nosso Colégio Invisível". Em fevereiro de 1647, Boyle escreveu a um outro amigo: "O melhor é que as pedras fundamentais do Colégio Invisível ou (como eles se denominam) do Colégio Filosófico me dão vez por outra a honra de sua companhia [...] homens de espírito tão capaz e inquiridor que a filosofia de escola é apenas a região mais reles de seu conhecimento; ainda assim, embora com a ambição de indicar o caminho para qualquer propósito generoso, de um gênio tão humilde e disposto a aprender, pois desdenham não ser dirigidos ao mais humilde, de modo que a este só reste pleitear razão para suas opiniões; pessoas que se empenham em desencorajar a tacanhice, pela prática de uma caridade tão ampla que se estenda a tudo o que é chamado de humano e que só se contente com uma boa vontade universal. E, na verdade, são tão preocupados com a falta de boa ocupação que tomam toda a humanidade a seu cuidado."[51] Em maio de 1647, Boyle escreveu a Hartlib sobre o "Colégio Invisível" e seu plano de espírito público.

O Colégio Invisível neoatlantiano era em grande parte criação de Hartlib. Tendo liderado um grupo místico e filantrópico em Elbing, uma das sociedades ou Uniões Cristãs de Andreae que tinha abandonado o título rosacruciano, ele se acostumara à ideia de grupos rosacrucianos que se apresentavam como cristãos, mantendo no entanto prioridades e ideais rosacrucianos. O Colégio Invisível imitava o colégio da Nova Atlântida de Bacon, em que os irmãos eram "invisíveis" ao mundo exterior. (No uso de Boyle, "invisível" significa "rosacruciano".) O Colégio era dirigido por exilados do Palatinado, já que a principal patrona leiga de Hartlib, Dury e Comenius era ainda Elizabeth, rainha da Boêmia, que agora os financiava a partir da corte em Haia, onde o embaixador inglês era o testamenteiro de Bacon, *Sir* William Boswell.[52] Theodore Haak, refugiado do Palatinado e agente de Comenius, muito comprometido com Hartlib, fundou um grupo em 1645. Ainda há dúvidas quanto a quem estava no Colégio Invisível e até que ponto o grupo de Haak compreendia a sua totalidade.[53] O Colégio era formado por médicos liderados por Harvey (Glisson, Ent, Scarburgh, Goddard e Merret) e por cientistas matemáticos liderados por Wilkins (Wallis, Foster e Haak).

Mathematicall Magik (1648) de Wilkins se baseava em *Utriusque Cosmi Historia* de Fludd, e o Colégio Invisível, que incluía Boyle e Christopher Wren, se reuniu nos aposentos de Wilkins em Wadham College, Oxford, de 1648 a 1659 (os anos de Cromwell).[54] Nessa época, Thomas Vaughan (irmão do poeta Henry) traduziu para o inglês *Fama Fraternitatis* e *Confessio*. (Seu patrono era Moray, o maçom.) Em 1660, o grupo se juntou ao de Londres e fundou a Royal Society. Os dois amigos mais próximos de Boyle eram na época Isaac Newton e John Locke, o filósofo. Newton tinha lido os Manifestos Rosacrucianos e, insatisfeito com a matemática, copiou grandes trechos dos trabalhos de Michael Mayer, esperando encontrar o Uno (Unidade divina) na alquimia rosacruciana. (Ele foi Grão-Mestre do Priorado de Sião de 1691 a 1727, depois de Boyle, que se tornou Conde de Burlington e deu seu nome à Burlington House, em Picadilly.)

Hartlib supervisionava agora o nascimento do Colégio, ou sociedade sagrada devotada ao bem-estar da humanidade, que Comenius reivindicou em *The Way of Light* e fundou na Inglaterra, a pedido de Hartlib. O Colégio foi criado com base nos ideais rosacrucianos de Bacon e Andreae e, empenhado em fazer da ciência parte do sistema geral de educação, Hartlib estava no início daquilo que, na década de 1660, seria a Revolução Científica (presidida pela Royal Society). Hartlib tinha especial interesse na reforma da agricultura e da pecuária, tanto que Webster associou aquela Era ao nome de Hartlib: "Em vista da alta qualidade e grande popularidade contemporânea dos escritos sobre pecuária associados a Hartlib, é muito apropriado que Fussell tenha caracterizado o período entre 1641 e 1660 como 'a Era de Hartlib'."[55]

O Exército Sequestra o Rei

O Parlamento não se impressionara com as exigências de mudança constitucional dos Niveladores, que se voltaram então para o povo e para o Novo Exército. No dia 4 de junho de 1647, Cromwell deixou Londres e se pôs ao lado do exército. No mesmo dia, um grupo de soldados sequestrou o rei. De acordo com o estudo em dois volumes de Isaac D'Israeli sobre Carlos I, cujas fontes incluem os registros de Melchior de Salom, o enviado francês à Inglaterra durante a revolução puritana, o oficial Joyce, obedecendo a ordens secretas do próprio Cromwell, desconhecidas até mesmo do comandante em chefe *Sir Thomas Fairfax*, chegou a Holmby House com 500 soldados revolucionários escolhidos a dedo e sequestrou o rei. O plano foi traçado no dia 30 de maio de 1647 numa reunião secreta realizada na casa de Cromwell, enquanto Cromwell tentava arrumar emprego para os soldados descontentes. Ele negou depois ter conhecimento dessa ação. O Capitão Joyce, um mero oficial de cavalaria antes de sua rápida promoção, é um dos quatro homens suspeitos de serem executores de Carlos I.[56]

Poucos dias depois do sequestro do rei, em 16 de junho de 1647, Cromwell escreveu à Sinagoga Mulheim pedindo apoio financeiro. Recebeu uma resposta no dia 12 de junho de 1647 concedendo o apoio desde que Carlos fosse eliminado. As duas cartas foram entregues pelo mensageiro Ebenezer Pratt, que foi da Inglaterra a Mulheim e provavelmente esperou pela resposta, que então levou de volta. Detalhes dessas cartas, hoje negligenciadas e esquecidas – que eram conhecidas no tempo de Napoleão e ficaram perdidas até reaparecerem numa velha biblioteca de Amsterdã – aparecem em *The Nameless War*, do Capitão Ramsey. Ele cita uma carta publicada numa revista semanal editada por Alfred, Lorde Douglas. Segundo a carta publicada em *Plain English*, no dia 3 de setembro de 1921:

"Os sábios Anciãos existem há muito mais tempo do que talvez suspeitem. Meu amigo L. D. van Valckert de Amsterdã me enviou recentemente uma carta contendo dois extratos da Sinagoga de Mulheim. O volume em que estão contidos se perdeu em algum momento durante as Guerras Napoleônicas, e caíram recentemente em poder de van Valckert. Estão escritos em alemão e contêm extratos de cartas enviadas e recebidas pelas autoridades da Sinagoga de Mulheim. O primeiro trecho que ele me envia é de uma carta recebida:

16 de junho de 1647

De O.C. (ou seja, Oliver Cromwell), por Ebenezer Pratt.

Em troca de apoio financeiro, defenderá a admissão de judeus na Inglaterra: entretanto, isso é impossível enquanto Carlos estiver vivo. Carlos não pode ser executado sem julgamento, para o que presentemente não existem fundamentos. Recomendamos portanto que Carlos seja assassinado, mas não participaremos dos arranjos para contratar um assassino, embora haja disposição de ajudar na sua fuga.

Em resposta, o seguinte despacho:

12 de julho de 1647

A O.C. por E. Pratt.

Será fornecido apoio financeiro tão logo Carlos seja removido e os judeus admitidos. Assassinato muito perigoso. Deve ser dada a Carlos uma oportunidade de fugir: sua recaptura tornará possível o julgamento e a execução. O apoio será liberal, mas é inútil discutir os termos até que o julgamento comece".

Essa correspondência é digna de nota e levanta algumas questões. Onde fica Mulheim? Seria um distrito de Amsterdã? Estaria Mulheim a sudoeste de Frankfurt, descendo em direção a Zurique e a sudoeste (e fora) do território do Palatinado? Era na verdade uma pequena cidade alemã no Vale de Ruhr (agora com sete pontes) logo ao norte de Düsseldorf (ao sul de Essen, a uns três quilômetros de Colônia), não muito longe da fronteira holandesa. Foi onde *Sir Horace Vere* chegou em 1605 no comando do contingente inglês, com o príncipe Frederico Henrique do Palatinado (pai de Frederico V) e o príncipe Maurício de Orange, e encontrou o general espanhol Spinola. Era então "uma pequena aldeia que tinha uma só rua numa ladeira íngreme em ângulo reto com a correnteza".[57]

Mulheim fazia parte originalmente do Ducado de Berg, tornando-se uma cidade em 1508. O Duque João III de Cleves, pai de Ana de Cleves (que se casou com Henrique VIII em 1540), herdou os ducados de Jülich e Berg e o condado de Ravensberg. A dinastia ducal se extinguiu em 1609, quando o último duque morreu louco. Houve uma disputa sobre a sucessão e, em 1614, o território foi dividido: Jülich e Berg foram anexados pelo Conde Palatino de Neuburg, da linhagem Palatinado-Neuburg da casa bávara de Wittlesbach, que se havia convertido ao Catolicismo. (Neuburg ficava às margens do Danúbio.)

Sinagoga Mulheim

Cleves, Mark e Ravensberg ficaram com o Eleitor de Brandenburg. Assim, no Ducado de Berg, Mulheim era propriedade dos Wittelsbachs do Palatinado rosacruciano (a família que forneceu os governantes do Palatinado renano) na década de 1640 e acabou se tornando parte da Alemanha. Uma fotografia sem data da Sinagoga Mulheim sobreviveu. Não está claro se essa é a sinagoga do século XVII ou uma sinagoga do século XX reconstruída no mesmo local: como poucas sinagogas sobreviveram ao período de "limpeza" nazista, a sinagoga original pode ter sido destruída nessa época e reconstruída depois.

Qual era a ligação entre a Sinagoga Mulheim e Menasseh? Alguma ligação deve ter havido, já que Menasseh financiou a criação do Exército de Carvajal. Seria Menasseh um rabino da Sinagoga Mulheim? Haveria aí uma ligação com seu colega, o Rabino Templo,[58] que desenhou a cota de armas adotada como símbolo da Assembleia da Grande Loja em Londres?

A ligação entre Menasseh e Mulheim se deve, provavelmente, a rosa-cruzes judeus. Frederico V era Eleitor Palatino do Reno. Dominava dois dos sete eleitorados que elegiam o Sacro Imperador Romano (o rei alemão). Era o Conde Palatino do Reno e Rei da Boêmia. Vimos que, sediado no castelo em Heidelberg, ele governava um reino rosacruciano. Com sua mulher Elizabeth Stuart, viveu no exílio em Haia, perto de Amsterdã. Nessa época, tinham sem dúvida contato com o Palatinado, a que pertenciam Mulheim com sua sinagoga. Menasseh, um cabalista, era obviamente ligado aos judeus de Amsterdã, onde era um rabino muito conhecido – e talvez, através deles, tivesse ligação com os judeus do Palatinado rosacruciano em Mulheim. Menasseh era um cabalista rosacruciano.

Na troca de cartas de 1647, Cromwell prometia a admissão de judeus na Inglaterra, em troca do assassinato de Carlos e de apoio financeiro. A Sinagoga Mulheim advertiu que Carlos deveria ter uma oportunidade de fugir, o que permitira um julgamento e sua execução. O financiamento começaria a ser discutido no julgamento, mas só se efetuaria depois que Carlos fosse removido e os judeus admitidos.

Essa troca de cartas – se verdadeira – explica os acontecimentos subsequentes. Em setembro de 1647, Menasseh escreveu uma carta a um correspondente inglês. Atribuía a deposição do rei ao fato de Eduardo I ter expulso os judeus da Inglaterra em 1290. Começava dizendo: "Senhor, não consigo expressar a alegria que sinto ao ler suas cartas, cheias de desejos de ver a prosperidade do seu país, fortemente atingido por guerras civis, sem dúvida pelo justo julgamento de Deus. E não seria vão atribuir tal punição aos pecados do seu predecessor, cometidos contra os nossos, que foram privados da liberdade através da mentira, e tantos foram mortos só porque se mantiveram fiéis às doutrinas de Moisés, seu legislador."[59]

No dia 12 de novembro de 1647, o rei conseguiu fugir do palácio Hampton Court. Na Ilha de Wight, pediu aos comissários escoceses que o restaurassem ao trono em termos que fossem convenientes aos escoceses. Vários autores[60] consideram que a fuga de Carlos foi um estratagema de Cromwell, com o intuito de preparar a opinião pública para um julgamento. Desde o dia de sua deportação de Holmby até a fuga para a Ilha de Wight, Carlos foi um fantoche dançando sob o comando de Cromwell.

Os Realistas pegaram em armas e começou uma segunda guerra civil. Cromwell teve que lutar em Gales e depois na Escócia, e sitiou Pontefract em Yorkshire. No meio tempo, negociava com o rei, que ainda estava na Ilha de Wight.

A 5 de dezembro de 1648, os Comuns ficaram reunidos durante toda a noite e decidiram que "as concessões do rei eram satisfatórias para um acordo". Se esse acordo tivesse sido realizado, Cromwell não teria recebido grandes somas de dinheiro dos judeus de Mulheim. Então, viajando de volta para Londres a pedido de Fairfax, Cromwell deu instruções ao Coronel Pride (através de Ireton, seu sogro e testa de ferro) para expurgar o Parlamento de 140 presbiterianos proscritos pelo exército, de modo que ficassem apenas 50 membros independentes – o remanescente "comunista" do Parlamento (que ficou conhecido como *Rump*) – que agora reivindicavam autoridade suprema. Quando Cromwell chegou, todos os membros que apoiavam a continuação das negociações com o rei já tinham sido expulsos do Parlamento, o que ficou conhecido como Expurgo de Pride, de 6 de dezembro de 1648.

Cromwell e Ireton haviam atuado como mediadores entre o Rei e o Parlamento, opondo-se abertamente a medidas extremas (como a abolição da monarquia, proposta no Parlamento). Mas Cromwell manipulou veladamente o processo democrático por meio do expurgo, que instruíra Ireton a efetuar, mantendo-se na retaguarda e dizendo que nada tivera a ver com isso.

A Execução de Carlos I

Ireton exigia agora que o rei fosse julgado e – de acordo com a versão oficial – Cromwell relutantemente concordou. Ele era um dos 135 comissários da Suprema Corte de Justiça formada no dia 9 de janeiro de 1649. Dois terços dos seus membros dessa Corte eram Niveladores vindos do exército.

Algernon Sidney, um dos juízes, disse a Cromwell: "Em primeiro lugar, o rei não pode ser julgado por nenhuma corte; em segundo lugar, ninguém pode ser julgado por esta corte". Cromwell respondeu: "Pois eu digo que vamos lhe cortar a cabeça com coroa e tudo." Sidney então disse: "Você pode seguir seu caminho, não posso detê-lo, mas eu me manterei limpo, sem ter nenhuma participação nesse negócio".[61] Nenhum advogado inglês concordaria em redigir a acusação, tarefa que acabou sendo realizada pelo Doutor Dorislaus, um judeu amigo de Cromwell. (Em maio de 1649, Dorislaus foi assassinado por Realistas, logo depois de ir para a Holanda como enviado diplomático. Ele teve um funeral público na Abadia de Westminster, que ficou lotada de soldados, que mais pareciam estar protegendo os líderes da *Commonwealth* do que lamentando a morte de Dorislaus.) Tanto Menasseh, na Holanda, quanto Carvajal, em Londres, deviam conhecer Dorislaus. Carlos se recusou a apresentar defesa e, apesar da declaração de Algernon Sidney, foi condenado por 68 votos contra 67, e Cromwell assinou a sentença de morte.

A execução de Carlos I foi em Whitehall. O rei atravessou o Salão de Banquetes, olhou pela última vez a pintura de Rubens no teto e saiu pela segunda porta à direita no final do Salão, subindo alguns degraus que levavam ao cadafalso. De acordo com um observador, o rei "se apresentou com a mesma indiferença com que 'entraria em Whitehall para um baile de máscaras'. Olhou na direção de St. James e sorriu!" O poeta Andrew Marvell resumiu o comportamento do rei com admiração relutante em *Horatian Ode*:

"Nada de comum ele fez nem pretendeu
Por ocasião daquela Cena memorável."

O rei mostrou então preocupação, achando que o cepo, colocado no centro do cadafalso, era baixo demais. Tinha cerca de 45 centímetros de comprimento por 15 de altura, plano na base e curvo no topo. Ficou inquieto, calculando que um cepo tão baixo não lhe permitiria ficar de joelhos, forçando-o a se deitar de barriga para baixo, uma posição muito mais submissa. Perguntou se não havia um cepo mais alto e lhe disseram que não.

Diz um relato da época, publicado em 1650, *King Charles His Trial at the High Court of Justice*:[62] "O rei olhou para as pessoas reunidas na área, para as várias fileiras de soldados alinhados à volta do cadafalso, para a unidade de cavalaria, que se estendia de um lado em direção a King Street e do outro em direção a Charing Cross. Viu que os cidadãos de Londres eram mantidos atrás de cercas, longe demais para ouvir as palavras do discurso que pretendia fazer e também para ver qualquer coisa que acontecesse abaixo do nível da grade cortinada do cadafalso. Os únicos que veriam o rei morrer seriam os que se acotovelavam nas janelas mais altas e no teto dos edifícios vizinhos. O Rei Carlos tirou um pedaço de papel do bolso e, consultando anotações feitas antes, começou o último discurso ao seu povo, enquanto o sol de inverno aparecia entre as nuvens. Falou, dirigindo-se aos que estavam no cadafalso, olhando frequentemente para Matthew Thomlinson" (um coronel que comandava os soldados que o vigiavam).

Carlos começou protestando "inocência": "O mundo inteiro sabe que nunca comecei uma guerra com as duas Casas do Parlamento [...] Jamais pretendi desrespeitar seus privilégios. Não fui eu que comecei [...] Acredito que maus instrumentos entre nós tenham sido a causa principal deste derramamento de sangue". Disse ainda: "Perdoei o mundo e até mesmo os que foram os principais causadores da minha morte. Quem são eles, Deus sabe: eu não desejo saber". Acusou seus inimigos de serem dominadores: "Na minha opinião, senhores, a dominação jamais é justa, exceto quando há uma causa boa e justa. [...] Mas se for apenas questão de dominar, então não passa de pilhagem. Um pirata disse a Alexandre o Grande que ele, Alexandre, era o grande ladrão, que ele (o pirata) não passava de um ladrãozinho". Maus instrumentos, assassinos "invisíveis", "dominação de forças do imperialismo mundial" (Alexandre o Grande) – Carlos I parecia compreender no íntimo que era vítima da Maçonaria Rosacruciana.

Ele deve ter falado uns três minutos antes de chegar à parte mais importante: "Vocês não acertarão, Deus não os fará prosperar, até que deem a Deus o que Lhe é devido, ao rei o que lhe é devido, ou seja, aos meus sucessores, e ao povo o que lhe é devido. Sou a favor disso como qualquer um de vocês. Vocês devem dar a Deus o que Lhe é devido regulamentando corretamente a Igreja. [...] Para o rei, na verdade eu não – (*então, voltando-se para um cavalheiro que mexeu no machado disse, "Não fira o machado que vai me ferir", para que não cegasse seu fio*) – para o rei, as leis da terra os instruirão com clareza. Portanto, porque isso diz respeito a mim, dou-lhes apenas um indício. Para o povo [...] desejo liberdade e independência, tanto quanto qualquer um... Não para que tenham participação no governo, senhores, pois isso não lhes diz respeito. Um súdito e um soberano são coisas completamente diferentes [...] Senhores, é por isso que agora estou aqui. Se eu tivesse cedido a um caminho arbitrário, para que todas as leis fossem mudadas de acordo com o poder da espada, não precisaria estar aqui [...] Sou o mártir do povo."

Quando o rei terminou o discurso, o Bispo Juxon, seu amigo e capelão, ofereceu algumas palavras de conforto e o instruiu a ver a execução como uma viagem até o Céu. Carlos pronunciou então suas famosas palavras: "Vou de uma coroa corruptível para uma incorruptível, onde não pode haver perturbação, nenhuma perturbação do mundo". A multidão ficou em silêncio enquanto o rei tirava o gibão e depois o anel de ouro, em que havia seu retrato gravado, e os entregava ao Bispo Juxon.[63] Ajoelhou-se e curvou o corpo (já que o bloco era tão baixo), e instruiu o carrasco a golpear quando estendesse as mãos.

Um relato da época[64] descreve o final de Carlos: "Tendo dito duas ou três palavras (ainda em pé) para si mesmo, com as mãos e os olhos erguidos, inclinou-se imediatamente e pôs o pescoço sobre o cepo. Então, quando o Carrasco arrumou seu cabelo sob o capuz, o rei (pensando que já ia golpeá-lo) disse: Espere o sinal! Carrasco: Sim, esperarei, como agradar Sua Majestade. Depois de uma pequena pausa, o rei estendeu as mãos e o Carrasco, com um único golpe, separou sua cabeça do corpo".

A execução foi um ato ilegal, de maneira alguma justificado por apelos à autoridade parlamentar. Entretanto, todas as revoluções são por definição ilegais e a transformação súbita da revolução só pode ser efetuada por meios violentos e inconstitucionais.

Na superfície, parecia se tratar um caso legítimo de um rei autoritário decapitado por um Parlamento que tinha perdido a paciência. Parecia que Cromwell e os outros puritanos levaram a cabo a execução sem o conhecimento de Fairfax, porque o rei tinha se tornado apenas uma obrigação constitucional. Mas o envolvimento de Carvajal como fornecedor de armas financiado por Menasseh e a promessa de "ajuda financeira" na carta de Mulheim em troca da execução de Carlos e da readmissão dos judeus na Inglaterra, sugerem que havia um motivo mais secreto para a execução. Isaac D'Israeli tinha consciência da necessidade de desenterrar a "história secreta" do século XVII: "Inúmeras são as fontes da história secreta que, durante o último meio século se acumularam em grandes quantidades. [...] Estava predestinado que a Inglaterra seria o teatro da primeira de uma série de revoluções, que ainda não terminou."[65]

Já se sugeriu que, através de intermediários, os judeus estavam se vingando, já que foram expulsos da Inglaterra por Eduardo I em 1290. É possível que alguns acreditassem que Carlos I fosse descendente de Meroveu, do século V, pai da linhagem merovíngia e supostamente descendente de Jesus. Neste caso, Carlos seria vítima de uma antiga guerra entre judeus e cristãos. Já se disse também que o Priorado de Sião considerava uma afronta o fato de Jaime I, pai de Carlos, ser templário, e que desejava recuperar o trono inglês. Como já vimos, o Priorado de Sião pode ter criado o Rosacrucianismo. Será que o Priorado de Sião estava por trás da execução de Carlos I?

CONSOLIDAÇÃO: O PROTETORADO

Depois da execução do rei, Cromwell se tornou o primeiro Presidente do Conselho de Estado, que governou a nova república (denominada *Commonwealth*).

Cromwell preparou seu Protetorado abolindo a Casa dos Lordes em março de 1649. Queria supostamente mantê-la, mas os Comuns a aboliram "como uma grande inconveniência" com a justificativa de que os pares não representavam o povo. No lugar da aniquilada Igreja Anglicana, tentou instituir uma Igreja Puritana, que manteria o espírito de tolerância. Os planos de reforma social de Hartlib foram implementados: comitês conhecidos como *Triers* (Experimentadores) e *Ejectors* (Ejetores) estabeleceram padrões para os clérigos e professores. Cromwell manifestou interesse pela educação e foi Chanceler de Oxford. O Protetorado de Cromwell era decididamente conservador por natureza.

O círculo de Hartlib tinha prioridades abrangentes: agricultura, educação, indústria, medicina, projetos para os pobres, ajuda aos pobres, problemas econômicos, tecnologia e comércio, história natural, ciência continental, química e informações sobre outros países, além das fraternidades ou colônias do modelo Antilia/Macaria. Em resumo, o círculo era um minigoverno auxiliar, uma espécie de unidade de pesquisa e orientação política para o novo governo puritano. Ao mesmo tempo, implementou o avanço do aprendizado, preconizado por Bacon. Em junho de 1649, Hartlib foi nomeado Agente do Estado para o Aprendizado Universal ("Agente para o Avanço do Aprendizado Universal"). Suas reformas sociais incluíam frentes de trabalho e geraram projetos que envolviam a assistência do Estado para objetivos humanitários. Ele propôs, também, uma central trabalhista conhecida como Bureau of Adresses. A medida da consideração de Cromwell pelo refugiado polonês-prussiano é a pensão anual de 300 libras, que lhe concedeu por seu interesse na legislação educacional no Parlamento Longo (1640-53). (O plano final de Hartlib para a educação inglesa foi publicado em *Considerations Tending to the Happy Accomplishment of England's Reformation in Church and State*, em 1647.) Seu trabalho sofreu um forte baque quando o Protetorado terminou e o paraíso financiado pelo Estado entrou em colapso. A pensão terminou com a Restauração da monarquia em 1660 e Hartlib morreu dois anos depois.

O utopismo baconiano de Hartlib deu lugar a experimentos agrícolas utópicos. Com base nas ideias de Hartlib, os revolucionários puritanos criaram grupos políticos com programas sociais que tiveram impacto sobre o *Commonwealth*. Esses grupos pretendiam converter as aspirações utópicas da *Nova Atlântida* de Bacon e da *Macaria* de Hartlib em programas práticos de reforma social.

Em abril de 1647, os soldados do exército elegeram um conselho de agitadores que defendiam as ideias dos niveladores. Em outubro de 1647, discutiram o Acordo do Povo, um documento inspirado nas ideias dos Niveladores, que pretendia reinstituir o Estado depois da vitória do Parlamento na Guerra Civil. A liderança do exército restaurou o controle e, em abril de 1649, John Lilburne e outros líderes dos Niveladores foram presos. Por ordem de Cromwell, um motim de soldados niveladores foi reprimido em Burford, em maio de 1649.

Os Niveladores tinham feito uma tentativa de tomar o exército e radicalizar a revolução, mas não conseguiram o apoio do Parlamento e nem do exército. Do ponto de vista de Cromwell, eles já tinham servido ao seu propósito ao ajudar a criar um clima em que o rei pudesse ser julgado e executado. Feito isso, tinham se tornado supérfluos e ele não hesitou em suprimi-los.

Os *Diggers* eram revolucionários agrários mais radicais que também queriam ajudar "os pobres mortos de fome". De certa maneira, foram os primeiros comunistas e floresceram em 1649-50 sob o comando dos líderes Gerrard Winstanley e William Everard. Começaram como um grupo de vinte pessoas que ocupou pastagens de uso comum em St. George's Hill, Walton-on-Thames, Surrey (perto de Weybridge, onde hoje ficam ironicamente mansões de ricos e famosos) e começaram a cultivá-las. Afirmavam que a Guerra Civil tinha sido feita contra o rei e os grandes proprietários, e que a terra devia ficar agora à disposição dos pobres. Com a guerra, os preços de alimentos tinham subido muito e eles argumentavam que as terras não cultivadas deviam ficar para os pobres. Winstanley era um baconiano intuitivo e, em suas comunas, os trabalhadores seguiam uma filosofia experimental, como faziam os cidadãos de *Nova Atlântida* e *Macaria*. Os *Diggers* se consideravam os "verdadeiros Niveladores", mas os Niveladores denunciavam seu comunismo. Os proprietários locais também queriam as pastagens de uso comum que os *Diggers* tinham ocupado, o que foi motivo de preocupação para o governo. Ações legais e escaramuças resultaram na dispersão dos *Diggers* por volta de março de 1650.

Assim, as ideias de Hartlib sobre a agricultura quase levaram a uma revolução agrária apoiada pelo exército.

A consolidação militar da Revolução Inglesa por Cromwell começou com sua mal-afamada campanha irlandesa, de agosto de 1649 a maio de 1650. O exército, que se tornou desnecessário depois da Guerra Civil, tinha que ser proveitosamente empregado: daí a campanha da Irlanda. Cromwell revigorou os ideais da revolução apresentando-a como uma cruzada puritana contra os católicos. Via os Ingleses como israelitas que vinham para expulsar as tribos idólatras de Canaã – e via a si mesmo como Josué.

As maiores manchas na reputação de Cromwell foram os massacres em Drogheda, em setembro de 1649 (mais de 4 mil mortos), e em Wexford no mês seguinte (onde 1.500 civis foram cruelmente abatidos). O episódio mais horripilante em Drogheda foi o holocausto deliberado dos refugiados no campanário da igreja de St. Peter, ao norte da cidade. O próprio Cromwell falou em "efusão de sangue". Fica claro que, para ele, a sangria do corpo era uma metáfora para uma sangria no corpo político das Ilhas Britânicas. A sangria purificadora é um elemento essencial da dinâmica revolucionária.

Em dezembro de 1649, os prelados católicos e o clero se reuniram no antigo monastério de Clonmacnoise e declararam uma guerra santa (*bellum praelaticum et religiosum*) contra os ingleses. Cromwell respondeu no mês seguinte com a sua "Declaração", usando uma linguagem saturada de fervor religioso fanático: "Vocês são parte do Anticristo, cujo reino, diz expressamente a Escritura, deve ser 'banhado em sangue'", vociferou ele, "sim, 'no sangue dos Santos'".[66]

À campanha irlandesa de Cromwell seguiu-se uma não menos impiedosa e eficiente campanha na Escócia. Em maio de 1650, Cromwell se tornou Capitão-General na Escócia, no lugar de Fairfax, que recusou o comando. Derrotou as forças do futuro rei Carlos II, comandadas por David Leslie, na Batalha de Dunbar, em setembro de 1650. O grito de guerra inglês em Dunbar era "O Senhor das Hostes!". Em seguida, derrotou o futuro Carlos II em Worcester.

Agora que tinha suprimido os Niveladores e triunfara nas campanhas da Irlanda e da Escócia, Cromwell dissolveu o Parlamento em 20 de abril de 1653 e nomeou em seu lugar uma nova assembleia, um "pequeno Parlamento" (ou *Parlamento Barebones*, em referência ao pregador anabatista Barebones) com o intuito de instituir uma república puritana, uma "Assembleia de Santos". Em dezembro de 1653, a Assembleia de Santos entregou seu poder a Cromwell depois do golpe do Major-General Lambert.

Cromwell dissolveu o Parlamento à força, usando Lambert como intermediário. O acordo era entregar o poder a Cromwell, mas o título que ele adotaria não tinha sido estabelecido. Foi sugerido o título de rei. Com "relutância", Cromwell aceitou ter sido escolhido pela Providência, como um dos Eleitos, para governar. Tinha um respeito nostálgico pela instituição da monarquia e sua angústia sugeria que desejava ser rei. Entretanto, como o exército estava cheio de republicanos que se oporiam a isso, Cromwell preferiu um título com implicações menos permanentes do que o de rei. Em 13 ou 14 de dezembro, Lambert propôs "Lorde Governador". Cromwell, protestando que preferia ter um modesto cajado de pastor como emblema de seu posto, acabou concordando com "Lorde Protetor". Mas parece que Cromwell queria mesmo o título de rei, pois quatro anos depois reclamou que o exército o tinha impedido de aceitar tal título: "Houve uma época em que não se tinha escrúpulos com a palavra (rei)".[67]

Além de militar, a consolidação de Cromwell se tornou política. Embora tivesse abolido os monarcas e a Casa dos Lordes, além de expurgar a dos Comuns (que nunca suportou por muito tempo), não conseguiu um governo satisfatório. Nem mesmo o Protetorado e o Conselho de Estado lhe garantiram a autoridade que desejava. No dia 22 de janeiro de 1655, dissolveu mais uma vez o Parlamento. Republicanos, Realistas e Niveladores se revoltaram. Assim, depois da ascensão do Coronel Penruddock em março de 1655, Cromwell dividiu a Inglaterra e Gales em onze regiões (ou "cantões", como os chamaram seus detratores) sob o controle direto de onze Majores-generais.

Os Majores-Generais, quase todos ex-oficiais no Novo Exército, instituíram a lei marcial. Tinham tropas de cavalaria permanentes à sua disposição, pagas por um novo imposto de 10 por cento (o *Decimation Tax*) sobre os rendimentos dos que eram supostamente simpáticos ao Realismo. Eles lá estavam para fazer valer o regime puritano e não tinham escrúpulos em usar a força. Até mesmo atividades recreativas inofensivas, como corridas de cavalo, brigas de galos e representações teatrais eram estritamente proibidas.

Em abril de 1654, Cromwell mudou para o palácio Whitehall e, na mesma época, tomou posse de Hampton Court, onde passava os fins de semana falcoando e caçando, usando-a como o moderno Primeiro-Ministro britânico usa Chequers. Agia como um rei, exatamente como o porco Napoleão de George Orwell agia como fazendeiro depois da revolução que lhe deu o controle da Fazenda Animal, e alegava que seu governo tinha *impedido* a anarquia e a revolução social! Defendia agora as antigas instituições inglesas contra os Niveladores, a quem tinha incentivado, e dissolveu seus dois Parlamentos porque os republicanos reclamavam medidas extremas. Muitas vezes os revolucionários acabam implementando as mesmas medidas que os levaram a tomar o poder de seus predecessores. Cromwell não foi exceção e quando a base legal do seu governo foi contestada por George Cony – um comerciante que se recusava a pagar taxas alfandegárias alegando que não tinham sido sancionados pelo Parlamento, sendo assim comparáveis ao *Ship Tax*, imposto da época de Carlos I – Cromwell teve a mão tão pesada quanto a de Carlos I e "prendeu os advogados de Cony com o vigor de um Carlos I".[68]

MENASSEH E O RETORNO DOS JUDEUS À INGLATERRA

Vimos que Menasseh ben Israel foi o mais eminente judeu holandês a lutar pelo retorno dos judeus à Inglaterra. Tinha usado de influência para precipitar a queda de Carlos I e, na carta de setembro de 1647, considerava a deposição de Carlos I (descendente do ofensor Eduardo I) uma justa retribuição pela expulsão dos judeus da Bretanha em 1290.

Desde então, muitos judeus tinham voltado discretamente para a Inglaterra. Depois da expulsão dos judeus da Espanha e de Portugal em 1492, *marranos* "convertidos", fingindo-se de cristãos, tinham entrado na Inglaterra. Passavam-se por espanhóis e portugueses e frequentavam igrejas católicas. Menasseh acreditava que o Parlamento não tinha sido responsável pela expulsão, já que tolerava essa situação. O fato do Parlamento insistir no Antigo Testamento e a sua atitude em relação à história hebraica o tornava simpático para os judeus e especialmente para Menasseh. Como via o Parlamento como receptáculo da aprovação divina, esperava que ele revertesse o erro de 1290 convidando os judeus para voltar à Inglaterra.

Em 1650, publicou *Spes Israeli* (*The Hope of Israel*, ou *Esperança de Israel*), onde relatava que as Dez Tribos Perdidas de Israel haviam sido encontradas na América do Sul. (Em 1640, Menasseh tinha pensado em emigrar para o Brasil.) Dedicou a edição latina de sua obra ao Parlamento inglês, em admiração a Oliver Cromwell. O tradutor dizia que a intenção de Menasseh

Menasseh ben Israel

não era "propagar ou louvar o Judaísmo", mas fazer dos judeus "verdadeiros cristãos". Menasseh tinha amigos ingleses entre os convertidos ao judaísmo em Amsterdã, sendo esse supostamente o motivo de ter se aproximado de Cromwell. Na dedicatória de *The Hope of Israel*, escreveu: "Quanto a mim (muito renomados Pais), ao lhes dedicar este Discurso, posso em verdade afirmar que fui induzido por nenhum outro motivo além de obter seu favor e boa vontade para nossa Nação, agora espalhada por quase toda a terra; não pensem também não que o faço como se ignorasse o quanto têm favorecido a nossa Nação; pois me foi dito, assim como a outros de nossa Nação, por aqueles que estão tão felizes e tão perto, para observar suas apreensões, que vocês garantem nos ajudar, não somente com suas preces; sim, isso compeliu-me a lhes falar publicamente e a lhes agradecer pela caridosa afeição por nós: não agradecimentos da boca para fora, mas concebidos por uma mente agradecida. Peço licença, portanto (muito renomados Pais), para lhes suplicar que continuem a promover o nosso bem e nos amar ainda mais..."[69]

Em 1651, o primo de Cromwell, Oliver St. John, foi a Amsterdã negociar a aliança anglo-holandesa, com a expectativa que tal aliança resultasse na união anglo-holandesa. (Isso significava incorporar os holandeses ao Império Britânico, o que não lhes interessava.) John Thurloe, seu secretário, encontrou-se com Menasseh. Christopher Hill observa que essa delegação inglesa à Holanda, e especialmente John Thurloe, teve muito contato com Menasseh ben Israel.[70] Thurloe lhe sugeriu se dirigir ao Conselho na Inglaterra pedindo o reassentamento dos judeus. Em outubro de 1651, foi formado um comitê, que incluía Cromwell, para considerar a proposta. Cromwell decidiu pela readmissão dos judeus. Parece ter havido muitos fatores por trás dessa decisão: Thurloe tinha ajudado a torná-lo Protetor; Cromwell achava que os judeus eram ótimos para colher informações, especialmente com relação às manobras navais espanholas, que podiam ser uma ameaça; os judeus podiam ajudá-lo a realizar seus sonhos de expansão imperial, acalentados desde 1654 – porque todas as revoluções se tornam imperialistas e internacionalistas; os judeus provavelmente trariam dinheiro para o país. Havia também motivos ideológicos, como veremos em breve.

Em 1654, um comerciante *marrano*, Manuel Martinez Dormido, submeteu a Cromwell uma petição pedindo ajuda para os judeus que sofriam com a Inquisição espanhola. Cromwell o recebeu cordialmente, mas o Conselho rejeitou a petição.

Menasseh ben Israel, que ainda estava em Amsterdã, providenciou um convite para ir pessoalmente falar com Cromwell. Chegou a Londres em setembro de 1655 com três rabinos a seu serviço e foi alojado por Cromwell numa casa em frente ao New Exchange. Menasseh se reuniu primeiro com o Conselho mas não provocou o impacto que esperava, possivelmente por ter produzido livros demais.

Encontrou-se com Cromwell para o jantar. Foi um encontro de mentes. Menasseh o beijou, apertou-lhe as mãos e tocou suas roupas, para verificar se ele era o Messias judaico. Não se sabe qual foi a reação de Cromwell, mas deve ter ficado embaraçado. Menasseh lhe entregou uma petição "em favor da nação judaica". Jantou também com Comenius e Hartlib na casa de Katherine Ranelagh, irmã do rosa-cruz sionista Robert Boyle.[71]

A petição pedia o reassentamento e a restauração da religião judaica. Citava a profecia do Deuteronômio: uma vez concluída a dispersão, os judeus voltariam à Terra Santa. Acrescentava que a dispersão já estava concluída porque havia judeus em todos os pontos do globo e que a habilidade comercial dos judeus fazia deles uma nação lucrativa.

Messias/Retorno dos Judeus em 1656

O milenarismo tinha começado em meados do século XVI e se difundiu durante o século XVII. Seus partidários acreditavam que a chegada do milênio – o reinado de mil anos de Cristo na terra, de acordo com Apocalipse 20,1-5 – anunciaria a Utopia final: o céu na terra e o governo dos santos.

Nessa época, o sentimento milenarista situava a vinda do Messias e os acontecimentos a ela relacionados em torno de 1656, naquele mesmo ano. Muitos matemáticos, como Napier no século XVI e Isaac Newton no século XVII, baseavam seus cálculos em Daniel e no Apocalipse, e o consenso era que o milênio ocorreria 1260 anos depois do Anticristo estabelecer o seu poder. Os protestantes achavam que o Anticristo era o papa, cujo ascensão datava de 390 a 396 d.C., o que situava a data do milênio entre 1650 e 1656. Outros cálculos somavam 1290 anos a Juliano o Apóstata e à destruição do Templo de Jerusalém, o que dava o mesmo resultado. (Em um dos cálculos, o Anticristo era a usurpação do Bispo de Roma, em 400-6 d.C., sendo então 1666 a data do milênio. Em outro cálculo, o Anticristo era o infiel turco, o que fixava o milênio mais no futuro.)[72]

Acreditava-se que o Dilúvio de Noé começara em 1656 *anno mundi* (ou seja, depois do começo da terra). Mateus tinha dito: "Como nos dias de Noé, será a Vinda do Filho do Homem." Isso era interpretado em termos de datas e, assim, o milênio – o Juízo Final e o fim do mundo – era situado em 1656 d.C. Esse argumento foi usado pela primeira vez por Osiander, cujo livro foi traduzido para o inglês por George Joyce, em 1548. Thomas Goodwin, que escrevia nos Países Baixos, expôs a mesma ideia em 1639. Em 1651, ninguém mais do que Samuel Hartlib publicou uma tradução de *Clavis Apocalyptica*, que estabelece 1655 *anno mundi* para o Dilúvio de Noé e 1655 d.C. para o Juízo Final e o fim do mundo.

Assim, 1656 tinha se tornado a principal data do milênio quando o milenarista Peter Sterry pregou no Parlamento em 1651, dizendo que o ano era o de 1656. Os milenaristas John Tillinghast, John Rogers, Henry Jessy, Nathanael Homes, Robert Gell, William Oughtred e os Quakers adotaram, todos eles, o ano de 1656.

A teoria do milênio era acompanhada de todos os tipos de previsões: a derrubada do papa, que era para os protestantes o Anticristo e cuja queda estava prevista para acontecer logo antes do milênio; a oposição ao Anticristo pelos pobres da Inglaterra; a reunião dos gentios no Cristianismo espalhado pelo mundo; a conversão dos judeus; o retorno dos judeus a Sião, na Palestina; a Segunda Vinda de Cristo; o Juízo Final; o reinado de mil anos de Cristo e seus santos; o fim do mundo.

Muitos pregadores situavam o fim do mundo em 1650-6, incluindo John Archer, Raphael, Hartford, John Cotton, Stanley Gower, William Reyner, Thomas Shepard, James Toppe e Mary Cary. John Canne dizia que Cristo "apareceria da maneira mais notável" em 1655 e que haveria "grandes revoluções [...] em toda parte na Europa". (Um panfleto de 1648 se refere a "todos esses Milenaristas Cabalistas e restauradores de Judeus".)

A dispersão dos judeus através do mundo e sua conversão ao Cristianismo devia terminar por volta de 1650-6. Muitos escritores mencionavam a conversão dos judeus: a Bensalem da *Nova Atlântida* de Bacon, por exemplo, é povoada por judeus convertidos. Em 1641, Comenius expôs um plano para a conversão dos judeus. O senso de urgência dos milenaristas foi tratado de forma galhofeira por Marvell na mensagem "À Amante Recatada": "E deves, se te agrada, recusar / Até a conversão dos judeus." Esse cronograma era anunciado na Inglaterra desde os anos 1550, especialmente pelos protestantes Martin Bucer e Peter Martyr de Strasburgo. Calvinistas como Beza exigiam a conversão dos judeus. Assim como Wycliffe e Hus.

Durante esse milenarismo, ocorreu uma mudança. Ao passo que antes a conversão dos judeus e seu retorno a Sião, na Palestina, eram importantes porque possibilitavam a Segunda Vinda e o reino dos santos na terra, agora o mais importante era realizar o reino dos santos numa Comunidade, e os judeus eram uma consideração secundária. Assim, Gerrard Winstanley, o *Digger* comunista, igualava os ingleses aos israelitas. Winstanley e Everard chegaram a dizer a *Sir* Thomas Fairfax que eram "da raça dos judeus".

A equivalência entre Inglaterra e Israel viera do Deuteronômio. A dispersão dos judeus terminaria quando atingissem o ângulo ou limite da terra: a Inglaterra. Assim, os ingleses tinham que ser mostrados como israelitas para que a dispersão dos judeus terminasse e o milênio pudesse começar. Vestindo-se como israelitas, os milenaristas podiam demonstrar que o estilo israelita chegara à Inglaterra. Isso aceleraria a chegada do milênio, a Segunda Vinda e o reinado dos santos.

Os milenaristas ingleses adotaram deliberadamente uma aparência judaica para assumir uma identidade israelita e participar do primeiro reino dos santos. (Eram israelitas ingleses, por assim dizer.) Assim, o estilo de vida dos puritanos era baseado no dos judeus ortodoxos. Usavam roupas pretas com chapéu de aba larga, como os judeus. Jejuavam e defendiam a simplicidade no alimento e nas roupas, como os judeus. Guardavam o Sábado, como os judeus. Aceitavam literalmente o Antigo Testamento e cantavam salmos, como os judeus. Acreditavam em uma vida sóbria e evitavam álcool (exceto em ocasiões religiosas), como os judeus. Em *Décima Segunda Noite* de Shakespeare, o puritano Malvolio se veste de preto, vive com simplicidade e desaprova o comportamento desordeiro de *Sir* Toby Belch. Os judeus também desaprovavam a folia e o comportamento desordeiro. Os puritanos fecharam os teatros e se puseram contra a corrupção da Igreja. Tais atitudes eram encontradas também entre os judeus.

Os puritanos milenaristas eram versados em Judaísmo, nas escrituras do Antigo Testamento e usavam roupas iguais às dos judeus ortodoxos. Os familistas holandeses de Hendik Niclaes (que Jaime I considerava a fonte do Puritanismo) podem ter iniciado essa tendência na indumentária entre 1540 e 1560, quando judeus e cristãos viviam alegremente juntos na Família do Amor, ou Família de Deus, mas dentro do corpo de Cristo. Muitos puritanos propuseram a adoção da Lei de Moisés na Inglaterra e aguardavam o Messias judeu. Essa imitação da indumentária israelita começou em meados do século XVI. Os milenaristas Bucer, Peter Martyr e Beza na década de 1550, a igreja particular de Sitz em 1567-8 (que via a Inglaterra como Israel agraciada por Deus), Andrew Willet em 1590 e Perkins e Hooker na virada do século – todos eles tinham preparado o caminho.

Os milenaristas puritanos primitivos, que se vestiam de maneira diferente, também tomavam os judeus como modelo. Na época elisabetana, William Cecil, Walshingham e Bacon não usavam o gibão e as calças justas então em voga, mas roupas negras iguais às do rabino holandês Menasseh ben Israel (num retrato de 1642). Ao usá-las, é possível que estivessem expressando sua simpatia pelos objetivos internacionalistas da Família de Deus, "amantes da verdade de todas as nações". Na Franco-Maçonaria, Bacon se remetia ao Templo de Salomão em Israel, como já vimos. William Cecil, provavelmente um judeu *marrano*, que chegou a ser a pessoa mais poderosa do país depois da rainha, nada fez para impedir a ascensão dos puritanos e talvez simpatizasse em segredo com a entrada de judeus na Inglaterra como *marranos*. Para favorecer a readmissão dos judeus, é possível que tenha endossado a indumentária judaica milenarista – que Shakespeare (que parecia desprezar Lorde Burghley) satirizou através de Malvolio. De acordo com pessoas bem informadas, como G. W. Phillips,[73] mais tarde Shakespeare satirizou Cecil como Shylock.

Pouco antes de 1650, os quipás de estilo judaico estavam em uso. O ministro presbiteriano que visitou Carlos I depois do julgamento, o Reverendo Edmond Calamy, foi retratado usando um quipá e, na manhã de sua execução, Carlos I escolheu o quipá que usaria e pediu a Herbert que o deixasse à mão no cadafalso. O Bispo Juxon se encarregou do assunto. Isso teve um uso prático: Carlos usou o quipá para prender os longos cabelos e deixar a nuca à mostra. Nos anos 1650, muitos puritanos foram pintados usando quipás bem menores, incluindo Henry Marten (o político republicano), John Owen (capelão de Cromwell durante a expedição à Irlanda) e o poeta Andrew Marvell (pintado por um artista desconhecido por volta de 1655-60, vários anos depois de escrever "The Garden").

Os puritanos foram financiados pelos judeus, mas muitos se consideravam neoisraelitas apenas no sentido de esperar a Segunda Vinda. Cada puritano tinha que viver uma vida pura, pronto para participar da congregação dos santos. Muitos queriam acabar com a ostentação da religião, que associavam ao Anticristo. Alguns judeus expulsos da Espanha e de outros lugares, que se juntaram a congregações cristãs como *marranos*, aproveitaram a oportunidade para usar roupas judaicas. Mas a indumentária judaica não foi um complô *marrano* para dividir a Cristandade como vingança pelas expulsões: foi escolhida livremente pelos puritanos ingleses, que gostavam de se ver como futuros santos neoisraelitas.

Roupas puritanas: quipás no estilo judaico.
Marten (esquerda), Owen (centro), Marvell (direita)

A reunião dos gentios, que precederia o milênio, seria favorecida pelas viagens inglesas e pela aquisição de territórios no Novo Mundo. Os territórios católicos espanhóis do Novo Mundo tinham difundido o Anticristo e cabia aos viajantes ingleses protestantes neutralizar essa influência do mal, fazendo com que índios, crioulos e negros se voltassem contra os espanhóis. (Os índios eram considerados descendentes das dez tribos judaicas perdidas.) As viagens ao Novo Mundo tornariam o milênio mais provável por "reunir" os gentios na Cristandade, na Virginia e em outras partes do Novo Mundo. Essa reunião, por sua vez, anteciparia a época da conversão dos judeus, que possibilitaria a Segunda Vinda de Cristo. (O mesmo sentimento estava presente no Palatinado rosacruciano.) O major-general Harisson disse: "Os holandeses precisam ser destruídos para que tenhamos um céu na terra". John Rolfe, o marido de Pocahontas, disse em 1616 que os Ingleses eram "um povo peculiar, marcado e escolhido a dedo por Deus" para possuir a América do Norte.

Muitos milenaristas falavam de voltar à Palestina. Dizia-se que o *Zohar* previa um retorno dos judeus a Israel em 1648. Richard Farnham e John Bull, que morreram em 1642, tentaram ir para Israel num barco de junco. John Robins o *Ranter* (nome dado aos metodistas primitivos) teve a inspiração de conduzir 144.000 homens à Palestina (o número de Eleitos segundo Apocalipse 7,4 e 14, 1-3, sendo 12 mil de cada uma das 12 tribos de Israel) e começou a treinar alguns homens para essa tarefa; seu associado Thomas Tany assumiu o título de "Rei dos Judeus" em abril de 1650. Houve muitos falsos relatos sobre a volta dos judeus à Palestina.

Os milenaristas queriam que a política externa inglesa priorizasse a derrubada do Anticristo. O comandante das forças escocesas na Inglaterra queria marchar até Roma e incendiar o quartel-general do Anticristo. Foram também aventadas ações similares contra os turcos.

Mas no centro do pensamento milenarista estava a vinda de um Messias judeu. Assim como a Cabala tinha passado por uma mudança durante o exílio dos judeus na Babilônia, a noção de Messias também tinha mudado. O Messias esperado nos anos 1650 não era o Messias espiritual dos essênios e da verdadeira Cabala (ver Apêndices B, Apêndice 3), mas o Messias político da falsa Cabala e dos fariseus, um Messias que conduziria os judeus a um novo reino na terra, uma nova Terra Prometida: a Israel na Inglaterra.

Com tudo isso acontecendo, vemos que o Messias era esperado em 1656 para reconduzir os judeus à "Angle-land" (Inglaterra) e possibilitar assim a sua volta a Israel (a carta do Lorde Balfour ao Lorde Rothschild em 1917 anunciaria essa volta em 1948). Vemos também que as duas correntes por trás da revolução puritana – a rosacruciana e a judaica – se juntaram em 1656, numa época que Milton chamou de "um Paraíso". As esperanças perdidas e as expectativas frustradas do milênio resultaram numa profunda decepção para os milenaristas, que se conformaram então com uma época em que ingleses e judeus afundavam de novo numa vida de comercialismo secular.

Os Judeus Retornam

Trechos da petição de Menasseh capturam o tom da proposta a Cromwell: "Não vim para causar qualquer perturbação [...] mas apenas para viver com minha Nação no temor de Deus sob a sombra de sua proteção [...] Nesta Nação, Deus tem um Povo muito sensível e simpático à nossa Nação dolorida e aflita [...] Está apenas no meu julgamento [...] antes do MESSIAS vir e restaurar nossa Nação, temos que primeiro ter aqui a nossa base [...] Banindo-os do próprio País, mas não de sua Proteção, ele (Deus) lhes deu um instinto natural, que lhes permite ganhar não apenas o que é necessário às suas necessidades, mas também prosperar em Riquezas e posses... Eles devem ser convidados por outros a vir habitar em suas terras".[74]

Cromwell encaminhou a petição ao Conselho. A moção era que "os judeus que o mereçam possam ser admitidos nesta nação para comerciar, negociar e viver entre nós como a providência dará ocasião". Formou-se um subcomitê. Mas Londres foi tomada por rumores de que Cromwell tinha recebido um suborno de 200.000 libras para vender a Menasseh a catedral de St. Paul, que seria então transformada em sinagoga. O preço aventado era um milhão de libras. Dizia-se por outro lado, na comunidade judaica, que Cromwell era o Messias, a ponto de um investigador viajar para Huntingdon e Cambridge para verificar a sua árvore genealógica.

No dia 4 de dezembro, Cromwell falou ao Conselho sobre os judeus. Foi o melhor discurso de sua vida, de acordo com alguns observadores. Disse que a expulsão dos judeus em 1290 fora um ato de prerrogativa real, que se aplicava apenas aos judeus expulsos. Descartou o medo de que os judeus fossem ludibriar os comerciantes ingleses. No dia 18 de dezembro, o Conselho voltou a examinar o reassentamento dos judeus. Cromwell recusou qualquer acordo, como cobrar dos judeus mais impostos alfandegários. O Conselho reagiu com hostilidade e acabou se pronunciando em contrário. Diante disso, Cromwell deu a si mesmo liberdade para decidir.

Os judeus acreditavam que tinham sido readmitidos, mas isso não tinha base legal. No meio tempo, solicitaram um cemitério em Mile End e conseguiram.

Em abril de 1656, Menasseh escreveu um panfleto, *Vindiciae Judaeorum* ("Vindicação dos Judeus"), que defendia os judeus contra acusações de assassinato ritual de crianças cristãs e outras alegações. Mas começava a se configurar uma guerra anglo-espanhola e os *marranos* que se faziam passar por católicos espanhóis podiam, como estrangeiros inimigos, ter suas propriedades confiscadas. Um magistrado chegou a apreender os bens de um judeu chamado Robles, que depois os recuperou por ser "um judeu nascido em Portugal". Esse julgamento trouxe confiança aos judeus e os primeiros *marranos* que tinham se estabelecido na Inglaterra foram se tornando mais abertos.

Menasseh morreu antes de Carlos II outorgar a Carta de Proteção aos judeus ingleses em agosto de 1664. Estava passando por terríveis dificuldades financeiras. Em 1656, apelou a Cromwell, que lhe concedeu 25 libras e depois uma pensão de 100 libras – que não foi paga pelo Tesouro. Samuel, seu único filho, morreu e ele teve que pedir dinheiro para levar o corpo de volta à Holanda. Nessa ocasião, recebeu 200 libras em vez dos direitos de pensão. Achando que sua missão tinha falhado, estava profundamente deprimido. Morreu em novembro de 1657 de um ataque cardíaco. Seu epitáfio dizia em espanhol: "Ele não está morto: no céu vive em suprema glória, enquanto na terra seus escritos lhe valeram recordação eterna".[75]

Cromwell dissolveu o Parlamento pela quarta vez no dia 4 de fevereiro de 1658. Morreu de malária em setembro de 1658, duas semanas depois da morte de sua filha favorita, Bettie, que sofria de câncer. Seu corpo foi sepultado na Abadia de Westminster, mas foi exumado em 1661 e pendurado na forca em Tyburn. Sua cabeça foi cortada e espetada num poste em Westminster Hall, onde ficou durante todo o reinado de Carlos II.

Com o passar do tempo, os judeus tiveram permissão para viver livremente na Inglaterra, apesar dos violentos protestos do subcomitê do Conselho de Estado, que os considerava uma ameaça para o Estado e para a religião cristã.

SUMÁRIO: A DINÂMICA REVOLUCIONÁRIA DA REVOLUÇÃO INGLESA

Este relato levanta muitas perguntas sobre Menasseh: por que um rabino judeu de Amsterdã foi visitar a Inglaterra? Por que Thurloe procurou Menasseh em 1651? Por que Menasseh parecia acreditar que Cromwell era o Messias? Quais foram as suas ligações com Hartlib e Cromwell? Qual o impacto que teve na revolução puritana? Por que Cromwell tinha tanto empenho em defender o retorno dos judeus? O que estava por trás de tudo isso? É possível responder a todas essas perguntas pressupondo que tanto Menasseh quanto Cromwell eram dirigidos por rosa-cruzes no Priorado de Sião.

Qual era a verdadeira base da ligação entre o Lorde Protetor Cromwell e Menasseh? Cecil Roth, autor de *A Life of Menasseh ben Israel, Rabbi, Printer and Diplomat*, primeiro relato abrangente sobre a carreira de Menasseh, "o financiador dos anglo-judeus", encontrou uma incompreensível resistência quando foi a Amsterdã em 1927 para pesquisar registros e arquivos referentes às comunidades espanhola e portuguesa: "Este trabalho seria por certo mais abrangente se tivessem sido usados os registros das comunidades espanhola e portuguesa de Amsterdã. Em 1927, fui à Holanda com o propósito expresso de pesquisar os arquivos referentes a essa antiga comunidade. Como muitos outros antes de mim, encontrei as portas fechadas, embora o secretário me garantisse que me forneceria qualquer informação que eu requisitasse. Expliquei que minha intenção era pesquisar a carreira de Menasseh ben Israel e seus contemporâneos. 'Nada temos em nossos arquivos relacionado a Menasseh ben Israel', disse-me gentilmente o curador, dando a entender ao mesmo tempo que a entrevista tinha terminado. É necessário publicar os detalhes desse incrível episódio como antecipação à crítica inevitável de que o meu trabalho não teve o respaldo de um mínimo de dados."[76]

O que o curador escondia em 1927? Por que não quis mostrar a Roth os registros sobre Menasseh. Teria sido para impedi-lo de ver a correspondência de 1647? Haveria ali registros do auxílio financeiro dos judeus à revolução de Cromwell, que ele não queria que Roth visse? Se foi assim, o curador teve sucesso porque Roth não faz qualquer menção à Sinagoga de Mulheim ou ao financiamento dos judeus de Amsterdã.

Até que ponto a Amsterdã de Menasseh financiava Cromwell, a ponto deste reverter a expulsão de 1290? Em que medida estaria ele fomentando uma política do Priorado de Sião para derrubar os Stuarts? Estaria ele pondo em prática o juramento – renovado em 31 de outubro de 1617 pela Convenção Rosacruciana dos Sete, em Magdeburg – de destruir a Igreja de Jesus Cristo? Até que ponto esperava que um novo líder inglês se opusesse aos espanhóis e libertasse o sul da Holanda e o Palatinado numa nova fase da Guerra dos Trinta Anos? Quais foram, de fato, os motivos de Menasseh?

Menasseh queria claramente o retorno dos judeus à Inglaterra: disso não há dúvidas. Como cabalista rosacruciano, tinha por certo ligações com Fludd e Andreae do Priorado de Sião, e a derrubada de Carlos e dos Stuarts deve ter feito parte de suas cogitações. Talvez esperasse que, depois de Jaime I abandonar o Palatinado, um governante inglês não Stuart derrotasse os espanhóis e restaurasse o reino rosacruciano. Na verdade, como rosa-cruz, deve ter cogitado que o objetivo da Convenção Rosacruciana seria, como o objetivo de alguns ensinamentos cabalistas, dividir a Cristandade, como ocorrera durante a Reforma. Pode ter havido um elemento de vingança em seus pensamentos, já que os judeus de Amsterdã não tinham esquecido sua expulsão da Espanha. (Ver Apêndices B, Apêndice 9.)

O cabalista Menasseh tinha visitado Cromwell e revertido a expulsão dos judeus da Inglaterra, que vigorara desde 1290. Parece ser a história de um cabalista com a missão nacionalista de ajudar seu povo. Mas era mais do que isso. Como Cromwell, Menasseh era um rosa-cruz invisível. Ambos tinham interesses ocultos.

Cromwell foi acima de tudo um rosa-cruz maçom e, em segundo lugar, um puritano – como muitos supostos puritanos. Sua revolução parece ser mais maçônica-rosacruciana do que protestante. Haverá evidências da revolução de Cromwell ter sido tramada em lojas maçônicas rosacrucianas e de sua ascensão ao poder ter sido tramada por rosa-cruzes? Será que um engajamento rosacruciano responde as perguntas sobre a ascensão de Cromwell ao poder?

Na superfície, os fatos são triviais. As questões relativas à carreira de Cromwell têm que ser consideradas à luz de seus contatos rosacrucianos e no contexto Menasseh-Carvajal-Mulheim. Como Cromwell se tornou representante no Parlamento? Será que essa foi uma decisão sua, talvez com influência da Holanda? Estaria ele desde o começo na folha de pagamento dos holandeses? Por que começou a organizar forças militares em 1642? Por que criticou Manchester? Por que excluiu membros dos Comuns e dos Lordes de cargos de comando no Novo Exército? Sabemos agora quem financiou esse exército: terá sido a "Self-Denying Ordinance" (Lei da Renúncia Voluntária) um ardil que lhe permitisse ser o segundo em comando? Provavelmente. Será que alguém convenceu Fairfax a pedir a Cromwell que fosse o seu número 2? Por que Cromwell se pôs do lado dos soldados? Sabemos que foi por ordem sua que, no mesmo dia, um grupo de soldados sequestrou o rei. Havia alguma pressão por parte da Sinagoga de Mulheim? Sim. Teria sido o papel mediador de Cromwell um embuste completo? Sim. Sabemos que Cromwell influenciou o expurgo do Parlamento, supostamente obra de Ireton. Em que ponto estava por trás da exigência de Ireton de que o rei fosse julgado? A relutância de Cromwell em julgar o rei teria sido um embuste completo? Sim. Será que a derrubada de Carlos I sempre fez parte de suas cogitações? Sim. Sabemos que Cromwell estava em contato com a Holanda. Quem era o seu mentor? Menasseh? Terá sido uma trapaça, a Providência ou uma organização secreta que destituiu Manchester, arquitetou a incrível ascensão de Cromwell e o tornou segundo em comando e finalmente Lorde Protetor?

Como no caso de Menasseh, os acontecimentos da superfície escondem o que estava realmente acontecendo mas, sob a superfície, há indícios que apontam para a verdade. De acordo com o embaixador veneziano, Cromwell conheceu Menasseh em Flandres, quando viajava em sua juventude.[77] Não há evidências que corroborem essa história e nem relatos de qualquer viagem de Cromwell para o exterior. No entanto, é interessante o embaixador ter dito isso.

Tendo sido calvinista, unitarista e congregacionalista, em algum momento Cromwell se tornou também um rosa-cruz. Suas ligações com a Franco-Maçonaria são asseveradas por maçons templários franceses, que afirmam que ele usou o sistema maçônico para subir ao poder. Em *The Freemasons Crushed*, de 1746, Abbé Larudan afirma que Cromwell "estabeleceu a ordem (da Franco-Maçonaria) para favorecer os (próprios) objetivos políticos" e que "a Franco-Maçonaria foi organizada, seus graus estabelecidos (e) suas cerimônias e rituais prescritos" por Cromwell e por vários aliados que ele iniciara. "A Instituição (da Franco-Maçonaria) foi usada por Cromwell para o incremento dos próprios projetos, para a união das partes em conflito na Inglaterra, para a extirpação da monarquia e para a própria elevação ao poder supremo".

Na realidade, a Franco-Maçonaria foi fundada antes do tempo de Cromwell, como já vimos. De acordo com *History and Evolution of Freemasonry*, Cromwell participava regularmente de encontros na loja maçônica que ficava na taverna chamada – muito apropriadamente – *Crown* (Coroa).[78] Tratava-se de uma loja para novos rosa-cruzes provenientes da pequena nobreza. O objetivo desses encontros era, naturalmente, abolir a monarquia. Cromwell não poderia ter entrado nessa loja a menos que fosse também um rosa-cruz. Segundo a *Encyclopaedia of Freemasonry*, Cromwell era rosa-cruz e se dava muito bem com outros rosa-cruzes.[79]

Em que momento de sua juventude Cromwell poderia ter conhecido o rosa-cruz cabalista Menasseh? Se o embaixador veneziano está certo, possivelmente por volta de 1622, logo depois de Cromwell se casar e de Menasseh se tornar rabino em Amsterdã. Teria sido durante a visita de Cromwell aos parentes Palavacino de Anne Hooftman, na companhia da mãe e das irmãs? É muito possível que essa visita tenha acontecido em 1628, quando ele era representante no Parlamento. E pode ser que o encontro tenha precipitado a crise psicológica que culminou com a experiência de Luz. Será que essa crise resultou de um conflito entre o Calvinismo de sua juventude, o Unitarianismo em desenvolvimento e o Rosacrucianismo Cabalista de Menasseh? Não se sabe se Cromwell conheceu Fludd (que pode ter sido um elo com Menasseh) em Londres, mas Hartlib (outro elo com Menasseh) era amigo de Andreae e se estabeleceu na Inglaterra em 1628. Hartlib estava no centro da missão rosacruciana em Londres e, em torno dele, juntou-se um círculo de pessoas que conheciam Cromwell e que o mantiveram em contato com a liderança rosacruciana e com o Priorado de Sião, que desejavam derrubar a linhagem templária Stuart, que Carlos I representava naquele momento.

De acordo com Lady Queenborough, "A Rose-Croix [...] tinha se difundido rapidamente entre os puritanos".[80] Penso que Cromwell só foi introduzido no Rosacrucianismo em 1638, ano em que tentou emigrar para o Novo Mundo e herdou a propriedade em Ely. Acho que Hartlib o introduziu no Rosacrucianismo não em 1628 mas em 1638, época em que o Rosacrucianismo já estava difundido entre os puritanos; e que, em 1641, Cromwell se encontrava com Hartlib, Hampden, Milton e outros na *Crown*, a taverna rosacruciana. Pode ser que Menasseh tenha visitado Londres nessa época. Assim como as Uniões Cristãs de Andreae e o grupo de Hartlib tornaram invisível o Rosacrucianismo, pode ser que Cromwell tenha escondido seu novo credo por trás do rótulo puritano de Congregacionalismo, como muitos outros fizeram.

Estamos agora em condição de responder às perguntas que fizemos sobre Menasseh e Cromwell. Menasseh foi procurado por Thurloe em 1651 porque já estava em contato com Cromwell desde 1643, através de Carvajal e provavelmente de Hartlib. Ele parecia acreditar que Cromwell era o Messias porque isso favorecia a ideia de que a Inglaterra era a terra prometida, onde os judeus poderiam criar uma nova Israel. Estava ligado a Hartlib através de Andreae. Sua visão de uma Inglaterra sem Carlos I e com os judeus de volta, governados por um Protetor rosacruciano como Frederico V, dava ainda mais expressão política à visão utópica atlantiana de Bacon e à *Societas* utópica de Andreae que, juntas, formavam a visão oculta da revolução. Simplificando, a Inglaterra seria um novo Palatinado rosacruciano com um novo líder rosacruciano. Seria um paraíso para os judeus cabalistas rosacrucianos.

O propósito fundamental da revolução puritana era a derrubada da linhagem Stuart pelos rosa-cruzes invisíveis e pelo Priorado de Sião. Como rosa-cruz invisível, Cromwell escondeu sua lealdade Rose-Croix sob a "Church Union" puritana. Estava empenhado em viabilizar a volta dos judeus porque receberia apoio financeiro para a sua revolução, o que incluía poder absoluto como Lorde Protetor. Isso não estava nos planos de Fairfax e nem do Parlamento.

É possível montar o padrão subjacente aos eventos como um arqueólogo reconstrói um mosaico, e as respostas às nossas perguntas sobre Cromwell começam a tomar forma. Teria Cromwell usado a Self-Denying Ordinance como um artifício para tirar Manchester do comando de seu exército? Sim. Teria ele conspirado com Fairfax desde o começo para que ambos tivessem o controle do Novo Exército? Sim. Seria Fairfax um rosa-cruz ou um simplório nas mãos de Cromwell? É possível que fosse um rosa-cruz: como lutou com os holandeses contra os espanhóis em 1629 e 1631, pode ter conhecido Menasseh ou seus agentes na Holanda. Por outro lado, ele se desentendeu com Cromwell quando este se tornou Protetor e não assumiu o comando na Escócia, preferindo ficar em Nun Appleton House, em Yorkshire, onde o poeta Andrew Marvell foi tutor de sua filha e escreveu "The Garden". Esse poema é a flor da tradição contemplativa inglesa, mas nem isso impediu os rumores de que Marvell era um espião a serviço dos holandeses quando vivia em Nun Appleton. (Roy MacGregor-Hastie afirma sobre sua carreira: "Andrew Marvell que, como 'Mr. Thomas', era o tesoureiro holandês da Casa, observava perversamente que às vezes esquecia quem espionava para quem, mas estava convencido de que era só uma questão de tempo até o próprio rei [Carlos II] ser levado às barras dos tribunais e julgado.") De fato, Marvell parece ter sido um agente duplo inglês de 1672 até 1674.[81]

Será que desde o começo Cromwell pretendia matar Carlos I? Por certo desde 1647 e talvez desde 1643. A ascensão de Cromwell se deu através de trapaças? Sim. Através da Providência? Talvez. Através de uma organização secreta? Sim. A organização secreta dos rosa-cruzes promoveu sua causa, usando encontros secretos para desenvolver sua estratégia. Quem foram os mentores políticos de Cromwell? Hartlib e Menasseh.

Voltamos à pergunta: quando Cromwell se tornou um rosa-cruz? Deve ter sido antes de 1643, quando parecia estar colaborando ativamente com Carvajal. É provável que Andreae (que dirigia o Priorado de Sião e a Rose-Croix) estivesse por trás de Menasseh e Carvajal, com Hartlib atuando como "agente" em contato com Cromwell. Como já vimos, isso deve ter sido depois de 1638. Mas resta a pergunta: quando Cromwell conheceu Menasseh na juventude? Menasseh acrescentou por certo um brilho intelectual judaico à visão de Bacon e Andreae, comunicando-a a Cromwell através de Hartlib.

Só é possível especular, mas a influência de Menasseh sobre Cromwell parece ter sido decisiva. A revolução puritana foi dirigida por Sião (Andreae), que juntou esforços com os judeus (através de Menasseh). Hartlib deu a ela um rótulo puritano. Isaac D'Israeli escreveu: "A Revolução Inglesa no reinado de Carlos I foi diferente das anteriores [...] A partir dessa época e desses fatos contemplamos em nossa história as fases das revoluções."

Haveria muitas outras revoluções com características semelhantes, especialmente a Revolução Francesa, mas a de Cromwell estabeleceu o padrão para o futuro ao esconder as verdadeiras razões para a revolução atrás de cortinas de fumaça (neste caso, o Ship Tax, o direito divino dos reis e o absolutismo de Carlos, além de sua suposta tirania), ao usar de subterfúgios e intrigas maquiavélicas e ao ocultar seu verdadeiro inspirador – como se exigia de um rosa-cruz invisível.

Podemos agora esboçar algumas conclusões sobre a Revolução Inglesa:

1. Depois de Tyndale, dos Familistas e da tradição israelita britânica, a visão utópica de Bacon sobre a reforma e o avanço do aprendizado, em torno do conceito do Templo de Salomão, foi a principal inspiração da revolução.

2. A visão de Andreae de uma *Societas* sionista e rosacruciana originou a revolução. Agindo do Palatinado e para rosa-cruzes invisíveis desde 1617, em conjunto com Fludd, planejou matar Carlos I para possibilitar a Utopia. Usou financiamento judaico para separar a revolução do Priorado de Sião.

3. Hartlib deu expressão intelectual à visão de Andreae implementando a *Societas* utópica e se comunicando com Cromwell.

4. Menasseh acrescentou uma dimensão judaica milenarista, financiando a execução de Carlos para possibilitar a volta dos judeus à Inglaterra e sua conversão. Deu expressão intelectual às ideias de Andreae sobre os judeus.

5. Pym deu expressão política à visão de Andreae através de Hartlib, até 1643.

6. Cromwell deu expressão política à visão de Andreae por meio de Hartlib, Carvajal e Menasseh, depois de 1643.

7. A partir de 1643, Menasseh financiou Carvajal para criar o Novo Exército e, em 1647, prometeu financiar um estado democrático quando Carlos fosse destronado.

8. O expurgo no Parlamento feito por Cromwell (usando Ireton como testa de ferro), no dia 6 de dezembro de 1648, afastou todos os representantes parlamentares favoráveis a negociar com o rei. A ascensão dos "Niveladores" e "Racionalistas", regicidas e comunistas como os revolucionários franceses, deram a Cromwell a oportunidade de expurgar o Parlamento em três outras ocasiões (20 de abril de 1653, 22 de janeiro de 1655 e 4 de fevereiro de 1658), consolidando ainda mais o seu poder.

9. Cromwell deu expressão física à revolução como Lorde Protetor e retribuiu o apoio financeiro e o fornecimento de armas preparando o caminho para a volta dos judeus à Inglaterra.

Nesse padrão, que envolve uma interpretação totalmente nova da história do século XVII, Cromwell agia em nome de Andreae, primeiro através de Pym e do grupo de Hartlib e depois através de Carvajal e Menasseh. Embora os puritanos fossem financiados por judeus, ainda assim teria havido uma revolução puritana sem Menasseh e Carvajal, mas teria sido diferente. É possível que Carlos I não tivesse sido executado.

Cromwell permitiu a volta dos judeus porque estava implementando um plano judaico que envolvia Menasseh e Carvajal, em troca de financiamento. É provável que esse plano fosse de Andreae e, portanto, o Priorado de Sião como Sião queria que os Stuarts templários fossem derrubados. O Rosacrucianismo cabalista de Fludd e Andreae tinha características judaicas e também herméticas. Assim, a revolução puritana parece ser uma aliança entre puritanos (ou rosa-cruzes) e judeus (cabalistas como Menasseh e Carvajal), com os rosa-cruzes sionistas manipulando os judeus para que financiassem os puritanos (isto é, os rosa-cruzes ingleses).

Em vista de nossas descobertas, há necessidade de uma reavaliação de Cromwell. Cromwell era um santo ou um pecador? Na medida em que procurava genuinamente melhorar as coisas para a Inglaterra, foi um santo. Na medida em que pretendia tomar pessoalmente a Inglaterra para implementar a agenda de Andreae (ou seja, do Priorado de Sião) de matar o rei com dinheiro judaico e conquistar o poder ditatorial supremo, foi um pecador. Cromwell teve sem dúvida várias ideias reformistas e milenaristas para uma Inglaterra utópica, mas os primeiros santos da congregação dos santos reinantes estavam seriamente comprometidos com o ouro estrangeiro, se nossas descobertas estiverem corretas. Com base nas evidências que juntamos, Cromwell era muito menos um santo neoisraelita do que um político maquiavélico e manipulador, cuja revolução abalou nas bases a estabilidade da Inglaterra. Milton pode ter pensado nisso ao criar o seu Satã (também chamado de Lúcifer) baseado em Cromwell.

Tanto a dimensão oculta quanto a intelectual da revolução expressavam os sonhos utópicos da Irmandade Rosacruciana e deram à revolução o seu *élan* idealista. Mas, quando essa força vital se enredou nas duas dimensões inferiores (a política e a física), seu fogo começou a se aproximar mais da violência do que da inspiração, e o idealismo utópico de Bacon deu lugar à ideologia republicana de Cromwell – ainda que com o verniz de uma Providência infalível que tudo justifica.

Podemos agora fazer um resumo em termos da dinâmica revolucionária. A visão herética oculta da Revolução Inglesa é encontrada no sentimento antipapista mais extremo da Reforma, notadamente entre os Familistas holandeses, movimento iniciado pelo hermetista Hendrik Niclaes, e se inspira na crença cabalista de William Tyndale, de que os britânicos são neoisraelitas.

O intérprete herético oculto foi Francis Bacon, fundador da Franco-Maçonaria e fomentador (talvez fundador) do Rosacrucianismo, que escreveu uma utopia milenarista. Ele acreditava que o povo escolhido por Deus, antes Israel, era agora o povo inglês e que o Templo de Salomão tinha que ser reconstruído pelos israelitas ingleses.

O originador revolucionário oculto foi Andreae, autor de textos rosacrucianos, cuja visão utópica era a de uma sociedade ou *Societas* rosacruciana oculta. Teve o apoio de Fludd, que recebera influência dos Familistas.

O intérprete reflexivo que deu à visão um novo viés foi o rosa-cruz Hartlib, o comerciante prussiano alemão que frequentou a Universidade de Cambridge e se estabeleceu na Inglaterra em 1628. Ele pôs em prática a sociedade de Andreae – que se apresentava como cristã, mas era de fato rosacruciana – no sistema pré-revolucionário da Inglaterra, formou um círculo de revolucionários rosacrucianos e deu expressão intelectual às visões de Tyndale e Bacon. Adotou a crença de Bacon na educação universal, traduziu o baconiano checo Comenius e, em 1641, publicou *Macaria*, que apresentava uma Utopia baseada na filosofia de Bacon e Comenius, que convidou para fundar um colégio de reforma social na Inglaterra, em 1641.

Na Inglaterra, o intérprete intelectual semipolítico que depois se tornou político foi Pym. Ele articulou a organização política da visão revolucionária. Quando o Parlamento Longo se reuniu em novembro de 1640, Pym chefiou o grupo que dominava os Comuns, organizou o exército do Parlamento e pediu ajuda à Escócia. Era um dos cinco líderes que Carlos I tentou prender em 1642.

Seu equivalente na Holanda era o rabino cabalista rosacruciano Menasseh, de Amsterdã. Ele acreditava que o Messias só voltaria para conduzir os judeus de volta à Terra Santa depois que sua dispersão pelo mundo chegasse a um bom fim. Apresentou-se a Cromwell em 1655, saudou-o como se fosse o Messias e pleiteou com sucesso a volta dos judeus à Inglaterra. Deu continuidade à visão de Tyndale e de Bacon e, ao mesmo tempo, mantinha contato com seu amigo holandês, Grotius. A Revolução Puritana envolvia a transformação da Inglaterra numa nação de israelitas britânicos.

A dinâmica revolucionária inicial da Revolução Puritana pode ser expressa da seguinte maneira:

Visão herética oculta	Intérprete herético oculto	Originador revolucionário oculto	Intérprete intelectual reflexivo	Intérprete intelectual semipolítico
Cabalista / hermetista: israelitas britânicos de William Tyndale / Família de Deus holandesa de Niclaes	Bacon: israelitas britânicos reconstruindo o Templo de Salomão	Rosacrucianismo de Andreae / Fludd	Hartlib: Societas Rosacruciana na Inglaterra puritana (transformada em Royal Society)	Pym / Menasseh, judeus de volta à Inglaterra para viver entre os israelitas britânicos

Em 1643, ano em que Pym morreu, Cromwell assumiu a expressão política da revolução como organizador militar. Depois de ser coronel em fevereiro de 1643 e segundo em comando de Lorde Manchester em 1644, tornou-se o segundo em comando de Lorde Fairfax no Novo Exército, que tinha planejado e organizado. Depois de sua ascensão ao poder como Lorde Protetor, consolidou a revolução subjugando a oposição, especialmente os Niveladores, liderando campanhas militares na Irlanda e na Escócia e – através de suas atividades políticas – abolindo os lordes e nomeando generais para governar regiões, depois de se ter transformado em Lorde Protetor. Morreu antes da conclusão do processo de consolidação: daí o colapso da Revolução Puritana.

A dinâmica revolucionária completa da Revolução Inglesa pode ser expressa da seguinte maneira:

Inspiração herética oculta	Expressão intelectual	Expressão política	Consolidação física
Tyndale / Niclaes / Bacon	Andreae / Fludd / Hartlib / Menasseh	Pym / Cromwell	Cromwell

A dinâmica revolucionária da malograda Revolução Rosacruciana pode ser expressa da seguinte maneira:

Inspiração herética oculta	Expressão intelectual	Expressão política	Consolidação física
Bacon	Fludd / Andreae / Maier	O paraíso de Frederico V no Palatinado	Sobreviventes escondidos na Royal Society

Podemos agora expressar a dinâmica revolucionária das ideias por trás da Revolução Inglesa da seguinte maneira:

Inspiração herética oculta	Expressão intelectual	Expressão política	Consolidação física
Pro-israelitismo sionista / Rosacrucianismo	Regicidas anticatólicos do Colégio Invisível	Puritanismo da Comunidade	Expurgos do Protetorado

*

Tem que ser dita uma última palavra sobre a influência da Holanda na Revolução Puritana. Isso aconteceu em fases diferentes:

1. A Família Holandesa de Deus (Familistas) iniciou o Puritanismo e reuniu cristãos e judeus.
2. A viúva do tio de Cromwell (da família Palavacino, de banqueiros genoveses) era holandesa.
3. Os judeus de Amsterdã, através de Menasseh, financiaram a Revolução Puritana através da Sinagoga de Mulheim.
4. Elizabeth da Boêmia, estabelecida em Haia, financiou Hartlib (Dury e Comenius).

Estando na periferia da Guerra dos Trinta Anos e sendo o país que recebera Frederico V do Palatinado para viver no exílio, a Holanda era um solo fértil para a revolução e a atividade rosacruciana. Os judeus sefarditas tinham se estabelecido na Holanda depois de sua expulsão e se vingavam do império católico da Espanha financiando exércitos protestantes na Europa. Os antitemplários tinham agora se vingado dos Stuarts templários financiando sua derrubada. A Holanda financiou também a nova visão científica dos puritanos (expressa no círculo de Hartlib).

A Holanda era um lugar onde os judeus cabalistas da Espanha e os rosa-cruzes do Palatinado se juntaram. Continuou a ter um papel importante fomentando a intranquilidade na Inglaterra até que, em 1689, outra revolução de inspiração holandesa assolou o país: a Revolução Gloriosa.

CAPÍTULO TRÊS

A REVOLUÇÃO GLORIOSA

Não se sabe se Lojas como tal ou Maçons como Maçons participaram da iniciativa de convidar Guilherme de Orange e sua consorte Maria para se tornarem soberanos conjuntos em 1688, mas a sugestão é plausível.

Stephen Knight, *The Brotherhood*

O clímax da Revolução Gloriosa anticatólica contra Jaime II ocorreu depois da chegada do protestante Guilherme III à Inglaterra, em 5 de novembro de 1688. Como a armada holandesa seguiria supostamente para o norte da Inglaterra, a frota inglesa ficou de tocaia ao largo da costa de Essex. Mas um vento leste acabou levando os holandeses pelo canal até Torbay. Assim, Guilherme aportou perto de Brixham com quase 14.000 homens e marchou sobre Londres. O católico Jaime II, irmão mais novo de Carlos II, fugiu como o seu pai Carlos I havia feito, sem aceitar os termos de Guilherme.

Jaime II foi deposto pela filha e pelo genro com tropas holandesas, numa ação que mais pareceu um golpe do que uma revolução. O regozijo foi grande, já que a Inglaterra tinha sido salva do Catolicismo e era agora protestante. No entanto, causava mal-estar o fato da coroa inglesa ficar com holandeses depois das três guerras anglo-holandesas que tinham ocorrido a partir de 1652.

O que parecia ser uma revolução protestante contra o católico Jaime II era na verdade mais sinistro. Para compreender as forças que atuavam por trás disso, temos que voltar à restauração protestante anglicana de Carlos II, em que a Revolução Gloriosa tem as suas raízes.

CONTRARREVOLUÇÃO:
A RESTAURAÇÃO DE CARLOS II

No começo de dezembro de 1659, Carlos II estava no exílio em Bruxelas, enquanto seus seguidores estavam com frio, com fome, pobres, deprimidos e à mercê de um inverno flamengo.[1] Em 1655, tinham ido da Alemanha para Flandres, onde os monarquistas se alistaram no exército espanhol. No outono de 1658, chegaram notícias da morte de Oliver Cromwell: "O Diabo Está Morto". Oliver Cromwell foi sucedido por Richard Cromwell, o mais velho dos seus filhos ainda vivos. Como o Parlamento fora dissolvido em maio, o que restava dele (o *Rump*) foi restaurado com apenas 50 membros. Um grupo clandestino de monarquistas, o "Sealed Knot", estava planejando um golpe para o primeiro dia de agosto e, certo do seu sucesso, Carlos tinha ido para Calais. Mas, desorganizada e mal conduzida, a tentativa de golpe logo perdeu a força. Um dos integrantes do grupo, *Sir* Richard Willis, tinha denunciado os outros para o governo. Houve traições em vários locais da Inglaterra e o único levante monarquista ocorreu em Cheshire, mas os 4.000 participantes foram facilmente derrotados pelo Coronel John Lambert. Carlos deixou Bruxelas e foi para Rouen à procura de um barco que o levasse para a Inglaterra, mas isso nunca aconteceu. Filosófico, ele falava agora de uma restauração com ajuda espanhola e francesa e não mais de um levante na própria Inglaterra. Voltando a Flandres, parecia muito animado, mas os seus seguidores estavam desesperados.

O Protetorado, no entanto, estava se desmantelando. Havia anarquia no país e Richard Cromwell não conseguia impor a sua autoridade. Em outubro, o Parlamento Residual (*Rump*) demitiu Lambert, que o suspendeu em retaliação. Murmurava-se por toda a Inglaterra: "Se é para ser uma pessoa só, por que não o rei?" Seus olhos se voltaram para além-mar, onde estava o rei.

O General Monck, um dos principais generais de Cromwell, percebeu que a Inglaterra corria o risco de ser dividida sob o sucessor de Cromwell. Acreditava que o exército devia se submeter a um governo civil. Tendo ocupado a Escócia, reuniu as tropas e apresentou sua proposta: entrar na Inglaterra para defender os "direitos de três reinos, libertando-os de usurpações tirânicas e arbitrárias". Em dezembro, cruzou a fronteira em direção à cidade inglesa de

Berwick, e Lambert marchou para o norte para enfrentá-lo. Houve levantes contra o exército em Londres, Bristol e Southampton.

No dia 1º de janeiro de 1660, Monck começou a marcha para Londres. Apesar da geada e da neve, o povo inglês o apoiou. Yorkshire se juntou a ele e houve muitas petições por um Parlamento livre. Monck escreveu uma carta ordenando ao Parlamento Residual que readmitisse os membros excluídos e a publicou. No dia 11 de fevereiro, marchou sobre Londres, onde as pessoas permaneceram silenciosas e atentas, perguntando-se se estariam diante de outro golpe militar. Monck foi então ao Guildhall e contou ao Prefeito e aos seus conselheiros o que tinha feito.

Em menos de meia hora, os rostos de todos se encheram de alegria. Fogueiras foram acesas nas ruas – 31 numa só rua – e os sinos tocaram. Em todas as tavernas, bebia-se à saúde do soberano exilado. Dizia-se que Monck tinha se declarado a favor da volta do rei e de um Parlamento livre, embora ainda não tivesse dados sinais de reconhecer o Rei de Além-Mar (*King over the Water*). No final de março, os membros excluídos do parlamento votaram pelo fim do Parlamento Longo e Monck se reuniu com o emissário real, *Sir* John Grenville, que entregou sua mensagem para Carlos em Bruxelas. Nela, aconselhava Carlos a sair do território espanhol, já que a Inglaterra ainda estava em guerra com a Espanha. Na manhã seguinte, antes do sol nascer, Carlos atravessou a fronteira com seu Conselheiro-Chefe, Edward Hyde, e chegou a Breda, onde assinou uma Declaração garantindo uma contrarrevolução sem sangue – uma restauração sem condições. O rei deixaria tudo nas mãos de um Parlamento livre e Monck seria o Capitão geral das forças do rei. Em abril, Monck derrotou Lambert, que tinha fugido da Torre, em Daventry, na região central da Inglaterra, e os *Cavaliers*, partidários de Carlos I, venceram as eleições parlamentares.

Monck pediu então à sua mulher que preparasse Whitehall para a chegada do rei. No dia 1º de maio, *Sir* John Greenville trouxe uma carta do rei para o Parlamento e o presidente da casa a leu em voz alta, enquanto os outros membros tiravam o chapéu para ouvi-la. O primo de Monck, William Morrice, propôs então a volta a uma Constituição de Rei, Lordes e Comuns. A proposta foi aceita por unanimidade, Greenville ficou agradecido, o rei foi agraciado com 50.000 libras e convidado a voltar imediatamente para governar. O puritano Luke Robinson, membro do parlamento, fez um discurso choroso de uma hora e meia contra a proposta, mas ninguém prestou atenção. Estavam todos arrebatados. Os sinos tocavam, nas tavernas brindava-se à saúde do rei e as fogueiras ardiam nas ruas. Uma monarquia que tinha terminado com um grande derramamento de sangue era agora restaurada sem que uma única gota fosse derramada.

No dia 14 de maio, Carlos saiu de Breda com destino a Haia, acompanhado do seu irmão Jaime, Duque de York, da sua irmã Maria e do filho dela, Guilherme de Orange (seu sobrinho). No dia 22 de maio, 50.000 pessoas se reuniram nas dunas de areia perto de Dover para dar as boas-vindas à Frota Real. Lá pelas três horas da tarde do dia 25 de maio, Charles foi levado a remo para as praias lotadas, no barco do almirante. Ouviu-se uma salva de tiros vindos de todos os fortes e navios. Carlos II pisou em terra firme, ajoelhou-se, agradeceu a Deus e depois abraçou Monck, beijando-o e chamando-o de "Pai". Nas praias, milhares gritavam "Deus salve o rei!" e "Deus Salve o General Monck!"

Carlos passou o fim de semana em Canterbury e, no dia 29, entrou em Londres. Uma multidão de 100.000 pessoas o aclamava quando o cortejo passou pela Ponte de Londres. Evelyn escreveu: "Desde a volta dos judeus do cativeiro na Babilônia, não há menção na história antiga ou moderna de uma restauração assim." Muitos que tinham servido nos exércitos de Cromwell estavam entre os espectadores. O rei chegou ao Palácio Whitehall, onde as Casas do Parlamento e os seus presidentes aguardavam por ele. Recebeu as boas-vindas dos Lordes e foi então para o Salão de Banquetes ouvir o discurso do presidente da Casa dos Comuns. Foi na Casa de Banquetes que Carlos I tinha feito a sua última e fatídica caminhada.[2]

Carlos tinha chegado em Londres no seu trigésimo aniversário e teria mais poder do que esperava. Estava sujeito às concessões que o pai tinha feito em 1640-1, mas teve permissão para manter um exército permanente e para purgar os burgos dos puritanos. A corte de Carlos se instalou na Long Stone Gallery do antigo Palácio de Whitehall, com quase um quilômetro de extensão, onde moravam os ministros e o rei. O rei mandou povoar o parque St. James com patos e cisnes (cujos descendentes ainda estão por lá).

Tantos anos de exílio no Continente influenciaram os gostos de Carlos e ele introduziu um toque de estilo francês na vida inglesa, que influenciou as artes e o teatro (comédia da Restauração). Houve uma reação consciente contra o poder dos santos do antigo regime e contra a moral e os costumes puritanos, que negavam o prazer, e uma volta aos prazeres dos sentidos, como era no tempo dos *Cavaliers*: beber, dançar, fazer amor, jogar e apreciar a arte do bem-vestir. As mulheres usavam vestidos coloridos e grandes ornatos de renda na cabeça, enquanto os homens deixavam crescer o cabelo, como nos dias de Carlos I. O novo rei teria muitas amantes – nas palavras de Dryden, ele "espalhou sua imagem de homem ativo pelo país" – e depois do outono de 1668, foi seu amor público pela ex-vendedora de laranjas e atriz Nell Gwyn (que ele levou para a Corte como sua amante) que deu o tom do novo reinado, mais do que qualquer outra coisa. Isso foi logo depois da demissão do Primeiro-Ministro, Edward Hyde, Conde de Clarendon, que foi responsabilizado pela negligência que levou à derrota naval da Inglaterra na guerra anglo-holandesa que terminou em 1667, e que foi substituído por um conselho de cinco ministros.

A restauração da monarquia tinha corrido bem. Houve desastres na década de 1660 – a Grande Praga de 1665, o Grande Incêndio de Londres em 1666, a derrota frente aos holandeses em 1667 – mas não havia anarquia. Carlos II era menos absolutista do que o pai e sabia tocar as coisas. Compreendia a soberania e fez um comentário célebre a Lorde Bruce em 1681: "Gostaria que cada um vivesse debaixo de sua vinha e de sua figueira." (Trata-se de uma referência à Idade de Ouro do reinado de Salomão, um estado de coisas que se repete no Antigo Testamento, especialmente em 1Reis 4,25: "Judá e Israel viveram em segurança, cada qual debaixo de sua vinha e sua figueira..." Carlos parecia estar sugerindo que protestantes e católicos podiam coexistir na sua Inglaterra.) (Shakespeare se refere à mesma Idade de Ouro ao escrever em *Henrique VIII* (*King Henry the Eighth*) V. iv. 33-4: "Nos seus dias [de Elizabeth I] todo homem poderá comer em segurança / Sob a a sua vinha, o que plantar...") No entanto, foi hábil ao contornar as limitações à monarquia que seu pai tivera que aceitar: com sutileza e habilidade, recuperou alguns dos poderes que os puritanos achavam que tinham tirado de Carlos I.

Embora casado com uma portuguesa católica e embora não tivesse especial paixão pelo Anglicanismo, ele parecia representar uma monarquia protestante, anglicana, que reconhecia o Parlamento livre. Seu desejo por tolerância religiosa era bem conhecido, mesmo que não fosse totalmente aprovado.

A TENTATIVA DE REVOLUÇÃO ANTICATÓLICA DE SHAFTESBURY

Boyle e a Royal Society

Um dos primeiros atos de Carlos II, em agosto de 1660, tinha sido oficializar o grupo de cientistas que se denominavam Royal Society de Londres.

Frontispício do livro *History of the Royal Society of London*, de Thomas Sprat

Bacon era considerado por John Evelyn como o verdadeiro inspirador da Royal Society. O frontispício do livro de Thomas Sprat publicado em 1667, *History of the Royal Society of London*, com desenho de Evelyn, mostra Bacon sentado ao lado de um busto de Carlos II e cercado de equipamentos científicos. Bacon, fundador da Rosi Crosse e inspirador da Royal Society, cujo trabalho e visão oculta foram documentados no capítulo anterior, foi o inspirador oculto da Revolução Gloriosa.

Robert Boyle (filho de Richard Boyle, um dos assistentes de Bacon),[3] que também aparece no frontispício de Evelyn, amigo de Andreae, Hartlib e Dury, e fundador da Royal Society, era rosa-cruz e também inspirou a Revolução Gloriosa. Esteve entre as primeiras figuras públicas a oferecer apoio a Carlos II, que se tornou patrono da Royal Society (formada em 1662). Boyle tinha a esperança de que ele ficasse do lado do Priorado de Sião e não dos Templários, como seu pai. E de fato, satisfeito com essa posição de prestígio, que o associava a mentes científicas brilhantes, Carlos se aconselhava com os rosa-cruzes sionistas e não com os Templários, que o tinham restituído ao poder. Por intermédio de Boyle, Grão-Mestre até 1691, Sião preferia cultivar a complacência de Carlos a assassiná-lo. Essa estratégia incluía manipular a Oposição.

Depois do Grande Incêndio de Londres em 1666, que destruiu boa parte da cidade de madeira, os homens encarregados de reconstruir Londres em pedra, incluindo *Sir* Christopher Wren, eram membros da Royal Society. Acreditavam que a Inglaterra era uma nova Israel, a terra escolhida por Deus para uma nova era de iluminação. Wren reconstruiu Londres como uma utópica Nova Jerusalém, seguindo a orientação da Royal Society Rosacruciana.

O Inescrupuloso Shaftesbury

A oposição dos *Whig* (partido progressista da época) a Carlos II nasceu da oposição dos judeus holandeses a ele.[4] Inicialmente, os judeus de Amsterdã ficaram satisfeitos com Carlos. Em agosto de 1664, uma petição judaica assinada por Manuel Martinez Dormido e duas outras pessoas reclamava que os judeus eram diariamente ameaçados com o confisco das suas propriedades. *Sir* Henry Bennet respondeu em nome do rei que os judeus gozariam do "mesmo favor de antes desde que se submetessem, de maneira pacífica, com a devida obediência e sem escândalo, ao seu Governo". Um judeu de Amsterdã, Jacob Sasportas, que tinha sido rabino em Londres, escreveu: "Uma declaração escrita foi emitida por ele (Carlos II), devidamente assinada, afirmando que nenhuma medida desfavorável tinha sido ou seria tomada conta nós, e que 'não deveriam buscar nenhum outro protetor além de sua Majestade: durante a vida do rei, não precisavam sentir nenhum temor por nenhuma seita que lhe fosse contrária, já que ele seria o seu defensor e os ajudaria com todo o seu poder'."[5] O espírito dessa promessa foi honrado em 1673/4, quando Carlos ordenou que o Procurador geral abandonasse o caso contra alguns judeus que tinham se rebelado.

Oito anos depois da visita de Menasseh a Cromwell, os judeus já tinham recebido uma declaração formal de tolerância e, embora tenham sido culpados pelo Grande Incêndio de Londres em 1666, confiavam no que tinha sido dito na Conferência de Whitehall em dezembro de 1655: "não há lei que proíba os judeus de voltar à Inglaterra". Carlos II tinha reforçado – e não revisado – a política de Cromwell a respeito dos judeus e havia agora uma base a partir da qual os judeus poderiam penetrar na vida inglesa antes do final do século.

Dentro da instabilidade das alianças internacionais entre as maiores potências, a Inglaterra se aliou à Holanda de início. Depois da derrota da armada inglesa em 1667, o embaixador pró-Holanda em Haia, *Sir* William Temple, arquitetou a Tripla Aliança entre a Inglaterra, as Províncias Unidas dos Países Baixos e a Suécia contra a França (1668). Tal aliança se rompeu quando Carlos II se aliou à França e atacou a Holanda, entre 1672 e 1674. Para muitos, Carlos parecia agora secretamente pró-França e, portanto, pró-católico – e os políticos se realinharam de acordo com isso.

Durante a década de 1670, os principais ministros do rei eram o pró-católico Lorde Clifford, Lorde Arlington (antes Henry Bennet), o puritano Duque de Buckingham, o protestante Anthony Ashley (Conde de Shaftesbury) e o Duque de Lauderdale, que governava a Escócia. A primeira letra desses nomes formava a palavra CABAL mas, embora considerados um grupo, eram totalmente desunidos. Carlos os levou várias vezes a implementar políticas que parecia aprovar, mas que depois rejeitava.

Dos cinco, o mais inescrupuloso e sinistro era Anthony Ashley, o Conde de Shaftesbury (1621-83). Em 1637, ele tomou conhecimento da visão política de Bacon na biblioteca Bodleian, Oxford, um autor por quem nutriu uma grande admiração durante a vida toda. Foi membro do Parlamento Curto em 1640 e defendeu o Parlamento em 1644. Foi membro do Conselho de Estado de Cromwell (1653-4 e 1659) depois de convencer a maioria monarquista no Parlamento a entregar seus poderes a Cromwell. Foi um dos doze comissários enviados à Holanda em 1660 para convidar Carlos II a voltar. Foi membro do Conselho de Ministros do rei e depois Lorde Chanceler (1672-3). Ao longo da carreira, apoiou Carlos I, Cromwell e finalmente Carlos II. Como disse Dryden, ao defini-lo como "falso Aquitofel" em "Absalão e Aquitofel":

"Rígido nas opiniões, sempre do lado errado;
Era tudo aos solavancos, nada por muito tempo."

Shaftesbury era ligado a Boyle – e portanto a Bacon, ao Rosacrucianismo e ao Priorado de Sião – através de John Locke da Royal Society, e a Bacon através do seu trabalho (de Shaftesbury) com o Novo Mundo.

Em 1668, Boyle vivia com a irmã, Lady Ranelagh, e recebia muitos visitantes do continente, incluindo Cosimo II de Medici. Tinha uma correspondência volumosa com o continente e suas cartas ao francês George Pierre falam da participação de Boyle numa sociedade secreta hermética que incluía também o Duque de Savoy e du Moulin. Tratava-se provavelmente do Priorado de Sião. Nessa época, Boyle, um dos fundadores da química moderna, era especialmente próximo de John Locke, que entrou para a Royal Society em 1668. A carreira subsequente de Locke pode ter sido conduzida por Boyle na capacidade de Grão-Mestre do Priorado de Sião. Em 1667, Locke tornou-se médico pessoal e conselheiro de Lorde Ashley, mais tarde Lorde de Shaftesbury, em Exeter House na Strand Street, em Londres. (Tinha estudado medicina e ciência experimental em Oxford e tratou de Lorde Ashley quando este precisou de cuidados médicos numa temporada em Oxford, em 1666.) Ashley/Shaftesbury incumbiu Locke de negociar o casamento de seu filho e tornou-o secretário de um grupo que se propunha a fomentar o comércio com a América. Ashley e os médicos John Mapletoft, Thomas Sydenham e James Tyrrell se reuniam nos aposentos de Locke para discutir conhecimento humano e os poderes da mente, discussões que Locke conduzia e que resultaram em sua obra filosófica, *Essay Concerning Human Understanding*. Nessas discussões, Locke conheceu os platonistas de Cambridge. Em 1672, Ashley se tornou Conde de Shaftesbury e Lorde Chanceler. Nessa época, de 1672 a 1674, Locke foi secretário do Conselho de Comércio e Plantações e ajudou Ashley a escrever as *Constituições Fundamentais* de Carolina.

Na Corte, formou-se um partido em torno de Thomas Osborne, depois Duque de Danby, protegido de Buckingham. Carlos, que fazia parte de uma aliança francesa contra os holandeses, escrevia para Luís XIV aos cuidados de sua irmã "Minette" (Henrietta), que insistia para que ele se tornasse católico. No sigiloso Tratado de Dover, de maio de 1670, Carlos chegou a um entendimento com Luís XIV, prometendo que se declararia católico quando julgasse oportuno e que, no meio tempo, ajudaria os ingleses católicos. Em troca, Luís lhe daria 200.000 libras por ano de guerra contra os holandeses e mais 140.000 libras para compelir os ingleses a seguir sua política. Três semanas depois do tratado ter sido assinado, Minette morreu de peritonite (correram rumores de envenenamento). Carlos ficou desolado e levou Louise de Kéroualle, uma das criadas da irmã, de volta à Inglaterra para ser dama de honra da Rainha Catherine, mas ela se tornaria uma de suas amantes (e por fim Duquesa de Portsmouth). Logo depois, o protestante Buckingham, que não sabia da existência do Tratado de Dover, foi enviado à França para redigir uma aliança pública anglo-francesa, concluída em janeiro de 1671. Foi como resultado dessa aliança que as tropas inglesas e francesas atacaram as Províncias Unidas. Nessa época, a Corte era secretamente a favor dos católicos e contra os holandeses, e o apoio de Carlos à Declaração de Indulgência em 1672 tinha como objetivo ajudar os católicos.

Shaftesbury se opunha ao Conde de Danby e ao Partido da Corte (*Court Party*), o pequeno partido dominante na época. A principal questão da década foi a sucessão, já que a Rainha Catherine, mulher de Carlos II, era estéril e o rei não tinha herdeiros legítimos. Shaftesbury, cuja visão rosacruciana derivava de Bacon, dos holandeses e do Palatinado, queria que a sucessão fosse protestante. Ele era a favor dos protestantes e dos holandeses (ou seja, dos inimigos da Inglaterra). Por outro lado, era contra os franceses e contra os católicos: ou seja, contra a rainha. (Ele se opôs ao casamento de Jaime, Duque de York, com Maria de Modena, uma princesa católica, em setembro de 1673, e chamou de prostituta a amante católica do rei.) O apoio de Shaftesbury veio de Londres, onde era possível mobilizar multidões com cartazes contra o papismo. Seus seguidores se reuniam nos cafés e produziam panfletos. Ele mesmo presidia o Green Ribbon Club (Clube da Faixa Verde), cujos membros ostentavam as cores da sua aliança quando se reuniam na Taverna King's Head. Formavam o núcleo do Partido Rural (*Country Party*) pró-protestante, que se opunha ao Partido da Corte, pró-católico. A faixa verde poderia muito bem ser uma referência ao campo, como os "Verdes" de hoje em dia, mas o Green Ribbon Club era claramente um grupo maçom, numa época em que – desde as reuniões na Crown, nos anos 1640 – a Franco-Maçonaria e o Rosacrucianismo tinham se entrelaçado. Em 1676, o Green Ribbon Club já era maçom e buscava a invisibilidade, e os seus membros usavam verde, a mesma cor dos Niveladores. Na verdade, um panfleto maçônico de 1676 liga o Green Ribbon Club aos rosa-cruzes: "Notificamos que a Moderna Cabala de Faixa Verde, juntamente com a Antiga Irmandade da Rosa-Cruz, os *Adepti* Herméticos e a companhia dos Maçons Aceitos, pretendem todos jantar juntos do dia 31 de novembro próximo."[6] Um cardápio cômico foi distribuído, com a recomendação bem-humorada de que todos os presentes deveriam usar óculos – "caso contrário, as ditas Sociedades tornarão (como até hoje) o seu Comparecimento Invisível", numa referência à invisibilidade rosacruciana.

Shaftesbury tinha apoiado a Declaração de Indulgência para ajudar os dissidentes, mas era agora a favor da reação do Parlamento, o primeiro Ato de Prova (*Test Act*), um Ato que excluía os católicos de cargos públicos. Recorreu aos holandeses e, graças aos seus contatos, obteve subornos de agentes holandeses. Nessa época, parece que o tesoureiro era o poeta Andrew Marvell, que usava o codinome Mr. Thomas e, em nome de um poder estrangeiro, atuava em defesa do Puritanismo e do Protestantismo contra o Papismo e as intromissões da França católica. Em novembro de 1675, o Parlamento foi prorrogado por 15 meses e, em fevereiro de 1677, Shaftesbury, ajudado por Buckingham, convocou novas eleições, exigindo que o longo recesso fosse considerado uma dissolução. Os lordes mandaram os dois para a Torre de Londres por impertinência. (Shaftesbury levou junto seu cozinheiro para evitar que sua comida fosse envenenada.)

A oposição de Shaftesbury gerou opiniões favoráveis à exclusão de Jaime, o Duque de York, do Trono, e comentários sobre a inadequação da mulher católica de Carlos (que não podia ter filhos, enquanto Carlos tinha treze filhos ilegítimos). Pressionado por Danby a fazer alguma concessão aos protestantes, Carlos ordenou que Mary, a filha de 15 anos de Jaime, casasse como o líder holandês protestante, Guilherme de Orange. Guilherme chegou no outono de 1677 e foi recebido como herói por Shaftesbury. O casamento foi celebrado em Londres, no dia 4 de novembro. Mary soluçava diante da perspectiva de se casar com o carrancudo Guilherme, mas logo se aliou de corpo e alma ao marido protestante.

O Complô Papista

Shaftesbury, *whig* e a favor dos holandeses, deu expressão intelectual ao aspecto anticatólico da Revolução Gloriosa. A sua voz era a mais significativa voz anticatólica na década de 1670 e ele tirou vantagem, acima de tudo, do chamado "Complô Papista", que irrompeu na arena pública em 1678.

O povo inglês via com suspeitas as intenções de Carlos a respeito do Catolicismo e do Papismo. Alguns achavam que Danby queria fazer de Carlos um monarca absoluto, como seu pai, e a França também era vista com suspeitas. Foi nesse clima que o complô irrompeu. Titus Oates, capelão dos protestantes na casa católica de Henry Howard, 6º Duque de Norfolk, foi exortado por Israel Tongue, que era fanaticamente contra os jesuítas, a denunciar os católicos para o governo. Oates reuniu informações, tornou-se católico em março de 1677 e estudou em seminários jesuítas na Espanha e nos Países Baixos, sendo expulso de ambos. Ele e Tongue voltaram a Londres alegando que havia um grande complô jesuíta para assassinar Carlos II e levar ao trono inglês o seu irmão Jaime, o católico Duque de York (que tinha se tornado católico em 1668 ou 1669). Ao que parece, foi Oates que inventou a trama.

Danby os levou diante do Conselho Privado no dia 29 de setembro de 1678 e o próprio rei interrogou Oates e Tongue. Perplexo, Carlos ouviu o relato sobre o complô. O papa, Luís XIV, o chefe dos jesuítas, o arcebispo de Dublin e cinco nobres católicos (Arundel, Bellassis, Powis, Petre e Stafford), que teriam incitado milhares de católicos a incendiar casas de protestantes, estavam todos implicados. Carlos pegou Oates numa mentira, pois o suposto líder

Bellassis estava preso a uma cama. Entretanto, algumas semanas antes, Oates tinha deposto sob juramento diante de um conhecido Juiz de Paz, *Sir* Edmund Berry Godfrey. No mês seguinte, esse juiz foi encontrado morto em Primrose Hill, com uma espada atravessada no corpo. Correram rumores pelo país inteiro de que ele tinha sido assassinado pelos jesuítas e o pânico foi considerável.

Shaftesbury não era publicamente responsável pela mentira e, embora Roger North[7] o acusasse de ter planejado o complô, o fato de Oates ter inocentado Jaime, Duque de York, de fazer parte da trama, parece ser suficiente para provar que Shaftesbury não era o planejador inicial. Por outro lado, sendo um homem de muita sutileza, Shaftesbury pode ter percebido que não seria responsabilizado pelo complô se o católico Jaime fosse inocentado: pode ter achado que seria óbvio demais incluir Jaime na trama. Publicamente, Shaftesbury demonstrava que não tinha incentivado Oates a vir a público e revelar o complô. No entanto, já que isso tinha acontecido, explorou a situação ao máximo e manipulou-a a seu favor. Shaftesbury ouviu atentamente as alegações de Oates e atiçou o fogo. Deu dinheiro a Oates[8] e o usou como porta-voz. Numa gravura da época, ele aparece segurando um saco de dinheiro numa das mãos e um laço na outra, com a seguinte legenda: "Lorde Shaftesbury negociando com a Testemunha". Como disse Dryden:

"Complôs, verdadeiros ou falsos, são coisas necessárias
Para fortalecer comunidades e arruinar reis".

Shaftesbury aproveitou a oportunidade para ampliar a organização do Partido Rural. Criou uma forte máquina partidária, controlou as eleições e melhorou a sua posição no Parlamento. Nas amargas discussões da época, os partidos chamavam uns aos outros por nomes depreciativos, que significavam quase a mesma coisa. Os membros do Partido da Corte eram chamados de *Tories* (nome dado a rebeldes e ladrões irlandeses, sugerindo marginais papistas) e os membros do Partido Rural eram chamados de *Whigs* (ou seja, marginais, ladrões de cavalos ou beberrões escoceses).

Os agentes de Shaftesbury espalhavam notícias de conspirações papistas e organizavam regularmente procissões com queima de imagens do papa para inflamar as massas. Soavam os sinos da igreja St. Mary-le-Bow e as pessoas invadiam as ruas e as janelas, enquanto um sineiro conduzia a procissão aos gritos de "Lembre-se do Juiz Godfrey" e "Sem papismo, sem escravidão". Atrás do sineiro, um homem a cavalo levava uma efígie de Godfrey assassinado. Seguia-se um enorme carro alegórico com uma figura em cera do papa sentado no trono e acompanhado do Diabo – uma cena que poderia ter ocorrido no século XX, na Irlanda do Norte. Atrás do papa vinha a Dama Olímpia, a "Prostituta do Papa", e quatro freiras como Cortesãs. Quando a procissão alcançava a sede do Green Ribbon Club, a Taverna King's Head, na esquina das ruas Fleet e Strand, a efígie do papa era queimada e se revelava o estômago cheio de gatos, que miavam e gritavam ao morrer nas chamas.

Um reino do terror tomou conta de Londres. O depoimento de Oates identificou 35 conspiradores e todos foram executados. Ele, por outro lado, tornou-se um herói popular com o crédito de salvar a Inglaterra dos Católicos. Mas, quando a histeria começou a diminuir, foram encontradas inconsistências na sua história. Agora que a loucura se esgotava, Carlos ordenou que Oates fosse preso e o obrigou a admitir que a sua história era uma invenção. Isso lançou a confusão entre os *Whigs* e alguns dos seus líderes partiram para o exílio. Em 1684, Jaime, Duque de York, recebeu 100.000 libras de indenização num processo contra Oates e, quando se tornou o rei Jaime II, Oates foi condenado por perjúrio, exposto no pelourinho, chicoteado e mandado para a prisão.

Teria sido o Complô Papista uma tentativa de revolução? Possivelmente. Essa é a opinião de Francis Ronald em *The Attempted Whig Revolution of 1678-1681*. Neste caso, Shaftesbury ou alguém controlava Tongue, que era *Whig* ou agente dos holandeses, e usava a sua farsa numa tentativa de excluir Jaime, Duque de York, da sucessão. (É possível que Dryden estivesse pensando em Tongue quando mencionou "testemunhas mercenárias" na linha 922 de "Absalão e Aquitofel".) Estaria Tongue trabalhando por conta própria ou para os holandeses? Seria Shaftesbury um reformador ou um revolucionário? Ele certamente tentou reformar uma monarquia excessivamente pró-católica que (depois do sigiloso Tratado de Dover) estava preparada para uma sucessão católica. O quão revolucionário ele era depende do grau de controle que exercia sobre Oates e Monmouth.

A Crise da Exclusão

Shaftesbury precipitou a Crise da Exclusão, que intensificou o sentimento público contra Jaime e promoveu a Revolução Gloriosa.

As revelações fraudulentas de Titus Oates levaram a uma pressão crescente pela exclusão de Jaime da sucessão ao trono, sob a alegação de que ele era católico. Houve outro Ato de Prova (*Test Act*) em 1678 para excluir os católicos dos cargos públicos e Danby estava na Torre (depois que Ralph Montagu, antigo Embaixador da Inglaterra em Paris, entregou aos Comuns cartas que revelavam o seu conhecimento do último subsídio francês).

No meio-tempo, Shaftesbury ganhou as eleições e intensificava agora a sua campanha de agitação. Em abril de 1679, Os Comuns, sem Danby, debatiam a seguinte moção: "Sendo o Duque de York um papista, a expectativa de sua coroação incentivou as presentes conspirações e esquemas dos papistas contra o rei e a religião protestante". Carlos estava disposto a impor restrições a um sucessor católico, mas afirmava que Jaime não seria excluído. Em maio, Shaftesbury apresentou uma proposta aos Comuns: "que seja apresentado um projeto de lei que impeça o Duque de York de herdar a Coroa Imperial deste domínio".[9] Era a Lei de Exclusão (*Exclusion Bill*). A estratégia de Shaftesbury era negociá-la com os Comuns – e excluir Jaime.

Quando o Parlamento começou a debater essa Lei, Carlos o dissolveu, dizendo que não suportava mais os cavalheiros da Casa dos Comuns. O rei estava agora isolado e Shaftesbury ameaçou processar Louise de Kéroualle como "prostituta comum". Para salvar a pele, ela se aliou a Shaftesbury, prometendo usar de influência junto ao rei para persuadi-lo a aceitar a Lei de Exclusão. Nell Gwyn, conhecida carinhosamente em Londres como "a prostituta protestante", agora jantava com os inimigos do rei por motivos semelhantes.

Então, Shaftesbury deu um golpe de mestre. Convenceu o protestante James Scott, Duque de Monmouth,[10] o elegante filho ilegítimo de Carlos com Lucy Walter (e o "Absalão" de Dryden), de que podia declará-lo legítimo, tornando-o assim herdeiro do trono no lugar de Jaime. Educado na França. Monmouth tinha voltado à Inglaterra em 1662. Foi feito capitão da guarda do rei em 1668, comandou as tropas inglesas na guerra anglo-holandesa de 1672-4 e se tornou Capitão geral das forças armadas inglesas em 1678. Era o filho mais velho e favorito do rei e o queridinho do povo. Mesmo assim, Carlos não descartava o pedido de Jaime a favor do próprio filho e quando, numa ação pré-revolucionária que sinalizou uma tentativa iminente de revolução, a turba de Shaftesbury proclamou Monmouth – agora seu fantoche – como herdeiro protestante, Carlos com muita tristeza lhe virou as costas. Em junho de 1679, Monmouth dissipou um levante de rebeldes escoceses presbiterianos em Bothwell Brig, perto de Lanark, e mostrou tanta tolerância para com os rebeldes que o Duque de Lauderdale o chamou depreciativamente de *whig* (escocês pobre) – e foi assim que o termo *Whig* passou a designar os seguidores de Monmouth e depois o partido da corte como um todo. À medida que suas reservas militares cresciam com a nação, Monmouth foi se tornando uma verdadeira ameaça para Carlos. Assim, foi privado dos seus comandos e enviado para a Holanda. Na mesma época, Jaime foi enviado para Bruxelas para mantê-lo afastado por algum tempo.

Em novembro de 1679, o Green Ribbon Club, de Shaftesbury, organizou uma demonstração. Uma longa procissão marchou pela cidade com desenhos do papa, de Godfrey (o juiz "martirizado") e dos Jesuítas. Shaftesbury, que tinha sido afastado do conselho, conduziu pessoalmente o seu exército particular de "rapazes enérgicos", que empunhavam facas ameaçadoras e gritavam. Numa atitude de desafio, Monmouth voltou antes do final do mês (para a fúria do pai) e teve uma acolhida de herói na cidade. Circularam rumores sobre uma caixa preta contendo documentos provando que Carlos tinha se casado com a mãe de Monmouth. Para aplacar tais rumores, Carlos anunciou que só se casara com a rainha.

A Lei de Exclusão passou na Casa dos Comuns e foi encaminhada à Casa dos Lordes. Lá houve um longo debate. Shaftesbury falava pelos *Whigs* e Halifax pelos *Tories*. Carlos ouvia sem interferir mas, quando Monmouth falou a favor de Shaftesbury, ele teria murmurado: "O beijo de Judas". Halifax venceu e a Lei de Exclusão não foi aprovada. Carlos estava agora em condições de anunciar que a sessão seguinte do Parlamento seria em Oxford, uma fortaleza monarquista. A opinião estava se voltando a seu favor e circulavam panfletos com argumentos contrários a Shaftesbury.

Em março de 1681, Shaftesbury foi para a sessão do Parlamento em Oxford, com uma comitiva armada. Ainda não tinha desistido de conseguir a aprovação da Lei de Exclusão. Seus partidários com suas faixas verdes enchiam as estradas para Oxford. Na Casa da Convocação (hoje parte da Biblioteca de Bodleian), Shaftesbury exigiu que Monmouth fosse declarado legítimo. Charles replicou que isso seria contra a lei e contra a justiça divina. Shaftesbury disse que daria um jeito na lei. Carlos disse que nunca se deixaria intimidar.

O rei então dissolveu o Parlamento. Foi para a Casa dos Lordes e fingiu estar atento aos procedimentos enquanto uma liteira chegava com suas vestes de Estado. Depois de vesti-las, convocou os Comuns. Acreditando que Carlos se preparava para aprovar a Lei de Exclusão, Shaftesbury entrou confiantemente na sala. Um amargo desapontamento o aguardava. A dissolução do Parlamento e a sua demissão foram um choque tremendo e provocaram uma profunda consternação entre os *Whigs*.

Os monarquistas tinham agora o controle. No dia 2 de julho, Shaftesbury foi pego de surpresa enquanto dormia e, depois de ser interrogado pelo Conselho, foi levado para a Torre de Londres. Em novembro, foi julgado por traição, mas absolvido por um júri em Londres. (Foi pouco antes desse julgamento que apareceu o poema satírico e altamente influente de Dryden, "Absalão e Aquitopel".) Oates foi para a prisão e Shaftesbury fracassou numa tentativa de agitar seus "rapazes enérgicos". Sem um Parlamento, ele era impotente.

Shaftesbury passou um ano tramando um levante contra o governo. No dia 5 de novembro de 1682, sua turba decapitou alguns oponentes em Bishopsgate mas, dias depois, ele fugiu para a Holanda, onde morreu depois de dois meses, em janeiro de 1683. Era um homem derrotado.

No entanto, os exclusionistas não tinham desistido: no começo de 1683, incitados por Shaftesbury já às beiras da morte, Monmouth e outros (como os *whigs* Essex e Russel) tramaram uma emboscada para a caravana real em Rye House, na estrada de Newmarket. Carlos e Jaime seriam assassinados e Monmouth proclamado rei. Mas Carlos alterou seus planos por causa de um incêndio devastador em Newmarket e a conspiração fracassou. Graças a informantes, logo foram feitas prisões. Russel e Sydney foram executados, Essex cometeu suicídio na cela e Monmouth fugiu com a cabeça a prêmio: 500 libras pela sua captura, coisa que Carlos não aprovou.

Locke logo se reuniu a Shaftesbury na Holanda. Locke sofria de asma e tinha se mudado para Oxford depois de viver em Paris e Montpellier no período de 1675 a 1679. Visitou os túmulos de Nostradamus e de René d'Anjou – e depois seguiu para Toulosse, Carcassonne, Narbonne e possivelmente Rennes-le-Château. (Ver Capítulo 1, Apêndices B e Apêndice 7.) Estudou relatos da Inquisição sobre os cátaros e conheceu a Duquesa de Guise. (O rosa-cruz Fludd, cabe lembrar, trabalhou para o Duque de Guise de 1602 a 1620.) Todas essas atividades parecem ter sido inspiradas por Boyle e pelo Priorado de Sião. Na França, Locke conheceu o líder da Escola Gassendista de Filosofia, François Bernier. Pierre Gassendi mantinha que o conhecimento do mundo externo depende dos sentidos, uma visão que Locke viria a adotar. Locke tinha voltado à Inglaterra durante a crise da Exclusão. Agora que Shaftesbury tinha sido preso, não era seguro ser amigo dele na Inglaterra – templários, os Stuarts estavam purgando os sionistas – e Locke era observado. Provavelmente incentivado por Boyle, ele também fugiu para a Holanda em setembro de 1683. Locke viveu em Amsterdã, supostamente como agente sionista de Boyle, e esteve em contato com o círculo de exilados de Shaftesbury. É significativo que, em

1684, Carlos II tenha acabado pessoalmente com sua bolsa de estudos na Igreja de Cristo.

Naquele outono, Monmouth fez duas visitas a Carlos II em Whitehall e concordou em assinar um documento admitindo sua culpa. No dia 24 de novembro, ele se rendeu e o rei o recebeu alegremente na corte. Mas os amigos o aconselharam a pensar melhor e Monmouth foi imprudente o bastante para pedir de volta a sua confissão. Carlos lhe disse para "ir para o inferno ou para a Holanda" e Monmouth partiu para o exílio.

Em 1684, Carlos tentou outra reconciliação e, em novembro, Monmouth foi outra vez a Whitehall. Foi convidado a voltar para Londres em fevereiro, mês em que Carlos morreu. Carlos tinha começado a mancar de um pé e, no dia 1º de fevereiro, um domingo, agitou-se durante a noite inteira. Às 7 horas da manhã da segunda-feira, ele "caiu (e quase nenhum sinal de vida lhe restou por um espaço de quatro horas)", segundo uma notícia da época. Foi divulgado que ele tinha sofrido "um ataque de apoplexia" (ou seja, a ruptura de uma artéria do cérebro, um derrame). Esteve quase inconsciente durante a terça e a quarta-feira e, num dado momento, pediu desculpas para os que estavam à volta da sua cama: "Sinto muito, cavalheiros, por ser tão irresponsável quanto à hora de morrer". Na quinta-feira, Carlos recusou o último sacramento anglicano. Louise, no próprio apartamento, disse a Jaime que Carlos tinha recentemente se tornado católico. Jaime então chamou o padre Huddlestone, o padre católico que tinha ajudado o rei depois de Worcester, que lhe administrou o sacramento da extrema-unção. Depois, os filhos ilegítimos de Carlos se ajoelharam para uma bênção: Southampton, Grafton e Northumberland, filhos de Bárbara Palmer; St Albans, filho de Nell Gwyn; Richmond, filho de Louise de Kéroualle. O filho que ele mais amava, Monmouth, não estava presente. Carlos disse adeus a Jaime, pedindo-lhe para cuidar de Louise e dos filhos: "e não deixe que a pobre Nelly morra de fome", murmurou. Logo depois ficou inconsciente e entrou em coma. Morreu ao meio-dia da sexta-feira, dia 6 de fevereiro, aos 54 anos. Será que tinha sido envenenado por Jaime ou por um jesuíta? Será que tinham lhe dado um veneno de efeito lento, que primeiro lhe tirou o movimento de um pé e depois provocou um derrame?

A Tentativa de Revolução de Monmouth

Qualquer que tenha sido a causa de sua morte, Carlos II morreu católico e Jaime, Duque de York e católico há 17 anos, foi coroado como Jaime II. Para

Monmouth, agora em Amsterdã, a morte de Carlos foi um desastre, já que não podia esperar que o tio católico visse com bons olhos a sua condição de paladino dos exclusionistas protestantes. Nessa época, havia muitos exilados ingleses em Amsterdã, onde Shaftesbury morrera: eram puritanos, anabatistas, exclusionistas e *whigs*, incluindo Locke. Um grupo de exilados, que incluía Lorde Grey (amigo íntimo de Shaftesbury), continuava a campanha de Shaftesbury a favor de Monmouth, achando que ele devia invadir a Inglaterra e derrubar o rei católico. Lisonjeado, o Duque penhorou pertences da família para pagar o fretamento de uma fragata de 32 canhões, que levaria 82 dos seus seguidores para a costa sul da Inglaterra. O Duque de Argyll partiu antes dele, em maio, para iniciar uma rebelião dos *Covenanters* escoceses, planejada para coincidir com a rebelião de Monmouth. A ideia era confrontar o exército de Jaime com uma força da Escócia e, ao mesmo tempo, invadir o país pelo sul, na esperança de garantir levantes em Cheshire e Londres.

Mas a rebelião escocesa nunca aconteceu porque o exército real ficou sabendo das intenções de Argyll, que foi preso e executado em Edimburgo, no dia 30 de junho. Os seus companheiros foram levados para as Índias Ocidentais.

Monmouth

Monmouth atracou em Lyme Regis em junho, com seus 82 seguidores. Ao seu lado, Joseph Tyler leu a Declaração revolucionária contra Jaime II (escrita pelo reverendo Robert Ferguson, "O Conspirador"), que acusava o rei de ser um usurpador e um tirano, culpando-o por todos os desastres do reino, incluindo o Incêndio de Londres e o envenenamento de Carlos II. Ao grupo de Monmouth juntou-se um grande número de homens de West Country, armados com mosquetes e foices. No entanto, os pequenos nobres *whigs* não se juntaram a ele. Monmouth marchou com seu exército para Tauton, onde foi proclamado rei, enquanto o exército de 8.000 homens de Jaime avançava em sua direção. Monmouth, que contava com deserções que nunca aconteceram, marchou em direção a Bristol, permitindo que o exército real retomasse Lyme e Tauton.

Bristol tinha poucas defesas mas, mesmo assim, Monmouth bateu em retirada. No dia 5 de julho, resolveu atacar as tropas reais comandadas por Lorde Faversham e seu segundo em comando, John Churchill (mais tarde Duque de

Marlborough), que estavam acampadas na planície de Sedgemoor, Somerset, surpreendendo-as à noite. A cavalaria de Lorde Grey se deparou com um posto avançado do exército real e os seus soldados tiveram dificuldade para atravessar o Bussex Rhine, um enorme fosso.

O sol da manhã revelou os homens de Monmouth alinhados ao longo do fosso. A infantaria real, com seus casacos vermelhos, veio como um enxame em direção a Bussex Rhine e os expulsou dali. Uns 400 homens de Monmouth foram mortos em Sedgemoor e outros mil em plena fuga, a golpes de lanças e tiros de baionetas. Ao saber da derrota de sua cavalaria, Monmouth tirou a armadura, pegou uma bolsa com 100 guinéus de seu criado e partiu a galope com Grey e outros dois para Polden Hills. Alguns dias depois, localizados por um grupo de milicianos, foram presos. Monmouth, faminto e desgrenhado, estava debaixo de uma árvore conhecida agora como "Freixo de Monmouth", perto de Woodlands, Blandford Forum, Dorset. Quando chegou a Londres, cruzou o rio de barco e foi levado diretamente para a Torre.

Monmouth suplicou pela vida a qualquer preço: revelaria os nomes dos outros conspiradores, seria o súdito mais leal do rei (como dissera depois do complô da Rye House), poderia até se tornar católico. Jaime pode ter ficado impressionado com a última promessa. Concordou em ver Monmouth, que foi levado à presença real no dia 14 de julho, com um cordão de seda atando-lhe as mãos às costas. Atirou-se aos pés de Jaime, soluçando, rebaixando-se e implorando perdão. Mas Jaime ainda estava enfurecido com a Declaração dos aliados de Monmouth, que agora tinha sido publicada. Segundo *Sir* John Bramston, ele perguntou a Monmouth como podia esperar clemência depois de "me fazer um assassino e envenenador do meu querido irmão, além de todas as outras vilanias de que me acusa na sua declaração?"[11] Mais tarde, naquele mesmo dia, o rei escreveu a Guilherme de Orange: "O Duque de Monmouth parecia mais preocupado com a própria vida e não se comportou tão bem quanto eu esperava ou quanto qualquer um esperaria de alguém que pretende ser rei. Assinei a ordem para que seja executado amanhã."[12] Monmouth foi mandado de volta à Torre para ser executado de acordo com uma lei que tornava o julgamento desnecessário em casos de alta traição, a *Bill of Attainder*.

No dia 15 de Julho, foi levado ao local de execuções (Tower Hill). Recuperando a dignidade, pediu desculpas pelos problemas que causara, especialmente aos seus partidários, e confirmou que Carlos II nunca tinha se casado com sua mãe. No entanto, recusou-se a declarar que era um pecado abominável rebelar-se contra o rei. No cadafalso, Monmouth deu dinheiro ao carrasco, prometendo-lhe que seu criado lhe daria mais se ele lhe cortasse a cabeça com destreza. Para a indignação da multidão, o carrasco, Jack Ketch, mal rompeu a pele de Monmouth no primeiro golpe e, depois de mais três cortes com o machado, a cabeça continuava no lugar e Monmouth continuava vivo. Então, Jack Ketch largou o machado e se recusou a continuar. Mas o Xerife de Londres o convenceu a terminar a tarefa e Ketch acabou cortando a cabeça de Monmouth com uma faca, usando-a como se fosse um serrote. Alguns seguidores de Monmouth foram executados e outros entregues aos "Bloody Assizes" (julgamentos sangrentos) do Juiz Jeffrey. Trezentos foram enforcados e esquartejados, tendo as partes do corpo espalhadas pelo país como advertência, e outros mil foram levados para as Índias Ocidentais. Entre os caçados por envolvimento na invasão de Monmouth estava John Locke, cujo nome figurava numa lista de 84 traidores procurados pelo governo inglês em 1685.

A invasão à Inglaterra planejada em Amsterdã pelo protestante Monmouth tinha fracassado e o católico Jaime tinha derrotado Monmouth na sua tentativa de substituí-lo.

Vale observar que a cisão na Cristandade entre protestantes e católicos no século XVI e depois a cisão entre anglicanos e puritanos no século XVII enfraqueceram a civilização inglesa – e o acirramento da divisão entre protestantes e católicos, que se seguiu à Restauração, a debilitou mais ainda. A divisão dos partidos na vida política, o Partido da Corte e o Partido Rural, *Tories* e *Whigs*, minou ainda mais a unidade da civilização inglesa. Havia agora um cisma religioso e um cisma político. O cisma na vida religiosa indicava que se dava mais importância às seitas religiosas do que a Deus. O cisma na vida política indicava que se dava mais importância aos partidos políticos do que à nação.

Quem se beneficiava com esses cismas? *Cui bono?* Nas cisões religiosas e políticas da Revolução Puritana, os beneficiários foram os rosa-cruzes e os judeus de Amsterdã. Será que eles se beneficiaram também com a Revolução gloriosa?

A REVOLUÇÃO ROSACRUCIANA DE GUILHERME DE ORANGE

Shaftesbury Incita Guilherme de Orange a se Casar com Mary

Os antepassados de Guilherme de Orange[13] vinham do principado e da cidade de Orange, à margem esquerda do Reno e ao norte de Avignon, na França. No século XIII, os condes de Orange se denominavam príncipes e, em 1544, um conde da Casa Alemã de Nassau (à margem do Lahn, rio que marcava os limites do Palatinado), Guilherme o Taciturno, se tornou Guilherme I, Príncipe de Orange. Ele tinha extensas propriedades nos Países Baixos – fazendas em Brabant com uma sede em Breda – e, por ocasião da morte do primo René em 1554, herdou a fortuna combinada das Casas de Nassau-Breda e Chalon-Orange.

De 1568 até sua morte em 1584, esse Guilherme liderou a revolta dos Países Baixos contra a Espanha, que foi como uma revolução. Em 1556, os Países Baixos – então uma coleção de 17 províncias de língua holandesa e francesa, incluindo Antuérpia, o centro financeiro do mundo, onde eram negociados todos os empréstimos importantes da Europa[14] – eram governados pelo Duque de Burgúndia, o Imperador Carlos V, da Casa de Habsburgo. Os Países Baixos perceberam que faziam parte do Império Espanhol quando Carlos V foi à Espanha para herdar o trono espanhol, deixando em seu lugar o filho Felipe. Em 1556, inspirados pelo Calvinismo, os nobres holandeses tinham feito uma petição, conhecida como *Compromis*, dirigida a Felipe, que era agora rei de Espanha, para a sua regente nos Países Baixos, Margaret de Parma, exigindo tolerância religiosa. Tinha sido escrita por Felipe Marnix, Conde de St. Aldegonde, judeu holandês e calvinista fervoroso, que tinha traduzido os Salmos. Guilherme deu à revolta dos holandeses expressão política, reunindo um exército na Alemanha e voltando em 1572 para enfraquecer o domínio espanhol sobre os Países Baixos. Efetuou uma aliança política de todos os estados na Pacificação de Ghent. Quando esta perdeu a força, as sete províncias protestantes do norte formaram a União de Utrecht e, em 1581, tornaram-se as Províncias Unidas. Depois do assassinato de Guilherme por um agente espanhol, Elizabeth I enviou o Conde de Leicester e uma força expedicionária, que incluía *Sir* Philip Sidney e Francis Vere, para combater o governo espanhol de Felipe nos Países Baixos. Como resultado dessa força expedicionária, a Espanha começou a se mobilizar contra a Inglaterra, embora a Armada Espanhola só tenha surgido em 1588. Maurício de Nassau era o sucessor de Guilherme e consolidou a república holandesa, levando as fronteiras à localização atual.

Guilherme tinha fundado a dinastia dos *stadholders*, ou lugares-tenentes, nos Países Baixos, ocupando esse cargo em quatro das províncias rebeldes. A partir daí, começou uma tradição na república holandesa: o cargo de *stadholder* se tornou hereditário e exclusivo dos príncipes e condes de Orange-Nassau – e o partido Orange passou a ser formado por nobres, líderes calvinistas e camponeses. Opuseram-se a ele os holandeses patriotas, libertários e "antiestrangeiros", como Johan de Witt. Todas as casas reais da Europa descendem diretamente de Guilherme I, incluindo a Rainha Juliana dos Países Baixos e os monarcas da Dinamarca, Noruega, Suécia, Grécia, Marrocos e Luxemburgo.

Guilherme de Orange era filho de Guilherme II, que morreu de varíola uma semana antes de ele nascer, em 1650. Guilherme II tinha se casado com a filha de Carlos I, Mary (que morreu em 1660). Assim, o jovem Guilherme era por direito o quarto na linha de sucessão para o trono inglês, sendo sobrinho-neto de Elizabeth Stuart do Palatinado, por parte de mãe. (Guilherme tinha 12 anos quando Elizabeth Stuart morreu em Haia, em 1662.) Por parte de pai, também era ligado a Elizabeth Stuart e ao Palatinado, pois seu avô Frederick Henry (Stadholder-General, 1625-47) era um mulherengo que, em 1624, casou-se com uma dama de companhia (Amalia von Solms) de Elizabeth Stuart, antes do Palatinado e agora em Haia. Frederick Henry tinha se tornado um rosa-cruz.

Uma gravura da época, posterior a 1668, mostra os primeiros quatro príncipes de Orange – Guilherme I, Maurício, Frederick Henry e Guilherme II – agrupados em torno da figura central de Guilherme III usando a coroa inglesa. Acima deles, há um sol com raios e um olho no centro: o sol rosacruciano com o olho sionista. Essa gravura (ver ilustração) mostra que a Casa de Orange era rosacruciana – o que foi obra de Frederick Henry.

Até cerca de 1640, Frederick Henry foi responsável pela política externa das Províncias Unidas e o auge da sua estratégia foi casar seu filho Guilherme II com a filha de Carlos I, em 1641. Esperava que Guilherme iniciasse uma monarquia Orange. É provável que tenha usado a ligação que tinha com Elizabeth Stuart, através de sua mulher, para se aproximar de Mary, que odiava viver na Holanda e era uma Stuart inglesa antes de ser uma mãe holandesa.

O pai de Guilherme tinha sido *stadholder* de cinco Províncias Unidas (uma federação de sete entre as dezessete províncias dos Países Baixos sob o governo de Habsburgo, sendo as outras dez espanholas), mas tinha feito inimigos dentro

Guilherme I, Maurício, Frederick Henry e Guilherme II
agrupados em torno da figura central de Guilherme III

da oligarquia republicana que dominava Amsterdã e a província da Holanda. Quando ele morreu, esse partido, o partido dos Estados, excluiu a Casa de Orange do poder. Essa decisão teve a mão de Cromwell, que suspeitava das ligações da Casa de Orange com os Stuarts e tinha proposto a união entre Inglaterra e Holanda, que os neerlandeses rejeitavam. Queria agora destituir Guilherme de todo e qualquer poder. Pelo Ato de Exclusão (1654), Guilherme e os seus descendentes foram proibidos de ocupar qualquer cargo no Estado da Inglaterra.

No entanto, Guilherme tinha sido educado para governar. Cresceu sob os olhos atentos da avó Amalia von Solms, que personificava a influência rosacruciana de Frederick Henry, e do seu secretário Huygens. Aos 2 anos de idade, já tinha a própria corte e, aos 4, já aparecia publicamente diante de multidões que o aplaudiam. Aos 6, conheceu o Calvinismo através do Reverendo Cornelius Trigland. Foi educado primeiro pelo rosa-cruz Frederick van Nassau Zuylestein, filho ilegítimo do avô Frederick Henry, e depois por Johan de Witt, uma figura importante nos Estados da Holanda. Como Conselheiro-Pensionário da Holanda de 1653 a 1672, de Witt foi um dos principais estadistas europeus do século XVII. (Opunha-se à Casa de Orange e provavelmente queria convencer Guilherme a renunciar a qualquer pretensão ao poder.) Em 1670, Carlos II convidou Guilherme para uma estadia de quatro meses na Inglaterra. Carlos o via como um Stuart inglês e esperava conjugar esforços com ele contra o partido dos Estados, inimigo de ambos. Em 1671, Luís XIV da França e Carlos II da Inglaterra estavam planejando um ataque conjunto contra as Províncias Unidas. Luís reclamava as províncias espanholas em nome da mulher, a infanta Maria Teresa, e Carlos achava que o Conselheiro-Pensionário de Witt e o seu Partido dos Estados estavam pondo a Casa de Orange em segundo plano. Guilherme foi nomeado Capitão geral em 1672, a despeito da oposição de patriotas como de Witt e do Partido dos Estados.

Mary sentia que a Inglaterra estava prestes a começar uma guerra contra os holandeses porque Guilherme, parente de Carlos, não tinha recebido os cargos a que tinha direito dos regentes da Holanda. Havia violência popular e Guilherme tentou fazer um acordo com Carlos que tiraria a Inglaterra da guerra, mas pretendia também fazer com que a violência se voltasse contra seus oponentes políticos, como os irmãos de Witt. Acusado de crimes em panfletos orangistas, Johan de Witt renunciou ao posto de Grande Pensionário, sendo substituído por Gaspar Fagel. No dia 5 de agosto de 1672, Carlos II mandou uma carta para Guilherme, dizendo que seu único objetivo era garantir os direitos de Guilherme contra o partido dos Estados. Guilherme mandou a carta para Fagel, que a divulgou nos Estados Gerais e nos Estados da Holanda. Cornelius de Witt já estava na prisão em Haia e Johan foi atraído para lá por uma falsa carta. A multidão derrubou as portas da prisão na presença de orangistas como Frederick Zuylestein, assassinou os dois irmãos e vendeu seus dedos e olhos como lembranças. (Assim, o ex-tutor de Guilherme testemunhou o assassinato do seu substituto.)

Agora que os De Witts estavam mortos e sua política de suprimir a Casa de Orange e desprezar a Inglaterra tinha chegado ao fim, Guilherme podia agarrar o poder. Incentivados por Fagel, os Estados da Holanda autorizaram Guilherme a mudar os conselhos municipais e, com isso, ele removeu todos os oponentes. Com o poder agora concentrado em suas mãos, conseguiu atacar a França. Quando Luís XIV e Carlos declararam guerra e as tropas francesas invadiram três províncias e tomaram diversas cidades nas províncias espanholas e alemãs, Guilherme foi proclamado *stadholder* (um governador militar). Sua primeira tarefa foi recusar os nocivos termos de paz oferecidos por Luís e Carlos.

O Sacro Imperador Romano, Leopoldo I, formou uma aliança com o Príncipe-Eleitor de Brandenberg no outono de 1672 e com a Espanha no ano seguinte. Com sua ajuda e depois de reconstruir o seu exército, Guilherme reconquistou a fortaleza de Naarden em setembro de 1673 e Bonn em novembro.

Na campanha contra a França invasora, foi essencial para Guilherme a ajuda da firma judaica de Machado e Pereira, os principais fornecedores de provisões para as forças terrestres da república desde 1679. Guilherme escreveu para Antonio-Moisés Alvarez Machado: *Vous avez sauvé l'état.*[15]

Os franceses deixaram o solo das Províncias Unidas e Guilherme foi chamado de "redentor da Pátria". Carlos II declarou a paz, mas Luís continuou a guerra por mais quatro anos. Guilherme comandou os exércitos holandeses em Flanders e ainda estava em guerra quando visitou a Inglaterra para pedir a mão de Mary em casamento.

Pedir Mary em casamento teria sido uma decisão sua ou ideia de outra pessoa? Os primeiros rumores sobre a possibilidade de Guilherme se casar com Mary surgiram quando ele visitou a Inglaterra em 1670, o ano do sigiloso Tratado de Dover, que criou a aliança com a França. Mary tinha então 8 anos e Guilherme, 20 – e a ideia era promover um casamento diplomático entre dois protestantes. Shaftesbury, então pertencente ao grupo conhecido como Cabal, estava envolvido na ideia. Nada aconteceu durante os quatro anos da guerra anglo-francesa com a Holanda, quando Guilherme tentou enfraquecer Carlos apoiando a oposição à corte (ou seja, Shaftesbury). Mas a ideia foi retomada em

1674, quando Shaftesbury liderava o Partido Rural pró-Holanda. Carlos II gostou da ideia, mas Guilherme respondeu: "Não posso deixar o campo de batalha e não acredito que seja agradável para uma dama ficar onde está o campo de batalha". Em 1617, parecia que os holandeses perderiam a guerra contra a França. Foi então que Guilherme perguntou a *Sir* William Temple, que tinha negociado o tratado que pôs fim à guerra anglo-holandesa em 1674, sobre o caráter de Mary. E foi *Sir* William, com a ajuda do Conde de Danby, que acabou arranjando o casamento. As vantagens de uma aliança conjugal com a Inglaterra eram óbvias: impediria, por exemplo, que a Inglaterra voltasse a ajudar a França. Assim, embora Carlos não pudesse oferecer um bom dote e embora sua sobrinha Mary não fosse mais querida na Holanda do que Mary, a mãe de Guilherme, ela era a herdeira do trono inglês. Mesmo assim, Guilherme tratava com desdém a mãe de Mary, Anne Hyde, que tinha sido uma das "criadas" de sua mãe (na verdade, uma dama de honra).

Sob as relações aparentes dos monarcas e principais políticos, os rosa-cruzes sionistas (provavelmente através de *Sir* William Temple) criavam um antagonismo entre Guilherme e os Templários anglo-franceses. É provável que Shaftesbury e até mesmo Fagel fossem rosa-cruzes sionistas, assim como a Casa de Orange, como já vimos. As forças sionistas rosacrucianas queriam separar Carlos II, um Stuart templário, de seu aliado francês e destruí-lo, repetindo o destino que se abateu sobre Carlos I.

Guilherme se casou com Mary, filha de Jaime II, em novembro de 1677. Uma medalha da época, comemorativa do casamento, mostra o noivo de 27 anos e a noiva de 15 junto aos dois pilares de um Templo Maçônico sob um sol com longos raios, que lembra o sol rosacruciano que brilha sobre o jovem casal do Palatinado no seu casamento. O sol que brilha sobre Guilherme e a jovem Mary tem rosas em sua orbe: é ostensivamente um sol rosacruciano. Houve uma forte influência rosacruciana franco-maçônica em torno de Guilherme ao longo de 1677.

A vida de casados não correu muito bem no começo. Tiveram uma travessia terrível para o continente. Com a exceção de Mary, todos ficaram mareados. Guilherme estava irritado com os capelães e as damas de companhia de Mary, e tenso por não ter conseguido levar a paz para a Holanda. Mary teve um aborto em 1678. Depois, achou que estava grávida de novo, mas foi um alarme falso. Mesmo assim, ela se estabeleceu e passou a gostar dos campos da Holanda e da arquitetura dos lugares onde morou: o Palácio de Honse-laersdjik, onde começaram a vida de casados; a Casa no Bosque nos arrabaldes

Medalha holandesa que mostra Guilherme se casando com
Mary, a filha de Jaime II, em 1677

de Haia; e mais tarde os jardins formais de Het Loo, que Guilherme começou a construir em 1686.

As relações de Guilherme com a Inglaterra se deterioraram. Em 1679, seu sogro Jaime os visitou quando estava em Bruxelas, para ficar longe da situação que se seguiu ao Complô Papista. Conversou com Guilherme a respeito dos perigos que ameaçavam a monarquia. Guilherme se opunha ao plano de Carlos de limitar os poderes de um futuro rei católico porque isso afetaria os herdeiros protestantes. Além disso, não participou da campanha dos *Whigs* para fazer de Monmouth o sucessor de Carlos, mas visitou a Inglaterra em julho de 1681, esperando que Carlos convocasse o Parlamento para levantar dinheiro para uma guerra com a França. Logo percebeu que isso não aconteceria e resolveu entrar em contato com os *Whigs* (ou seja, Shaftesbury). Eles o convidaram para jantar em Londres duas vezes mas, nas duas ocasiões, Carlos o convidou para jantar em Windsor, impedindo-o assim de se encontrar com os *Whigs*. (Seria esse o caso de um templário impedindo os avanços de Sião?) De volta à Holanda, Guilherme recebeu Monmouth no inverno de 1684-5, quando este já estava em desgraça, e Mary dançou várias vezes com o primo exilado.

Em meio à alegria, vieram notícias da morte de Carlos – e de que Jaime o tinha sucedido como Jaime II. De repente, Mary era uma herdeira do trono. A vida se tornou mais formal, os pajens se ajoelhavam diante dela. Como não nasceu nenhum novo sucessor, Guilherme estava pronto para capturar a fortuna inglesa e usá-la na luta contra a França.

Logo que soube da morte de Carlos II, Guilherme ordenou que Monmouth deixasse sua corte e, a pedido de Jaime, fez uma proposta para a França. Como tinha pouco poder em Amsterdã, não conseguiu impedir que Monmouth organizasse ali a sua invasão. Mas Guilherme não queria Monmouth no trono inglês e enviou os regimentos ingleses a serviço na Holanda para ajudar Jaime a reprimir a rebelião, o que satisfez o rei. No entanto, as relações entre Guilherme e Jaime eram tensas porque Jaime se recusara a dar uma mesada a Mary, embora sua irmã Anne recebesse uma, e também porque não quis dar a Guilherme o título de "Sua Alteza Real". Jaime escreveu para Luís XIV sobre os direitos de Guilherme na Casa Orange francesa, mas Luís não lhe deu atenção e Jaime não fez mais nada. Escreveu então a Mary dizendo que só lhe restava declarar a guerra. Apesar disso, Jaime escrevia regularmente para Guilherme e Mary, sabendo que Mary era a herdeira presumida. Em novembro de 1686, enviou William Penn para convencê-los a apoiar sua campanha pela revogação das leis penais anticatólicas e os Atos de Prova (*Test Acts*), abrindo com isso cargos públicos ingleses para os católicos. Tanto Guilherme quanto Mary contestaram essa revogação. Mary escreveu uma carta para Fagel sobre o assunto, que foi traduzida pelo Bispo Gilbert Burnet, um clérigo escocês que fora obrigado a fugir da Inglaterra depois de um sermão anticatólico, chegando a Haia em 1686. A carta foi publicada e cópias dela foram distribuídas na Inglaterra. Burnet discutiu com Mary o seu futuro como rainha, dizendo que Guilherme seria provavelmente consorte. Mary ficou horrorizada, procurou Guilherme e lhe garantiu que ambos reinariam igualmente.

O que Antecedeu à Invasão de Guilherme

A ferocidade com que o católico Jaime II debelou as rebeliões de Monmouth e Argyll com dinheiro parlamentar causou uma grande inquietação pública. Jaime não dispensou o exército: ao contrário, ele o expandiu, dando novos regimentos a oficiais católicos com experiência militar na Irlanda. Isso levou a conflitos com o Parlamento, que tinha se reunido pela última vez em novembro de 1685. Em 1686, católicos foram admitidos no Conselho Privado

– quando juízes descobriram que o rei tinha poder para abrir exceções nos Atos de Prova – e depois em altos cargos do Estado e da Igreja, o que levou a um conflito entre o rei e os *tories* anglicanos (antigo Partido da Corte). Como Governador Supremo da Igreja Anglicana, Jaime suspendeu o Bispo de Londres por criticar a política real. Em 1687, demitiu seus cunhados anglicanos, Clarendon e Rochester, e deu aos católicos o uso exclusivo do Magdalen College, um colégio em Oxford. Um núncio papal foi admitido na corte real inglesa. Em abril, a Declaração de Indulgência de Jaime suspendeu as leis contra dissidentes católicos e protestantes e, embora alguns achassem que ele acreditava genuinamente em tolerância religiosa, outros afirmavam que estava tentando fazer do Catolicismo a religião exclusiva do Estado.

Tudo isso o público inglês aceitou, embora com sérias restrições. No entanto, depois do fracasso da rebelião de Monmouth, na Holanda e na Inglaterra já se pensava numa invasão, e os olhos se voltaram para Guilherme. Em setembro de 1686, o Lorde Mordaunt exortou Guilherme a invadir imediatamente a Inglaterra, dizendo que não haveria oposição. Guilherme respondeu que invadiria só no caso de Jaime alterar a sucessão e ameaçar o Protestantismo. Então, em novembro de 1687, foi anunciado que a rainha estava grávida. O povo se agitou. Até então, o sucessor de Jaime seria uma de suas filhas protestantes do primeiro casamento: a mais velha era Mary, casada com Guilherme de Orange, regente de Holanda, a mais jovem era Anne. Mas, se a rainha tivesse um menino, ele teria precedência sobre as filhas e seria um herdeiro católico do trono.

Guilherme passou a considerar seriamente a ideia de uma invasão e, em fevereiro de 1687, enviou seu amigo Dijkvelt à Inglaterra para convencer os principais políticos ingleses a resistir às medidas pró-católicas de Jaime, a que ele se opunha. John Churchill, depois Duque de Marlborough, escreveu para Guilherme garantindo que ele e Anne (irmã de Mary) continuavam leais ao Protestantismo.

Espalhou-se uma grande desconfiança pelo país. Em abril, Mary escreveu: "Recebi um relato sobre a gravidez da rainha que me dá boas razões para suspeitar que há algum ardil em andamento".[16] O tal relato lhe foi provavelmente enviado pela irmã Anne, que a mantinha informada. Ambas estavam convencidas de que Jaime planejava dar fim à sucessão protestante tendo um herdeiro do sexo masculino que seria educado como católico. Jaime vinha lotando o Parlamento com seus aliados desde o mês de agosto e Guilherme agora estava pronto para a invasão. No final de abril, Guilherme recebeu em Het Loo a visita – provavelmente por instigação de Henry Sidney – de Arthur Herbert e

William e Edward Russell. Segundo o Bispo Burnet, Guilherme disse a eles que "se fosse convidado por homens com os melhores interesses e entre os mais respeitados em seu país, que em seu próprio nome e em nome de outros que neles confiassem o convidassem a resgatar a nação e a religião, ele acreditava que estaria pronto para isso no final de setembro".[17]

Em maio, Jaime reeditou sua Declaração de Indulgência e ordenou que fosse lida em todas as igrejas. Vendo nisso uma ação pró-católica, o arcebispo de Canterbury, William Sancroft, e seis bispos objetaram a ela numa petição – e Jaime tentou processá-los por difamação sediciosa, indignando todos os protestantes. Então, no dia 20 de junho de 1688, a rainha deu à luz um menino. Suspeitou-se imediatamente de um complô: os jesuítas teriam introduzido o bebê às escondidas no quarto da rainha, dentro de um recipiente de carvão. Apenas três anos depois da invasão de Monmouth, suspeitava-se que uma sucessão protestante tinha sido transformada numa sucessão católica através de desonestidade e traição. A Inglaterra estava em crise, poucos acreditavam que o menino fosse realmente filho do rei e a Igreja Anglicana voltava os olhos para a Holanda, em busca de libertação.

Guilherme e Mary tinham previsto essa situação. Saudaram a notícia do nascimento real pedindo orações, mas nada mais. Não foram à comemoração na casa do embaixador de Jaime em Haia. Mary e Anne estavam convencidas de que o bebê não era seu meio-irmão.

No final de junho, o arcebispo e os seis bispos foram absolvidos e houve enorme regozijo público porque a política católica de Jaime tinha sofrido um revés. Naquele mesmo dia, o convite para Guilherme foi redigido. Foi assinado por sete ingleses proeminentes: o Conde de Danby, o Conde de Devonshire, Lorde Lumley, Edward Russell (que tinha visitado Guilherme em abril), Charles Talbot (o Conde de Shrewsbury), Henry Sidney e o Doutor Henry Compton (o Bispo de Londres que Jaime suspendera em 1686). Parece que Sidney organizou e redigiu a carta-convite, dizendo que uma invasão seria bem-sucedida, já que Jaime não teria o apoio do povo e nem das forças armadas. Teria Guilherme tramado para receber esse convite ou ele meramente o aceitou? Pelas evidências do nosso relato, temos que concluir que ele tramou para recebê-lo.

Em agosto, Guilherme enviou o filho do antigo tutor Frederick Zuylestein à Inglaterra para montar uma organização de inteligência, que lhe passasse informações confidenciais. James Johnstone, um escocês, escrevia os segredos em tinta invisível. William, o Zuylestein mais jovem, procurou oficiais do Exército e da Marinha com o intuito de ganhá-los para a causa de Guilherme. Uma estranha coisa a fazer, a menos que a invasão já estivesse decidida: parece que William Zuylestein estava apenas finalizando os detalhes da invasão. (A sua postura pública era de congratulação.) Nisso, tinha a ajuda de Henry Sidney (depois Conde de Romney), antigo enviado de Carlos II em Haia. Sidney era um exclusionista que tinha trabalhado para que Guilherme sucedesse Carlos II e agora o incentivava a tomar o trono.

Acontecimentos na Europa desviaram a atenção da invasão e um ano se passou. O Imperador Leopoldo tinha forçado a retirada dos turcos através da Hungria e, em agosto de 1688, tomou Belgrado. Luís XIV, que garantira uma fronteira defensiva nas províncias espanholas dos Países Baixos já antes de 1678, tinha atacado a Rhineland, uma região alemã no vale do Reno, e perseguido os huguenotes. Percebendo que Leopoldo logo voltaria a atenção para a Europa ocidental, atacou Philippsburgh, Colônia e Avignon. Jaime II tinha recusado uma aliança com a França, que estava com a popularidade em baixa, mas Luís (que procurava apoio) lhe enviou detalhes do plano de invasão de Guilherme, que ele tinha descoberto. Jaime se recusou a acreditar nele e, de qualquer modo, achava que podia repelir uma invasão. O ataque de Luís já estava montado, mas Guilherme sabia que ele não atacaria a Holanda enquanto estivesse preocupado com Rhineland, e resolveu invadir a Inglaterra à sombra dessa guerra maior. Para preservar o elemento surpresa, disse a Leopoldo que não deporia Jaime e nem prejudicaria os católicos, e Fagel disse a mesma coisa aos Estados Gerais: "Sua alteza não pretende destronar o rei ou conquistar a Inglaterra, mas apenas garantir que, através da convocação de um parlamento livre, a religião reformada esteja segura e fora de perigo".[18]

Em setembro de 1688, Charles Talbot (Conde de Shrewsbury), líder dos *whigs*, que agora seguia as pegadas de Shaftesbury, levou 12.000 libras à Holanda para contribuir com o custo de uma invasão, e membros do Banco de Amsterdã (fundado em 1609) também contribuíram com dinheiro.

Os judeus de Amsterdã estavam se mobilizando a favor de Guilherme. A comunidade judaica de Amsterdã tinha crescido tanto desde os anos 1590, época do primeiro assentamento de judeus, que os judeus ingleses mais pareciam uma filial de uma companhia internacional com base em Amsterdã. Amsterdã era agora a sede da comunidade judaica europeia e os judeus contribuíram vultosamente para o crescente império econômico da Holanda. Antônio Machado e Jacob Pereira eram os mais eminentes fornecedores do exército, os *providiteurs generals* do exército holandês, nos Países Baixos e fora deles. Salomão Medina (ou de Medina)[19] era então seu agente londrino, que coletava somas de dinheiro devidas pela Coroa Inglesa. Mais tarde, ele começou a pagar uma comissão sobre os contratos para John Churchill, o Duque de Marlborough, de 6.000 libras anuais. Há uma versão bem conhecida de que Francisco Lopes Suasso financiou a invasão da Inglaterra, adiantando dois milhões de florins sem qualquer garantia: *Si vous êtes heureux, je sais que vous me les rendrez; si vous êtes malhereux, je consens de les perdre.*[20] Jeronimo Nuñes da Costar, um judeu sefardita que foi um importante fornecedor de armas, controlava todas as tropas enviadas pelo Duque de Württemberg. Preces pela Revolução Gloriosa eram feitas nas sinagogas holandesas. Os fundos da revolução vinham da Inglaterra, mas eram também organizados pelos judeus holandeses.

Os judeus de Amsterdã deram crédito à expedição e, em troca, Guilherme levou muitos judeus com ele à Inglaterra. Dizia-se que "reinava um monarca que devia ao ouro hebraico seu diadema real".[21] Será que as doações eram feitas espontaneamente ou alguém precisava pedir? E qual era a ligação entre os ingleses que incentivavam a invasão, os holandeses que faziam *lobby* a favor da invasão e os judeus que financiavam a invasão? No que os judeus pretendiam como recompensa? Agiam eles agindo ou eram todos parte do mesmo processo? O dinheiro judaico centralizado em Amsterdã ajudou Guilherme a se tornar rei, mas quem deu as ordens a favor de Guilherme? Quem coordenou essa empreitada?

É possível que em 1679, durante o Complô Papista, Shaftesbury já tivesse um plano para Guilherme invadir a Inglaterra, mas depois elegeu Monmouth como candidato. É improvável que já nessa época Guilherme pensasse numa invasão. Mary herdaria o trono, desde que nada interferisse, e assim ele aguardava sua hora. Quem foram os ingleses em torno de Guilherme que fizeram acontecer a conquista da Inglaterra e da Irlanda – Lorde Mordaunt, John Churchill, Henry Sidney e Lorde Shrewsbury? Seriam eles aliados de Shaftesbury? Estaria o Conde de Shrewsbury, que levou 12.000 libras a Guilherme e o acompanhou em sua viagem, agindo por conta própria? E Sidney? Estariam eles agindo por conta própria ou para alguma organização? Estariam agindo pelo Priorado de Sião rosacruciano de Boyle? Quem eram os dois holandeses, Everaad Dijkvelt e William Zuylestein? Os dois eram agentes de inteligência, mas estariam agindo por iniciativa própria ou teriam sido designados para colher informações? William Zuylestein era neto do rosa-cruz Frederick Henry. Seriam todos eles livres-maçons rosacrucianos ou estariam agindo por conta própria? Stephen Kinght escreve que as pessoas politicamente conscientes estavam unidas pela necessidade de preservar o principal ganho da Guerra Civil de

1642-51: a limitação do poder do rei. Diz também que rosa-cruzes ligados à Casa de Orange, Lojas ou maçons, participaram provavelmente da iniciativa de convidar Guilherme e Mary para serem soberanos conjuntos. (Mary era naturalmente a herdeira presumida e desejava que Guilherme reinasse em conjunto com ela.)[22]

Guilherme Invade

No dia 30 de setembro de 1688, Guilherme fez uma declaração ao povo inglês, pondo a culpa de todos os males nos conselheiros do rei e não no próprio rei, e mencionando o "pretenso Príncipe de Gales". Disse ele: "Esta nossa expedição não tem nenhum outro objetivo além de fazer com que um Parlamento livre e legal se reúna o mais cedo possível".[23] Em outras palavras, Jaime permaneceria no trono. No entanto, Guilherme sabia que talvez tivesse que depor Jaime. Mary também tinha consciência dessa possibilidade e rezava para ter forças para derrotar o próprio pai. No dia 16 de outubro, Guilherme a deixou aos cuidados dos Estados Gerais. Percebendo que a invasão era iminente, Jaime reverteu os planos de catolicizar a Inglaterra e encher o Parlamento com aliados católicos.

No dia 20 de outubro, a frota de 250 navios de Guilherme zarpou de Helleveotsluys. Mas tiveram que voltar por causa de uma tempestade e alguns navios ficaram danificados, precisando de reparos. Guilherme esperou que o vento começasse a soprar do leste. No dia 1º de novembro, o esperado "vento protestante" soprou e a armada partiu.

À sombra da guerra no continente, a armada de Guilherme, comandada pelo Marechal Schomberg, evitou a frota inglesa ao largo de Essex. Graças ao vento leste, no dia 5 de novembro, Guilherme (acompanhado de Bentinck, Shrewsbury e Lorde Polwarth) desembarcou em Torbay, perto de Brixman, Devon, com cerca de 14.000 homens (10.000 infantes e 4.000 cavaleiros). O vento mudou para oeste e a frota do rei foi soprada de volta para Kent. Guilherme e Marshal Shomberg marcharam para Exeter e aguardaram aqueles que os haviam convidado. Isaac Pereira, pa-

Guilherme III da Inglaterra

rente de Jacob Pereira, cuidava dos interesses de Machado e Pereira na Inglaterra e manteve o exército abastecido de pão, carne, queijo e cerveja. Aos poucos, a nobreza e a pequena nobreza (começando com Edward Seymour e o Conde de Bath) passaram para o lado de Guilherme, que já marchava para Londres.

Jaime se reuniu ao seu exército de 40.000 homens perto de Salisbury, mas tinha revogado suas políticas catolicizantes – tudo o que defendia – e não tinha vontade de lutar. Começaram as deserções. Houve levantes em Cheshire comandados por Lorde Delamere, em York, comandados pelo Conde de Danby, e em Nottingham, pelo Conde de Devonshire. Shrewsbury conseguiu rapidamente o apoio de Bristol e Gloucester. À medida que Guilherme se aproximava, Jaime recuava. Foi nesse ponto que os três principais coronéis do rei mudaram de lado: Churchill, depois Duque de Marlborough – que já estava em contato com Guilherme e provavelmente com os judeus holandeses fornecedores de armas – Grafton e Kurk. No dia 28 de novembro, uma assembleia dos *tories* recomendou a Jaime que negociasse.

Guilherme marchava lentamente em direção a Londres. Recebeu os comissários de Jaime em Hungerford, no dia 7 de dezembro, e apresentou seus termos: Jaime dispensaria todos os católicos de cargos públicos e pagaria o exército de Guilherme, depois do que Jaime e Guilherme iriam à sessão seguinte do Parlamento. (Guilherme esperava que um Parlamento livre declarasse guerra à França e desqualificasse o novo Príncipe de Gales.) Nesses termos, Jaime continuaria no trono, mas com poderes reduzidos.

O Exílio de Jaime II

Mas o rei não aceitou esses termos. No dia 11 de dezembro, depois de mandar a mulher e o filho para a França, fez uma tentativa mal-sucedida de se juntar a eles, seguindo por estradas do campo para não ser capturado.

Jaime II embarcou num barco-patrulha que logo encalhou. Foi então preso por pescadores à caça de fugitivos e levado para Faversham. Por fim, foi levado de volta a Whitehall. Jaime retomou assim sua vida de rei, indo à missa e dando graças católicas antes das refeições públicas.

Guilherme gostou de saber que Jaime tinha ido embora. Houve levantes anticatólicos em Londres e as autoridades convidaram Guilherme a ficar em Londres. Agora que Jaime estava de volta, Guilherme tinha um problema. Convocou um conselho de doze, que o aconselharam a deixar que Jaime fugisse (como Cromwell tinha deixado que Carlos I fugisse da Corte de Hampton em

1647). As tropas holandesas chegaram em Whitehall para levá-lo a Ham, Richmond, mas Jaime quis ir para Rochester.

Segundo algumas versões, Guilherme, satisfeito por Jaime estar disposto a deixar o país, suplicou às tropas católicas do seu próprio exército para escoltá-lo até Rochester. Segundo outras versões, Jaime arranjou um batelão para levá-lo de Whitehall a Rochester.

Uma gravura holandesa da época mostra o rei embarcando no que parece ser um pequeno barco a remo, no dia 18 de dezembro. É uma triste figura, de capa e chapéu, de pé num barquinho perto da plataforma de embarque de Whitehall, com a Torre de Londres à distância, cheio de mágoa por saber que sua filha Mary participava da sua deposição. Ele não queria enfrentar o machado do carrasco, como seu pai Carlos I. Com ordens de deixar Jaime fugir, os guardas não vigiaram a parte de trás da casa que ele ocupava em Rochester. O rei escapou com seu filho ilegítimo, o Duque de Berwick, a bordo do *Henrietta*.

Outra gravura da época mostra Jaime em Rochester, no dia 23 de dezembro. Em meio a uma tempestade, ele embarca com dificuldade num pequeno pesqueiro com dois mastros curtos e uma vela enrolada. Desembarcou na França no dia de Natal de 1688: tinha perdido dois reinos (Inglaterra e Escócia), mas ainda lhe restava a Irlanda.

Jaime foi recebido por Luís XIV, que cedeu o palácio de St Germain-en-Laye para a sua corte no exílio. O rei inglês tinha abandonado seu povo, não uma vez, mas duas. Em fevereiro, foi declarada a sua renúncia.

Teria Jaime escolhido partir ou será que Guilherme o obrigou? Os *tories*, pegos de surpresa pela fuga de Jaime, estavam convencidos de que Guilherme tinha tramado tudo desde o começo, obrigando Jaime a deixar o país. Guilherme afirmava que não pretendia ser rei: tinha sido convidado a salvar a nação protestante inglesa de um tirano católico. Negou que a invasão fosse uma rebelião e os *whigs*, que o viam como paladino, acreditaram nisso de boa vontade.

A Revolução Constitucional

A intranquilidade da nação teria se aprofundado se o povo soubesse que Guilherme tinha sido financiado por livres-maçons rosacrucianos ingleses e apoiado por judeus de Amsterdã, e que sua ida à Inglaterra fora incentivada por rosa-cruzes. A chamada "revolução Gloriosa" repetia a saga de Cromwell, financiado por Menasseh para permitir a volta dos judeus à Inglaterra. Só que desta vez os rosa-cruzes e os judeus avançariam ainda mais, já que Sião tinha reconquistado a monarquia das mãos dos últimos Stuarts templários.

Os tumultos anticatólicos aumentaram e uma assembleia de pares pediu que Guilherme restaurasse a ordem. Tropas mantiveram a paz até que uma convenção se reunisse, no dia 22 de janeiro de 1689. Nela, declarou-se que Jaime tinha abdicado como resultado da fuga que se seguiu à sua tentativa de absolutismo papista e que a coroa devia ser oferecida conjuntamente a Guilherme e Mary. Os *tories* propunham que a coroa fosse oferecida apenas a Mary e fora longo o debate na Casa dos Lordes entre os *tories* pró-Mary e os *whigs* pró-Guilherme. Os *tories* sentiam que a ilegalidade real de Jaime não devia ser resolvida por uma rebelião ainda mais ilegal. Os *whigs* argumentavam que era certo resistir a um tirano através da revolução. Então, Mary escreveu a Danby dizendo que só seria rainha se Guilherme fosse rei. Guilherme concordou e prometeu que Anne seria sua herdeira.

Mary veio da Holanda em companhia de John Locke, que tinha ficado em Amsterdã durante a invasão de Guilherme. No dia 11 de fevereiro, Mary chegou à Inglaterra, triste por ter sido desleal com o pai, mas determinada a demonstrar coragem e animação. No dia 13 de fevereiro, a coroa foi oferecida a Guilherme e Mary no Salão de Banquetes, após a leitura de uma Declaração de Direitos. Os dois foram então proclamados rei e rainha, e coroados em abril de 1689. Foi-lhes também oferecida a coroa da Escócia.

A Declaração tirava do rei o poder para suspender o Parlamento e prescindir de suas leis. Confirmava a "abdicação" de Jaime e declarava que Guilherme e Mary eram Rei e Rainha. Com a sua morte, a sucessão seria: os filhos de Mary, depois Anne e seus filhos, depois os filhos que Guilherme viesse a ter de um casamento posterior. Nenhum católico poderia ser monarca e nenhum monarca teria poder para suspender as leis. Proibia também o rei ou rainha de reunir um exército nos limites do reino em tempos de paz, "a menos que fosse com o consentimento do Parlamento". Preconizava também reuniões frequentes do Parlamento e eleições livres.

Em pouco tempo, a convenção se transformou num "Parlamento livre" e a Declaração de Direitos foi convertida em lei (*Bill of Rights*), aprovada em dezembro de 1689 (pouco antes de Guilherme dissolver a convenção). Estavam lançados os fundamentos de uma moderna monarquia constitucional, de acordo com a filosofia *whig* de John Locke, exposta no livro *Two Treaties of Government*, escrito no final dos anos 1670 e publicado em 1690. Locke, que fora médico e depois secretário de Shaftesbury a partir de 1667, escreveu sobre a

178

revolução de Cromwell e a decapitação de Carlos I, argumentando que o governo era um contrato social entre o rei e seu povo, representado no Parlamento – e que, portanto, a monarquia era uma instituição contratual e não um "direito divino". Locke rapidamente se transformou no líder intelectual dos *whigs*. Renovou sua longa associação com o sionista Boyle mas, como o ar de Londres ainda lhe provocava asma, partiu para Oates, em Essex (para a casa de *Sir* Francis Masham e sua mulher, Lady Masham, que era filha de Ralph Cudworth, o platonista de Cambridge que o tinha influenciado). Foi lá que Locke morreu, em 1704.

Durante o ano de 1689, a impopularidade de Guilherme cresceu e muitos achavam que Jaime II poderia recuperar o trono se deixasse de ser católico. Guilherme não entendia inglês quando se falava depressa e vivia longe das multidões em Hampton Court, com o holandês Zuylestein, o primo Ouwerwerk e Bentick (agora Conde de Portland). Os únicos ingleses com quem conversava regularmente eram Sidney e Charles Montagu, depois Conde de Halifax. (Estariam eles agindo em nome do rosacruciano Priorado de Sião?) Ele e Mary tinham saudade da tranquilidade da Holanda.

Robert Boyle, Grão-Mestre do Priorado de Sião, tinha dedicado muito tempo à alquimia, que discutia longamente com Isaac Newton e John Locke. De 1675 a 1677, publicou dois tratados alquímicos, *Incalescence of Quicksilver with Gold* e *A Historical Account of a Degradation of Gold*. Em 1689, declarou que não podia receber visitas em determinados dias, que reservara para a experimentação alquímica. Mas talvez isso não fosse verdade: talvez estivesse apenas criando uma "invisibilidade" rosacruciana que lhe desse espaço para trabalhar com o novo rei de Sião, o antitemplário Guilherme III, e consolidar os interesses do Priorado de Sião para a Inglaterra.

Boyle, como Newton, era um milenarista. O *Diário* de Evelyn relata uma visita que ele e o Bispo Lloyd fizeram a "Boyle e sua irmã, Lady Ranelagh", no dia 18 de junho de 1690. Nessa ocasião, o bispo explicou que Luís XIV era o Anticristo, que faltavam apenas trinta anos para o reino de Cristo na Terra (uma visão que estava de acordo com a tese sionista de um rei mundial em Jerusalém), "que o reino do Anticristo não estaria totalmente destruído em trinta anos, quando Cristo começaria o Milênio: ele não reinaria visivelmente na Terra, mas a verdadeira religião & paz universal conquistaria o mundo inteiro: (...) o Apocalipse (...) significando unicamente a Igreja Cristã".[24] Boyle morreu no dia 30 de dezembro de 1691 e seu testamento previa um estipêndio anual para um programa de conferências da igreja que defenderia a Cristandade "contra notórios infiéis, ou seja, ateístas, teístas, pagãos, judeus e maometanos... e que seria usado para responder a novas Objeções e Dificuldades que poderiam surgir, para as quais ainda não havia boas respostas".[25] Ou seja, era preciso haver respostas a respeito da sincronia entre o iminente reinado de Cristo e o reino de Jerusalém, de acordo com a Maçonaria Sionista Rosacruciana.

A CONSOLIDAÇÃO DA REVOLUÇÃO ROSACRUCIANA

A consolidação do governo de Guilherme ocorreu na Irlanda.

A Revolução Sem Sangue na Inglaterra, apelidada de "Revolução Gloriosa" com o intuito de tornar Guilherme mais aceitável para o povo inglês, foi ameaçada com a volta de Jaime e seus jacobitas para a Irlanda, que estava dividida entre católicos e protestantes. Em 1641, Ulster tinha se levantado contra o poder inglês e houve lutas por dez anos, até Cromwell confiscar propriedades de católicos e monarquistas. A restauração devolveu as terras para alguns católicos, mas deixou os aliados de Cromwell no controle. Jaime II tentara dar aos católicos mais liberdade religiosa – preservando ao mesmo tempo o *status quo* protestante. O porta-voz dos católicos irlandeses era Richard Talbot, amigo de Jaime, que tinha se tornado Conde de Tyrconnell em 1685. Fora nomeado vice-rei em 1687 e governava de fato a Irlanda em nome do rei. Isso alarmou os protestantes. Tyrconnell controlava a Irlanda na época da invasão de Guilherme e se recusou a depor as armas católicas. Em meados de março, os católicos tinham o controle da Irlanda com exceção de Londonderry e Enniskillen.

A Irlanda e a Batalha de Boyne

James chegou da França para começar a retomada de seu reino na Irlanda. Em abril de 1689, exortou o povo de Derry a se render. Quando recusaram, ele sitiou a cidade, mantendo dentro dela trinta mil pessoas famintas e doentes. Os alimentos só chegaram da Inglaterra em julho, quando o cerco foi levantado. Homens de Enniskillen derrotaram então um exército jacobita em Newton Butler, e os protestantes passaram a controlar grande parte de Ulster. Sentindo-se alienados quando Jaime reuniu um Parlamento em Dublin, que ameaçou confiscar as terras protestantes, deram ao exército de Guilherme uma base para reconquistar a Irlanda.

Guilherme manteve suas tropas holandesas na Inglaterra e reuniu novos regimentos para enviar à Irlanda. A força expedicionária que chegou sob o comando do Marechal Schomberg era inexperiente, mas enquanto o exército de Jaime tinha apenas um quinto das 100.000 libras que precisava por mês, as tropas de Schomberg continuavam a ser financiadas pelos judeus holandeses fornecedores de armas. Schomberg expulsou os jacobitas de Ulster, mas se negou a combater o exército de Jaime em Dundalk e passou o inverno em Lisburn, onde metade do exército (mais de 7.000 homens) morreu de doença e exposição ao clima.

Chocado e assustado, Guilherme foi para a Irlanda assumir o controle da situação. No dia 11 de junho, desembarcou na costa irlandesa, perto de Carrickfergus. Mary estava angustiada, pois a luta era agora entre seu marido e seu pai. Mas Guilherme foi inflexível: os jacobitas tinham que ser esmagados. Assim, assumiu o comando de um exército de 40.000 homens, financiado e provisionado pelos judeus holandeses. Havia amplos suprimentos e ele tinha 200.000 libras em dinheiro, fornecidas em parte por Salomão Medina, o agente londrino de Machado e Pereira, que fazia empréstimos a curto prazo para o exército holandês. Isaac Pereira contribuiu com 36.000 libras para a campanha irlandesa e os seus 28 padeiros faziam pão para o exército em Waringstown, Condado de Down, em fornos construídos na primavera de 1690. William, irmão de Isaac, chegou para ajudá-lo em abril. Isaac era assistido por Alfonso Rodriguez, ou Isaac Israel de Sequeira, a quem se juntou um parente, David Machado de Sequeira, e um neto, Jacob do Porto. Isaac Pereira juntou uma quantidade tão grande de suprimentos para o exército que Schomberg enviou 18 dos navios de Pereira de volta às Inglaterra, cheios de carne, queijo e cerveja para as tropas.[26]

Guilherme marchou para o sul com 36.000 homens, enquanto Jaime enviava um exército de 25.000 homens rumo ao norte. Em Dundalk, ficou sabendo da chegada de Guilherme e recuou para defender a margem sul do Rio Boyne, a oeste de Drogheda.[27] O exército de Guilherme chegou à margem norte no dia 30 de junho. Tinha superioridade em termos de artilharia e equipamento e uma infantaria mais experiente, enquanto o exército de Jaime tinha uma boa posição defensiva. Jaime posicionou seu exército num local alto, de modo a impedir Guilherme de atravessar o rio num trecho mais raso. No dia 30 de junho, os exércitos se defrontaram, um em cada margem. Houve fogo de artilharia e uma bala de canhão roçou o ombro direito de Guilherme: ele caiu e notícias de sua morte chegaram a Paris, onde foram comemoradas.

Guilherme rejeitava agora os apelos de Marshal Schomberg, que recomendava mais cautela, e enviou Meinhard, filho deste último, para o outro lado do rio. Jaime enviou dois terços do exército para detê-lo, mas as tropas não conseguiram iniciar o combate por causa dos fossos. Guilherme atacou então a terça parte remanescente do exército de Jaime, que estava sob o comando de Tyrconnell, fazendo a infantaria atravessar o rio com água até a cintura. A infantaria irlandesa fugiu, mas a infantaria de Guilherme foi repetidamente atacada pela cavalaria irlandesa – até que a sua própria cavalaria atravessou o rio e fez o inimigo bater em retirada. Guilherme não tentou capturar Jaime, que fugiu para Dublin naquela mesma noite e para a França no dia seguinte. Tinha perdido 400 homens, incluindo Marshal Schomberg. Os jacobitas tinham perdido 1.000. O único ferimento que Guilherme sofreu foi um arranhão na perna esquerda, onde uma bala atingiu a bota.

Jaime tinha sido expulso da Irlanda para sempre, mas seu exército voltou para Connaught e defendeu o Rio Shannon. Durante os meses de agosto e setembro, Guilherme não conseguiu tomar cidades fortificadas como Limerick (onde perdeu 2.300 homens) e Athlone, e seus ataques foram frustrados pela infantaria inimiga, que lutava agora com ânimo renovado. A guerra se arrastaria até 1691, em parte pelo fato de Guilherme ter declarado no começo de julho que não haveria perdão para os líderes jacobitas, o que os tornou ainda mais obstinados. Guilherme voltou para a Inglaterra e se reuniu a Mary, enquanto o Duque de Marlborough (John Churchill) atacava e capturava Cork e Kinsale.

Em 1691, o exército de Guilherme era comandado pelo holandês Godert van Ginckel. Em junho e julho, sitiou Athlone, que acabou sendo tomada e, no dia 12 de julho, venceu a batalha de Aughrim. Limerick ainda estava sitiada e Ginckel estava prestes a recolher as tropas para o inverno quando, em setembro, o cerco acabou com um acordo negociado, que permitiu a volta de 12.000 jacobitas para a França, para engordar os exércitos de Luís XIV. A guerra na Irlanda estava chegando ao fim, mas ainda havia muita indisposição entre protestantes e católicos irlandeses.

A partir de 1691, Guilherme passou seis anos em campanha nos Países Baixos, tentando restringir as conquistas da França. Enquanto estava fora, Mary conduzia o governo inglês, reinando sobre o conselho de regência. A relação dela com a irmã deteriorou-se quando os amigos de Marlborough conseguiram do Parlamento uma pensão de 50.000 libras anuais para Anne. (Sarah Churchill, amiga de infância e dama de companhia de Anne, era casada com Marlborough.) Em 1691, Marlborough requereu o comando das forças inglesas na campanha seguinte, dizendo que Guilherme tinha muitos generais estrangeiros. Tendo traído Jaime II e passado para o lado de Guilherme, Marlborough estava de novo em contato com a corte de Jaime em Saint Germain-en-Laye. Vendo-o agora como um duplo vira-casaca e tendo perdido toda a confiança nele, Guilherme demitiu Marlborough em janeiro de 1692 e o mandou para a Torre por conspirar para restaurar Jaime II. Poucos dias depois, Anne apareceu na corte com Sarah Churchill ao seu lado. Mary ordenou a Anne que dispensasse Sarah como dama de companhia e, como Anne recusou, elas nunca voltaram a se falar. Em dezembro de 1694, Mary ficou gravemente doente. Desesperado, Guilherme chorou muito e levou uma cama de campanha para o quarto dela. Uma semana depois, a rainha morreu de varíola, sem muita dor, aos 32 anos.

Guilherme ficou fora de si de tanta dor e terminou seu relacionamento com Betty Villiers. Agora que Anne era herdeira aparente, Guilherme lhe deu o Palácio St. James e foi morar no Palácio Kensington. Melancólico, bíbulo e com pouca saúde, usava Anne como anfitriã quando precisava receber visitas.

O Banco da Inglaterra

Guilherme consolidou mais ainda seu governo criando um banco central: o Banco da Inglaterra.

Guilherme precisava de dinheiro para a guerra contra a França, que há muito tempo ameaçava sua Holanda nativa: era uma velha ambição derrotar a França e acabar com a ameaça. Além disso, precisava recompensar os ingleses e os judeus holandeses que tinham possibilitado suas vitórias na Inglaterra e na Irlanda. Os judeus tinham sido informalmente readmitidos na Inglaterra com Cromwell e formalmente com Carlos II. Agora, queriam controlar os mercados financeiros de Londres.

Com a Declaração de Direitos que se tornou lei (*Bill of Rights*), Guilherme prometera que nunca reivindicaria poder para dispensar a lei (como Jaime II), que nunca levantaria dinheiro sem a permissão do Parlamento e que não manteria um exército efetivo em tempos de paz. Na mente dos *whigs* que redigiram a Declaração, havia uma ligação entre o poder real para levantar dinheiro e para manter um exército efetivo.

Em 1694, apesar dessa promessa, Guilherme fez – sem consultar o Parlamento – um empréstimo de 1,2 milhão de libras em ouro com os cambistas judeus a 8 por cento de juros – a serem devolvidas um ano depois. Em troca do empréstimo, Guilherme daria permissão aos judeus para fundar um Banco da

Inglaterra e imprimir em papel-moeda uma quantia igual à dívida do rei. Assim, ele pagaria 108 por cento de juros (100 por cento em papel-moeda, mais 8 por cento). Como explicou Scot William Paterson, o primeiro porta-voz do Banco da Inglaterra: "O Banco tem direito de cobrar juros sobre qualquer dinheiro que crie do nada". Os recursos para saldar o empréstimo de 1,2 milhão de libras viriam da receita dos impostos sobre cerveja e vinagre, que fora reservada com a *Tonnage Act* (Lei da Tonelagem) de 1694.[28]

Era uma ideia incrivelmente simples: criar dinheiro do nada e depois emprestá-lo para um governo que o restituiria com juros, contando para isso com a receita oriunda de impostos. O Parlamento fortaleceu o procedimento, declarando que todas as dívidas contraídas durante a guerra com a França eram "dívidas da nação", que ela restituiria usando a receita de determinados impostos. Isso deu confiança a investidores dispostos a fazer empréstimos a longo prazo, já que agora a restituição era endossada pelo Parlamento. Na época, parecia que todas as dívidas seriam rapidamente pagas, mas novos empréstimos foram feitos para contrabalançar a crise financeira de 1695-6: nascia a dívida nacional (ou seja, todos os empréstimos não pagos mais os juros acumulados desde 1694), cujos juros são pagos pelo contribuinte.

Os empréstimos feitos pelo governo passaram a ser um fato da vida. Guilherme e seu governo tinham abdicado da prerrogativa soberana da nação inglesa de criar e controlar o próprio dinheiro, e tinham repassado para a nação inglesa uma dívida de 1,2 milhão de libras mais os juros, que seria paga com o dinheiro dos impostos. Se o governo criasse o próprio dinheiro, sem juros e sem dívida, não haveria dívida nacional e nem necessidade de cobrar muitos impostos, já que não faltaria dinheiro para saúde, educação e forças armadas. A nação inglesa nunca se recuperou e ainda está pagando os juros sobre o dinheiro que pegou emprestado para as Guerras Napoleônicas.

O conceito de um banco central com poder para emitir papel-moeda já tinha tomado força na Europa. O Banco de Amsterdã, que ajudou a financiar a invasão de 1688, foi fundado em 1609; o Banco de Hamburgo recebeu licença para funcionar em 1619; o Banco da Suécia já emitia papel-moeda em 1661. Esses bancos eram operados por financistas cujos ancestrais tinham sido banqueiros em Veneza e Gênova. Mas, enquanto os Bancos de Veneza, Gênova e Amsterdã eram basicamente bancos de depósitos, o Banco da Inglaterra foi o primeiro a transformar o próprio crédito em papel-moeda.

O Banco da Inglaterra foi fundado oficialmente por William Paterson, que foi forçado a deixá-lo em menos de um ano. O homem que concebeu o novo esquema foi Charles Montagu (depois Conde de Halifax). Apoiado pelos *whigs*, fora eleito para o Parlamento em 1689 e designado para ser um dos Lordes do Tesouro em 1692. Era um dos dois ingleses com que Guilherme gostava de conversar. Foi ele que concebeu o sistema de empréstimos garantidos, com que o governo financiou a guerra contra a França. Outra série de empréstimos estabeleceu o Banco da Inglaterra e logo depois ele se tornou Ministro das Finanças. Em 1695, aprovou um esquema para renovar a cunhagem inglesa: a Casa da Moeda começou a comprar moedas gastas e substituí-las por moedas cunhadas com o peso correto.

Com a Carta real concedida por Guilherme ao Banco da Inglaterra em 1694, a Coroa incorporou os subscritores do 1,2 milhão de libras num banco com capital social, cuja primeira sede foi Powis House, em Lincoln's Inn Fields, Londres. O banco tinha permissão para operar com ouro e letras de câmbio, não apenas depósitos. A garantia dos subscritores vinha da Lei da Tonelagem de 1694, já que a Carta previa que "taxas e obrigações sobre tonelagem de navios se tornam garantias para pessoas que adiantem voluntariamente a soma de 1,5 milhão de libras para financiar a guerra contra a França." Dos acionistas originais, 500 eram subscritores, sendo que 450 deles moravam em Londres, no local que se tornaria a *City* (hoje o principal centro financeiro do mundo).

Segundo *Sir* John Clapham, em *The Bank of England, A History*, entre os judeus com conexões holandesas, muitos de origem espanhola e portuguesa, que compraram ações por volta de 1721, estavam Salomão Medina, Francis Pereira, dois Da Costa, Fonseca, Henríquez, Mendez, Nuñes, Rodriguez, Salvador Teixeira de Mattos, Jacob e Theodore Jacobs, Moses e Jacob Abrabanel.[29] Em outras palavras, quem ajudou a financiar os exércitos de Guilherme na Holanda, na Inglaterra, na Irlanda e em outras partes, receberam uma excelente oportunidade de investimento como recompensa pelos serviços passados. Desde 1751, houve poucas transações com ações do Banco da Inglaterra: com exceção do *crash* de 1815, tramado pelos Rothschild, faz 250 anos que essas ações não entram em quantidade no mercado.

Havia cerca de 1.300 acionistas do Banco da Inglaterra. Entre os acionistas ingleses estavam Guilherme e Mary (que receberam cotas no valor de 10.000 libras cada um), Marlborough e Shrewsbury (que investiram 10.000 libras cada um), Sidney Godolphin (que escreveu para Guilherme antes da invasão e se tornou Chefe do Tesouro, e que investiu 7.000 libras), o Conde de Pembroke (antes William Bentinck), o Duque de Devonshire, o Conde de Pembroke, o

Conde de Carnavon, Edward, Lorde Russell (depois Conde de Oxford), William Paterson, Michael Godfrey (sobrinho de *Sir* Edmund Godfrey, supostamente assassinado por jesuítas), *Sir* John e James Houblon, Salomão Medina (que pagava 6.000 libras anuais a Marlborough quando era o agente londrino de Machado e Pereira, responsável por coletar somas devidas à firma pelo governo inglês, e que Guilherme armou cavaleiro em 1700), *Sir* Gilbert Heathcote, Charles Montagu (o criador do esquema) e o filósofo *whig* John Locke.[30] Todos eles estiveram envolvidos de alguma forma no movimento anticatólico de 1670 a 1694, e a todos foi dada a oportunidade de comprar ações num esquema lucrativo que se beneficiou do sucesso das ideias *whig*.

Graças ao Banco da Inglaterra e ao crédito a longo prazo, a Inglaterra saiu da guerra de oito anos (1689-1697) em muito melhor forma do que a França, mas com uma dívida nacional que crescia sem parar. Os judeus, que até 1656 não tinham permissão oficial para residir na Inglaterra e que só foram oficialmente readmitidos em 1664, eram agora donos de uma grande parte do Banco da Inglaterra e controlavam as finanças inglesas.

O novo Grão-Mestre do Priorado de Sião depois da morte de Boyle em 1691, Isaac Newton, tornou-se Diretor da Casa da Moeda real em 1696 e ajudou a estabelecer o padrão-ouro.[31] (Tinha aprendido alquimia com Robert Boyle, que escreveu dois tratados sobre o ouro nos anos 1670, e possuía cópias dos Manifestos Rosacrucianos, que tinha anotado pessoalmente. Boyle morrera antes de conseguir convencer Guilherme a realizar o sonho de Sião de pôr as mãos na fortuna templária e sobrepujar os Templários como banqueiros.)[32] O ouro substituiu a terra como padrão de riqueza e a usura substituiu a agricultura como sua verdadeira base. A terra perdeu o seu lustre, a monarquia ficou abalada e a nobreza fundiária passou a sofrer uma pressão renovada.

Mais uma vez, cabe perguntar: estariam as pessoas que organizaram o Banco da Inglaterra trabalhando por conta própria ou para uma organização? Quais eram os motivos de Charles Montagu? Ele era um dos dois ingleses com quem Guilherme conversava em Hampton Court (o outro era Sidney, embaixador em Haia, que provavelmente redigiu o convite para a invasão). Teria Guilherme conversado com ele sobre o Banco de Amsterdã e lhe dado a ideia de um Banco da Inglaterra? Ou estaria Montagu trabalhando para o Priorado de Sião, como o Conde de Shrewsbury? Teria sido a criação do Banco da Inglaterra um dos objetivos da Revolução Gloriosa? (Isso envolveu a instituição do direito de imprimir dinheiro e cobrar juros, e a institucionalização da usura, uma tradicional província dos judeus.)

Segundo o Capitão Ramsay, os verdadeiros objetivos da Revolução Gloriosa foram a criação do Banco da Inglaterra em 1694, a supressão da Casa da Moeda Real na Escócia (graças à união expansionista da Inglaterra com a Escócia em 1707) e a instituição da dívida nacional na Inglaterra e na Escócia. A Carta entregava a prerrogativa real de cunhar dinheiro a um comitê anônimo, o que exigia a aquiescência de um rei dócil; transformava o ouro, e não mais a terra, em base da riqueza e permitia que os prestamistas internacionais tivessem como garantia dos seus empréstimos os impostos do país em vez de uma promessa feita pelo governante, a duvidosa forma de garantia que se tinha até então.[33]

Fosse ou não a criação do Banco da Inglaterra o objetivo da revolução de 1688, a Casa da Moeda era agora administrada por um rosa-cruz alquimista, Newton, e o Banco era propriedade dos *whigs* que apoiaram a invasão de Guilherme e que eram ligados ao Rosacrucianismo. O Banco da Inglaterra deve ser visto como um empreendimento sionista, e Montagu como um rosa-cruz sionista.

Sucessão Rosacruciana ao Trono Inglês

O Priorado de Sião rosacruciano, cuja Royal Society tinha ajudado a levar Guilherme ao trono e a fundar o Banco da Inglaterra, tramava agora uma sucessão rosacruciana ao trono inglês através do filósofo e rosa-cruz Gottfried Wilhelm Leibniz (1646-1716), que tinha que trabalhar para ganhar a vida.[34]

A história de como a documentação de Leibniz veio a ser aceita como base para decidir quem sucederia a Rainha Anne ao trono inglês é uma história curiosa.

Nascido numa família luterana, Leibniz tinha descoberto Bacon quando estudava Direito na Universidade de Leipzig, em 1661. Mudou-se para Nuremberg, onde aparentemente entrou para uma Sociedade Rosacruciana em 1666,[35] tornando-se seu secretário em 1667. Lá, encontrou um dos mais ilustres estadistas alemães, Johann Christian, Freiherr von Boyneburg, que o introduziu na corte do Príncipe-Eleitor de Mainz. Esse Príncipe começou a consultá-lo em questões de direito e o enviou para Paris em 1672. Boyneburg e o Príncipe morreram em rápida sucessão e Leibniz passou a se concentrar em seus estudos. Construiu um protótipo do computador moderno, uma máquina de calcular, e o apresentou à Royal Society em 1673, em Londres. Aí, o jovem rosa-cruz Leibniz chamou a atenção do Grão-Mestre rosacruciano do Priorado de Sião, Robert Boyle.

Boyle deve ter apresentado Leibniz para Sophia, a filha rosa-cruz de Frederico V e Elizabeth Stuart (rei e rainha do Palatinado, ambos rosa-cruzes) e mãe de George Luís (que se tornaria George I da Inglaterra). Com a ajuda dela, Leibniz foi indicado para bibliotecário em Hanover em 1676. No meio-tempo, tornou-se muito amigo de Sophia, que era casada com Ernest Augustus. O cargo de Leibniz era subordinado ao irmão mais velho de Ernest Augustus, John Frederick, Duque de Hanover desde 1665. Leibniz se tornou conselheiro em 1678 e, para ser útil, projetou vários tipos de dispositivos mecânicos, de prensas hidráulicas a bombas d'água operadas por moinhos. Em 1680, John Frederick morreu e o marido de Sophia, Ernest Augustus, o sucedeu. Luís XIV tomou Strasbourg em 1681 e, trabalhando em meio ao ataque francês, Leibniz fez várias sugestões práticas e mecânicas que ajudaram o duque. Enquanto isso, procurava a causa universal do ser para o seu sistema metafísico.

Em 1685, Leibniz tornou-se historiador da Casa de Brunswick – cabe lembrar que Andreae, Grão-Mestre rosacruciano do Priorado de Sião, trabalhou para o Duque de Brunswick no final da vida – e também conselheiro da corte. Uma de suas tarefas era provar, a partir de registros genealógicos, que a Casa de Brunswick tinha sua origem na principesca Casa italiana de Este, o que permitira a Hanover reivindicar um nono eleitorado. Leibniz viajou para a Itália em busca de documentos, passando pelo sul da Alemanha e da Áustria, onde foi recebido pelo imperador. Durante a viagem, deu continuidade a seu trabalho científico e filosófico. Voltou em julho de 1690 e, como resultado de suas pesquisas e para o prazer de Sophia, Ernest Augustus foi nomeado Eleitor de Hanover.

Leibniz continuou seu trabalho (e assumiu outro cargo de bibliotecário, em Wolfenbüttel, onde Andreae tinha trabalhado) até 1698, quando Ernest Augustus morreu e seu filho George Luís se tornou Eleitor de Hanover. George era inculto e grosseiro e, para escapar da situação, Leibniz viajou para Berlim, Paris e Viena, procurando reunificar a Igreja.

Em 1700 morreu William, Duque de Gloucester, herdeiro da Rainha Anne. Os outros 17 filhos de Anne tinham morrido ainda na infância. Assim, George Luís, bisneto de Jaime I, tornou-se um possível herdeiro do trono. Provavelmente não por sugestão pessoal de Newton (Leibniz e Newton estavam envolvidos numa amarga disputa), mas sem dúvida por instigação do Rosacrucianismo Sionista, Sophia pediu a Leibniz para atuar como jurista e historiador e defender a Casa Alemã de Braunschwig-Lüneburg, que reivindicava a sucessão inglesa. Graças à documentação que Leibniz preparou (*Codex Juris Gentium Diplomaticus Hannoverae*), o *Act of Settlement* (Ato de Estabelecimento), garantindo a Coroa inglesa para os protestantes, declarou que Anne da Casa de Stuart era herdeira presumida de Guilherme e que, na falta de seus descendentes, a coroa iria para Sophia, Eleitora de Hanover, neta de Jaime I, e para seus descendentes, ignorando todos os outros filhos de Carlos II e os muitos católicos romanos na linha normal de sucessão – inclusive James Edward Stuart, o Velho Pretendente, e depois Charles Edward, o Jovem Pretendente, que tentaram recuperar o trono em 1715 e 1745 respectivamente.

Assim, o rosa-cruz Leibniz pôs a monarquia inglesa nas mãos dos descendentes do Palatinado Rosacruciano.[36] Essa solução protestante para o problema da sucessão foi bem aceita por rosa-cruzes de todas as partes.

A sucessão aconteceu como Leibniz tinha previsto. Jaime II morreu em 1701 de derrame, sem mais nenhuma esperança de ser restaurado depois do Tratado de Rijswijk entre a Inglaterra e a França, firmado em 1697. Guilherme morreu em 1702 sem deixar saudades, depois de ter caído do cavalo, que tropeçou numa toca de toupeira. Quebrou a clavícula e morreu em menos de duas semanas: descobriram então que seus pulmões estavam secos e deteriorados. Foi sucedido pela Rainha Anne, que morreu em agosto de 1714, dois meses depois da morte de Sophia. Assim, em obediência ao *Act of Settlement*, George Luís subiu ao trono inglês como George I. Ele não falava inglês e não fez nada para aprender, sendo considerado inaceitavelmente estrangeiro pela maioria dos ingleses. Em setembro de 1714, o Sacro Imperador Romano Carlos VI tornou Leibniz "conselheiro do império". Quando Leibniz voltou a Hanover logo depois, recebeu sua recompensa de George Luís: foi posto praticamente em prisão domiciliar. Quando morreu, em 1716, a Corte inteira foi convidada para o enterro mas, como George I estava em Göhrde, perto de Lüneburg, a pouca distância de Hanover, ninguém da Corte apareceu e Leibniz foi enterrado numa cova anônima.

Em 1710, Leibniz escreveu em *Teodiceia*: "Tudo é para o melhor, no melhor dos mundos possíveis". Essa afirmação de otimismo de um filósofo metafísico foi brutalmente satirizada por Voltaire em *Cândido*. Um filósofo metafísico devia, por certo, afirmar o Universo que estudou, e era por certo muito bom ser filósofo ou cientista naquela época. Locke foi secretário de Shaftesbury para as colônias americanas; Newton foi Diretor da Casa da Moeda; Leibniz foi genealogista da família real de Hanover – todos foram mais apreciados do que seus colegas modernos e receberam cargos condizentes com seu talento e valor.

Os rosa-cruzes tinham boas razões para estarem satisfeitos. Em oitenta anos de invisibilidade, fizeram duas revoluções, fundaram o Banco da Inglaterra e tomaram (como era a visão deles) o trono inglês. Isaac Newton, Grão-Mestre do Priorado de Sião a partir de 1691, que anotara todos os Manifestos

Rosacrucianos, teria apoiado o *Act of Settlement* e teria ficado muito satisfeito com o fato da filosofia do Palatinado e dos Manifestos rosacrucianos alquímicos terem instituído uma nova dinastia real. Mas não tinha muito apreço por Leibniz, seu colega rosa-cruz: embora tenham chegado ao cálculo por caminhos diferentes, Newton chegou primeiro – e escreveu vários panfletos, que assinava com nomes de alunos, acusando Leibniz de plágio.

O monopólio do Banco da Inglaterra e a sucessão ao trono inglês foram ações muito bem-sucedidas dos rosa-cruzes: desde 1694, não houve nenhuma contrarrevolução na Inglaterra, em parte porque nenhuma força política conseguiu levantar dinheiro para financiar um tamanho desafio e, em parte, porque a entrada no país de dinheiro levantado no estrangeiro para fins revolucionários tem sido bloqueada com sucesso.

Os *tories* ainda esperavam pela restauração da dinastia Stuart através de um monarca que se declarasse anglicano – e não um estrangeiro que nem falava inglês. Se a documentação de Leibniz não tivesse sido aceita e se o Parlamento tivesse rejeitado as linhas católicas e rosacrucianas, poderia ter havido pressão para que o filho ilegítimo mais velho de Carlos II, um protestante, fosse rei: o Duque de St. Albans, um dos poucos filhos ilegítimos de Carlos II cuja ascendência real nunca foi contestada, poderia ser identificado por um filósofo pró-Stuart (em oposição à pró-rosa-cruzes) como o primeiro na linha de sucessão – com base na idade e com base no fato do anel que Carlos I deu ao Bispo Juxon no cadafalso ter sido dado por Carlos II para o filho de Nell Gwyn, o Duque de St. Albans – um claro sinal de que, apesar de Monmouth, com quem acabou se indispondo, St. Albans era o seu herdeiro. Para anticatólicos e antirrosacrucianos, o atual Rei Stuart de Além-Mar é o Duque de St. Albans.

SUMÁRIO: A DINÂMICA REVOLUCIONÁRIA DA REVOLUÇÃO GLORIOSA

A Revolução Gloriosa gerou grandes mudanças constitucionais, financeiras e econômicas. A rápida transformação que causou através da violenta invasão de Guilherme está de acordo com a nossa definição de revolução. Em certo sentido, concluiu a revolução iniciada por Cromwell criando uma monarquia constitucional com poderes reduzidos e um Parlamento livre em vez de uma monarquia absolutista. Como Guilherme foi convidado pelos protestantes e como o rei católico fugiu, a revolução não foi tão sangrenta e, com a conquista da Irlanda, a "consolidação" física foi mais legalista do que brutal. Centrou-se no *Act of Settlement*, que levou a uma revolução dinástica contra a linha católica (e provocou inquietação jacobita durante a primeira metade do século XVIII). A grande mudança social foi a exclusão dos católicos dos cargos de Estado.

A rede sionista rosacruciana se espalhou a partir do hermético Boyle, através de Locke até Shaftesbury, que a disseminou através do Green Ribbon Club, e Monmouth – e depois através de Lorde Shrewsbury e outros *whigs* até a holandesa Casa de Orange. Em suma, os *whigs* eram sionistas e os *tories* pró-Stuarts eram templários. E Boyle ficava no centro da teia como uma grande aranha.

Os rosa-cruzes sionistas estavam, portanto, por trás do Complô Papista, da invasão de Monmouth e (a terceira vez é a da sorte) da Revolução Sem Sangue de Guilherme. O objetivo do Complô Papista não era depor Carlos II, mas desacreditar a oposição católica; o levante de Monmouth visava destronar o rei católico; e as mesmas forças fizeram uma segunda investida com Guilherme. No início do Complô Papista, pode ter havido um contra-ataque católico através dos jesuítas e Carlos II pode ter sido envenenado, como alegava Monmouth – e um bebê pode ter sido posto às escondidas no quarto da rainha para fazer as vezes de um futuro Jaime III.

Os sionistas eram fortes, tanto na Inglaterra – desde Cromwell, quando a Franco-Maçonaria e o Rosacrucianismo eram interligados – quanto na Holanda, especialmente em Amsterdã. Eram identificados com os judeus de Amsterdã, muitos dos quais eram rosa-cruzes cabalistas, como Menasseh – e com os vários fornecedores do exército, como Salomão Medina. O testa de ferro na ponta londrina do movimento rosacruciano Londres-Amsterdã era Shaftesbury, que pagou Oates e usou o seu Green Ribbon Club como uma sociedade secreta. O testa de ferro na ponta de Amsterdã era Guilherme de Orange. Entre Shaftesbury e Guilherme havia uma multidão de intermediários, incluindo Lorde Shrewsbury e Lorde Grey, que acompanharam Monmouth durante sua rebelião, como também Henry Sidney, Edward Russell, Charles Montagu e o poeta Andrew Marvell, tesoureiro dos holandeses. Shaftesbury usou dinheiro holandês para subornar pessoas como Oates a favorecer esquemas rosacrucianos e, em 1682, acabou fugindo para a Holanda, depois de considerar a possibilidade de um levante contra o governo inglês.

Assim, a Revolução Gloriosa (e sem sangue) *foi* uma revolução. Mas, das duas, a Revolução Puritana foi mais fundamental: a Revolução Gloriosa terminou a tarefa, pôs os pingos nos "i"s ao modificar o poder real através da Declaração de Direitos.

A Revolução Gloriosa pode ser vista como o auge de uma longa revolução que começou com a Revolução Puritana. O alquimista Robert Boyle, em suas reflexões no final da vida, pode ter visto a história do século XVII como uma representação literal dos quatro estágios ou processos da alquimia rosacruciana: primeiro, a Mortificação (a humilhação e execução de Carlos I); a Purificação (o regime puritano); a Restauração (a volta de Carlos II); finalmente o Ouro (os rosa-cruzes tomam a coroa e estabelecem o padrão-ouro no Banco da Inglaterra quando Newton era Diretor da Casa da Moeda). Na alquimia, a pedra filosofal transforma metal-base em ouro (que no nível espiritual era símbolo da descoberta da Luz divina – da iluminação). A alquimia rosacruciana transformara o metal-base do absolutismo real numa próspera monarquia constitucional que operaria através de um governo de Gabinete e de um Parlamento livre ao longo do século XVIII.

Estamos agora em posição de fazer um resumo da dinâmica revolucionária. O que parecia ser uma Revolução protestante contra o católico Jaime II era na verdade um complô rosacruciano-maçônico com ajuda holandesa-judaica para criar o Banco da Inglaterra através do rosa-cruz Guilherme. À primeira vista, a visão por trás da Revolução Gloriosa parece ser o Anglicanismo protestante da Restauração, em que tinha suas raízes. Na verdade, a visão herética oculta pode ser encontrada na Rosi Crosse de Bacon. O intérprete oculto herético era o Rosacrucianismo de Andreae, que penetrou no Palatinado (ver último capítulo) e sobreviveu na corte holandesa rosacruciana de Frederico e Elizabeth Stuart, filha de Jaime I, no exílio em Haia. O originador oculto revolucionário era Boyle, Grão-Mestre do Priorado de Sião e fundador da Royal Society. O intérprete intelectual, que deu à visão oculta um novo viés, era Locke, rosa-cruz e constitucionalista *whig*, que via a relação entre o rei e o povo como um contrato social. O intérprete intelectual semipolítico que depois se tornou político era Shaftesbury, que estava por trás da Crise de Exclusão e da invasão de Monmouth. A dinâmica revolucionária inicial da Revolução Gloriosa pode ser exposta da seguinte maneira:

Visão herética oculta	Intérprete herético oculto	Originador revolucionário oculto	Intérprete intelectual reflexivo	Intérprete intelectual semipolítico
Bacon	Andreae	Boyle	Locke	Shaftesbury

A expressão intelectual se deu através de Shaftesbury, que tinha descoberto Bacon em 1637 e era grande admirador de suas ideias, e através dos membros da Royal Society rosacruciana, principalmente Boyle, Locke e Newton.

A expressão política veio através do reinado do rosa-cruz Guilherme e de sua noiva Mary, e de suas subsequentes reformas constitucionais. A casa de Orange era maçônica rosacruciana desde Frederick Henry, como é evidenciado pelo sol cheio de rosas sob o qual Guilherme e Mary se casaram, pelos dois pilares maçônicos ao lado deles e pelo olho que domina a gravura pós-1688. Há evidências circunstanciais de que o rosa-cruz Guilherme III tenha sido convidado a ir para a Inglaterra pelo maçom rosacruciano Robert Boyle da Royal Society que, como Grão-Mestre, restaurou o controle do Priorado de Sião sobre a monarquia inglesa, como é até hoje. A consolidação da Revolução Gloriosa foi em grande parte legalista e seu efeito foi entregar o Banco da Inglaterra aos rosa-cruzes e a dinastia inglesa aos descendentes do Palatinado rosacruciano, a Casa de Hanover.

A dinâmica revolucionária da Revolução Gloriosa contra Jaime II pode ser expressa da seguinte maneira:

Inspiração herética oculta	Expressão intelectual	Expressão política	Consolidação física
Bacon/Andreae	Shaftesbury/Royal Society (Boyle/ Locke/Newton/ Leibniz)	Guilherme III (Declaração de Direitos, 1689)	Irlanda (Batalha do Boyne)/ Banco da Inglaterra, 1694/ *Act of Settlement*, 1701/ Sucessão Hanoveriana

Se a revolução de Monmouth tivesse sido bem-sucedida, a dinâmica revolucionária seria a seguinte:

Inspiração herética oculta	Expressão intelectual	Expressão política	Consolidação física
Rosacrucianismo holandês/ Palatinado/ Boyle	Shaftesbury/ *Green Ribbon Club*	Monmouth	(tentativa de purgar e excluir todos os católicos e franceses da vida inglesa)

A dinâmica revolucionária da Revolução Holandesa por ser expressa da seguinte maneira:

Inspiração herética oculta	Expressão intelectual	Expressão política	Consolidação física
Rosacrucianismo sionista holandês por trás do Calvinismo	Philip Marnix, Conde de St. Aldegonde	Guilherme de Orange ("o Taciturno")	Maurício de Nassau

Podemos agora expor a dinâmica revolucionária das ideias por trás da revolução Gloriosa da seguinte maneira:

Inspiração herética oculta	Expressão intelectual	Expressão política	Consolidação física
Rosacrucianismo sionista	Royal Society	reforma constitucional de Guilherme e Mary	Terror na Irlanda/Banco da Inglaterra para financiar Rosacrucianismo

Com George I veio a Maçonaria Rosacruciana e, em 1717, formou-se na Inglaterra a Grande Loja da Franco-Maçonaria, quando quatro lojas de maçons rosacrucianos se reuniram na taverna Apple Tree, na Charles Street, Covent Garden, e se transformaram numa Grande Loja. O seu brasão foi criado por um colega de Menasseh, o judeu de Amsterdã Jacob Jehuda Leon Templo.[37]A Maçonaria inglesa estava agora unida e a Franco-Maçonaria Templária francesa foi exilada para a França. A religião da Razão, que estava no centro da Franco-Maçonaria e da visão dos *whigs*, fortaleceu seu controle sobre o país. A Idade do Racionalismo, evidente na obra de John Locke, que logo geraria a perspectiva deísta dos revolucionários norte-americanos, tinha nascido.

PARTE DOIS

RUMO A UMA
REPÚBLICA UNIVERSAL

CAPÍTULO QUATRO

A REVOLUÇÃO AMERICANA

> Dizem que Benjamin Franklin era rosa-cruz. Thomas Jefferson, John Adams e George Washington eram maçons [...[Embora esses homens fizessem parte dessas ordens, George Washington avisou a Loja Maçônica nos Estados Unidos dos perigos dos Illuminati, enquanto Thomas Jefferson e John Adams discordaram depois sobre o uso da Loja Maçônica pelos Illuminati.
>
> J. R. Church, *Guardians of the Grail*

Em certo sentido, a Revolução Americana começou com o Chá de Boston (*Boston Tea Party*), embora outros incidentes tenham contribuído para o ressentimento. Disfarçados de índios Mohawk e protegidos pela escuridão, para não serem identificados depois, de 120 a 200 homens se reuniram em tavernas, casas e armazéns, enquanto a multidão se avolumava em torno da igreja (Old South Meeting House). Todos levavam lamparinas e tochas, que tornaram a escuridão "clara como o dia". Observados por milhares de pessoas que se apinhavam nas margens, ao som de madeira rachando e de gritos indígenas, impediram que o chá desembarcasse e, portanto, que houvesse impostos a pagar. Alguns dos "índios" arrebentaram os caixotes cheios de chá e outros os despejaram pelas bordas do navio, enquanto outros vasculhavam as águas para que nenhuma folha de chá sobrevivesse de forma usável.

O Chá foi organizado por maçons[1] da Loja St. Andrew, Boston. Alguns, como Joseph Warren e Paul Revere, eram membros desde 1760 e outros, como John Hancock, desde 1762.[2] Foi uma Loja de maçons templários (que é o que eram os "Mohawks") que precipitou a revolução contra os descendentes hanoverianos do governo inglês sionista de Guilherme III.

Na verdade, a Revolução Americana começou muito antes. Para compreender suas origens, temos que recuar ao final do século XVI na Europa, onde a América era vista como uma folha em branco, uma oportunidade de começar do zero um Novo Mundo. A Revolução Americana foi uma tentativa de construir uma nova sociedade experimental com base no Templarismo Escocês Jacobita e na filosofia Atlantiana Maçônica Baconiana. Os pensadores rosacrucianos do começo do século XVII, como Bacon, tinham consciência das oportunidades que a América oferecia para a implementação de sua visão social utópica.

A ORIGEM EUROPEIA DO TEMPLARISMO NORTE-AMERICANO

Bacon e a Franco-Maçonaria inglesa

A Franco-Maçonaria inglesa, possivelmente fundada por *Sir* Francis Bacon em 1586, não era templária. Vinha de uma ordem secreta fraternal conhecida como Maçons Antigos, Livres e Aceitos.[3] Segundo antigos manuscritos maçônicos, suas origens remontam a Adão, o primeiro maçom. (A folha de figueira é simbolizada no avental maçom.) O conhecimento que Adão recebeu depois de comer o fruto da árvore proibida foi transmitido para seu filho Seth e depois para Nimrod, que construiu a Torre de Babel (que sugeria a unidade de todos os povos do mundo). A unidade de todas as religiões foi ensinada através de uma palavra secreta, Jah-Bul-on, que sugere a unidade de Yahweh, Baal e do egípcio On. Assim, a palavra secreta une as culturas judaica, babilônica e egípcia. Hiram Abiff, o mestre maçom que construiu o Templo de Salomão, não revelou essa palavra, que gravou num triângulo de ouro que usava no pescoço. Ele foi morto por três companheiros maçons e, segundo os maçons, Salomão encontrou o triângulo e o guardou-o numa câmara secreta sob o templo. Já vimos que o Templo de Salomão foi o inspirador oculto da Franco-Maçonaria.

Grupos de construtores de templos e estádios, semelhantes aos maçons, existiam na Grécia (os Dionisíacos) e em Roma (o *Collegium Muriorum*). Foram os precursores dos pedreiros e carpinteiros que criaram as grandes catedrais na Idade Média. Uma Grande Loja da Inglaterra reuniu-se em York em 926 e adotou senhas e apertos de mãos secretos através dos quais os maçons podiam identificar uns aos outros. No século XIII, formaram uma associação com sede em Colônia e lojas em Zurique, Viena e Estrasburgo. Denominavam-se "maçons" e faziam cerimônias secretas.

No final do século XVI, por instigação de Bacon, homens ilustres que não eram construtores começaram a ser admitidos na fraternidade (em geral para ajudar com dinheiro): foram chamados de maçons "aceitos". Receberam o conhecimento secreto universal da unidade e irmandade de todos os seres humanos e a Doutrina Secreta das Eras, segundo a qual e América se tornaria uma Nova Atlântida Utópica e daria origem a um mundo melhor, em que a humanidade seria deificada. Nesse paraíso, os homens seguiriam uma religião da razão, tornar-se-iam deuses e trabalhariam por uma república universal que replicaria as condições utópicas da Atlântida por todo o mundo. Enquanto isso, o conhecimento secreto seria transmitido de uma geração para outra no Templo da Franco-Maçonaria.

A Franco-Maçonaria é fundamentalmente uma ideia oculta e filosófica, que Bacon definia como filosofia existencial. Bacon, considerado o fundador da Franco-Maçonaria e da Ordem Rosa-Cruz – cujos membros preservaram o conhecimento universal, a doutrina secreta das Eras, durante a Idade Média –[4] criou sociedades secretas de intelectuais dedicados ao novo liberalismo e à liberdade civil e religiosa. Quando chegou a hora, usou a influência de seu grupo a favor do plano inglês para colonizar a América, acreditando que haveria uma grande comunidade de nações (*commonwealth*) na Nova Atlântida.[5]

Assim, parece que algumas das primeiras viagens coloniais para a América, incentivadas por Dee, tiveram o apoio emocional do maçom rosacruciano Bacon: a viagem de Frobisher (quando Bacon tinha apenas quinze anos), a de *Sir* Humphrey Gilbert e a malfadada viagem para Roanoke de *Sir* Walter Raleigh. (Raleigh, também rosa-cruz, era membro do círculo baconiano.) Pode ser que Bacon estivesse por trás da viagem do seu primo Bartholomew Gosnold, em 1602, supostamente financiada por um amigo de Cambridge, o terceiro Conde de Southampton, segundo William Strachey.[6]

Templários Escoceses

A Franco-Maçonaria Templária surgiu na Escócia quando os Templários fugiram da França, no século XIV. Os Templários (Pobres Cavaleiros de Cristo e do Templo de Salomão), uma ordem fundada em Jerusalém no ano 1118, acabaram indo para a Escócia (ver Apêndices B, Apêndice 7), com sede na preceptoria de Rosslyn. Lá, criaram a Ordem dos Cavaleiros Templários, uma ordem de maçons templários em que foi iniciada a família real escocesa, os Stuarts. Usavam o símbolo da caveira com os ossos cruzados (nas lápides dos túmulos para identificar maçons templários). Usavam também como símbolo a cruz templária num octógono e, às vezes, apenas uma forma octogonal. Punham o número 13 nos túmulos, numa referência ao dia 13 de outubro de 1307, quando morreu Jacques de Molay, o fundador da Ordem dos Templários.[7]

Jaime I chegou à Inglaterra em 1603, com um séquito de maçons templários escoceses. O templário Jaime substituiu a sionista Elizabeth I a convite de *Sir* Robert Cecil que antes exercia controle sobre Elizabeth I em nome de Sião, mas depois parece ter aderido aos Templários escoceses na esperança de controlar Jaime. Logo depois, os maçons templários abriram a primeira Loja, em York.[8] (O teatro Globo, de forma octogonal, tinha sido inaugurado em 1599, sugerindo que a influência templária já tinha chegado a Londres nessa época.) Chamavam sua Franco-Maçonaria de "Franco-Maçonaria Jacobita" (do latim *Jacobus*, que remete a Jaime ou Jacques) em memória de Jacques de Molay. Jaime e seus descendentes eram membros das Lojas Jacobitas Monarquistas.[9]

Calvinista além de templário, Jaime acreditava que o Senhor o tinha feito rei sobre Israel – e que, como "Ungido do Senhor" (como Lady Mar o chamava), governava por direito divino. Adotou as analogias israelitas usadas por seus ancestrais protestantes sionistas: Henrique VIII (que se via como Davi ou Salomão) e Eduardo VI (que se considerava o novo Josias).[10] A caminho de Londres para ser coroado, declarou que estava indo para a Terra Prometida e que via a Inglaterra como "Zion" (talvez um trocadilho com "Sion"). Gostava de ser chamado de "Salomão escocês". Seu templarismo ficava oculto sob um verniz de linguagem e de atitudes puritanas.

A Maçonaria Templária tomou as ideias da Franco-Maçonaria (isto é, a Maçonaria tradicional) e as adaptou, transformando-as num meio para obter poder político. Embora adotada por Jaime I, a Maçonaria Templária tinha como objetivo transformar o mundo numa república universal. As metas da Maçonaria Templária são essencialmente políticas (e não ocultas e filosóficas).

Viagens Utópicas à Nova Atlântida

A viagem de Bartholomew Gosnold, em 1607, deu-se em meio a controvérsias. Bartholomew Gosnold tinha passado três anos levantando fundos para a viagem através de um parente, *Sir* Thomas Smythe, e recrutando colonos e tripulantes em Otley Hall, Suffolk. Em dezembro de 1606, umas três semanas antes da partida, a organização da viagem foi assumida pelo então templário *Sir* Robert Cecil, que deu o comando da empreitada ao Almirante Newport, um amargo golpe para seu organizador, o homem que era visto como o verdadeiro líder: Gosnold. É possível que os maçons templários escoceses tenham usurpado o controle da viagem e escolhido o nome Jamestown em homenagem ao novo rei templário, cujo envolvimento pode ser aferido pela presença do Poeta Laureado no porto quando os três navios partiram. O poema de Michael Drayton entende a visão utópica dos colonos como um Novo Éden: "Conquistai a pérola e o ouro/ Esperam-vos as planícies da Virginia,/ Último paraíso na Terra".

O primeiro Conselho dos Sete da Companhia da Virginia que governou Jamestown pode ter tido como base o Conselho Templário dos Sábios: como os Templários, misturavam visão, defesa do Éden e comércio. Mesmo que Bartholomew Gosnold não fosse um templário – daí a tentativa de lhe tirar o controle –, ele tinha conhecimento do Templarismo Escocês na corte através do primo John Gosnold, chefe do cerimonial de Jaime. (Ocupara o mesmo cargo sob Elizabeth I e provavelmente ficou chocado com a chegada de templários escoceses na corte que fora dela.)

Como resultado do espírito utópico propagado por Gosnold, a América se transformou no novo foco do sonho utópico dos puritanos. A descoberta do Novo Mundo foi também um grande estímulo para os milenaristas, já que o continente americano era saudado como uma Terra Prometida, onde o paraíso poderia ser recuperado.

Apesar da morte de uns vinte homens, incluindo o próprio Bartholomew Gosnold, de disenteria e febre do pântano em agosto de 1607[11] – em reconhecimento à sua liderança, Gosnold teve um funeral militar em que toda a artilharia do forte foi disparada –, a colônia de Jamestown foi o primeiro assentamento de língua inglesa do Novo Mundo a sobreviver. Seu sucesso sob o comando da londrina Companhia da Virginia, empresa de capital social, indicou que havia um renovado interesse pela América (a nova Atlântida). Desiludidos com a Inglaterra, os utopistas e os puritanos perseguidos voltaram os olhos para o

Novo Mundo, para onde o próprio Cromwell quase chegou a emigrar em 1638. Maryland, vizinha da Virginia ao norte, tinha sido concedida pela coroa a George Calvert, Lorde Baltimore, em 1632. A colônia em Plymouth, Massachusetts, também foi financiada através de investimento privado. Os *émigrés* ingleses, separatistas religiosos de Leyden, Holanda, tinham partido no *Mayflower* em 1620. Esses fundadores de Plymouth, os *Pilgrims*, liderados por William Bradford e, a exemplo de Gosnold, dispostos a buscar a sorte no Novo Mundo, preferiam se separar da igreja da Inglaterra a reformá-la, e controlaram o governo em Plymouth até 1660. Outros puritanos, que desembarcaram na Baía de Massachusetts, esperavam reformar a Igreja da Inglaterra com seu exemplo: queriam que a colônia fosse uma Zion no agreste, um modelo de pureza. John Winthrop de Groton, Suffolk, foi o primeiro governador da Colônia da Baía de Massachusetts. Na viagem à América em 1630, compôs um sermão em que via os colonos de Massachusetts em aliança com Deus para construir "uma Cidade na Colina", uma visão utópica.

Alguns colonos acharam a ortodoxia opressiva e deixaram a Baía de Massachusetts para fundar Connecticut, Rhode Island, New Hampshire e Maine. New Netherland tinha sido fundada em 1624 pela Companhia Holandesa das Índias Ocidentais. Os ingleses a tomaram em 1664 e mudaram seu nome para Nova York, em homenagem ao irmão de Carlos II, Jaime, Duque de York. Nova York tornou-se então uma colônia real quando Jaime foi coroado Rei da Inglaterra como Jaime II, em 1685.

A Pensilvânia surgiu a partir de uma concessão de terra que Carlos II fez a William Penn às margens do Rio Delaware, enquanto Nova Jersey era parte de um território cedido a Jaime, Duque de York, em 1664. Os oito proprietários ingleses das Carolinas começaram a colonizar os novos territórios em 1663, esperando cultivar seda – a coroa inglesa tinha feito concessões de terra em 1629 – e os proprietários da Georgia, liderados por James Oglethorpe, planejavam importar devedores, que se reabilitariam através do trabalho lucrativo.

Em todos esses lugares, os proprietários fizeram experimentos utópicos com objetivos comerciais, mas nem todos tiveram sucesso. Trabalhavam com o conceito de comunidade autossustentável, onde a liberdade religiosa prevaleceria, sem a interferência do Estado ou da Igreja inglesa. O que restou do Utopismo acabou passando para sociedades secretas, onde seria preservado como Franco-Maçonaria.

Templários Jacobitas e o Sionista Radclyffe

A principal sociedade secreta maçônica se formou em torno dos jacobitas. Com a presença de Jaime II na Irlanda, seus seguidores ficaram conhecidos como jacobitas irlandeses. Em 1701, depois da morte de Jaime II, seu filho Francis Edward Stuart James foi proclamado Rei da Inglaterra pelo rei francês Luís XIV. Mas, como James – que tinha apenas 13 anos e vivia em exílio na França – era católico, o Parlamento o excluiu sumariamente do trono. Com o Ato de Sucessão de 1701, os Stuarts católicos foram excluídos da sucessão ao trono inglês. Os partidários de James, também conhecidos como jacobitas, queriam que o jovem Jaime se tornasse rei no lugar da Rainha Anne. Assim, em 1708, James partiu com navios franceses para invadir a Escócia. Foi expulso pelos ingleses antes mesmo de desembarcar. Lutou depois com o exército francês na Guerra da Sucessão Espanhola (1701-14).

A Rainha Anne morreu em 1714 e James foi procurado por Robert Harley e pelo Visconde Bolingbroke, que lhe sugeriram abraçar o Anglicanismo para se tornar herdeiro do trono inglês. James se recusou a renunciar ao Catolicismo, mas organizou outra invasão. John Erskine, Duque de Mar, liderou uma rebelião jacobita na Escócia no verão de 1715. Mar avançou até Perth e combateu Argyll na batalha de Sheriffmuir no dia 13 de novembro. No dia 22 de dezembro, James desembarcou em Peterhead, Aberdeen, tarde demais para fazer qualquer coisa além de organizar a fuga de seus principais partidários para a França. Em fevereiro de 1716, a rebelião já tinha perdido a força e James estava de volta à França. Passou o resto da vida em Roma ou em seus arredores (sem se deixar afetar por outro levante jacobita nas Terras Altas da Escócia, que contou com a ajuda da Espanha mas foi rapidamente debelado em Glemshiel, em 1719).

No dia 4 de janeiro de 1717, os Stuarts escoceses foram formalmente mandados para o exílio permanente na França. Com eles, foi também a Franco-Maçonaria Templária Jacobita.

Para unificar a resistência inglesa ao Templarismo Jacobita, a Franco-Maçonaria, sionista e rosacruciana, tornou-se uma "Grande Loja Unida" em junho de 1717. Com isso, a monarquia inglesa e a Igreja da Inglaterra se tornaram subservientes à Maçonaria Rosacruciana. A partir de 1737, todos os monarcas homens foram maçons, enquanto o chefe da Igreja Anglicana é um maçom rosacruciano. A Maçonaria Sionista Rosacruciana controla tanto a Coroa quanto a Igreja.[12] O objetivo político da Maçonaria Sionista é chegar a um reino mundial, governado pelo rei de Jerusalém, e não a uma república universal.

Em 1725, os simpatizantes dos Stuarts exilados que viviam na França (e não na Itália) fundaram a primeira loja templária francesa e a usaram para manter viva a causa jacobita em torno do filho do pretendente ao trono, Carlos Eduardo Stuart (1720-1788).

Depois da morte de Isaac Newton, o Priorado de Sião escolheu como Grão-Mestre Charles Radclyffe, que parece ter fundado a primeira Loja templária francesa, em 1715.[13] Em 1727, ele era um cavaleiro templário sediado em Paris e é provável que estivesse espionando os Templários para Sião, sob o pretexto de viabilizar uma união entre Sião e os Templários. Charles Radclyffe tinha lutado em 1715 com seu irmão Jaime, que foi executado. Preso, fugiu para a França, onde foi acolhido pelos jacobitas como aliado de confiança. Sua mãe era filha ilegítima de Carlos II e, como neto do rei, era primo de Carlos Eduardo Stuart, o que fortalecia ainda mais sua credibilidade como jacobita.

Como Grão-Mestre do Priorado de Sião, Radclyffe focalizou a atenção no "rei de Jerusalém" merovíngio, Nicolas-François de Lorraine, o Duque de Lorraine. Em 1729, François foi para a Inglaterra e lá ficou durante dois anos, tornando-se membro do Clube do Cavalheiro Rosa-Cruz, em Spalding. Isaac Newton tinha sido membro desse clube. O poeta Alexander Pope também era membro (o que explica talvez os "silfos" rosacrucianos no poema *The Rape of the Lock*), assim como o Doutor Desaguliers, um dos fundadores da Grande Loja Rosacruciana e líder da Royal Society, ao lado de Newton.[14] Em 1731, Desaguliers visitou Haia e iniciou o Duque de Lorraine na Franco-Maçonaria, além de manter contato com um templário no exílio, Chevalier Ramsay, que visitou a Inglaterra na mesma época que François e entrou para a Royal Society. Radclyffe enviou Lorraine e Ramsay para o Continente para enfraquecer o trono francês. (Em 1737, Ramsay fez um famoso discurso pró-templário em Paris, diante da Grande Loja da França, presidida por Radclyffe. Nesse discurso, Ramsay disse que a Franco-Maçonaria foi da Escócia e da Inglaterra para a França – uma tentativa sionista de afastar os Stuarts templários dos tronos escocês e inglês.)

A Revolução de Bonnie Prince Charlie

Em 1742, Radclyffe era secretário de Carlos Eduardo Stuart e ficou sabendo que este planejava invadir a Escócia para tomar o trono inglês.[15] Como Grão-Mestre do Priorado de Sião, procurou evitar o complô, empregando para isso um protestante alemão chamado Karl von Hundt, ou Hund, que foi recebido entre os Cavaleiros Templários por alguém que parecia ser Carlos Eduardo Stuart.

Na verdade, era Radclyffe disfarçado. Fazendo-se passar pelo príncipe, disse a Hund que planejava reivindicar a coroa inglesa em Londres e lhe deu permissão para levar o embrionário Rito Escocês da Franco-Maçonaria para a Alemanha. Com isso, Radclyffe esperava que Hund alertasse Londres. Mas Hund voltou para a Alemanha e formou o que seria o Rito da Estrita Observância. Passou dez anos à espera de ordens que nunca vieram. No início dessa longa espera, revelou os planos de Carlos Eduardo Stuart, de reivindicar a coroa inglesa.

Em julho de 1745, Carlos desembarcou no oeste da Escócia com cerca de doze homens. As Terras Altas se rebelaram e ele entrou em Edimburgo no dia 17 de setembro, com 2.000 homens. Foi admitido na Ordem dos Cavaleiros Templários no dia 24 de setembro e é provável que, lá, tenha ficado sabendo da tentativa sionista rosacruciana de impedir seu avanço para o trono escocês. Derrotou o exército de *Sir* John Cope em Prestonpans e, senhor da Escócia, cruzou a fronteira inglesa em novembro, com 5.500 homens. Avançou até Derby e então, confrontado por 30.000 soldados do governo, recuou para a Escócia. No dia 16 de abril de 1746, o Duque de Cumberland o derrotou em Culloden Moor, em Invernesshire. Em torno de 80 rebeldes foram executados. Durante uns cinco meses, Carlos foi perseguido por grupos de busca do governo. Acabou fugindo para a França de barco, onde se tornou novamente "o Rei de Além-mar".

Embora fosse secretário de Carlos, Radclyffe não viajou com ele. Não se sabe por quê. (Estaria organizando a derrota de Carlos?) No final, foi capturado num navio francês perto de Dogger Bank e decapitado na Torre de Londres, como jacobita templário, aliado dos invasores.

Os Templários do Rito Escocês e o Sionista Charles de Lorraine

A Franco-Maçonaria Jacobita do Rito Escocês (em oposição ao Templarismo Jacobita) parece ter sido idealizada por Radclyffe e fundada em 1747 por Carlos Eduardo Stuart.[16] Na carta de fundação, Carlos escreveu: "nossas tristezas e infortúnios (vieram) através daquela Rose Croix". Voltou então a atenção para o trono francês rosacruciano para vingar Jacques de Molay.

Alguns exilados jacobitas levaram consigo para a América essas atitudes e alguns maçons norte-americanos começaram a ouvir falar de mudanças no Priorado de Sião. Em 1746, o Grão-Mestre era Charles de Lorraine, irmão mais novo de François Duque de Lorraine, o "Rei de Jerusalém", que o tinha nomeado.[17]

François foi iniciado na Maçonaria Rosacruciana em 1731. Em 1735, seu casamento com a merovíngia Maria Theresa von Habsburg da Áustria reuniu os títulos de "Rei de Jerusalém" e "Imperatriz do Sacro Império Romano" numa só família, que possuía a Lança do Destino, propriedade dos Habsburgos. (Trata-se da lança de Longinus, que perfurou o lado de Cristo na cruz. Dizia a lenda que o possuidor dessa lança governaria o mundo.) Assim, o Messias de Israel poderia nascer em breve em Viena, como filho do casal: seria o Rei Perdido da linhagem do Santo Graal. A Áustria se tornaria a maior das Grandes Potências se anexasse a França, e François e Maria casaram a filha Maria Antonieta com Luís XVI, o rei Bourbon da França. A Casa de Lorraine tinha assim conquistado o trono da Áustria, o Santo Império Romano e uma grande influência na França. Essa conexão foi boa para Charles de Lorraine porque, em 1744, tinha se casado com a irmã de Maria Theresa, Mari Anne, e se tornado comandante em chefe do exército austríaco.[18]

Frederico o Grande (II) da Prússia, que percebera que o Templarismo Jacobita planejava derrubar o rei francês, foi iniciado na Franco-Maçonaria Templária em Brunswick, no dia 14 de agosto de 1738, logo depois do discurso de Ramsay. Quando se tornou rei da Prússia em 1740, iniciou dois dos seus irmãos no Templarismo[19] e convidou também Voltaire. Este tinha sido agente do Priorado de Sião depois de passar dois anos (1726-8) em Londres, onde teve como mentor Alexander Pope,[20] conheceu Newton e outros rosa-cruzes da Royal Society, leu Locke e (segundo o Barão von Knigge) entrou para a Maçonaria Rosacruciana em 1728. Voltaire influenciou Frederico, que passou a ver o Templarismo como uma Ordem Continental, de acordo com o discurso de Ramsay.

Como resultado do encontro entre Frederico e Voltaire, foram acrescentados outros graus à Franco-Maçonaria Templária, que passou por uma renovação. Em 1746, Frederico tinha fundado quatorze lojas templárias.[21] Frederico era agora um líder na Franco-Maçonaria Templária e usou as lojas do Rito Escocês para indispor a França e a Áustria, até então aliadas, com a intenção de tomar o trono francês. O rei francês ficou inquieto, mas Voltaire voltou para a Prússia em 1750 e desviou a atenção de Frederico do trono francês para a Igreja Católica. Em 1755, a Maçonaria norte-americana ouviu dizer que, na Europa, o Rito Escocês Templário tinha agora 32 graus. Charles de Lorraine, Grão-Mestre do Priorado de Sião e comandante em chefe das forças armadas da Áustria, comandou os exércitos austríacos contra a Prússia em várias batalhas entre Sião e os Templários: na última, em 1757, Sião/Áustria perdeu. Charles foi demitido do cargo de comandante em chefe pela Imperatriz Maria Theresa, sua cunhada, e voltou para a capital de Lorraine, Bruxelas, onde procurou continuar o trabalho de Sião.

Os Illuminati Sionistas de Weishaupt e o Templarismo

A visão do originador revolucionário pode ser encontrada no pensamento de Adam Weishaupt, que tinha sido escolhido por Charles de Lorraine para fundar uma sociedade secreta que penetrasse no Templarismo, transformando-o em células revolucionárias francesas que impedissem Frederico o Grande de tomar o trono francês.[22] A meta de Sião era derrubar a dinastia Bourbon e criar uma república democrática através de uma coalizão com os Templários. A incumbência de Weishaupt era efetuar essa derrubada e dar forma à Nova Atlântida no Novo Mundo.

Filho de um rabino judeu, Weishaupt era ex-padre jesuíta e professor de Direito Canônico na Universidade de Ingolstadt. Foi instruído por Charles de Lorraine e pelos Rothschilds judeus (que eram maçons) a deixar a Igreja Católica e unir todos os grupos ocultos, principalmente o Sionismo e o Templarismo. Weishaupt teve uma influência templária sobre a Revolução Americana.

Trabalhando com Mayer Amschel "Rothschild", um sionista, fundou a Ordem dos Perfectibilistas (um nome que lembra os Perfeitos cátaros) no dia 1º de maio de 1776. (Por isso o dia 1º de maio – Dia de Maio (May Day) – é comemorado nos Estados Unidos. Por isso também "mayday" é um sinal usado em radiotelefonia como pedido de auxílio em desastres: o dia da fundação da Ordem de Weishaupt foi universalmente considerado como um dia catastrófico.) Originalmente, havia cinco membros: Wessely, Moses Mendelssohn e os banqueiros Itzig, Friedlander e Meyer, que estavam todos sob a direção da recém-formada Casa de Rothschild. O nome da Ordem foi logo mudado para Ordem dos Antigos e Iluminados Profetas da Baviera e depois para Ordem dos

Adam Weishaupt

Illuminati Bávaros, que logo se tornou "Ordem dos Illuminati".[23] Seguia a razão e contestava a religião estabelecida.

Weishaupt tinha estudado os vários escritos maçônicos quando conheceu um maçom protestante de Hanover. Depois, sua visão iluminatista penetrou na Franco-Maçonaria, que tinha absorvido a interpretação oculta de Bacon. Weishaupt pretendia fomentar a revolução na Europa. Fundou a Ordem da Aurora Dourada, uma ordem hermética que foi revivida nos anos 1880, e defendeu a substituição do Cristianismo por uma religião da Razão e a implantação de um governo mundial franco-maçônico, supostamente para "evitar guerras futuras".

As metas revolucionárias de Weishaupt eram resumidas da seguinte maneira para os iniciados que alcançavam o segundo grau (Minerval): "(1) Abolição de todo e qualquer governo regular; (2) Abolição da propriedade privada; (3) Abolição da herança; (4) Abolição do patriotismo; (5) Abolição de toda e qualquer religião; (6) Abolição da Família (via abolição do casamento); (7) Criação de um Governo Mundial".[24] Os membros de sua ordem eram todos rosa-cruzes e templários, que trabalhavam juntos para viabilizar a Ordem do Novo Mundo, almejada tanto por sionistas quanto por templários.

Weishaupt copiou a estrutura dos jesuítas em sua nova sociedade secreta, mas seguia os ritos egípcios de Ormus, ritos do Priorado de Sião. (Ormus – do francês *Orme*, que significa "olmo" e remete ao corte do olmo em Gisors em 1188 – era outro nome do Priorado de Sião.)[25] Iniciou a sociedade de forma não oficial em 1771, quando estava na universidade, e os alunos foram seus primeiros iniciados não oficiais. Em 1771, conheceu um comerciante de Jutland chamado Komer, que o iniciou na Rosa-Cruz egípcia. Ao voltar do Egito para a Alemanha, pouco antes do encontro com Weishaupt, Kolmer tinha parado em Malta e encontrado Cagliostro. Os dois fizeram uma apresentação pública de mágica e foram expulsos da ilha pelos Cavaleiros de Malta. Kolmer passou cinco anos iniciando Weishaupt em sua doutrina secreta: terminou em 1776. As únicas menções históricas a Kolmer são referentes a Malta em 1771 e a Weishaupt antes de 1776: fora isso não há nenhum vestígio dele e pode ser que Komer fosse um pseudômino de Charles de Lorraine, o Grão-Mestre do Priorado de Sião.[26]

Parece também que Charles de Lorraine deu uma tarefa a Cagliostro em Malta: transformar os maçons templários em revolucionários e unir a Franco-Maçonaria Rosacruciana e Templária. Para atingir esses fins, ele seria a ligação de Charles de Lorraine com Weishaupt. A *Encyclopedia of Freemansory* de

Mackey diz que o verdadeiro nome de Cagliostro era Joseph Balsamo, que é mencionado nos documentos do Priorado como tendo o mesmo *status* dos Grão-Mestres do Priorado. Em abril de 1776, foi iniciado na Maçonaria Rosa-cruciana na Loja Esperança nº 289, na Taverna King's Head. Passou então a ser "subsidiado" por vários homens abastados.[27]

Quando fundou os Illuminati em maio de 1776, Weishaupt assumiu o codinome Spartacus e, em 1777, foi iniciado na Franco-Maçonaria francesa, fundada em 1772 pelo Duque de Orléans, primo do rei Bourbon da França. Um dos primeiros iniciados de Weishaupt, o Duque de Orléans já tinha sido iniciado na Grande Loja Francesa da Franco-Maçonaria e foi eleito Grão-Mestre em 1771.[28] Um ano depois, fundou na França a Loja Secreta Grande Oriente. O nome Grande Oriente vem de uma fala de Lúcifer no ritual Máximo de Éfeso, usado para iniciar Juliano o Apóstata: "Sou o Oriente, sou a Estrela da Manhã".[29] Weishaupt ocultou os três graus dos Illuminati nos primeiros três graus da Franco-Maçonaria do Grande Oriente, do Duque de Orléans.[30]

Como resultado de todos esses acontecimentos na Europa Continental, o Templarismo Jacobita Escocês, embora enfraquecido por ter sido deportado da Inglaterra, ficou fortalecido na França e na Prússia – ironicamente, graças às atividades de inteligência dos agentes sionistas Radclyffe e Voltaire. E os revolucionários norte-americanos, precisando de uma organização que os ajudasse a enfrentar os colonialistas ingleses sionistas, recorreriam naturalmente à principal alternativa franco-maçônica nesse momento: o Templarismo.

A REVOLUÇÃO AMERICANA CONTRA O COLONIALISMO INGLÊS

O Templarismo Norte-Americano

Se é que a Maçonaria Sionista ou Templária não chegou aos Estados Unidos em 1607, com certeza chegou em 1653, quando a continuação de *A Nova Atlântida* – supostamente escrita por Bacon, que inclui um cronograma da realização do Grande Plano maçônico para os Estados Unidos – foi levada para Jamestown por um descendente de Bacon, Nathaniel Bacon, e enterrada numa câmara secreta na primeira igreja de tijolos construída em Bruton, Williamsburg. Thomas Jefferson parece ter sido o último a ler essa obra.

O grupo do Conde de Shaftesbury, formado nos anos 1660 para fomentar o comércio com as colônias do sul, introduziu mais um contato rosacruciano. (John Locke, secretário desse grupo, redigiu uma constituição para a nova colônia de Carolina.) Em 1773, a Maçonaria Rosacruciana entrou mais formalmente nos Estados Unidos: nesse ano, a Loja St. John foi criada em Boston, que se tornou a capital maçônica das colônias inglesas na América. Em 1737, já havia lojas em Massachusetts, Nova York, Pensilvânia e Carolina do Sul, todas empenhadas em implementar a Doutrina Secreta e o Grande Plano para uma Nova Atlântida Utópica.[31]

O monopólio da Maçonaria Rosacruciana nas colônias foi desafiado em 1756, quando o Templarismo Jacobita Escocês chegou a Boston. A interação do século XVII entre a Franco-Maçonaria e o Rosacrucianismo, que gerou o Rosacrucianismo sionista (e levou às Revoluções Puritana e Gloriosa), passou por uma mudança no século XVIII. O Templarismo estava agora estabelecido lado a lado com o Sionismo e seria responsabilizado por duas outras revoluções. Em 1746, depois da derrota de Carlos Eduardo Stuart, o Jovem Pretendente, muitos jacobitas templários escoceses e irlandeses tinham fugido para a América e alguns trouxeram consigo o Rito Escocês francês, fundado por Carlos Eduardo Stuart. Em vez da "Grande Loja da Inglaterra", o Templarismo oferecia a "Grande Loja da Escócia", com um número maior de graus. A Loja St. Andrew, em Boston, era a sede do Rito Escocês Americano Templário. (Já vimos que alguns dos "mohawks" do Chá de Boston tinham entrado para a St. Andrew já em 1760.) Em 1769, a Loja passou a oferecer um novo grau, o Grau de Cavaleiro Templário. Logo depois, outro ramo do Templarismo, a Grande Loja de York, fundou Lojas na Virginia. Esse Rito de York oferecia treze graus (lembrando a morte de De Molay no décimo terceiro dia do mês). A Maçonaria da Grande Loja Irlandesa também chegou ao Novo Mundo.[32]

Franklin

Nesse cenário, surgiu a figura dominante de Benjamin Franklin. Nascido em Boston, era o décimo filho numa família com dezessete. Estudou até os 10 anos de idade e depois foi ser aprendiz numa gráfica. Em 1721, fundou um jornal semanal, o *New-England Courant*, que foi proibido. Mudou-se então para a Filadélfia. Logo depois de sua chegada, conheceu sua futura mulher, Deborah Read, quando saía de uma padaria, cansado e faminto, comendo um pãozinho. Hospedou-se na casa da família dela e, em 1724, o Governador Real da colônia da Coroa, *Sir* William Keith, lhe pagou para voltar à Inglaterra e fazer contatos com livreiros e livrarias. Quando chegou a Londres, descobriu que não havia nenhuma carta de apresentação, como Keith havia prometido. Inconfiável, Keith costumava fazer promessas que não pretendia cumprir.

Franklin trabalhou como impressor em Londres, até 1726. Um companheiro de navio na viagem a Londres, Thomas Denham, ofereceu-lhe então o cargo de balconista numa loja que tinha na Filadélfia e Franklin voltou para lá. Mas Denham morreu e Franklin voltou para a impressão, em parceria com um amigo. Em 1727, fundou um clube de debates chamado Leather Apron (Avental de Couro). O clube precisava de livros e essa demanda acabou levando à fundação da Library Company of Philadelphia. Deborah tinha se casado, mas o marido a tinha deixado. Em 1730, Franklin teve um filho com uma mulher desconhecida e, no mesmo ano, casou-se com Deborah. Em 1729, escrevera *A Modest Enquiry into de Nature and Necessity of a Paper Currency*, o que lhe valeu um convite para imprimir o papel-moeda da Pensilvânia. Tornou-se rapidamente um impressor conhecido e começou a imprimir um jornal, a *Pennsylvania Gazzette*.

Benjamin Franklin

Em fevereiro de 1731, Franklin se tornou um maçom rosa-cruz sionista[33] e, em 1734, tornou-se Grão-Mestre Provincial da Pensilvânia. Nessa época, já era muito próspero: tinha investido em imóveis e se associado a outros impressores nas Carolinas, nas Índias Ocidentais e em Nova York. Tinha também se tornado sócio de uma firma de impressão, a Franklin & Hall, que lhe rendeu uma retirada de 500 libras anuais durante dezoito anos.

Em 1736, tendo publicado um material relativo aos conselhos indígenas, tornou-se um estudioso da constituição dos índios iroqueses, que é talvez a mais antiga do mundo – a Liga começou por volta do ano 1000 d.C. segundo alguns e, segundo outros, em 1390 ou 1450. Antes de Colombo, os "selvagens" do Novo Mundo tinham formado uma federação a ser invejada. Os índios do nordeste dos Estados Unidos estavam sempre em guerra, até que Deganwidah, um huroniano de Ontário, propôs a criação de uma liga de cinco nações indígenas. Hiawatha, seu porta-voz, negociou com as nações em guerra e os Senecas, Onongadas, Oneidas, Mohawks e Cayugas formaram uma união federal, a que se juntaram os Tuscaroras em 1714.

Em 1714, num desses conselhos, representantes de Maryland, Virginia e Pensilvânia se reuniram com os chefes da Liga dos Iroqueses e firmaram uma aliança anglo-iroquesa para bloquear o domínio da França no Novo Mundo. Os colonos impediriam os imigrantes escoceses e irlandeses de ocupar terras indígenas e, em troca, os índios apoiariam os ingleses contra a França. No dia 4 de julho, o porta-voz indígena no conselho, Canassatego, recomendou que as colônias se unissem, como tinham feito os índios muito tempo antes.[34]

Franklin acompanhou o Conselho e leu *History of the Five Indian Nations Depending on the Province of New York in America*, de Cadwallader Coden. Em 1751, escreveu: "Sou da opinião [....] que garantir a amizade dos índios é da maior importância para estas colônias [...] Para isso, o meio mais seguro é regular o comércio indígena, de maneira a convencê-los (os índios) de que, com os ingleses, terão as mercadorias melhores e mais baratas, e os negócios mais justos [...] Os colonos devem aceitar o conselho iroquês e formar uma união em defesa comum sob um governo federal comum [...] se seis nações de selvagens ignorantes foram capazes de formar um esquema para uma tal União e de executá-lo de tal maneira que subsiste há séculos, parecendo indissolúvel, seria muito estranho se uma união semelhante fosse impraticável para dez ou doze colônias inglesas."[35] Em 1753, Franklin se tornou diretor geral dos correios das colônias norte-americanas. O diretor dos correios tinha acesso a todas as cartas e comunicações e era como que um agente de inteligência. Franklin foi um dos comissários da Pensilvânia numa reunião com seis nações indígenas em Carlisle, Pensilvânia.

Em 1754, os franceses estavam desrespeitando os limites do território colonial inglês e o Congresso de Albany se reuniu para confirmar a Aliança Anglo-Iroquesa e adotou o Plano de União de Franklin, um plano para a união das 13 colônias de acordo com a proposta de Canassatego. O plano previa uma política de defesa comum contra a França e relações com os índios. Franklin baseou seu Plano de União na Liga de Nações Iroquesas, que se mantinha com sucesso há pelo menos quatro séculos. Propôs que um presidente geral apontado pela coroa fosse o líder das colônias (antecipando o cargo de Presidente dos Estados Unidos), e que cada estado mantivesse sua soberania e sua constituição interna. Na Liga Iroquesa, todos os estados tinham que concordar com qualquer ação antes que ela fosse implementada. Franklin propôs um único Grande Conselho, como o Grande Conselho Iroquês, em vez das duas câmaras inglesas. O número de representantes de cada colônia dependeria do tamanho da população de cada uma: o número de membros das seis nações indígenas também variava. Franklin sugeriu 48 representantes, contra os 50 da Liga Iroquesa. Estabeleceu um meio-termo entre a coroa e os Iroqueses no que dizia respeito à conscrição militar, já que a coroa permitia o alistamento forçado e os Iroqueses não. Franklin propôs então que fosse ilegal recrutar homens nas colônias "sem o consentimento desta legislatura". Regulamentou também o comércio e proibiu os colonos de tomar terras iroquesas.

Com isso, Franklin antecipou a união das treze colônias e seu sistema federal de governo. Mas o Plano Albani não foi adotado pelas legislaturas e os ingleses, temendo que uma América unida fosse difícil de controlar, também rejeitaram a proposta de Franklin. (A vida espiritual dos índios norte-americanos também influenciaria o caráter e a cultura dos Estados Unidos, e a religião indígena – definida por D. H. Lawrence no ensaio *New Mexico* como "uma religião ampla e pura, sem ídolos nem imagens, nem mesmo mentais" e como "uma religião cósmica... que não se fragmenta em deuses e sistemas específicos" que "precede o conceito de deus, sendo portanto maior e mais profunda do que qualquer religião que tenha um deus" – influenciaria norte-americanos como Emerson, Thoreau, Whitman e Frost com o seu universalismo místico.)

Em 1756, Franklin foi admitido na Royal Society rosacruciana *in absentia*, por descobrir que o raio e a eletricidade são a mesma coisa.[36] Em 1757, foi para Londres representando a Pensilvânia numa disputa sobre terras reivindicadas pela família de William Penn e ficou até 1762 na Inglaterra e na França. Franklin foi iniciado como rosa-cruz em Londres durante essa estadia.[37]

Aparentemente trabalhando agora para o Priorado de Sião de Boyle, Franklin esteve de novo na Inglaterra entre 1764 e 1775, quando descobriu a Doutrina Secreta da Franco-Maçonaria Inglesa de criar um Novo Mundo democrático ou uma "Atlântida filosófica" na América (o que Bacon tinha ocultado em *A Nova Atlântida*). Esse era um projeto maçônico para a América. Franklin ficou amigo de *Sir* Francis Dashwood que, como ele fora, era diretor geral dos correios, um templário jacobita cujos amigos eram partidários de Carlos Eduardo Stuart. Ficou hospedado na casa de Dashwood, em West Wycomb, nos verões de 1772, 1773 e 1774.[38]

Franklin foi embaixador colonial na França e fez de Paris sua base de trabalho. Entre seus assistentes estavam Silas Deane e Arthur Lee, favoráveis ao Comitê do Congresso para Correspondência Secreta (a rede de espionagem norte-americana). Franklin já era maçom rosa-cruz desde 1731, atuando como agente duplo à maneira de Radclyffe, e agora se tornava um maçom templário através do amigo no serviço postal. Os membros templários do Parlamento levantavam dinheiro secretamente para atividades anti-Inglaterra na América e o enviavam para Franklin em Paris, que o enviava para a América do Norte pelo correio ou comprava armas e suprimentos militares na França. A irmã de Franklin, que espionava para ele, apresentou-o aos irmãos Howe (um era general e o outro almirante), encarregados das forças inglesas na América do Norte. Os dois eram maçons templários.[39]

Os Templários e o Chá de Boston

O império britânico na América do Norte tinha se expandido depois do final da guerra entre franceses e índios em 1763. Com necessidade de mais tropas e mais recursos, os ministros ingleses, apoiados por George III, sentiram que as colônias deviam contribuir. Impuseram então vários impostos – sobre o açúcar (1764), sobre selos e quaisquer papéis impressos (1765) e sobre o chá, conforme o *Townshed Act* (1767). Além disso, as colônias arcariam com os custos de aquartelamento das tropas inglesas. Os patriotas resistiram.

A Maçonaria Templária disputava agora com a Maçonaria Rosacruciana Sionista o controle da Nova Atlântida na América. Esse conflito se manifestou primeiro em 1761, em Boston, entre a loja sionista de St. John e a loja templária de St. Andrew. Os Templários, que incluíam John Hancock e Paul Revere, tinham o apoio dos templários de Virginia, principalmente Patrick Henry e Richard Henry Lee que, em 1769, persuadiu a Assembleia da Virginia a condenar o governo inglês. (Inspirados pela argumentação que James Otis apresentou em 1761 na State House (sede do governo) contra a política da Coroa britânica de usar mandatos de busca sem especificar a acusação, defendiam o direto dos colonos de serem representados antes de serem taxados.) Em 1770, na praça ao lado da State House, ocorreu o Massacre de Boston, quando sentinelas inglesas mataram a tiros cinco manifestantes. A loja de St. John ficou a favor das sentinelas, a de St. Andrew ficou a favor dos manifestantes.[40]

A partir daí, houve conflito aberto entre a Inglaterra e as colônias norte-americanas. Em 1770, no dia seguinte ao Massacre de Boston, os cidadãos se reuniram na igreja, a Old South Meeting House, e exigiram a remoção das tropas britânicas de Boston. As tropas foram removidas para Castle Island e os impostos, com a exceção do imposto sobre o chá, foram revogados. A calma prevaleceu e, através dos Comitês de Correspondência, os norte-americanos concordaram em boicotar o chá, afirmando que o Parlamento não tinha direito de taxar as colônias. George III declarou: "É evidente que deve sempre haver um imposto para manter o direito e, assim, aprovo a taxação do chá". Em 1771, treze rebeldes foram executados por traição na Carolina do Norte. No ano seguinte, dois maçons templários, John Brown e Abraham Whipple, incendiaram um navio da alfândega perto da costa de Rhode Island.[41]

No entanto, até a Lei do Chá (*Tea Act*), em 1773, não havia um movimento unificado de resistência nacional. Essa lei foi aprovada pelo Parlamento inglês porque a Companhia das Índias Ocidentais inglesas, que tinha o monopólio do fornecimento de chá para a América, estava à beira da falência e tinha quase oito milhões de quilos de chá encalhados nos armazéns de Londres. Com a Lei, a Companhia recebia do Parlamento um subsídio de dois *shillings* por quilo de chá vendido na América e tinha permissão para enviar 600 caixas de chá a mais para Nova York, Filadélfia e Boston. O governo britânico aumentou o imposto sobre o chá para impedir a falência da Companhia das Índias Ocidentais. Usando "consignatários" (ou seja, os *tories* amigos do Governador Real Thomas Hutchinson), conseguiu minar a concorrência local na América e vender com lucro os estoques excedentes. Essas vendas, por sua vez, geravam o imposto de três *pennies* sobre o chá, a que tantos se opunham. Os comerciantes locais ficaram ultrajados com o que consideravam uma ameaça ao livre-comércio.

O primeiro dos três navios de chá entrou no porto de Boston no dia 27 de novembro.[42] Cinco mil cidadãos revoltados se juntaram na Old South Meeting House. Por lei, a carga não podia ser mandada de volta à Inglaterra e, a menos que fosse descarregada e o imposto fosse pago em vinte dias, o governador podia confiscá-la. Durante três semanas, uma multidão se aglomerou em torno da Old South Meeting House, enquanto se resolvia em reunião que "o chá não devia ser desembarcado". O governador não cedia e, às vésperas do prazo final, com 7.000 pessoas em torno da Meeting House, Samuel Adams declarou: "Cavalheiros, esta reunião não pode fazer mais nada para salvar o país!"[43]

O Chá de Boston começou na Old South Meeting House, na noite de 17 de dezembro de 1773. Todos se dirigiram ao Cais de Griffin, onde os três navios estavam ancorados. O que aconteceu em seguida está descrito no diário de bordo do *Dartmouth*: "Entre seis e sete da noite, chegou ao cais um grupo de umas mil pessoas. Entre elas, várias estavam vestidas como índios e gritavam. Subiram a bordo e, depois de advertir a mim e ao oficial da Alfândega para que não interferíssemos, desceram ao porão, onde havia 80 caixas inteiras de chá e mais 34 pela metade. Eles as içaram para o convés e as fizeram em pedaços, jogando o chá ao mar, onde estragou e se perdeu".[44]

De 120 a 200 maçons templários da loja de St. Andrew tinham se vestido como índios Mohawk num ato claramente ensaiado. Tinham se encontrado na Sala Longa do Templo Maçom, que fora a taverna Green Dragon, onde já havia outros grupos reunidos: o Clube da Sala Longa (incluindo o Grão-Mestre de St. Andrew, Joseph Warren), o Comitê de Correspondência (que incluía Joseph Warren e Paul Revere) e os Filhos da Liberdade (incluindo Samuel Adams). Juntos, esvaziaram 342 caixas de chá,[45] pesando uns 170 quilos cada uma e destruíram 60 toneladas de folhas de chá, o suficiente para fazer 24 milhões de xícaras. Alguns patriotas gritavam: "O Porto de Boston é um bule de chá". John Adams escreveu em seu diário: "Acreditem, não eram Mohawks comuns... Esse é o momento mais magnífico! Há uma dignidade, uma majestade, uma qualidade sublime nesse último esforço dos patriotas que eu muito admiro. O povo só deveria se erguer para fazer alguma coisa a ser lembrada – alguma coisa notável e de impacto. Essa destruição do chá é tão corajosa, tão ousada, tão firme, intrépida e inflexível, e deve ter consequências tão importantes e duradouras, que só posso considerá-la como um marco na história!"[46]

Naquela noite não houve comemoração. As ruas estavam silenciosas. John Adams escreveu: "A cidade de Boston nunca esteve tão silenciosa e calma num sábado à noite". Ninguém divulgou os nomes dos manifestantes para os investigadores do Governador Hutchinson e havia apreensão a respeito da possível reação da Inglaterra.[47]

A reação veio seis meses depois. Em maio de 1774, chegou um navio com notícias sobre a retaliação do rei George III: quatro leis punitivas, chamadas de Leis Intoleráveis (ou Leis Coercitivas), aprovadas pelo Parlamento inglês. Eram quatro medidas punitivas. A colônia de Massachusetts teve a sua Carta de 1699 anulada, tornando-se uma colônia da coroa; o governo local eleito foi abolido e o General Thomas Gage foi apontado como governador militar. Com a Lei do Porto de Boston, o porto ficaria interditado para todos os navios, incluindo balsas, até que a população da cidade pagasse pelo chá: o comércio marítimo de Boston foi simplesmente fechado. Além disso, oficiais ingleses acusados de ofensas capitais durante a vigência da lei podiam ser julgados na Inglaterra. Os soldados podiam ser aquartelados nas casas das pessoas mesmo contra a vontade destas. Essas leis renovaram a indignação local e fortaleceram a unidade e a determinação dos cidadãos da colônia, que estavam agora às beiras da revolta.

No dia 5 de setembro de 1774, o Primeiro Congresso Continental se reuniu no Carpenter's Hall, na Filadélfia, para planejar a ação contra os ingleses, sob a presidência do maçom templário (Grão-Mestre Provincial da Virginia e advogado ilustre) Peyton Randolph. O secretário do Congresso era Charles Thompson. Entre os delegados de Boston estavam Samuel Adams, o "Filho da Liberdade", e o maçom templário Paul Revere. Em fevereiro de 1775, o Congresso Provincial de Massachusetts se reuniu e anunciou planos para a resistência armada. O Parlamento declarou "estado de rebelião" em Massachusetts. Logo depois, a Assembleia Provincial da Virginia se reuniu na igreja de St. John, em Richmond, e Patrick Henry fez seu discurso famoso: "Deem-me a liberdade, ou me deem a morte".[48]

No dia 18 de abril, 700 soldados britânicos foram enviados para apreender as armas da milícia, estocadas em Concord, perto de Boston. Paul Revere fez sua famosa cavalgada, anunciando a todos: "Os casacos vermelhos estão vindo!" Alertados, 77 colonos armados foram ao encontro dos soldados em Lexington. Na escaramuça que se seguiu, oito colonos foram mortos por "tiros ouvidos no mundo todo". Mas, na volta para Boston, os soldados britânicos foram atacados por 4.000 colonos e sofreram 273 baixas (entre mortos e feridos) contra 90 sofridas pelos colonos.

A Declaração da Independência

Nessa situação surgiu Thomas Paine. Benjamin Franklin tinha conhecido Paine durante sua segunda estadia em Londres, de 1764 a 1775. Paine tinha sido exator, ou coletor de impostos, na Inglaterra: coletava impostos sobre álcool e tabaco, mas foi afastado pelo governo por promover uma agitação a favor de um aumento de salário para todos os inspetores de alfândega. Vendo-o como um inglês descontente que poderia ser útil aos colonos – e para ele também, como espião do Priorado –, Franklin o aconselhou a ir para a América tentar a sorte, dando-lhe cartas de apresentação. Em novembro, Paine chegou à Filadélfia e começou a ajudar na edição da *Pennsylvania Magazine*, de Benjamin Franklin. No dia 19 de abril de 1775, Paine argumentou que a América não devia apenas se revoltar contra a taxação inglesa, mas devia exigir sua independência.

Franklin voltou para a América em março de 1775, suspeitando que a revolução estava prestes a irromper. Tinha sido demitido dos Correios em janeiro de 1774 por ajudar a publicar as cartas de Thomas Hutchinson, governador de Massachusetts, ao governo britânico. No dia 10 de maio, foi como delegado ao Segundo Congresso Continental, que foi controlado por templários, na State House, dois quarteirões a oeste do Carpenter's Hall, na Filadélfia. O templário Peyton Randolph era novamente o presidente, mas veio a falecer e foi substituído por John Hancock da Loja Templária St. Andrew, no dia 10 de maio de 1775.[49]

Esse Congresso, visto como a personificação das Colônias Unidas, autorizou a formação de um exército continental. Escolheu um dos delegados, George Washington – um ilustre templário da Virginia cujo Grão-Mestre era Randolph – para Comandante em chefe. Quase todos os generais de Washington eram templários (Richard Montgomery, David Wooster, Hugh Mercer, Arthur St. Clair, Horatio Gates e Israel Putnam). Outro delegado do Congresso era Thomas Jefferson, um maçom templário da Virginia.

Paine, o discípulo de Franklin, baseou o livreto *Common Sense* na sua argumentação pela independência dos Estados Unidos. Esse texto foi impresso em janeiro de 1776 e vendeu meio milhão de cópias, antecipando e influenciando a Declaração de Independência.[50]

O trabalho de Franklin como impressor permitiu que ele, mais do que ninguém, desse expressão intelectual à revolução. Entre 1765 e 1775, publicou 126 artigos de jornal sobre assuntos do dia e foi uma influência dominante por trás de vozes como a de Thomas Paine. Como delegado no Segundo Congresso Continental na Filadélfia (1775), conheceu Thomas Jefferson. Em junho de 1776, ficou evidente que a decisão de romper com a Grã-Bretanha era iminente: o Congresso[51] fez um apelo às colônias para que organizassem os próprios governos e foi formado um comitê para redigir uma declaração das razões para essa decisão. Esse comitê incluía Franklin, Jefferson, John Adams, Roger Sherman e Robert Livingstone. Reconhecendo o talento de Jefferson, então com 33 anos, Franklin e Adams permitiram que ele fosse o principal autor da Declaração de Independência.

Tratava-se de um texto formal, mas Jefferson o via como uma expressão do modo de pensar norte-americano. Redigiu o documento em duas semanas, trabalhando no segundo andar da casa de um jovem pedreiro alemão, Jacob Graff, de quem acabou alugando um quarto. Franklin e Adams fizeram pequenas alterações no texto e o Congresso vetou uma condenação à escravidão e ao tráfico de escravos. Mas a Declaração foi entregue ao Presidente John Hancock e adotada no dia 4 de julho de 1776 – na mesma sala da State House em que James Otis argumentara contra as Ordens de Confisco, uma sala que dava para a praça onde tinha acontecido o Massacre de Boston.

No dia 8 de julho de 1776, quando a Declaração da Independência foi lida do balcão da State House para os cidadãos da Filadélfia reunidos na praça, o Sino da Liberdade tocou. Fundido em 1752 e gravado com um texto do Levítico – "Proclamareis a libertação de todos os moradores da terra" – ele fez soar uma declaração de liberdade. A Declaração de Independência foi assinada um mês depois. Proclamava verdades evidentes: a igualdade de todos os homens, o direito inalienável à vida, à liberdade e à busca da felicidade, assim como o direito do povo a alterar seu governo se "uma longa sucessão de abusos" o obrigar a viver "sob absoluto despotismo". Adotada essa declaração, a nova nação norte-americana começou a existir.

No dia 2 de julho, dois dias antes de publicar a Declaração, o Congresso tinha votado a favor da independência – e a guerra era inevitável. Depois de lutar em Lexington e Concord, quando as tropas britânicas foram enviadas de Boston pelo general britânico Thomas Gage, forças rebeldes tinham começado a sitiar Boston em abril de 1775. Isso acabou quando o general norte-americano Henry Knox chegou com a artilharia apreendida no Forte Ticonderoga. (Sob o comando do General Richard Montgomery, os norte-americanos tinham invadido o Canadá no outono de 1775. Depois de tomar Montreal e sitiar Quebec, tinham recuado para o Forte quando chegaram reforços britânicos na primavera de 1776.) Knox forçou o General William Howe, o substituto templário de Gage, a remover todas as tropas de Boston em março de 1776. Howe recuou para Nova York e pediu ajuda. O governo britânico enviou então seu irmão (Richard, Almirante Lorde Howe), também templário, para Nova York, com ordens de perdoar os norte-americanos se eles se entregassem. Mas os norte-americanos se recusaram a considerar essa alternativa – e proclamaram a independência.[52]

Benjamin Franklin voltou para Paris como um dos três comissários enviados pelo Congresso para buscar ajuda militar e financeira para as colônias norte-americanas. Lá, encontrou-se com Weishaupt (ou possivelmente um agente dos Illuminati).[53] Franklin, que era leal acima de tudo ao Priorado de Sião, fez mais do que qualquer um no sentido de tornar a revolução virtuosa e aceitável. Antes de sua contribuição, revolução era uma palavra pejorativa, mas sua inteligência, seu adorável chapéu de pele, seus óculos e sua imagem de avô a tornaram admirável. Em 1776, em Paris, foi festejado como um herói que ajudara a libertar o povo do passado feudal e deve ser visto como força significativa no processo que levou à Revolução Francesa. (Mirabeau, por exemplo, dá a Franklin o crédito de ter realizado praticamente sozinho a Revolução Americana.) Ele foi sem dúvida o Samuel Hartlib da Revolução Americana.

Em Paris, Franklin ficou amigo da viúva de Claude-Adrien Helvétius, que tinha liderado um grupo de filósofos que incluía Voltaire e Rousseau.[54] Madame Helvétius pertencia a uma das quatro grandes famílias de Lorraine e tinha relações de parentesco com Charles de Lorraine, com a família imperial da Áustria e com Maria Antonieta. É provável que Charles de Lorraine (que foi Grão-Mestre do Priorado de Sião até sua morte, em 1780, quando foi sucedido pelo sobrinho Maximilian de Lorraine) usasse Madame Helvétius como intermediária para passar suas instruções a Franklin.

Franklin ficou na França e conseguiu empréstimos através de Charles Gravier, Conde de Vergennes e Ministro para Assuntos Estrangeiros. Recebeu dinheiro de templários do Parlamento inglês, amigos de *Sir* Francis Dashwood, e o enviou para a América para financiar o esforço de guerra dos Estados Unidos.[55]

A Guerra da Independência

No começo, a guerra foi favorável à Grã-Bretanha. O General Howe desembarcou em Long Island e derrotou o General George Washington, Comandante-chefe norte-americano. George Washington fora rosa-cruz antes de se tornar templário, tendo sido iniciado como maçom rosa-cruz na loja de Fredericksburg, Virginia, em 1752.[56] Tornou-se maçom templário por volta de 1768, como confirmou numa carta escrita a 25 de setembro de 1798 para o Reverendo G. W. Snyder: "(Tenho que) corrigir um erro em que o senhor incorreu ao dizer que eu presido lojas inglesas neste país. Na verdade, não presido nenhuma dessas lojas e só estive numa delas uma ou duas vezes nestes 30 anos". Quando fala de "lojas inglesas", está se referindo a lojas rosacrucianas. Washington era amigo do General Lafayette, outro maçom templário que, em 1784, lhe deu um avental maçônico com o Olho Que Tudo Vê. Quando foi eleito presidente em 1784, Washington era Grão-Mestre de uma loja templária, a Loja Alexandria nº 22, na Virginia – e John Adams era seu Vice.[57] Washington foi contra a infiltração das lojas pelos Illuminati e, em 1798, escreveu (como antes na carta a Snyder, de 25 de setembro de 1798) a respeito do livro de Robinson, *Proofs of a Conspiracy*: "Ouvi dizer muita coisa sobre o plano perigoso e nefando e sobre as doutrinas dos Illuminati, mas nunca tinha visto o Livro, até você fazer a gentileza de enviá-lo para mim".

Washington disse também que nenhuma loja norte-americana estava "contaminada pelos princípios atribuídos à sociedade dos Illuminati". Em outra carta para Snyder, datada de 24 de outubro de 1798, escreveu: "Não foi

Washington como maçom. (Biblioteca do Congresso, Washington D.C.)

minha intenção duvidar disso, as Doutrinas dos Illuminati e os Princípios do Jacobismo não tinham se espalhado nos Estados Unidos. Pelo contrário, ninguém está mais convencido desse fato do que eu".[58]

Tudo isso sugere que Washington era um deísta – ou seja, acreditava num Deus que existe meramente para criar o Universo – que passou da Maçonaria Rosacruciana (inglesa) para o Templarismo, mas que nunca aderiu aos Illuminatti, cujas práticas considerava chocantes. Era um deísta racionalista, satisfeito com a Franco-Maçonaria Templária.

Depois que foi derrotado por Howe, Washington[59] recuou com seu exército para Manhattan, mas Howe o atraiu para Chatterton Hill, perto de White Plains, e o derrotou outra vez no dia 28 de outubro. Subjugou a guarnição de Washington em Manhattan enquanto o General Charles, o inglês Lorde Cornwallis, subjugava outra guarnição de Washington no Forte Lee, fazendo o exército norte-americano atravessar New Jersey, antes de montar acampamento de inverno às margens do Rio Delaware.

A sorte dos norte-americanos começou a virar no Natal, quando Washington atravessou o Delaware e aniquilou a guarnição de Cornwallis em Trenton, fazendo 1.000 prisioneiros. Washington derrotou então os reforços britânicos em Princeton, o que serviu de inspiração para o país. Howe, que tinha 42.000 homens e 30.000 mercenários alemães, contra 20.000 soldados norte-americanos (quase todos simples agricultores), abandonou New Jersey e foi para a Pensilvânia. Isso foi um erro para um general que, segundo alguns, estava sendo deliberadamente indolente por simpatizar com a causa do inimigo, como templário que era.

Em 1777, o exército britânico do General John Burgoyne saiu do Canadá e marchou para o sul, em direção a Albany, para se juntar a uma tropa comandada pelo Tenente-Coronel Barry St. Leger, que tinha atravessado o vale Mohawk. Burgoyne retomou o Forte Ticonderoga no dia 5 de julho, mas alguns de seus mercenários alemães foram espancados por soldados norte-americanos em Bennington, Vermont, onde tinham ido pegar alguns cavalos. No meio-tempo, o avanço de St. Leger foi bloqueado em Oriskany pelo General Benedict Arnold. Burgoyne foi derrotado em dois embates por uma força norte-americana comandada pelo General Horatio Gates, e teve finalmente que se render em Saratoga, no dia 17 de outubro.

Antes, os britânicos estavam se saindo bem: em setembro, o General Howe tinha ido por mar de Nova York para a Baía de Chesapeake e derrotado as forças de Washington em Brandywine Creek. No entanto, em vez de perseguir Washington e destruir seu exército, ele ocupou a Filadélfia, a capital norte-americana, e permitiu que Washington revidasse atacando Germantown no dia 4 de outubro. Howe o fez recuar mas, em vez de atacar, permitiu que se reagrupasse. Enquanto Washington invernava perto do Vale Forge, um oficial prussiano, o Barão von Steuben, treinava seus soldados em artilharia e manobras. Howe reconheceu que errou ao não conseguir derrotar a modesta força de Washington e renunciou antes do início das operações em 1778. Seu sucessor foi o General Henry Clinton. Fazendo bom uso do treinamento de Steuben, Washington derrotou os britânicos em Monmouth, New Jersey, em junho de 1778. As forças britânicas do norte permaneceram nas vizinhanças de Nova York.

Graças ao trabalho de Franklin junto à França e de sua hábil diplomacia ao pedir empréstimos à monarquia francesa e ajuda material para a democracia norte-americana contra o rei inglês, George III, os franceses vinham ajudando secretamente os norte-americanos contra a Grã-Bretanha desde 1776. De 1776 a 1778, enviaram suprimentos e fundos para os rebeldes. Em 1778, incentivados pela derrota britânica em Saratoga no ano anterior e pelo fato dos ingleses não conseguirem reconquistar o norte, Luís XVI declarou guerra contra os britânicos, esperando tirar parte do Novo Mundo do seu controle e instituir ali um governo francês. Mas ele não se deu conta das consequências dessa ação para sua própria monarquia – ao atiçar os templários franceses, estava pondo em perigo o trono francês.

Depois de 1778, os franceses passaram a dar apoio militar e naval aos norte-americanos. O homem que fez a balança pender a favor do amplo envolvimento da França foi o templário Marquês de Lafayette. Aos 17 anos, ele trabalhava como criado na corte de Luís XVI e, aos 20, partiu para se juntar à Revolução Americana. Chegou na Filadélfia em julho de 1777 e em pouco tempo foi nomeado Major-General. Ficou amigo de George Washington, lutou em Brandwine e liderou a retirada de Barren Hill em maio de 1778. Voltou para a França no começo de 1779 e ajudou a convencer o governo de Luís XVI a enviar um exército expedicionário de 6.000 soldados para ajudar os colonos, como Franklin tinha pedido. Voltou para a América em abril de 1780 e recebeu o comando de um exército na Virginia.

Os franceses enviaram uma frota de navios comandada pelo Conde D'Estaing, que tentou sem sucesso tomar New Port, em Long Island. Além disso, sitiaram os ingleses em Savannah, no sul. Em 1779, a Espanha entrou na guerra (esperando recuperar Gibraltar) e os Países Baixos se juntaram a ela em 1780. Tratava-se agora de uma guerra internacional.

O General Lorde Cornwallis destruiu um exército liderado por Gates em Camden, Carolina do Sul, em agosto de 1780. Embora tenha sofrido reveses em Kings Mountain em outubro e em Cowpens em janeiro de 1781, venceu a Batalha do Tribunal de Guilford, na Carolina do Norte. Em maio, reuniu-se às forças inglesas na Virginia. (Tinha cerca de 8.000 homens.) Logo depois, um exército norte-americano com 4.500 soldados (comandado por Lafayette, pelo General Wayne e pelo Barão von Steuben) forçou Cornwallis a bater em retirada através da Virginia. Cornwallis foi de boa vontade, já que queria manter a ligação por mar com o exército inglês do General Clinton, em Nova York. Recuou para Richmond, depois para Williamsburg e finalmente para Yorktown, onde foi surpreendido de costas para o mar em julho de 1781.

Washington viu a oportunidade e ordenou a Lafayette que bloqueasse por terra a fuga de Cornwallis. Enquanto isso, os 2.500 soldados de Washington em Nova York tiveram o reforço de 4.000 soldados franceses e, enquanto parte desses exércitos imobilizava Clinton em Nova York, o grosso da força franco-americana de Washington marchou para o sul e foi transportada por parte de uma frota francesa de 24 navios que, do mar, bloqueava o exército de Cornwallis. O exército de Washington marchou então para se juntar às tropas de Lafayette e cercou os 8.000 soldados britânicos. A frota inglesa não conseguiu derrotar a francesa numa batalha na Virginia, na Baía de Chesapeake, e uma frota inglesa de socorro chegou tarde demais.

No começo de outubro, 14.000 soldados de Washington cercaram as posições inglesas em Yorktown e as subjugaram. (É possível visitar as fortificações inglesas em Yorktown, perto do rio York. As fortificações francesas e norteamericanas reconstruídas – Washington ordenou que as originais fossem destruídas – ficam uns 350 metros acima.) Canhões foram disparados a queimaroupa contra as posições inglesas e Cornwallis fugiu, atravessando o rio com mil homens. Finalmente, no dia 19 de outubro de 1781, não teve outra escolha a não ser se entregar. Os ingleses derrotados marcharam para o lugar hoje chamado de *Surrender Field* (Campo da Rendição) e depuseram as armas enquanto a banda tocava uma canção chamada "O Mundo Virou de Cabeça para Baixo". Todos os 8.000 homens da força inglesa foram feitos prisioneiros e entregaram 240 armas. A derrota de Cornwallis em Yorktown foi consequência da visão de Washington – e Lafayette era agora aclamado como "heróis de dois mundos" (América e Europa).

Com a derrota inglesa em Yorktown, terminou a ação em terra da Guerra da Independência Norte-Americana e a causa inglesa na América estava perdida. Houve recriminações e se observou muitas vezes que a Grã-Bretanha não tinha uma estratégia geral e que os exércitos britânicos não cooperaram. Em Londres (depois de uma carta aberta de "Cícero"), a culpa foi deixada na porta da Franco-Maçonaria Templária. Parece que Cornwallis, Clinton e os irmãos Howe eram todos maçons templários que praticavam em lojas de campanha. O General Howe servira sob o comando de Amherst e Wolfe, num exército em que a Franco-Maçonaria era prevalente. Em 1781, o General Howe e seu irmão, o Almirante Howe, foram acusados, na carta aberta de "Cícero", de pertencer a uma "facção" que conspirava em apoio à luta dos colonos pela independência. A "facção" era a Franco-Maçonaria. "Cícero" comentou: "A conduta toda de Washington demonstrou uma confiança que só poderia vir de um certo conhecimento". Acusou o Almirante Howe de "conspirar secretamente com o Doutor Franklin". A respeito dos encontros com Franklin, o Almirante Howe escreveu: "Cícero está perfeitamente certo a respeito do fato, mas um pouco equivocado em seus inferências." Na verdade, a irmã de Franklin o tinha aproximado de

Howe, supostamente para jogar xadrez mas, na verdade, para discutir as queixas dos colonos. "Cícero" queria dizer que, devido à simpatia templária pelos norte-americanos, o general e o almirante tinham traído o próprio país.[60]

A guerra continuou em alto-mar. Grande parte da ação dos norte-americanos se deu através de piratas. A verdadeira guerra no mar foi travada entre a Grã-Bretanha e os aliados europeus da América: França, Espanha e os Países Baixos. No decorrer da guerra, 12.000 soldados e 32.000 marinheiros franceses saíram da França para apoiar Washington. A marinha de guerra francesa foi severamente derrotada pelos ingleses em 1782 e, como resultado, a França pouco ganhou com a participação na guerra norte-americana. Os piratas tiveram um bom desempenho e, no final da guerra, tinham capturado 1.500 navios mercantes ingleses. Depois de 1780, as frotas espanholas e holandesas passaram a controlar as águas em torno das Ilhas Britânicas, confinando as forças navais britânicas para que não partissem para a América.

Franklin, trabalhando com Vergennes, não queria a paz, mas a opinião de John Adams e John Jay prevaleceu e seus esforços resultaram no tratado de 1782. De acordo com o tratado, a Grã-Bretanha reconhecia a independência dos Estados Unidos e suas fronteiras a oeste até o Rio Mississipi, e cedia a Flórida para a Espanha. Os colonos norte-americanos que tinham sido fiéis à Grã-Bretanha deveriam receber um tratamento justo. Como resultado da derrota, caiu na Grã-Bretanha o governo do norte. Com a ratificação formal do Tratado de Paris, a Guerra Americana de Independência terminou no dia 3 de setembro de 1783.

O TEMPLARISMO NORTE-AMERICANO E O REPUBLICANISMO POLÍTICO

O Grande Selo dos Estados Unidos

A essas alturas, o Selo de Weishaupt tinha sido adotado como o Grande Selo dos Estados Unidos, um processo que levou seis anos. No final da tarde de 4 de julho de 1776 (o dia em que a Declaração da Independência foi adotada), o Congresso formou um Primeiro Comitê de três – Franklin, Jefferson e John Adams – para criar o Grande Selo dos Estados Unidos,[61] com a ajuda do retratista Pierre Eugene Du Simitière.[62] Os selos da realeza europeia já existiam no século VII: o selo de Eduardo o Confessor, criado durante seu reinado, de 1042 a 1066, serviu de modelo para todos os selos ingleses e norte-americanos. O selo de duas faces seria efetivamente o novo brasão nacional dos Estados Unidos. O desenho que Franklin sugeriu inicialmente mostrava um Faraó e Moisés sendo tocado por um raio que saía de um pilar de fogo, mostrando que ele agia sob o comando da Divindade. Jefferson propôs mostrar os filhos de Israel no deserto, conduzidos por uma nuvem durante o dia e por um pilar de fogo durante a noite. Adams sugeriu Hércules entre a virtude e a preguiça. Du Simitière sugeriu um escudo dividido em seis (representando Inglaterra, Escócia, Irlanda, Holanda, França e Alemanha) e a deusa da liberdade.

O Congresso rejeitou as propostas do Primeiro Comitê em janeiro de 1777 e formou um Segundo Comitê em 1780. Esse comitê consultou Hopkinson, que tinha projetado a bandeira norte-americana, além de moedas e selos para grandes departamentos do estado. (Numa nota de 50 dólares de 1778, Hopkinson tinha usado a figura de uma pirâmide inacabada.) Um terceiro comitê foi formado no dia 4 de maio de 1782. Charles Thomson e William Barton criaram o Grande Selo dos Estados Unidos, usando simbolismo maçônico-iluminista (uma pirâmide inacabada encimada por um olho). Esse desenho aparece agora na nota de um dólar com a inscrição *Novus Ordo Seculorum*. Charles Thomson desenhou uma fênix sob uma nuvem de estrelas e logo chegou ao selo como o conhecemos hoje.

Parte de uma nota de um dólar

Alguma coisa aconteceu entre 1781 e 1782 para facilitar a situação. Parece que, em setembro de 1776, durante os encontros em Paris com Adam Weishaupt ou com um agente dos Illuminati, quando buscava ajuda militar e financeira para as colônias na sua iminente luta contra a Inglaterra, Benjamin Franklin viu um esboço do Selo que Weishaupt tinha criado para os Illuminati sionistas-rosacrucianos, que pretendiam unir o Priorado de Sião e os Templários. Franklin, um rosa-cruz entre templários como Radclyffe, Voltaire e Ramsay, era exortado pelo mais recente protegido do Priorado a se aproximar do Templarismo na esperança de efetuar a união com o Priorado.

reverso   *anverso*

O Grande Selo dos Estados Unidos da América

O reverso do selo dos Illuminati mostrava uma pirâmide templária inacabada, com treze camadas, quatro lados e sem o ápice. Acima dela havia um triângulo com raios de sol e, dentro dele, o Olho Que Tudo Vê de Osíris e Sião (como na gravura da Casa de Orange, que tem ao centro Guilherme III coroado, na página 187). Num certo nível, o olho representava o sistema de espionagem de Weishaupt. Na camada inferior de tijolos lê-se 1776, o ano em que Weishaupt fundou os Illuminati, cujo Selo representava a doutrina Secreta das Eras, o plano de construir uma nova Atlântida no Novo Mundo. (Carr afirma que Weishaupt adotou o reverso como símbolo de sua nova sociedade quando fundou a Ordem dos Illuminati, no dia 1º de maio de 1776.)[63]

Acreditava-se que a universidade da Atlântida que afundou, onde se originou grande parte das artes e das ciências, ficava numa grande pirâmide com um observatório no ápice para estudar as estrelas.[64] A universidade da antiga Atlântida anunciava o "Colégio Invisível" do Rosacrucianismo Sionista, que trabalhava pela Nova Atlântida. O triângulo talvez sugerisse o poder dos tronos merovíngios. As 13 camadas de tijolos da pirâmide simbolizavam as treze colônias que formariam a Nova Atlântida sob o olho providencial (alguns diriam espião) do Priorado. O 13 – das camadas ou degraus e das cartas de "Annuit Coeptis" – também contém simbolismo templário, sugerindo o 13º dia do mês, quando De Molay morreu, e os treze graus de iniciação templária.[65]

O Selo dos Illuminati sugeria assim a união entre o Priorado e o Templarismo dentro de uma construção inacabada da Franco-Maçonaria.[66] O anverso do Selo mostra uma fênix com penacho e não uma águia. Diz a lenda que só existe uma fênix de cada vez, que cada uma vive por 500 anos e faz seu ninho numa parte distante da Arábia. Quando ela morre, seu corpo se abre e nasce uma nova fênix. É um símbolo franco-maçônico da Atlântida renascida na América. (A fênix representa também o iniciado. Pode-se dizer que ela nasce duas vezes, já que renasce da própria morte. Essa interpretação obscurece o fato de que a nova fênix nasce da morte de quem lhe deu a vida.)[67]

Em algum momento antes de 1782, Franklin convenceu Jefferson e John Adams a usar o Selo dos Illuminati como selo dos Estados Unidos.[68] Observou que 1776 em numerais romanos representava o ano da independência norte-americana e que as treze camadas de tijolos representavam as treze colônias. Em 1781, Franklin parece ter enviado de Paris uma cópia da doutrina republicana dos Illuminati e também uma réplica do Selo com a pirâmide inacabada. Através de Weishaupt ou de seu agente, os Illuminati tinham ensinado a ele a Doutrina Secreta das Eras, o plano para uma democracia no Novo Mundo em vez de uma expansão oligárquica do império inglês. Enviou para os Estados Unidos esse conhecimento secreto e estava determinado a corporificá-lo no Selo norte-americano.

Thomas Paine visitou Paris (com John Laurens) em 1781 para levantar fundos, vestuário e munição para as tropas norte-americanas, uma iniciativa que contribuiu para o sucesso final da revolução. Encontrou-se com Franklin e se tornou um maçom do Grande Oriente e, portanto, um membro dos Illuminati. É provável que Franklin, que não era mais diretor dos Correios, tenha enviado uma cópia do Selo dos Illuminati por Paine, que a entregou a tempo de chamar a atenção do Terceiro Comitê, em 1782. Depois que o Congresso adotou esse Selo, o crédito foi dado a Du Simitière e aos três membros do comitê mas, na verdade, a adoção do Selo revela o quanto Franklin e Jefferson eram receptivos às ideias dos Illuminati.

Em 1778, Franklin fazia parte da Loja São João de Jerusalém, assim como da Loja Illuminati Grande Oriente Neuf Soeurs (Nove Irmãs), da qual se tornou Grão-Mestre em 1782 e onde iniciou o colega sionista Voltaire, no fim de sua vida. Essa Loja tinha sido fundada em Paris, a 7 de julho de 1776, pelo pastor suíço protestante Antoine Court de Gébelin que, numa obra de 9 volumes, tentou criar uma linguagem primordial que favorecesse a "unidade entre as nações". (Depois que Franklin foi admitido, a Loja imprimiu as constituições dos treze estados norte-americanos e se tornou a primeira escola de constitucionalismo da Europa.) O serviço de espionagem do governo britânico era maçônico sionista e agentes britânicos penetraram na Loja Illuminati de Franklin. Também em 1782, agora que o Priorado e os Templários tinham se juntado aos Illuminati, Franklin entrou para uma organização templária, a Loja Real dos Comandantes do Templo do Ocidente. Ele só voltou para a América em 1785.[69]

Os Fundadores

Thomas Jefferson era, como Franklin, rosa-cruz e maçom templário. (Um código rosacruciano foi encontrado entre seus papéis[70] e 29 jornais maçônicos contêm referências a ele como maçom.) A partir de 1784, esteve na França com Franklin e John Adams para negociar um tratado com a França depois do fim da Guerra da Independência e, como Franklin, foi Ministro dos Estados Unidos junto ao governo francês. Parece que foi iniciado numa loja templária na França e que conheceu Weishaupt antes de voltar para os Estados Unidos, em 1789. Achava a Revolução Francesa uma "revolução muito bela".

Entre os fundadores, Franklin e Jefferson são os que mais contribuíram para trazer os Illuminati para a América. Franklin, Jefferson e Adams são todos iniciados Illuminati. Sua iniciação parece ter ocorrido depois da Revolução Americana e, assim, não influenciou seu andamento. Jefferson rompeu relações com Adams quando este o acusou (em três cartas que estão na biblioteca de Wittenburg Square na Filadélfia) de usar, para propósitos dos Illuminati, lojas que ele mesmo tinha fundado. (Em 1785, havia 15 Lojas dos Illuminati nas treze colônias.) Pode ser que Franklin e Jefferson – e Adams – tenham sido manipulados pelo Illuminati em Paris, até que Adams percebeu o que estava acontecendo.[71] Jefferson era mais ingênuo a respeito da Ordem. Criticou o Iluminismo mas desculpou Weishaupt: "Wishaupt (sic) parece ser um filantropista entusiasta. Está entre aqueles [...] que acreditam na infinita perfectibilidade do homem. Pensa que, com o tempo, se tornará tão perfeito que será capaz de se governar em qualquer circunstância, de modo a não ofender ninguém, fazer todo o bem possível, não dar ao governo ocasião de exercer poder sobre ele e, é claro, tornar inútil o governo político".[72] Na mesma passagem, faz referên-

Thomas Jefferson

cia à "raiva de Robinson contra ele" e generosamente acredita que o sigilo de Weishaupt era devido à tirania dos "déspotas e padres" sob os quais vivia. Jefferson esperava que a Revolução Francesa se alastrasse pelo mundo. Jefferson, assim como Franklin, contribuiu para o começo da Revolução Francesa.

Jefferson e Franklin eram racionalistas que expressavam ceticismo a respeito do valor da metafísica por ser "inacessível ao teste dos sentidos".[73] Os dois foram influenciados pelos Illuminati, cuja meta declarada era a remoção de todos os chefes da Igreja e do Estado e a instituição de uma "república Universal" guiada por uma "religião da Razão". Como vimos antes as lojas do Grande Oriente tinham sido fundadas pelo Duque de Orléans em 1772 e acomodaram rapidamente os Illuminati. O sionista Franklin esteve em Londres de 1772 a 1775 (onde se hospedou com *Sir* Francis Dashwood, um maçom templário, nos verões de 1772, 1773 e 1774, como já vimos) e deve ter tomado conhecimento, através de Charles de Lorraine (aliás Kolmer), do projeto sionista de criar os Illuminati. É bem possível que algumas ideias dos Illuminati tenham chegado à Filadélfia e a Boston em 1775-6, antes do livreto *Commom Sense* de Paine e da redação da Declaração da Independência.

É preciso enfatizar que era muito mais comum ser maçom no século XVIII do que hoje e que a clandestinidade das lojas era um solo fértil para ideias revolucionárias. As reuniões sobre temas revolucionários podiam acontecer a portas fechadas sem risco de repressão, e seria normal para alguém com tendências revolucionárias frequentar uma loja na América de 1770 e 1780, quando ser maçom significava se opor ao domínio inglês.

Muitos dos fundadores da nação norte-americana eram livres-maçons: nove, segundo alguns; 53, segundo outros.[74] Franklin, Jefferson, John Adams, Washington, Charles Thompson e o resto eram todos deístas que acreditavam que o conhecimento religioso depende mais da razão do que da revelação ou do ensinamento da Igreja. Os deístas acreditavam num Deus que criou o Universo, um Grande Arquiteto que então se afastou. No deísmo, o homem não precisa de um Deus e muito menos de um filho de Deus: para os deístas, Jesus é apenas um profeta sábio. Na verdade, os deístas acreditam que, através da razão e da iniciação (que leva ao conhecimento secreto), o homem pode se tornar um deus.

Essa crença na divindade através da razão estava de acordo com a Era da Razão que Weishaupt iniciou e com as ideias da Franco-Maçonaria e dos Illuminati.

Internamente, as mudanças da América pós-revolucionária estavam longe de ser radicais. Não havia transferência de poder entre as classes e a escravidão continuava em vigor. O poder político e econômico era mantido nas mesmas mãos de antes da guerra. Mesmo assim, os novos estados independentes escreveram constituições que garantiam vários direitos e havia separação entre Igreja e Estado. Havia cada vez mais controle popular, o sufrágio foi ampliado e a legislatura confirmava os direitos individuais. Em outras palavras, houve um rápido progresso na democracia. A vida norte-americana passou por uma súbita transformação revolucionária quando a América do Norte deixou de ser um domínio colonial para ser uma república independente, antimonárquica, com instituições republicanas.

A Constituição Templária

Em 1781-2, Washington passou o inverno com o Congresso Continental na Filadélfia. Ele achava que o exército tinha que ser remunerado e, em 1782, recebeu uma carta do Coronel Lewis Nicola exortando-o a usar o exército para se tornar rei, proposta que rejeitou com grande indignação. (Cromwell também rejeitou o título de rei.) Parece que Washington sentia que a América acabaria virando uma monarquia e, na verdade, admitia a necessidade do princípio de monarquia. Mas parece também que não conseguiu conciliar essa visão com a filosofia templária, que exigia a república.

De 1783 a 1787 pouco se avançou em direção à expressão política da revolução numa nova constituição.[75] Era como se os norte-americanos estivessem exaustos depois da guerra de independência e precisassem de tempo para recuperar o fôlego. Na verdade, o caminho para o novo governo republicano tinha sido tortuoso. Logo depois de Saratoga, em novembro de 1777, o Congresso Continental estabeleceu que o novo sistema deveria ser uma federação de estados e que cada estado deveria ratificar os Artigos da Confederação, o que se estendeu até março de 1781. Durante a Guerra Revolucionária, quando a população norte-americana era de 2 milhões, pelo menos 80.000 norte-americanos – talvez 200.000 – fugiram para a Inglaterra e para o Canadá. A nova nação era agora uma frouxa associação de estados unidos pelos Artigos da Confederação, com um fraco governo central. Foi só seis anos depois, em maio de 1787, que a Convenção Constitucional de 55 delegados se reuniu na Filadélfia para "tornar a Constituição do Governo Federal adequada às exigências da União": em outras palavras, para desenvolver a forma do novo governo nacional. Esse trabalho teve o incentivo de Benjamin Franklin, que tinha agora 81 anos.

George Washington, que tinha conduzido o exército norte-americano para a vitória contra a mais poderosa nação da terra e que escrevera aos amigos frisando a necessidade de uma "união indissolúvel" de estados, mais uma vez atendeu ao chamado dos Estados Unidos e assumiu a liderança. Chegou à Filadélfia um dia antes do início da Convenção e foi escolhido por unanimidade para presidente, mas não falou nos debates que duraram quatro meses. Seu ajudante de campo, Edmund Randolph, agindo como seu porta-voz, propôs que a convenção estabelecesse uma nova base para o governo central em vez de remendar os Artigos da Confederação, então em vigor. Isso foi aceito e a Convenção iniciou o processo de transformar uma vaga confederação de antigas províncias numa nação.

Muitos delegados tinham lido filósofos como Locke (que via o governo como um contrato social entre governante e governados) e Hume (que chamava o republicanismo de "novidade perigosa"), Adam Smith e Montesquieu. Na verdade, acabaram tirando seus três principais princípios da Franco-Maçonaria: o investimento de poder no cargo e não no homem; a adoção de um sistema de *checks and balances*, ou de controle mútuo entre os poderes executivo, legislativo e judiciário; a adoção do sistema federalista maçônico de organização. O paralelo entre a constituição federalista norte-americana e as lojas da Maçonaria foi ressaltado por H. C. Clausen. Os Artigos da Confederação não previam um governo central forte, uma moeda comum ou um sistema judiciário consistente. Para que a fraca Confederação de Estados Americanos se tornasse uma nação forte, unificada, era preciso uma forte organização. Como o sistema federalista maçônico era o único que funcionava em cada uma das Treze Colônias originais, era natural que os patriotas maçons norte-americanos o usassem como modelo para fortalecer a jovem nação. Assim, o federalismo instituído no governo civil que a Constituição criou era idêntico ao federalismo do sistema maçônico de Grandes Lojas, criado nas *Constituições de Anderson* de 1723.[76]

A Convenção descartou os Artigos da Confederação e começou então a criar um novo sistema democrático radical de governo. Logo, começaram discussões acaloradas a respeito de representação. Os estados maiores apoiavam o chamado "Plano da Virginia", criação de Madison, proposto por Randolph no dia 29 de maio, que defendia a representação proporcional à população total e buscava um forte governo nacional através do domínio dos estados maiores. Queriam que o Congresso tivesse duas câmaras: a Casa Inferior (Lower House) seria eleita e a Casa Superior (Upper House) escolhida pela Inferior entre candidatos nomeados pelas Legislaturas estaduais. Os estados menores apoiavam o "Plano de New Jersey", apresentado por William Paterson no dia 14 de junho, que defendia uma voz igual para todos os estados e se opunha à centralização e ao controle pelos estados maiores. O plano recomendava uma legislatura de uma só casa, eleita pelos estados. O resultado foi um acordo (o Acordo de Connecticut) proposto por Roger Sherman. Na Câmara dos Deputados (House of Representatives), a representação seria proporcional e, no Senado, seria igual para todos. No dia 5 de julho, o Comitê se declarou a favor do plano de Sherman, mas com uma ressalva relativa aos escravos. Na Câmara dos Deputados, a representação teria como base o total da população branca mais três quintos da população escrava (e não o total da população escrava como queriam os delegados do sul). Os diversos comitês se reuniram para acertar os detalhes e, finalmente, os delegados assinaram o documento da Constituição, uma Carta que formava uma "União mais perfeita".

Washington presidiu a Convenção na Sala de Assembleias (onde tinha sido aprovada a Declaração de Independência), sentado na "cadeira do sol nascente". O encosto dessa cadeira mostrava meio sol com olhos, nariz e treze raios formando o cabelo. Acima dele, uma planta em forma de pirâmide pendendo de um caule. O conjunto é uma imagem templária. Quando os delegados assinaram a nova Constituição, Benjamin Franklin disse que o sol da cadeira de Washington estava nascendo e não se pondo sobre a nova nação.

O texto da Constituição foi submetido aos treze estados para ratificação em setembro de 1787. A Constituição foi aceita e assinada por 39 dos 42 delegados naquele mês e, em julho de 1788, já tinha sido ratificada por nove estados, o suficiente para ser posta em vigor, graças à tranquila autoridade de Washington. Alguns estados queriam uma Declaração de Direitos (Bill of Rights), já que a Constituição não especificava os direitos de todos os cidadãos. O Congresso propôs doze emendas em setembro de 1789, das quais dez já estavam aprovadas em dezembro de 1791. Essas dez emendas garantiam liberdades individuais e são conhecidas como Declaração de Direitos.

O Desenho Maçônico de Washington D.C.

A capital federal ocupou os dezesseis quilômetros quadrados cedidos para o Congresso por Maryland e Virginia e especulava-se a respeito de quem seria o primeiro presidente. Só um homem tinha o respeito de Federalistas e Antifederalistas, além de dar ao cargo prestígio na Europa, mas Washington relutou, preferindo se retirar para o Monte Vernon, "sob a própria videira e a própria figueira", como costumava dizer (fazendo eco a Salomão). Sua relutância, como a de um general vitorioso que devolve humildemente a espada às mãos que a tinham entregue, aumentou ainda mais seu apelo. (O gesto de Washington lembrou o de Lucius Quinctius Cincinnatus, que deixou sua fazenda para se tornar ditador em Roma no ano 458 a.C. e resgatar um exército consular cercado pelos Aequi: derrotou o inimigo num só dia e voltou para a fazenda.) No começo de 1789, os eleitores foram escolhidos e, no dia 4 de fevereiro, Washington foi eleito por unanimidade o primeiro presidente dos Estados Unidos. Aceitou com relutância, aparentemente duvidando da própria capacidade. Deixou o Monte Vernon no dia 16 de abril e foi empossado em Wall Street, Nova York, no dia 30 de abril. No balcão do Federal Hall, aplaudido pela multidão, fez o juramento diante do Chanceler Robert Livingston. Em 1789, a primeira nota de um dólar tinha uma pirâmide de quatro lados inspirada no Grande Selo.

No ano seguinte, George Washington escolheu um terreno pantanoso como o local que se tornaria Washington D.C. e convidou Pierre L'Enfant, engenheiro do exército continental e maçom templário, para projetar a nova cidade. Entre 1783 e 1790 o Congresso tinha considerado vários lugares propostos (como Trenton, New Jersey e Germantown, Pensilvânia), sem que se chegasse a um acordo. Decidiu-se que o lugar tinha que ser ao norte, já que o sul estava ameaçando se separar da união. Jefferson e Hamilton fizeram um trato. Se Hamilton defendesse a escolha de um terreno de dezesseis quilômetros quadrados às margens do Rio Potomac (a ser cedido por Maryland ao norte e pela Virginia ao sul), Jefferson faria com que as dívidas de guerra fossem assumidas pelo governo federal. O novo lugar foi batizado de "Território de Columbia".

Entre 1791 e 1800, Pierre L'Enfant escolheu a Colina do Capitólio como ponto focal e propôs avenidas largas, partindo como raios de alguns centros, dentro de um padrão retangular de ruas. O projeto foi modificado, mas as avenidas permaneceram.

Em cima à direita: compasso e quadrado com o Bode de Mendes (cabeça do Bode). Em cima à esquerda: triângulo. Em baixo à esquerda: pentágono ou estrela de cinco pontas entre a Casa Branca e a Casa do Templo (Quartel general do Conselho Supremo do 33º Grau da Franco-Maçonaria).

Em 1795, os fundadores templários maçônicos traçaram as ruas de Washington para formar símbolos maçônicos: compasso, esquadro, régua, pentagrama, pentágono e octógono. Edward Decker faz uma descrição do ponto de vista de quem olha para o Capitólio do National Mall. Se o Capitólio é o topo

Mapa maçônico de Washington D.C.

do compasso, a perna esquerda é a Pennsylvania Avenue, que se apoia no Memorial de Jefferson, e a perna direita é a Maryland Avenue. O esquadro é formado pela intersecção da Canal Street e da Luisiana Avenue. Atrás do Capitólio, a passagem circular e as ruas curtas formam a cabeça e as orelhas do que é muitas vezes chamado de "Bode de Mendes" ou "Cabeça de Bode". Acima da Casa Branca (para o norte) há um pentagrama invertido, com a ponta voltada para o sul, no estilo oculto. Fica dentro da intersecção das Connecticut e Vernont Avenues ao norte, com Rodhe Island e Massachusetts a oeste e a praça Mount Vernon a leste. O centro do pentagrama é a 16th Street onde, treze quarteirões ao norte do centro da Casa Branca, fica a Casa Maçônica do Templo. O Monumento a Washington está perfeitamente alinhado à intersecção do esquadro maçônico, que vai da Casa do Templo ao Capitólio. Na hipotenusa do triângulo retângulo, estão as sedes dos mais poderosos departamentos do governo, como o Departamento da Justiça, o Senado e a Receita. Nos principais prédios federais, da Casa Branca ao Capitólio, a pedra fundamental foi assentada num ritual maçônico, assim como determinados emblemas maçônicos.[77]

De fato, o Capitólio e a Casa Branca são pontos focais numa geometria projetada por Pierre L' Enfant e modificada por Washington e Jefferson, que produz padrões octogonais, em que a cruz de malta usada pelos Templários pode ser imaginada.[78] A geografia (e a geometria) de Washington D.C. reforça o simbolismo templário do Grande Selo e da nota de um dólar.

(Depois de dar sua contribuição para o traçado maçônico de Washington, Jefferson ampliou Monticello, sua casa na Virginia, que fica numa plantação de 5.000 acres. Monticello se tornou foco de ideias templárias. A sala de visitas, a sala de chá contígua à sala de jantar e o escritório ao lado do quarto de Jefferson têm contornos octogonais, enquanto a fachada oeste sob o domo é inspirada no templo romano em Nimes, a Maison Carrée do século I, que em 1785 inspirou o projeto do Capitólio do Estado de Virginia, em Richmond. Os ornamentos foram inspirados em prédios romanos, que Jefferson encontrou em livros de sua biblioteca. O friso do Templo de Fortuna Virilis inspirou a ornamentação do quarto de dormir; o Templo de Júpiter inspirou a sala de visitas; os Banhos de Deocleciano inspiraram o Apolo ou deus-sol no friso da varanda norte. Na sala de visitas havia retratos dos "três maiores homens que já existiram" – os rosa-cruzes sionistas Bacon, Newton e Locke. Na sala de jantar havia um friso com rosetas e crânios. O efeito geral do domo octogonal, cujo propósito é oficialmente "desconhecido", e do templo com colunas e frontão triangular sob ele, é de um prédio templário maçônico com ornamentos iluminatistas.)[79]

George Washington como Símbolo de Virtude

Washington se mantinha distante de todas as divisões partidárias. Seu primeiro Gabinete era formado por quatro homens, dois de cada partido: Jefferson, Hamilton, Knox e Randolph. Visitou todos os estados e estabeleceu o padrão da sua corte republicana. Em Nova York e na Filadélfia, alugou as melhores casas e se recusou a aceitar a hospitalidade do General Clinton. Inclinava-se em vez de trocar apertos de mão e circulava numa carruagem com seis cavalos e batedores. Procurava manter a paz entre Jefferson e Hamilton mas, quando a França e a Inglaterra entraram em guerra em 1793, favoreceu a política de neutralidade de Hamilton e Jefferson – que era pró-França – renunciou.

Durante os oito anos de seus dois mandatos, foi idealizado em imagens de virtude pública. Era venerado como herói pelo povo por suas conquistas militares, mas também pela austeridade virtuosa e patriótica e pela devoção às instituições republicanas. Era projetado como símbolo de respeito, bondade, modéstia, frugalidade, diligência, sabedoria, genialidade e piedade. Em 1789, foi mostrado como o centro da união: seu busto aparece no centro de uma roda formado pelos símbolos dos estados. Tornou-se um ícone, idealizado como a estátua de um deus romano. Quando morreu, foi deificado. *A apoteose de Washington* foi pintada em 1800, um ano depois de sua morte, por David Edwin: Washington olha ao longe, sentado nas nuvens como um deus, enquanto um querubim lhe põe uma coroa de louros na cabeça.

Washington, o homem, não era brilhante nem seguro de si, e sua experiência não o equipara para conduzir grandes exércitos: mesmo assim, o começo da guerra norte-americana o transformou numa lenda unânime. Tornou-se um herói para a democracia, personificando os sentimentos morais que o público esperava de um líder republicano modelo. Tinha uma imagem popular que atraía o sentimento nacional e era admirado por ser um líder modelo que fazia de tudo para evitar o poder e que o devolvia com entusiasmo.

A imagem de santidade que o povo tinha de Washington veio de seus atos e de sua postura, mas foi acentuada por apresentadores e "spin-doctors" da época, como vemos em *George Washington, The Making of an American Symbol*, de Barry Schwartz. Muito se explorou sua piedade cristã mas, como vimos, Washington era mais deísta maçônico do que cristão.[80] O culto à personalidade que cresceu em torno de Washington, à semelhança dos cultos que cresceram em torno de líderes do século XX, como Stálin e Mao – que enfeitam a verdade com histórias de virtudes sem par – estava ligado à necessidade norte-americana de pôr num pedestal o republicanismo e os instintos conservadores que inspiraram a revolução. Washington se tornou o objeto de uma religião nacional que louvava o caráter sagrado do republicanismo, como indicam as palavras de John Adams: "Eu me regozijo com o caráter de Washington porque sei que é uma exemplificação do caráter norte-americano." Visto assim, Washington é um símbolo dos valores e das tendências da sociedade, e não a sua fonte. Washington era o oposto do conceito tradicional de liderança heroica. Ao contrário de Cromwell e Napoleão, que tinham confiança na própria capacidade e usaram o poder para produzir mudanças radicais, Washington era modesto, não se sentia à vontade com o poder e honrava a tradição. Washington é o símbolo de um levante conservador para restaurar antigos direitos e liberdades, não para criar uma nova ordem. A nova república via o autossacrifício, o desprendimento, a moderação, a determinação, o autocontrole e a piedade como virtudes norte-americanas a serem praticadas – e a autoindulgência, a ambição, o excesso, a licenciosidade e a indiferença religiosa como vícios a serem evitados.[81]

A Revolução Americana foi diferente de outras revoluções na medida em que não transferiu o poder de um segmento da sociedade para outro. Na verdade, foi feita por aristocratas republicanos que sentiam um forte conflito entre seus hábitos aristocráticos e seus ideais republicanos. Seguiu-se um radical programa nivelador e foi talvez devido ao seu desprendimento que Jefferson se referiu aos que conceberam a Constituição como "semideuses".

No entanto, a expulsão dos britânicos, a mais poderosa nação do mundo, e a corporificação da Nova Atlântida de Bacon transformaram subitamente a sociedade, como já vimos. No fundo, era uma transformação maçônica, uma revolução maçônica – e a liderança maçônica de Washington estava por trás de sua imagem, tão habilmente projetada. Em 1798, na cerimônia de posse (que foi logo depois do funeral de Benjamin Franklin, a que compareceu a maioria dos filadelfenses), Washington estava cercado por maçons – Robert Livingston ministrou o juramento, o General Morton comandou o cerimonial e o General Lewis o escoltou – e a Bíblia usada era da Loja de St. John nº 1, Nova York. (Washington era Grão-Mestre da Loja de Alexandria nº 22, na Virginia.)

Em setembro de 1793, houve uma cerimônia de lançamento da pedra fundamental do Capitólio. Essa cerimônia foi presidida pela Grande Loja de Maryland e Washington, de avental e faixa, serviu de Mestre. Houve uma grande procissão e os membros de todas as lojas usavam as insígnias. Na cerimônia, como manda o ritual maçom, milho, vinho e óleo foram postos em volta da pedra fundamental. Quando morreu, em dezembro de 1799, Washington foi enterrado em sua casa em Monte Vernon, com todas as honras maçônicas – e os membros da Loja de Alexandria nº 22 carregaram o caixão.

A essa altura, os norte-americanos já percebiam que tinham sido uma minoria na revolução. Venceram porque tiveram ajuda da França, porque conheciam o próprio terreno melhor do que os ingleses, porque tinham espírito patriótico e porque a liderança britânica foi ineficaz. Mas o que pesou na balança mais do que qualquer outra coisa foi o apoio das organizações secretas – dos Filhos da Liberdade e principalmente das lojas maçônicas templárias. Todas essas influências tinham já se dispersado na época da Convenção Constitucional – a ajuda francesa, as milícias, os Filhos da Liberdade – e a única organização que permaneceu operante na nação inteira foi a Franco-Maçonaria. Entre os líderes por trás da Constituição, Washington, Franklin, Randolph e John Adams eram maçons e defendiam os ideais maçônicos. Todos eles compartilharam a mesma posição durante a Convenção e depois dela. Jefferson, maçom e redator da Constituição, teve desentendimentos com os outros quatro, mas mesmo assim manteve o espírito maçônico até renunciar. Em suma, o republicanismo norte-americano era templário.

A CONSOLIDAÇÃO DE JACKSON

Os Estados Unidos eram agora um estado maçônico, criado e governado por templários. Embora fosse inicialmente um movimento de independência conduzido por maçons templários, a Revolução Americana está de acordo com nosso modelo de revolução e tem sua fase de "consolidação".

A Guerra de 1812 Contra a Grã-Bretanha

O templário John Adams sucedeu Washington como presidente. Adams evitou a guerra apesar da perpétua ameaça que vinha da França e de sua aliada, a Espanha. Foi sucedido por seu vice-presidente, Jefferson, que seguiu uma política de expansão territorial até que a Grã-Bretanha e a França limitaram o comércio norte-americano com a Europa e confiscaram centenas de navios norte-americanos. Em 1809, depois de um segundo mandato, Jefferson foi sucedido por James Madison, que tentou forçar a Grã-Bretanha e a França a respeitar o comércio marítimo norte-americano. Suas tentativas falharam: a Grã-Bretanha (rainha dos mares, tendo derrotado a França e seus aliados espanhóis em Trafalgar, em 1805) capturava navios norte-americanos à vontade e as relações dos Estados Unidos com a Grã-Bretanha e a França pioraram. Em 1812, com o apetite aguçado por ter tomado a Flórida da Espanha, o povo norte-americano começou a exigir uma guerra e Madison, prejudicado por uma diplomacia dúbia, foi levado a declarar guerra contra a Grã-Bretanha no dia 18 de junho de 1812.

A estratégia naval dos Estados Unidos era permanecer nos portos para defender as cidades. Um pequeno exército e uma milícia de 100.000 homens reunida às pressas invadiria o Canadá na altura de Detroit, do Forte Niágara e do Lago Champlain. A estratégia britânica era bloquear a frota norte-americana e mantê-la aportada. Os norte-americanos acabaram entregando Detroit para os britânicos e os milicianos se recusaram a cruzar a fronteira do Canadá nos dois outros locais. Finalmente, Madison foi persuadido a deixar que doze navios saíssem para enfrentar a frota inglesa, que contava com mais de 600 navios. Ao longo de uma série de combates, o navio USS *Constitution*, comandado por Isaac Hull e depois por William Bainbridge, destruiu duas fragatas britânicas (HMS *Guerrière* e *Java*), o USS *United States*, comandado por Stephen Decatur capturou o HMS *Macedonia*, o USS *Wasp* tomou o HMS *Frolic* e o USS *Hornet* derrotou o HMS *Peacock* – vitórias impensáveis, já que a supremacia britânica nos mares tinha sempre garantido a vitória em tais combates.

Em 1813, a Armada Real surpreendeu os navios norte-americanos no porto e os ingleses que estavam no Canadá invadiram o noroeste dos Estados Unidos. Ambos os lados construíram navios para cruzar os lagos: os norte-americanos derrotaram uma frota inglesa no Lago Erie e, em seguida, 4.500 soldados atravessaram o lago e derrotaram os britânicos e seus aliados indígenas na batalha do Thames. Enquanto isso, os britânicos fizeram ataques diversivos contra cidades costeiras e invadiram o Forte Niágara, o Lago Champlain e Nova Orléans. Em 1811, a administração republicana tinha acabado com o Banco dos Estados Unidos (criado em 1791 pelo Congresso para amortizar a dívida de 56 milhões de dólares da Guerra de Independência e obter crédito internacional), por causa de dúvidas a respeito da sua legalidade constitucional – e agora não tinha crédito nem dinheiro.

Em 1814, reides costeiros destruíram áreas no Rio Connecticut, na Baía Buzzards e em Alexandria, Virginia. No dia 24 de agosto, os britânicos tomaram Washington, que estava desprotegida. Oito mil soldados norte-americanos tinham fugido diante de 1.200 britânicos, que atacaram os prédios públicos, pondo fogo no Capitólio e na casa do presidente. (Dolley, a mulher do presidente, fugiu para Rokeby, a casa de campo de Richard Love, cuja cozinheira negra se recusou a lhe servir café, dizendo: "Ouvi dizer que o Senhor Madison e o Senhor Armstrong venderam o país para os britânicos".) Queimaram o prédio do Tesouro e o Estaleiro Naval – e quando os soldados ingleses se retiraram, às 9 horas da manhã do dia seguinte, havia milhares de refugiados norte-americanos. Os britânicos bombardearam Baltimore mas foram repelidos no Forte Niágara e no Lago Champlain. Parecia que a Revolução Americana contra os britânicos chegava a um desfecho e que os britânicos voltariam como a maior potência na América. O Presidente Madison, agora num alojamento temporário na 18th Street, aceitou a renúncia dos secretários da Marinha e do Tesouro e começou a rezar por um salvador.

Foi então que o Duque de Wellington exortou os britânicos a se retirarem. Ele tinha lutado na Campanha Peninsular e acreditava que, num país com regiões selvagens, a luta continuaria para sempre sem que nenhum dos lados saísse vencedor. Os negociadores estavam reunidos com comissários norte-americanos há alguns meses, em Ghent, na Bélgica e, no dia 24 de dezembro, a paz foi decretada. Tudo voltaria a ser como era antes da guerra começar. O fim da guerra resgatou a popularidade de Madison e os norte-americanos começaram a acreditar que tinham conquistado uma vitória.

Jackson e os Índios

Nesse ponto, Andrew Jackson[82] irrompeu na cena norte-americana como consolidador da revolução. Com o rosto marcado aos 12 anos pelo sabre de um oficial britânico, que o golpeou por ter se recusado a lhe limpar as botas durante a invasão britânica das Carolinas ocidentais em 1780, transformou-se num órfão sem vintém, faminto, inculto e violento, que tomou nas mãos a lei no Tennessee, onde a fronteira estava se expandindo. Invadia terras, negociava e duelava. Casou-se com a mulher do homem em cuja casa se hospedou (como Franklin) e, como se ofendia com facilidade, duelou muitas vezes em defesa da mulher, geralmente atirando para matar. Em 1796, ajudou a criar o novo estado do Tennessee, primeiro como congressista, depois como senador: chegou até a esboçar a nova constituição. Fixou-se em Nashville em 1801 e se tornou juiz do Tribunal Superior do Tennessee. Como maçom templário, fundou a primeira loja maçônica em Nashville. Em 1802, adquiriu uma propriedade enorme, chamada Hermitage, e foi eleito Major-General da Milícia do Tennessee.

Em março de 1812, quando a guerra com a Grã-Bretanha parecia inevitável, Jackson reuniu 50.000 voluntários para invadir o Canadá e, declarada a guerra, ofereceu sua milícia para os Estados Unidos. Não aceitaram de imediato, mas lhe deram o comando contra os índios Creek, aliados dos britânicos.

Homem alto e ruivo, cheio de cicatrizes dos muitos embates violentos na fronteira, que incluíam várias brigas e violentas escaramuças em Nashville, com revólver, punhal ou soco inglês, Jackson tinha ainda uma bala no peito, de um duelo com Charles Dickinson em 1806. Dickinson sangrou até a morte, mas sua bala quebrou duas costelas de Jackson e se enterrou perto de um dos pulmões, criando um abscesso que lhe causou dores pelo resto da vida. Tinha no ombro uma bala de Thomas Benson, de um outro duelo. Não podia ser removida e provocou osteomielite. Sofria também de malária e disenteria, e tratava os ferimentos com acetato de chumbo e calomelano (o que lhe arruinou os dentes).

A nova república era ambivalente quanto aos índios. A Constituição os tinha ignorado, dizendo que o Congresso tinha poderes para "regular o comércio com nações estrangeiras, entre os vários estados e com as tribos indígenas". Em 1786, Henry Knox, secretário da guerra encarregado de questões indígenas, tinha convencido o Congresso a dividir o território indígena em dois no Rio Ohio. Mesmo assim o governo não conseguiu controlá-los e por duas vezes – em 1790 e 1791 – os índios de Ohio repeliram forças norte-americanas (lideradas primeiro pelo General Harmar e depois pelo General St. Clair, que perdeu 1.400 soldados e milicianos), enquanto a república se empenhava para consolidar a revolução. Em 1794, Anthony Wayne venceu a breve batalha de Fallen Timbers e forçou os Shawnees e outras tribos a assinar um tratado. Mas isso nada resolveu. Os norte-americanos queriam absorver os índios ou empurrá-los para o oeste. A organização tribal nômade dos índios não se encaixava na nova república cheia de fronteiras (estados, comarcas, cidades e paróquias), que cruzavam constantemente ao perseguir a caça. Uma família indígena destribalizada recebia 640 acres e, embora muitos índios tenham se estabelecido, muitos preferiam manter o modo de vida tradicional.

Os britânicos, que tinham se aliado aos índios, começaram a armar todos os oponentes dos Estados Unidos e a libertar os escravos negros. Armaram e treinaram mais de 4.000 Creeks e Seminoles, que receberam milhares de armas. Tecumseh, chefe Shawnee, recomendou à elite indígena: "Deixem que a raça branca pereça! Eles tomam a sua terra. Corrompem as suas mulheres. Pisoteiam os ossos dos seus mortos! Para o lugar de onde vieram numa trilha de sangue, têm que ser obrigados a voltar!" Quando a guerra irrompeu, em 1812, os índios massacraram os colonos norte-americanos em Ohio. Os Chickasaw, temendo a desforra, atacaram os assassinos. Nessa terra sem lei, os norte-americanos brancos tentaram massacrar os "Red Stick" Creeks, sob o comando de "High-Head" Jim. Foram derrotados e fugiram para a paliçada de Samuel Mims, que abrigava centenas de brancos, milicianos e escravos negros. Os índios Creek atacaram e mataram todos eles, com exceção de quinze brancos: 553 homens, mulheres e crianças foram mortos, e os escalpos de 250 mulheres foram levados na ponta de estacas.

O violento Andrew Jackson recebeu ordens de vingar esse massacre com a milícia do Tennessee. Sulistas como Henry Clay, porta-voz da Câmara de Kentucky, e John Caldwell Calhoun, representante da Carolina do Sul, queriam que todos os índios fossem deslocados para oeste do Mississipi e pediam a construção de estradas, para que os colonos ocupassem os territórios desocupados pelos índios. Com um braço na tipoia devido a outro duelo, Jackson reuniu o General Coffee, o lendário David Crockett, outros aventureiros e mais de 1.000 homens. Levou-os para a aldeia de Tallhushatchee, onde viviam os líderes do massacre. No dia 3 de novembro, Coffee e seus mil homens destruíram a aldeia e mataram a tiros 186 homens e muitas mulheres. Suas cabanas foram incendiadas. Jackson achou um bebê indígena de dez meses, adotou-o, deu-lhe o nome de Lyncoya e o mandou para Hermitage.

Uma semana depois, Jackson atacou um grupo de mil Creeks em Talladega e matou 300. Alguns milicianos queriam agora voltar para casa. Jackson ameaçou atirar em qualquer um que ameaçasse ir embora e, diante do motim que isso provocou, começou a atirar nos amotinados e ordenou a seus atiradores que atirassem também. Os milicianos mudaram de ideia. Um dia, um jovem de 18 anos se recusou a obedecer a uma ordem e Jackson ordenou ao pelotão de tiro que o executasse, com o exército inteiro assistindo. Obrigava os soldados a levantar às três e meia da manhã para evitar os reides dos índios e, em pouco tempo, tinha um exército de 5.000 homens.

Jackson atacou a principal fortaleza dos índios Creeks em Horseshoe Bend (Tohopeka), onde havia 1.000 homens. A fortaleza ficava numa área de cem acres: parte dela era cercada por águas profundas e a outra parte protegida por um muro alto com buracos para atirar. Os homens de Jackson derrubaram o muro e mataram todos os que não se entregaram: 557 foram mortos no forte – para contá-los, arrancaram à faca a ponta do nariz de todos – e 300 se afogaram.

Depois disso, Jackson entrou pelo território indígena, queimando plantações e aldeias até que, no dia 14 de abril de 1814, os índios Creek se entregaram, através do Chefe Águia Vermelha. De acordo com o Tratado do Forte Jackson, cederam 20 milhões de acres, metade de sua terra (três quintos do atual Alabama e um quinto da Georgia). A leste do Mississipi, a independência dos índios tinha sido aniquilada.

Jackson e os Ingleses

Agora, os Estados Unidos tinham uma linha de comunicação que ia da Georgia para Mobile e para o Forte Bower, que Jackson (sem a autorização de Washington) ocupou em agosto e defendeu contra os britânicos em setembro. No começo de novembro, Jackson ficou sabendo que os britânicos tinham desembarcado em Pensacola, Flórida. Marchou então para a Flórida e, no dia 7 de novembro, ocupou a base espanhola em Pensacola, mesmo não estando os Estados Unidos em guerra com a Espanha. A ocupação de Jackson impediu que o Almirante Cochrane, o comandante britânico, isolasse New Orleans.

No dia 1º de dezembro, Jackson chegou a New Orleans e viu que a cidade estava desprotegida. Formou rapidamente uma força de negros e piratas – os britânicos enforcavam piratas nos navios da Armada Real – e construiu uma linha defensiva. No dia 8 de janeiro de 1815, chegaram 14.000 soldados britânicos, sem saber do tratado de paz assinado em Ghent. Mas New Orleans estava defendida. Os britânicos, comandados pelo General *Sir* Edward Pakenham, cunhado de Wellington, planejaram atacar a fortificação por trás, aproximando-se pelo flanco. Mas, como a força destacada para isso não conseguiu chegar, atacaram de frente. Só que as escadas para escalar a fortificação também não chegaram e, com o Almirante Codrington observando tudo a bordo do HMS *Tonnant*, os ingleses foram massacrados: 291 foram mortos, 484 desapareceram e mais de mil ficaram feridos. Jackson perdeu apenas treze homens.

Os ingleses continuaram lutando e, no dia 11 de fevereiro, tomaram o Forte Bower. Preparavam-se para atacar Mobile quando chegou a notícia do tratado de paz: a hostilidade cessou e os britânicos foram para casa em março.

A vitória de Jackson em New Orleans não influenciou a conferência da paz em Ghent, mas afetou a interpretação e a implementação do tratado. Castlereagh, Ministro do Exterior, foi o primeiro estadista britânico a aceitar que os Estados Unidos tinham o direito legítimo a existir e, da mesma maneira, os Estados Unidos aceitaram a existência do Canadá. A Grã-Bretanha permitiu que os Estados Unidos se expandissem ao sul do paralelo 49, à custa da Espanha e dos índios. Aceitou também que os norte-americanos tinham direito de "comprar a Louisiana" e de ficar em New Orleans, Mobile e Golfo do México. Se Jackson não tivesse vencido, os britânicos teriam devolvido esses lugares para a Espanha e ficado com o Forte Bower. A Grã-Bretanha negociou a paz com os Estados Unidos em troca da paz no Canadá e das lucrativas Índias Ocidentais.

O Tratado de Ghent acabou também com as aspirações dos índios no sul. Os Estados Unidos concordaram em terminar a guerra contra os índios "e devolver de imediato para as tribos [...] todas as possessões [...] de que usufruíam [...] em 1811 antes dessas hostilidades". Isso significava que Jackson tinha que devolver terras tomadas dos índios pelo Tratado de Forte Jackson. Mas ele ignorou o Tratado nesse ponto e os Estados Unidos puderam se expandir até o Pacífico. Marcadas pela guerra, as violentas aventuras de Jackson expandiriam os Estados Unidos até o Texas e além. Seu líder era agora tido como herói no sul e no oeste. Era o primeiro herói republicano desde Washington e seu caminho para a presidência dos Estados Unidos estava garantido.

Jackson fez papel de consolidador, assimilando os índios ou empurrando-os para oeste, enquanto ampliava as fronteiras dos Estados Unidos. Todas as revoluções são intolerantes com quem as desafia e Jackson representou a fase violenta de consolidação física da Revolução Americana.

SUMÁRIO: A DINÂMICA REVOLUCIONÁRIA DA REVOLUÇÃO AMERICANA

A Revolução Americana começou com o Templarismo Jacobita escocês de Jaime I, cuja semente pode ter sido levada para o Novo Mundo pela expedição de Bartholomew Gosnold, que fundou a Colônia de Jamestown em 1607. A visão herética oculta da Revolução pode ser encontrada na corte londrina do templário escocês Jaime, que deu sua bênção para a viagem enviando ao cais de Blackwall o poeta laureado Michael Drayton para recitar, antes da partida do navio, um poema que define o Novo Mundo como "único paraíso na terra". (Cristóvão Colombo pensou que tinha encontrado o Jardim do Éden na foz do Orinoco, na Venezuela, e Drayton podia estar se referindo a isso.) Os colonos retribuíram chamando seu assentamento de James's Town (Cidade de Jaime). Como essa colônia foi a primeira a sobreviver no Novo Mundo, pode-se dizer que Gosnold fundou a América de língua inglesa como a conhecemos hoje. Embora fosse abertamente um colonialista britânico, Gosnold pretendia integrar os índios e tinha uma visão de um continente povoado por europeus falando inglês – a futura nação norte-americana.

O intérprete dessa visão franco-maçônica herética e oculta do Novo Mundo foi Francis Bacon, primo de Gosnold e autor da obra utópica *A Nova Atlântida*, que surgiu em 1624. Bacon pode ter fundado a Franco-Maçonaria rosacruciana – em oposição ao Templarismo Escocês – na década de 1580, como já vimos, mas só se interessou realmente pela América na década de 1620, quando viu o assentamento pioneiro do primo como a Nova Atlântida. O Templarismo já estava estabelecido nos Estados Unidos em 1760, tanto que os Templários comandaram o Chá de Boston.

O originador revolucionário foi Adam Weishaupt, que tinha sido escolhido por Charles de Lorraine, Grão-Mestre do Priorado de Sião, para se infiltrar no Templarismo. Refletiu tanto o Priorado quanto o Templarismo, proclamou o republicanismo e produziu o Grande Selo para os Illuminati, que se tornaria o Grande Selo dos Estados Unidos. Foram as ideias de Weishaupt que deram à Maçonaria Templária sua dinâmica revolucionária.

O intérprete intelectual reflexivo que deu à visão um novo viés foi Benjamin Franklin. Na sua visita à França, comprou a ideia do selo de Weishaupt, que se tornou o Grande Selo norte-americano. Sionista e membro da Royal Society de Boyle, ele – mais do que ninguém – contribuiu para as disposições constitucionais que tornaram livres as 13 colônias. O intérprete intelectual semipolítico, e depois político, foi Thomas Jefferson, que escreveu a Declaração da Independência e que, embora fosse um Illuminatus Sionista, foi por duas vezes Presidente. A dinâmica revolucionária inicial da Revolução Americana pode ser expressa como se segue:

Visão herética oculta	Intérprete herético oculto	Originador revolucionário oculto	Intérprete intelectual reflexivo	Intérprete intelectual semipolítico
Templarismo Jacobita Escocês (via Gosnold)	Bacon	Weishaupt	Franklin	Jefferson

Weishaupt influenciou os fundadores que deram expressão intelectual à sua visão, principalmente Benjamin Franklin, o único fundador que era um maçom norte-americano, inglês e francês – e também Thomas Jefferson, maçom templário do 33º grau e quase com certeza membro da Loja de Virginia dos Illuminati, sendo um dos que ajudaram os Illuminati a se infiltrar nas lojas maçônicas da Nova Inglaterra. A Declaração da Independência de Jefferson e suas ideias subsequentes (por exemplo, o Estatuto para Estabelecer a Liberdade Religiosa) favoreceram a revolução maçônica templária, que cresceu em torno das lojas de Boston (frequentadas por John Hancock e Paul Revere) e em Richmond, Virginia (frequentadas por Patrick Henry e Richard Henry Lee) e que tirou o poder da Inglaterra sionista rosacruciana.

O maçom templário George Washington, Comandante em chefe do exército norte-americano em 1776-7 e até que a paz se firmasse em 1783, deu expressão política à revolução. Presidiu a criação da Constituição Federal em

1787 e, em 1789, quando era Grão-Mestre da Loja Alexandria nº 22 em Virginia, foi eleito o primeiro Presidente dos Estados Unidos.

A Revolução Americana não tem uma fase física brutal envolvendo norte-americanos brancos porque não foi uma revolta contra um sistema de governo indígena existente, mas um movimento anticolonial contra a Inglaterra. Mas seguiu o padrão de unificar o país à força: vemos a consolidação nos massacres de Jackson contra os índios, um processo dirigido contra a população indígena nativa, que continuou por décadas depois da época de Jackson.

A Revolução Americana envolveu uma mudança de autoridade política mais do que uma transformação na estrutura de poder da sociedade. Assim, não condiz com o modelo de outras revoluções. Edmund Burke, que criticou severamente a crueldade da Revolução Francesa, defendeu a independência das colônias norte-americanas, já que não parecia haver iminência de uma fase brutal.

A dinâmica revolucionária completa da Revolução Americana pode ser expressa da seguinte maneira:

Inspiração herética oculta	Expressão intelectual	Expressão política	Consolidação física
Templarismo Jacobita Escocês (via Gosnold) / Bacon	Franklin / Jefferson / Paine	Washington	Jackson

A Franco-Maçonaria inglesa pretende transformar a sociedade e podemos expressar a dinâmica revolucionária da Franco-Maçonaria da seguinte maneira:

Inspiração herética oculta	Expressão intelectual	Expressão política	Consolidação física
Luciferianismo / Templo de Salomão	Religião da razão / deísmo	Republicanismo	Estado Mundial (como metáfora do Templo reconstruído)

Podemos expressar a dinâmica revolucionária da Maçonaria Templária da seguinte maneira:

Inspiração herética oculta	Expressão intelectual	Expressão política	Consolidação física
Luciferianismo / De Molay	Conselho dos Sábios/ Grão-Mestres maçônicos	Oligarquia global / governada por homens-deuses super-ricos	República Universal através do genocídio

Assim como a Maçonaria Templária, a Maçonaria Sionista se concentrava na transformação política que pudesse ser efetuada pela Franco-Maçonaria oculta. Vamos ver que tanto a Maçonaria Templária quanto a Sionista permitem o genocídio (que no entanto tem sido evitado dentro dos Estados Unidos). A dinâmica revolucionária da Maçonaria Sionista para transformar a sociedade é mais israelita do que a da Franco-Maçonaria Templária:

Inspiração herética oculta	Expressão intelectual	Expressão política	Consolidação física
Cabalismo / Rosacrucianismo: Templo de Salomão / Yahweh como Demiurgo	Sanhedrin / Conselho dos Anciãos / Priorado de Sion	Falso Messias / Rei de Jerusalém / Rei apontado por Sanhedrin*	Único Reino mundial através do genocídio

(* os rosa-cruzes sionistas apontaram George I)

A Revolução Americana produziu uma transformação constitucional que acabou com o governo colonial da Grã-Bretanha e criou o republicanismo, expressão política da Maçonaria Templária. A nova Atlântida da América era um estado maçônico criado por templários.

A dinâmica revolucionária das ideias por trás da Revolução Americana pode ser expressa da seguinte maneira:

Inspiração herética oculta	Expressão intelectual	Expressão política	Consolidação física
Nova Atlântida	Iluminismo	Republicanismo	Conquista / expansão para o oeste

CAPÍTULO CINCO

A REVOLUÇÃO FRANCESA

Os Illuminati tinham 20.000 lojas espalhadas pela Europa e pelos Estados Unidos.

David Rivera, *Final Warning*

Por volta de 1794, havia 6.800 Clubes Jacobinos, totalizando meio milhão de membros. Todos eram antigos Maçons do Grande Oriente, [...] a revolução lhes foi ensinada pelos Illuminati do Priorado.

John Daniel, *Scarlet and the Beast*

O clímax da Revolução Francesa foi a execução do rei Luís XVI na guilhotina. Em 1796, o abade Edgeworth de Firmont, que era confessor do rei e o acompanhou ao cadafalso, escreveu numa carta a seu irmão: "Assim que o golpe fatal foi desferido, caí de joelhos e assim fiquei até que o odioso canalha (Sansão), que fez o papel principal na horrível tragédia, começou a gritar de alegria, mostrando a cabeça sanguinolenta à multidão e salpicando-me com o sangue que corria dela. Achei então que era hora de deixar o cadafalso mas, olhando à minha volta, me vi cercado por vinte ou trinta mil homens armados [...] todos os olhos fixos em mim, como você pode supor. Nessa ocasião não tive permissão para usar qualquer símbolo exterior de um sacerdote."[1]

Quando se investiga a fundo a Revolução Francesa, chama a atenção a nobreza dos objetivos de alguns dos revolucionários que, sem exceção, queriam melhorar o destino de seus companheiros – mas também a crueldade e a desumanidade fanática de sua solução, ao se empenharem por uma sociedade melhor. Como no caso das revoluções inglesa e americana, a Revolução Francesa pretendia criar um estado utópico que restaurasse a liberdade e a igualdade perdidas no Jardim do Éden.

A UNIÃO DE WEISHAUPT ENTRE O PRIORADO E OS TEMPLÁRIOS

Nas raízes da Revolução Francesa estava a visão oculta dos cátaros, que rejeitaram a civilização europeia e voltaram à natureza para viver como nobres selvagens (organizados) em cidadelas primitivas, como seu quartel-general em Montségur. Condenados pelo papado como heréticos, foram suprimidos depois da Cruzada Albigense, quando muitos sobreviventes fugiram e se uniram aos Templários. Seus descendentes acabaram se tornando maçons templários e mantiveram viva a visão cátara no interior da Franco-Maçonaria.

Rousseau e o Priorado

O intérprete oculto da visão cátara de "volta à natureza", Jean Jacques Rousseau, reagiu contra o Iluminismo racional. Foi um movimento europeu que começou no século XVII, provavelmente com René Descartes que, ao escrever "Penso, logo existo", estabeleceu a razão como o poder através do qual o homem compreende o universo. A verdade não seria mais revelada ao intelecto perceptivo (*intellectus*): a razão tinha se revoltado e usurpado seu lugar. Parece que Descartes era rosa-cruz. (Seu primeiro diário, que escreveu aos 23 anos, por volta de 1619, contém pensamentos sobre o Rosacrucianismo recém-surgido na Alemanha. O Dr. Nicolaes Wassenar afirma em *Historich Verhal*, 1624, que Descartes era rosa-cruz. É provável que tenha sabido por seu filho, Jacob Wassenar, que era membro do Círculo Rosa-Cruz na Holanda e amigo íntimo de Descartes, ligado também a rosa-cruzes como Cornelius Van Hooghelande, Isaac Beekman e Johann Faulhaber.)[2] No começo da década de 1660, o rosa-cruz Isaac Newton usou sua razão para capturar, em poucas equações matemáticas, as leis que governam o movimento dos planetas. Surgiu assim uma visão de mundo que levou ao humanismo de Francis Bacon, ao classicismo da Renascença e à Reforma racional de Lutero – sintetizando Deus, razão, natureza e homem. A razão aplicada à religião criou o deísmo, a "verdade manifesta" de que um Deus era o arquiteto de um universo mecânico, em que o homem tinha o dever de ser virtuoso e devoto. Os deístas não eram cristãos – na verdade eram anticristãos – e em todos os outros aspectos afirmavam o ceticismo, o ateísmo e o materialismo. Argumentavam que os objetivos do homem racional são o conhecimento, a liberdade e a alegria.

Filósofos do Iluminismo racional, como os rosa-cruzes sionistas John Locke e Thomas Hobbes, negavam que o homem tivesse qualidades inatas, como bondade ou pecado original: para eles, o homem era impulsionado pelo prazer ou pela dor. A função do Estado não era ser uma cidade de Deus, como nos tempos antigos, mas proteger os direitos naturais e os interesses de seus cidadãos. A visão de Locke de um contrato social entre os indivíduos e a sociedade entrava em conflito com a realidade das sociedades europeias. Assim, a mente otimista do Iluminismo foi ficando crítica e reformista, como se pode notar em alguns pensadores (que parecem ter sido influenciados por rosa-cruzes sionistas) como Jeremy Bentham, Montesquieu, Voltaire, Jefferson – e Leibniz, que considerava este mundo "o melhor de todos os mundos possíveis". Finalmente, as abstrações de razão se tornaram utópicas e revolucionárias. Aqueles que as abraçavam, como Robespierre e Saint-Just, argumentavam que os fins justificam os meios e sancionaram a guilhotina no interesse de uma nova e melhor sociedade. E logo a crença confiante na Iluminação, de que o homem racional governaria a si mesmo de maneira iluminada, estava sendo contestada por multidões ululantes e toques de tambores: estava aniquilada. Weishaupt fez bom uso dessa convulsão revolucionária na Idade da Razão e da Iluminação.

A celebração da razão abstrata foi rejeitada por alguns que viraram o espírito crítico e iconoclasta do Iluminismo contra ele mesmo. Entre ele, o mais notável foi o francês Jean-Jacques Rousseau, que reagiu contra a razão para explorar a sensação e a emoção e introduzir o movimento cultural do Romantismo, pondo fim à não violenta Idade da Razão. Calvinista de Genebra, que veio para a França em 1742, com 30 anos de idade, foi secretário do embaixador francês em Veneza e conheceu Denis Diderot, um maçom que era editor da radical *Encyclopédie* francesa, que reuniu um grupo de deístas intelectuais chamados *Philosophes*. (Além de filósofos, eram panfletários reformistas.) Rousseau, Diderot e o filósofo Condillac almoçavam juntos com frequência no Panier Fleuri em Paris. Os *Philosophes* de Diderot eram todos maçons:[3] Helvétius e Voltaire (ambos originalmente sionistas), d'Alembert, Condorcet e Condillac, e Rousseau, o mais original deles e em pouco tempo o mais importante. Seus trabalhos foram de grande influência nas lojas francesas e devemos concluir que, sob a influência de Diderot, Rousseau se tornou maçom.

À caminho de Vincennes, para visitar Diderot, com a idade de 37 anos, Rousseau teve "uma iluminação" num "terrível lampejo", de que o progresso moderno – o deus dos otimistas filósofos iluministas – tinha corrompido os homens, em vez de melhorá-los. No *Discours sur les Sciences et les Arts*, de 1750, argumenta que a história do homem na terra foi de decadência, que o homem é bom por natureza, mas corrompido pela sociedade, que é culpada de seus vícios. Os vícios, sustenta Rousseau, não são conhecidos num estado de natureza. As artes, afirma, são propaganda para os ricos.

Em *Discours sur l'origine de l'inégalité*, de 1755, vê a lei vigente como protetora do *status quo*. Sustenta que todos os homens são originalmente iguais: a desigualdade surge quando os homens formam uma sociedade e competem uns com os outros – uma doutrina comunista. A verdadeira lei é a "lei justa". Rousseau, grande admirador de Maquiavel e do governo republicano, estabeleceu para os revolucionários a base lógica para a substituição da "lei injusta" por uma nova "lei justa", sob a qual haveria igualdade (*egalité*). Sua afirmação de que Deus se encontra na natureza, especialmente nas montanhas e florestas intocadas pelo homem, e sua insistência na imortalidade da alma levaram ao Romantismo de Goethe e Wordsworth, mas sua crítica à civilização levou à Revolução Francesa – e Weishaupt se valeu de seus pensamentos.

Em 1751, Helvétius, o rico anfitrião dos *Philosophes* do Iluminismo, ligou-se pelo casamento à Casa de Lorraine e foi para suas terras em Voré. Em 1758, provocou uma tempestade ao publicar *De l'Esprit*, que ataca a moralidade baseada na religião. Quando o livro foi queimado em público, Voltaire e Rousseau se dissociaram dele. A visão de civilização de Rousseau provocou mais uma brecha entre ele e os *Philosophes*. E embora *Cândido* de Voltaire, que também veio a público em 1758, mostrasse, através dos infortúnios que o herói vê e sofre, que este não é o melhor dos mundos possíveis, como Leibniz afirmava, ele acabou rompendo com Rousseau naquele mesmo ano, depois que Rousseau atacou a filosofia racional dos *Philosophes* em *Lettre à d'Alembert sur les Spectacles*, sustentando que o drama tinha que ser abolido. (Voltaire continuou sendo um deísta reformador do Iluminismo, anticristão convicto, preocupado com a injustiça e a tirania.)

Em 1762, Rousseau produziu *Du Contrat Social* (O Contrato Social) – o título lembra a expressão rosacruciana de Locke – onde diz que a sociedade tem às vezes que "forçar o homem a ser livre", ou seja, às vezes a lei tem que corrigir um indivíduo para que ele volte a seu estado natural. E que um homem coagido pela sociedade a violar a lei está sendo trazido de volta à consciência dos próprios interesses.

A recepção de *O Contrato Social* não foi boa. Escandalizou os calvinistas em Genebra, que ordenaram a queima do livro. Em Paris a reação foi a mesma e foi emitida uma ordem de prisão contra Rousseau. Rousseau saiu de Paris e foi para uma casa de campo perto de Montmorency, sob a proteção do Marechal de Luxemburgo, um maçom que o ajudou a sair do país para viver como fugitivo na Suíça. David Hume, filósofo escocês e maçom, tornou-se secretário da Embaixada Britânica em Paris em 1763 e depois *Chargé d'Affaires* (Encarregado de Negócios) em 1765. Conheceu Rousseau e o levou consigo de volta à Inglaterra em 1766: abrigou-o numa casa de campo em Wooton, Staffordshire, e obteve para ele uma pensão de George III. Mas Rousseau percebeu que estava sendo ridicularizado por intelectuais ingleses e – agora um pouco paranoico – acusou Hume, seu benfeitor, de participar da zombaria e voltou para a França em 1767.

O pensamento de Rousseau estava completamente equivocado,[4] pois o surgimento de civilizações é uma coisa boa, não má. Se uma civilização é imperfeita, a cura requer mais civilização. Se um sistema social é imperfeito, é preciso mais civilização – e não menos – para deixá-lo em ordem, como no caso de um jardim mal cuidado, que exige mais cultivo – e não menos – para se recuperar. Para os seres humanos, é bom voltar à natureza por algum tempo para descobrir (ou redescobrir) sua harmonia com o Universo, mas não é bom permanecer nela indefinidamente, sacrificando a vida social pela lei da selva. Na selva, o homem se transforma num bruto lutando por necessidades materiais e sobrevivendo por ser mais forte do que outros brutos, renunciando a qualquer vida moral. Dissidentes como os cátaros formaram suas comunidades junto à natureza e viviam vidas cuidadosamente regulamentadas de acordo com suas crenças alternativas: não voltaram à vida do selvagem – assim como o próprio Rousseau não voltou enquanto viveu de sua pensão real na casa de campo de Staffordshire. Pode-se entender o riso que as ideias de Rousseau provocaram na Inglaterra do século XVIII.

Adam Weishaupt, que interpretou Rousseau[5] em termos ocultistas e que se tornou o originador revolucionário oculto da Revolução Francesa, não riu. Entre 1771 e 1776, afirmou a filosofia de Rousseau, defendendo a destruição da civilização, a derrubada da lei existente e a adoção do igualitarismo de acordo com o pensamento revolucionário do final da Idade da Razão, que favoreceu a eliminação total da velha sociedade e sua substituição por uma nova sociedade – e assim garantiu o apoio das lojas maçônicas rosacrucianas na Alemanha.

Rousseau não era o originador de suas doutrinas e a Utopia primitiva de sua filosofia não era sua. Sua ideia do Nobre Selvagem, inspirada nos cátaros franceses, deve algo à *Utopia*[6] de *Sir* Thomas More e à visão baconiana da Atlântida. Enquanto todos os *Philosophes* eram maçons, alguns, como Voltaire, eram basicamente sionistas, embora fossem pró-templários o suficiente para que Frederico II os chamasse à Prússia (um convite talvez tratado como missão de espionagem incentivada pelo Priorado). Certamente Helvétius parece estar nessa categoria: casou-se com uma parente de Charles de Lorraine e foi convidado a ir para Berlim por Frederico II em 1765 (depois do que os *Philosophes* voltaram a ser protegidos). Benjamin Franklin, que ficou amigo de Madame Helvétius em 1776, também estava basicamente com o Priorado, embora ficasse à vontade entre templários. Seriam os maçons Diderot, D'Alembert, Condorcet e Condillac também "ambidestros"?

E o que dizer de Rousseau, que chegou a Paris em 1742, depois da fundação da Grande Loja Templária mas antes da fundação do Rito Jacobita Escocês da Franco-Maçonaria? Será que (como Diderot) ele também estava com o Priorado de Sião na década de 1740? Lamentou esse período como católico convertido e (levando consigo sua amante Thérèse Levasseur, uma lavadeira analfabeta) voltou a Genebra em 1754. Foi então readmitido na Igreja Protestante como calvinista, o que o situa no lado sionista. (com os protestantes Cromwell e Guilherme III). Será que Charles de Lorraine – cunhado da imperatriz da Áustria e Comandante-chefe das forças armadas da Áustria até 1757, que tinha contato com os *Philosophes* através de Madame Helvétius depois de 1751, dois anos após o "terrível lampejo" de Rousseau – teria ensinado a ele suas doutrinas? Em 1757, dispensado do comando do exército por Maria Theresa, depois da derrota em Leuthen, Charles de Lorraine foi para Bruxelas e, em seu palácio, reuniu uma corte que (como a de seu ancestral René d'Anjou) se tornou um centro de literatura, pintura, música e teatro – todas as artes que fascinavam Rousseau. Será que foi através de Charles de Lorraine (que pretendia o trono de Luís XVI) que Rousseau recebeu a influência do rosa-cruz sionista Locke, a tempo de produzir o novo *O Contrato Social* por volta de 1762, para espalhar a revolução pelas lojas maçônicas rosacrucianas? Seria o Marechal de Luxemburgo um rosa-cruz sionista? Será que Charles de Lorraine teve participação no encontro de Rousseau e Hume? Seria o escocês Hume um sionista (na tradição da Royal Society) e não um maçom do Rito Jacobita Escocês? E, finalmente, teria Charles de Lorraine alguma coisa a ver com o período que Rousseau passou no final da vida nas propriedades do Príncipe de Conti e do Marquês Girardin?

Já vimos que Weishaupt foi recrutado por Charles de Lorraine, Grão-Mestre do Priorado de Sião, que o instruiu nos mistérios egípcios e em outros mistérios durante cinco anos. Se Rousseau era um sionista ligado à Casa de Lorraine, há uma simetria entre a influência que levou aos Illuminati: isso significaria que Charles de Lorraine ensinou Rousseau e mais tarde ensinou as doutrinas de Rousseau a Weishaupt: assim, Weishaupt apelou aos sionistas valendo-se do que era essencialmente um pensamento sionista.

Weishaupt Cria os Illuminati para o Priorado de Sião

Weishaupt se inspirou também nos *Parfaits* do Catarismo, que contestavam a Igreja de maneira revolucionária e afirmavam doutrinas heréticas, luciferianas. O prussiano Frederico o Grande queria tomar o trono francês para o Templarismo, e tinha demonstrado seu pró-Catarismo em 1767, fundando a Ordem Maçônica dos Arquitetos da África, que era devotada ao Maniqueísmo, e uma outra ordem, os Cavaleiros da Luz.[7] Parece que Charles de Lorraine escolheu um alemão bávaro (Weishaupt) para fundar uma nova ordem, na esperança de atrair as lojas alemãs de Frederico II, afastar a atenção de Frederico da França e impedi-lo de tentar tomar o trono francês.

Daí para a frente, os destinos da Alemanha e da França estavam inextricavelmente ligados à medida que o Iluminismo bávaro oculto moldava o culto da Razão na França e que a mistura das duas culturas se refletia nas disputas territoriais em Alsácia e Lorena, e Estrasburgo. Weishaupt planejava dar continuidade à "Sinagoga de Satã" e uni-la à visão de Rousseau de que a civilização era um erro, de que o homem tinha que "retornar à natureza", longe da influência paralisante da civilização e restaurar o seu Jardim do Éden natural. Weishaupt afirmava que o principal obstáculo para sua utopia era o governo organizado: "Príncipes e nações devem desaparecer da Terra". Não haveria qualquer autoridade controladora, nem leis ou códigos civis – apenas a anarquia. (Na verdade, o sistema governamental Illuminati seria uma ditadura absoluta, com Weishaupt no comando.)

Weishaupt advogava um estado mundial utópico que restaurasse a liberdade e a igualdade perdidas no Jardim do Éden e abolisse a propriedade privada, a autoridade social (grau e hierarquia), a nacionalidade e todos os tronos e religiões.

Se Rousseau pavimentou o caminho para a revolução, Weishaupt delineou o mecanismo da revolução. Sua capacidade organizacional vinha de sua experiência com os Jesuítas e também da Franco-Maçonaria. Nascido em 1748, filho de um rabino judaico, foi entregue aos Jesuítas ainda menino, logo depois da morte do pai em 1753, por seu padrinho, o curador da Universidade de Ingolstadt, Barão Johann Adam Ickstatt, cuja biblioteca tinha permissão de usar.[8] Weishaupt foi educado como católico e se tornou sacerdote jesuíta antes que as leituras na biblioteca do padrinho o convencessem de que era ateu. Estudou na França, onde conheceu Robespierre,[9] que mais tarde liderou a Revolução Francesa, e estabeleceu contatos nas cortes reais francesas (incluindo Charles de Lorraine?) que o iniciaram no Satanismo. Graduou-se na Universidade Bávara de Ingolstadt em 1768 e depois trabalhou como tutor durante anos, período em que conheceu Charles de Lorraine. Segundo alguns relatos, os Rothschilds financiaram Weishaupt de 1770 a 1776, e Mayer Amschel "Rothschild" era aliado de Charles de Lorraine. Com ele, Weishaupt estudou durante cinco anos (de 1771 a 1776)[10] o Maniqueísmo e outras religiões pagãs, incluindo os Mistérios de Elêusis e Pitágoras, e escreveu a constituição de uma sociedade secreta baseada nas escolas de mistério pagãs. Também estudou a Cabala, os Essênios, *A Chave Maior de Salomão* e *A Chave Menor de Salomão,* que o ensinaram a conjurar demônios e realizar rituais ocultos. Ao mesmo tempo, deu aulas de Direito e apoiou o Protestantismo. Depois de 1771, sua ascensão foi espetacular. Em 1772, foi feito professor de Lei Civil e, em 1773, professor de Lei Canônica (um posto que era ocupado pelos Jesuítas há 90 anos). Em 1773, o ano em que os Jesuítas foram eliminados, casou-se contra o desejo de Ickstatt. Conta-se que Mayer Amschel "Rothschild" conheceu Weishaupt em 1773 para discutir a revolução mundial.[11] Quando em 1775 tornou-se reitor da Faculdade de Leis, os jesuítas estavam tão preocupados com sua crescente influência que tentaram impedir sua nomeação.

Ao fundar sua organização, aproveitou a estrutura organizacional dos Jesuítas, como vimos. Em 1774, fez contato com uma loja maçônica de Munique, mas ficou desapontado, já que seus membros conheciam pouco sobre o simbolismo pagão. Sua pequena experiência com a Franco-Maçonaria lhe deu ideias sobre a natureza da própria sociedade secreta, que combinava estruturas hierárquicas jesuítas e maçônicas. A Ordem de Weishaupt era composta de três graus: Noviço, Minervino e Minervino Iluminado (Minerva era a forma romana de Palas Atena, que tinha papel tão importante na primeira sociedade rosacruciana de Bacon.) Esses três graus correspondiam aos das estruturas da hierarquia dos jesuítas e da Franco-Maçonaria.

Na cerimônia de iniciação ao mais alto grau da Ordem, o iniciado entrava numa sala onde havia um trono e uma mesa com uma coroa, um cetro e uma espada. Era convidado a pegar esses objetos, mas lhe diziam que se os pegasse não entraria na Ordem. Em seguida era levado a uma sala forrada de preto. Uma cortina revelava um altar coberto com tecido negro, sobre o qual havia uma cruz e um capuz frígio vermelho, do tipo usado nos mistérios de Mitra. O capuz era entregue ao iniciado com as palavras: "Use-o – significa muito mais do que a coroa dos reis". (Esse capuz emergiria durante a Revolução Francesa e ainda hoje é usado pela Liberdade nos selos postais franceses.) Weishaupt baseou o ritual nos mistérios de Mitra, em que o neófito recebia uma coroa e uma espada e se recusava a aceitá-los, dizendo: "Só Mitra é minha coroa".[12] Weishaupt acreditava que a espécie humana podia ser restaurada à perfeição que gozava antes da Queda se seguisse as tradições ocultas das escolas pagãs de mistério, que guardavam a Sabedoria Antiga, incluindo os ensinamentos originais de Jesus. Afirmava que a Igreja os tinha perdido, mas que eles tinham sido preservados pelas tradições rosacruciana e maçônica.

Todos os membros tinham que adotar nomes clássicos. Já vimos que o próprio Weishaupt era "Spartacus" (o nome do líder da revolta dos escravos na Roma antiga, por volta de 73 a.C.); seu braço direito, Xavier von Zwack, era "Cato"; Nicolai era "Lucianus"; o Professor Wetenreider era "Pythagoras"; O Cânone Hertel era "Marius"; o Marquês di Constanza era "Diomedes"; Massenhausen era "Ajax"; o Barão von Schroeckens era "Mahomed" e o Barão von Mengenhofen era "Sulla" (muitas vezes escrito erradamente "Sylla"). Seu quartel-general era em Munique, conhecido como Grande Loja dos Illuminati e com o codinome "Atenas". Havia também lojas em Ingolstadt ("Éfeso"), na Heidelberg rosacruciana ("Utica"), na Bavária ("Acaia") e em Frankfurt ("Tebas"). O calendário foi reconstruído e os meses receberam nomes com sons hebraicos (janeiro era Dimeh, fevereiro Benmeh).[13] Suas cartas eram datadas de acordo com a Era Persa (começando com o primeiro Rei da Pérsia, Jezdegerd, que subiu ao trono em 632 a.C.). O ano novo começava em 21 de março, o dia de Ano Novo para os feiticeiros.

Fatal para a utopia de Weishaupt foi o conceito de propriedade, que compelia os homens a desistir do Paraíso nômade e idílico por uma residência fixa. Para recuperar a liberdade e a igualdade natural, era necessário que cada um renunciasse à propriedade e entregasse suas posses. Da mesma forma, o patriotismo e o amor à família separam o homem do resto da espécie humana, afirmava Weishaupt. Sem isso, haverá amor universal entre os homens e as nações, e "a espécie humana (será) uma família boa e feliz". Então, "a Razão será a única lei do Homem. Quando finalmente a Razão se tornar a religião do Homem, o problema estará solucionado". No final da Idade da Razão, razão era usar métodos revolucionários violentos para criar desordem, para que prevalecesse uma nova ordem em que todos os homens fossem cidadãos do mundo antes de ser proprietários, membros de uma família ou nação, ou almas individuais. No *Discurso da Origem da Desigualdade*, Rousseau escrevera: "O primeiro homem que pensou em dizer 'Isto é meu', e encontrou pessoas suficientemente simples para acreditar nele, foi o verdadeiro fundador da sociedade civil. Que crimes, que guerras, que assassinatos, que misérias e horrores teria poupado à espécie humana quem, arrebatando as espadas e tapando as trincheiras, gritasse aos companheiros: 'Guardem-se de ouvir a esse impostor; estão perdidos se esquecerem de que os frutos da terra pertencem a todos e a terra não pertence a ninguém'".[14]

Weishaupt escreveu visando à instrução de iniciados: "No momento em que os homens se uniram em nações, deixaram de se reconhecer sob um nome comum. O Nacionalismo ou Amor Nacional tomou o lugar do Amor Universal. Com a divisão do Globo e seus países, a benevolência foi confinada a limites que nunca mais deveria transgredir. Então, tornou-se uma virtude se expandir à custa dos que não estivessem sob nosso domínio. Então, para alcançar esse objetivo, passou a ser permissível desprezar estrangeiros, enganá-los e ofendê-los. Essa virtude foi chamada de Patriotismo. Esse homem era chamado de Patriota. Um homem que, apesar de justo com o próprio povo, era injusto com os outros, que ficou cego para os méritos de estrangeiros e tomou por perfeições os vícios de seu país. Assim, vemos que o Patriotismo deu origem ao Localismo, ao espírito de família e finalmente ao Egoísmo. A origem dos estados ou governos da sociedade civil foi a semente da discórdia e o Patriotismo encontrou sua punição em si mesmo [...] Diminua, acabe com esse amor ao país e os homens mais uma vez aprenderão a conhecer e a amar aos outros como homens, não haverá mais parcialidade, os laços entre corações se desenvolverão e se ampliarão."[15]

Tanto Rousseau quanto Weishaupt idealizaram a sociedade primitiva sustentando que essa harmonia e esse amor universal precediam a propriedade o patriotismo. Na realidade, esqueletos de homens do paleolítico são exumados com armas de pedra nas mãos, sugerindo que o homem primitivo vivia num estado de medo, se não de guerra. (Shakespeare, talvez reagindo à descoberta de "selvagens" – isto é, índios – na ilha que Bartholomew Gosnold chamou de

Martha's Vineyard durante sua viagem em 1602, retratou o Índio Caliban em termos menos idealizados. Mas deve-se dizer que, antes da chegada dos ingleses, as sociedades indígenas, embora bem armadas com arcos e flechas contra intrusos, viviam em considerável harmonia entre si.)

Pode ser que Weishaupt e Rousseau estivessem errados, mas seu Utopismo moldou incontáveis revoluções desde 1776 e ainda hoje têm enorme influência. Já nos referimos aos principais objetivos dos Illuminati de Weishaupt, que estão sendo conquistados rapidamente:

1. Abolição da Monarquia e de qualquer governo organizado
2. Abolição da propriedade privada
3. Abolição da herança
4. Abolição do patriotismo
5. Abolição da família (isto é, do casamento e da moralidade) e instituição da educação comunal das crianças
6. Abolição de todas as religiões.[16]

Desses objetivos, o ataque à monarquia derivou de Charles de Lorraine, que pretendia ser monarca depois de Luís XVI; o ataque ao governo organizado, à propriedade privada e à herança derivou de Rousseau; o ataque à religião veio dos cátaros, que os Templários admiravam, e da Franco-Maçonaria deísta; e o ataque ao patriotismo, ao nacionalismo, à vida familiar, ao casamento e à moralidade veio do Utopismo de *Sir* Thomas More e de Bacon, e da visão rosacruciano-sionista de radicais como Hartlib. O programa inteiro equivalia a uma declaração precoce de comunismo.

É verdade que, no nobre nível universalista, espiritual e não dualista, todas as almas são iguais e livres para conhecer a irmandade e o amor universais, sem que sua liberdade seja reprimida pelas coações e amarras da vida social (propriedade, herança, nacionalidade e família). Infelizmente, há uma degeneração e uma descida desse nível nobre para sua imagem oculta de uma irmandade mundial subjugada e sem liberdade; e então para níveis cada vez mais baixos – o intelectual (a criação do céu na terra num paraíso), o político (o Estado político ideal) e finalmente o nível físico (o Estado individual totalitário, como a URSS ou a China Comunista). No interior do espaço físico de um Estado comunista moderno, um programa comunista envolve subordinar o indivíduo a uma tirania. A degeneração da visão oculta em um Estado Comunista físico tem o efeito de negar a responsabilidade, o incentivo e as raízes pessoais. O programa de Weishaupt deixara de ser oculto e tinha se tornado político-físico.

Revelado no dia 1º de maio de 1776, o programa de Weishaupt unia as tradições incorporadas pelo Priorado de Sião (o Reinado Merovíngio de Jerusalém, o Cabalismo, as origens egípcias da Rosa-Cruz, o colégio invisível rosacruciano, os valores da Royal Society de Boyle, o racionalismo de Descartes e Newton e a reformulação da Nova Atlântida por Rousseau) às tradições incorporadas pelos Templários (republicanismo, preservação do maniqueísmo dos cátaros que estava na raiz do Templarismo e o desejo de vingar Jacques de Molay, que levou à prisão de Luís XVI na Torre do Templo). Weishaupt uniu o Priorado e os Templários em sua nova organização, reunindo diferentes tradições que apelavam a ambos: o Iluminismo racional (ou Idade da Razão) e a revolta de Rousseau contra ele, que juntos inspiravam o Priorado; o Catarismo Maniqueísta, que inspirava os Templários. O amplo espectro de fontes fez sem dúvida com que sua organização se tornasse mais atraente a seus patrocinadores.

Tanto a Casa de Lorraine quanto os Templários Jacobitas queriam destronar o rei Bourbon. Aconselhado por Charles de Lorraine (Grão-Mestre do Priorado de Sião) e financiado pela Casa Sionista de Rothschild (Mayer Amschel "Rothschild") e por quatro outros judeus (Wessely, Moses Mendelsson, Itzig e Fridlander), Weishaupt montou, com astúcia maquiavélica, um pacote para uma revolução mundial que afastaria o templário Frederico II da França e manteria a promessa do governo mundial. No meio-tempo, geraria uma enorme desordem revolucionária, de tal forma que a causa do Priorado (que agora era a causa templária, pois o Priorado tinha feito um acordo com os Templários no programa de Weishaupt) pudesse prevalecer.

Em 1777, Weishaupt se tornou maçom. Uniu-se à loja maçônica eclética "Teodoro do Bom Conselho" em Munique.[17] Perto do final de 1778, anunciou a ideia de fundir os Illuminati aos Maçons.[18] Weishaupt escreveu sobre a Ordem a seus membros em termos que lembravam o Colégio Invisível Rosacruciano: "O segredo dá mais sabor ao todo [...] Um mínimo de observação mostra que nada contribuirá tanto para intensificar o zelo dos membros quanto a união secreta. A grande força de nossa Ordem está em seu encobrimento: que ela nunca aparece em lugar algum com seu próprio nome, mas sempre encoberta por outro nome e outra ocupação. Nada é mais adequado do que os três graus inferiores da Franco-Maçonaria: o público está acostumado com eles, pouco espera deles e lhes dá pouca atenção. Depois disso, a forma de uma sociedade erudita ou literária é a mais adequada ao nosso propósito. Se a Franco-

Maçonaria não existisse, esse disfarce teria sido usado; e ele pode ser muito mais do que um disfarce, pode ser uma poderosa máquina em nossas mãos. Criando clubes de leitura e bibliotecas [...] podemos dirigir a mente do público da maneira que desejarmos. De maneira semelhante, temos que fazer para ter influência em [...] todos os cargos que tenham algum efeito no sentido de formar, gerenciar e até mesmo dirigir a mente do homem [...] Porque a Ordem deseja ser secreta, e trabalhar em silêncio, pois assim fica mais protegida da opressão dos poderes governantes, e porque esse segredo dá um atrativo melhor ao todo".[19] Perseguindo essa política, Zwack, o homem que foi sua mão direita, tornou-se maçom em novembro, divulgou os segredos da Ordem dos Illuminati ao maçom Abade Marotti e, em meados de 1779, a loja maçônica de Munique estava sob a influência dos Illuminati.[20]

A essa altura, sessenta membros ativos tinham sido recrutados para a Ordem e outros mil estavam indiretamente afiliados.[21] No interior das lojas estava o germe de um superestado anarquista utópico, onde não haveria autoridade social, nacionalidade ou propriedade privada – apenas uma irmandade universal vivendo em harmonia com amor livre. Weishaupt escreveu que haveria moral e não religião: "A salvação não está onde tronos fortes são defendidos por espadas, onde a fumaça dos incensários sobe aos céus ou onde milhares de homens fortes percorrem ricos campos de colheita. A revolução que está prestes a irromper será estéril se não for completa". Está claro que os alvos de Weishaupt eram a monarquia, a Igreja e os ricos proprietários de terras.

Os novos recrutas acreditavam que Weishaupt queria um governo mundial para impedir todas as guerras futuras. Só os que estavam perto do topo ("Areopagitas") conheciam a verdadeira direção da Ordem: revolução e anarquia para derrubar a civilização e retornar à natureza.[22] Esse sigilo foi possível graças à implementação de uma estrutura semelhante a uma árvore genealógica: Weishaupt estava no topo; abaixo dele estavam dois "filhos", que tinham cada um dois "filhos" se ramificando abaixo deles, que por sua vez tinham dois "filhos" e assim por diante. Quanto mais embaixo estivessem os novos recrutas, menos sabiam acerca dos pensamentos internos no topo da árvore.[23]

Os tolos eram incentivados a participar. Weishaupt escreveu: "Essa boa gente aumenta nossos números e enche nossa caixa de dinheiro; ponham-se ao trabalho; esses cavalheiros têm que morder a isca [...] Mas cuidado para não lhes revelar nossos segredos, esse tipo de gente tem que ser levada a acreditar que o grau a que chegaram é o último [....] Temos que às vezes falar de um jeito, às vezes de outro, de maneira que nosso propósito real continue impenetrável aos que nos são inferiores". Weishaupt escreveu que o verdadeiro propósito dos Illuminati era "nada mais do que obter poder e riquezas, solapar o governo secular ou religioso e conquistar o domínio do mundo".[24]

Dizia-se aos iniciados que a Ordem representava os ideais superiores da Igreja, que Cristo era o primeiro defensor do Iluminismo e que sua missão secreta era restaurar para o homem a liberdade e a igualdade perdidas no Jardim do Éden. De acordo com Weishaupt, Cristo desprezava as riquezas numa preparação para a abolição da propriedade da terra e para divisão de todas as posses. Escreveu a Zwack: "A coisa mais admirável de todas é que os grandes teólogos protestantes e reformados (luteranos e calvinistas que pertencem à nossa Ordem) realmente acreditam que veem nela o verdadeiro e genuíno espírito da religião cristã". Entretanto, quando um iniciado atingia os graus superiores, o segredo era revelado: "Contemple nosso segredo [...] para destruir toda a Cristandade, a religião, simulamos ter a única religião verdadeira [...] para um dia livrar a espécie humana de qualquer religião".[25]

O nome que Weishaupt escolheu para a Ordem, "Os Illuminati", tem que ser entendido no contexto de sua intenção de enganar os membros cristãos. Foi tirado de "Alumbrados" ("Ilustrados" ou "Iluminados" em espanhol) e também de uma seita alemã do século XV conhecida como Illuminati, que praticava o Satanismo. A Luz Divina que inspirou Dante, iluminou os místicos Alumbrados e lhes deu inteligência superior era muito diferente da "Luz" que os magos alemães recebiam de Satã, energia escura que manipulavam com a vontade. Místicos que recebem a Luz da Glória se abrem à mais alta experiência de êxtase, enquanto os magos que trabalham a energia satânica com a própria vontade o fazem correndo o risco de ser subjugados por poderes sombrios. Weishaupt era um mago, não um místico, mas queria que os recrutas e iniciados cristãos acreditassem que estavam se juntando a uma Ordem mística.[26]

Mulheres também eram recrutadas, tanto as que trouxessem respeitabilidade à ordem quanto as que satisfizessem as necessidades sexuais dos membros. Chantagens monetárias e sexuais eram usadas para se obter o controle de homens em altas posições, que eram ameaçados com exposição pública, desonra e morte, a menos que cooperassem com a Ordem. Algumas mulheres da ordem eram usadas para se alcançar tais fins.[27]

A espionagem era ativamente incentivada. Adeptos conhecidos como *Insinuating Brothers* (Irmãos que se Insinuam) eram exortados a atuar como observadores e informar a respeito de todos os membros. Weishaupt escreveu: "Cada um deve se tornar um espião com relação a todos à sua volta:... amigos, conhecidos, inimigos, os que são indiferentes – todos sem exceção devem ser objeto de sua investigação; deve tentar descobrir o lado forte e o lado fraco de cada um, suas paixões, seus preconceitos, suas ligações e, acima de tudo, suas ações – em suma, informações detalhadas sobre os outros".[28] O Insinuante escrevia seus relatos duas vezes ao mês e os enviava aos superiores para que a ordem soubesse em quem, em cada cidade ou aldeia, podia confiar. Esse sistema era simbolizado pelo olho do Grande Selo Illuminati e tem sido usado em todas as sociedades comunistas para fins de intimidação.

A fusão entre Iluminismo e Franco-Maçonaria, levada a cabo por Weishaupt, avançou quando, em julho de 1780, foi recrutado um novo membro, o Barão Franz Friedrich Knigge. Ele tinha trabalhado nas cortes de Hesse-Kassel e Weimar e era um escritor bastante conhecido. Tinha se juntado à loja maçônica de Observância Estrita e aos Rosa-cruzes e queria desenvolver uma Franco-Maçonaria que levasse os homens de volta à perfeição de que desfrutava antes da queda de Adão e Eva. Chegou a Frankfurt e falou com o Marquês di Constanza, que tinha vindo da Baviera para iniciar uma colônia dos Illuminati. Constanza lhe explicou que os Illuminati já tinham reformado a Franco-Maçonaria. Para atrair Knigge, Weishaupt apresentou a Ordem como um "avanço" (termo de Bacon) em ciência e filosofia. Knigge juntou-se à ordem, recebeu o codinome "Philo" e, em pouco tempo, era o chefe do círculo de Westfalia.[29]

Como Weishaupt, Knigge era um brilhante organizador. (Weishaupt escreveu: "Philo é o mestre com quem se pode aprender. Deem-me seis homens de sua classe e com eles mudarei a face do Universo".) Knigge acreditava, como outros membros do "Areópago", que a autoridade de Weishaupt devia ser descentralizada e delegada. Tais mudanças foram adotadas em julho de 1781, acelerando a expansão da Ordem. O objetivo agora era dividir a humanidade em ideologias opostas, de modo que os governos nacionais e as religiões organizadas lutassem entre si e se enfraquecessem – em outras palavras, "dividir para governar".[30]

Weishaupt Esconde os Illuminati no Grande Oriente Templário de Orléans

Weishaupt, um organizador brilhante, teve a ideia de proteger sua nova ordem infiltrando-a nas lojas templárias e escondendo-a no interior das mesmas. Um importante desenvolvimento na Maçonaria templária lhe trouxe uma oportunidade, que ele soube aproveitar.

O Templarismo sobreviveu graças a Jacques de Molay, o último Grão-Mestre da Ordem Templária. Depois que Felipe IV descobriu que os Templários tinham conspirado contra todos os tronos da Europa e contra a Igreja, e mandou cinquenta deles para a fogueira, De Molay, que estava entre os condenados à morte, fundou o que veio a ser chamado de Maçonaria Templária Escocesa – em Paris, Nápoles, Estocolmo e Edimburgo. Na noite anterior à execução, De Molay, que estava preso na Bastilha, enviou um mensageiro de confiança a uma cripta secreta em Paris – possivelmente no Templo – onde estavam sepultados os Grão-Mestres da Ordem. A missão do mensageiro era remover dessa cripta a coroa do Rei de Jerusalém, um candelabro de sete braços do templo de Salomão e estátuas que tinham supostamente marcado o lugar do sepultamento de Cristo. Tinha que remover também moedas de ouro e manuscritos escondidos no oco de dois pilares que ladeavam a entrada da cripta (réplicas dos pilares do portal do templo de Salomão). Tudo isso foi removido da cripta e levado depois para Edimburgo.[31] No dia seguinte, as cinzas de De Molay foram enterradas nessa mesma cripta – e foi nesse túmulo, muito depois de Felipe IV e o papa seu aliado terem morrido em circunstâncias súbitas e estranhas, que os regicidas juraram vingar De Molay matando o Rei Luís XVI. Como escreveu Albert Pike: "Os proponentes secretos da Revolução Francesa tinham jurado derrubar o Trono e o Altar sobre a sepultura de Jacques de Molai (sic). Com a execução de XVI, metade do trabalho estava feito: daí em diante, o Exército do Templo dirigiria todos os esforços contra o papa".[32]

Vimos que, depois da morte do último Grão-Mestre na fogueira, os Templários fugiram para a Escócia e lá sobreviveram como maçons, escondendo-se atrás de sinais maçônicos secretos e jurando vingança contra o trono de Bourbon, que os havia varrido da França. Seguindo-se à sua chegada à Inglaterra com Jaime I, um grupo foi para a França em 1689, na época da Revolução Gloriosa, e fundou a Grande Loja de Paris em 1725. Então, em 1747, Carlos Eduardo Stuart (a quem seria oferecida a coroa dos Estados Unidos) fundou a Franco-Maçonaria Jacobita do Rito Franco-Escocês, com a ajuda de seu secretário Charles Radclyffe. Este introduziu graus superiores, incluindo o grau do Arco Real, reservado aos iniciados na Cabala.[33]

Parece que algumas sociedades secretas trabalhavam pela derrubada da monarquia francesa. Alguns (como os jacobitas e o Priorado de Sião) queriam derrubar Luís XVI e promover o próprio candidato a monarca. (Os jacobitas queriam um monarca pró-jacobita – Frederico II o Grande da Prússia e, depois de sua morte em 1786, seu sucessor – e o Priorado de Sião queria um representante da Casa de Lorraine: de preferência Maximiliano de Lorraine, que era Grão-Mestre do Priorado de Sião desde 1780. O monarca sionista tinha que ser um Rei Merovíngio, um suposto descendente de Cristo e Maria Madalena, o que explica o casamento de Luís XVI com Maria Antonieta, da Casa de Lorraine, filha do então Grão-Mestre do Priorado de Sião, Charles de Lorraine.) Outros queriam destruir a própria instituição da monarquia, como os grupos ligados à Franco-Maçonaria do Grande Oriente, fundada pela Grande Loja Templária de Paris em 1722.

O Duque de Orléans, primo de Luís XVI, tinha sido iniciado na Grande Loja Templária da Franco-Maçonaria e, em 1771, já era Grão-Mestre. Em 1773, converteu a Franco-Maçonaria Azul ou Nacional em Franco-Maçonaria do Grande Oriente. Hostil a Maria Antonieta, rainha de Luís XVI, vivia fora da corte real de Versalhes. Segundo o Dr. George Dillon em *Grand Orient Freemasonry Unmasked*,[34] Orléans fundou o Grande Oriente porque os maçons franceses queriam independência da Loja Mãe na Inglaterra.

A Franco-Maçonaria do Grande Oriente abraçou o socialismo utópico e cunhou o grito de guerra "Liberdade, Igualdade, Fraternidade",[35] que Weishaupt adotou para os Illuminati e o Iluminismo. A expressão "Liberdade e Igualdade" era usada nas lojas do Grande Oriente, e "Fraternidade" foi inspirada nos Martinistas, uma sociedade secreta fundada em 1754 por um judeu rosa-cruz português, Martinez Paschalis. Os martinistas se dividiram em dois ramos, um continuado por Saint-Martin, discípulo de Paschalis, o outro um corpo revolucionário que fundou a loja dos *Philalètes* em Paris.[36]

Em 20 de dezembro de 1781, maçons do Grande Oriente e os Illuminati chegaram a um acordo e adotaram uma Ordem combinada. Ela tinha três classes: os Minervais, os Maçons e os Mistérios (Menores e Maiores), sendo que as duas mais altas eram Magus e Rex (Mago e Rei). Os graus Illuminati estavam todos no interior da primeira classe: Preparação, Noviço, Minerval e Illuminatus. Todos os maçons tinham que passar por eles para avançar para a segunda classe (maçônica) e, portanto, todos os maçons passavam pelos graus Illuminati. A aliança entre Franco-Maçonaria e Iluminismo foi selada em julho de 1782 no Congresso de Wilhelmsbad, com a participação de maçons, martinistas e representantes de sociedades secretas da Europa, América e Ásia. Os presentes juraram segredo. O Conde de Virieu, membro de uma loja martinista em Lyon, perguntado sobre os segredos que aprendera no Congresso, respondeu: "Não vou revelá-los a vocês. Só posso lhes dizer que tudo é muito mais sério do que podem pensar. A conspiração que está sendo tecida é tão bem imaginada que não haverá escapatória possível para a Monarquia e para a Igreja."[37]

O Congresso aprovou também uma resolução que permitia o ingresso de judeus nas lojas, seguindo uma onda de pró-semitismo que se seguiu ao livro de Dohm, *Upon the Civil Amelioration of the Condition of the Jews*, escrito sob a influência de Moses Mendelssohn (um dos cinco membros-fundadores dos Illuminati e um de seus financiadores originais) e com base num livro similar que Mirabeau publicou em Londres. Também em 1781, Clootz, futuro autor de *La République Universelle* escreveu um panfleto, *Lettre sur les Juifs*. Os Illuminati, escondidos no interior do Grande Oriente, mudaram seu quartel-general para Frankfurt, uma fortaleza das finanças judaicas, e a Ordem se espalhou pela Alemanha e pela Áustria, incluindo entre seus convertidos o poeta alemão Goethe e seu amigo filósofo von Herder. À medida que apareciam ramificações na Itália, na Hungria, na França e na Suíça, entrava dinheiro proveniente das principais famílias judaicas: os Oppenheimers, os Wertheimers, os Schusters, os Speyers, os Sterns – e os Rothschilds.[38]

Tendo se escondido por trás do nome de Grande Oriente do Duque de Orléans,[39] os Illuminati estavam agora prontos para a revolução. A união da Maçonaria Sionista e Templária numa organização abertamente templária, prócátara e financiada por judeus, na Alemanha de 1782, significava que Weishaupt e o duque templário de Orléans compartilhavam agora o mesmo movimento. Orléans (que herdara o título do pai em 1785) seria o testa de ferro, enquanto Weishaupt agiria nos bastidores, fomentando a revolução.

O Duque de Orléans, fundador do Grande Oriente, era um libertino extravagante, vaidoso e ambicioso. Em 1780, sua renda de 800.000 *livres* (1 libra = mais ou menos 25 *livres*) estava nas mãos de agiotas, sendo ele um jogador inveterado. Em 1781, em troca de moradia, transferiu seu palácio, seus terrenos e sua casa no Palais-Royal aos credores. E lá, no Palais-Royal, eles formaram um centro de política, impressão e panfletagem completo, com lojas de vinhos, teatros e bordéis, onde futuros jacobinos estavam instalados, como o aventureiro político De Laclos (autor de *Les Liaisons Dangereuses*).[40]

O ano de 1781 foi crucial para a economia francesa. Jacques Necker, um advogado de Brandenberg que fora transferido para um banco em Paris, tinha sido posto (estranhamente) no comando das finanças francesas como primeiro diretor do tesouro real e depois diretor geral das finanças, em 1777. Seu grande erro (ou teria sido uma política deliberada?) foi a tentativa de financiar a participação francesa na Guerra de Independência Americana sem aumentar os impostos. (Tendo depositado toda sua confiança no padrão ouro, acabou representando os interesses do sistema de dívidas e não a riqueza real do país.) Esse erro deixara a França com um *déficit* de 46 milhões de *livres*. Em 1781, tentando levantar empréstimos, Necker publicou *Compte rendu au Roi*, afirmando que a França tinha um superávit de 10 milhões de *livres*. Uma aliança entre a oposição e a Rainha Maria Antonieta forçou Necker a renunciar em 1781. A França estava agora à beira da bancarrota.[41]

Quem era Necker? Será que era apenas um incompetente? Ou estaria seguindo instruções de alguém? Era da Alemanha – seria um agente templário destacado para ajudar os templários americanos da Guerra da Independência e, ao mesmo tempo, devastar as finanças francesas para dar a Frederico II uma oportunidade de tomar o trono francês? Ou seria ele um sionista criando uma oportunidade para a Casa de Lorraine? Se era sionista, é estranho que Maria Antonieta, da Casa de Lorraine, se opusesse tanto a ele. Se era maçom, é mais provável que fosse um templário que, como o Duque de Orléans, tinha uma relação difícil com a sionista Maria Antonieta. Por que Luís XVI permitiu que ele continuasse a dirigir as finanças do país por quatro anos? Teria o próprio Luís algum tipo de pacto com Charles de Lorraine através de Maria Antonieta? É difícil de acreditar mas, se aconteceu, deve ter encarado sua execução como um martírio pela causa. Luís, como ocupante do trono francês, pode ser riscado das várias alianças para tomá-lo, mas o fato de ter sancionado a incompetência do alemão Necker realmente parece estranho.

Cagliostro

Os Illuminati operavam agora numa França financeiramente instável. O judeu cabalista Cagliostro, ou Joseph Balsamo, que conhecera em Malta o "mercador Kolmer da Jutlândia", aliás Charles de Lorraine, e fora expulso com ele pelos Cavaleiros de Malta em 1771, agora estava ativo na causa Iluminista.[42] Em Malta, Charles o nomeara para representá-lo. Em abril de 1776, um ano antes da fundação dos Illuminati, ele estava em Londres, sendo recebido como maçom sionista rosacruciano na Loja Esperança nº 289, que se reunia na taverna King's Head, na Fleet Street. Em 1777, o ano em que Weishaupt foi iniciado na Franco-Maçonaria do Grande Oriente, ele foi subsidiado por vários homens ricos, provavelmente incluindo Charles de Lorraine e Mayer Amschel "Rothschild". Cagliostro mais tarde afirmou (em 1790) que a Casa de Rothschild tinha financiado suas atividades.

Por volta de 1782, os Rothschilds controlavam o quartel-general da nova Ordem em Frankfurt. Mayer Amschel "Rothschild" nascera em Frankfurt, filho de um banqueiro e ourives. O nome derivava do escudo vermelho (*rotschildt*) pendurado na porta da loja da família. Era um emblema dos judeus na Europa Oriental. Foi funcionário do banco Hanover dos Oppenheimers e depois se tornou sócio minoritário, mas saiu para assumir o negócio do pai. Negociou com moedas raras e, em 1769, tornou-se agente da corte do Príncipe Guilherme IX, *Landgrave* (uma espécie de conde) de Hesse-Kassel, que era neto de George II da Inglaterra, primo de George III, sobrinho do rei da Dinamarca e cunhado do rei da Suécia. Transformou-se assim em intermediário dos banqueiros de Frankfurt, Bethmann Brothers e Rueppell & Harnier, e começou a amealhar uma fortuna.[43]

Com amplos recursos de seus patrocinadores, Cagliostro viajou por toda a Europa. Juntou-se em pouco tempo aos Illuminati e, em 1777, foi iniciado nos Templários de Observância Estrita, tornando-se agente da Ordem combinada.[44] Ao ser admitido, sua missão foi "trabalhar para pôr a Franco-Maçonaria na rota dos projetos de Weishaupt" (ou seja, unir os sionistas rosacrucianos e a Franco-Maçonaria Templária). Fundou várias lojas maçônicas cabalistas egípcias do rito de Mizraim, cujo símbolo é a estrela de seis pontas, criada como cota de armas para Rennes-le-Château pelo rei merovíngio Dagoberto II.[45] (Assim, o simbolismo da estrela de seis pontas no Grande Selo dos Illuminati e dos Estados Unidos tem relação com os merovíngios sionistas e com Rennes.) Fundou mais lojas maçônicas do que qualquer outra pessoa em qualquer época.

Em 1780, Cagliostro estabeleceu uma boa relação com Knigge, já que ambos tinham sido membros da loja templária de Observância Estrita em Kessel (Knigge desde 1772, Cagliostro desde 1777). Knigge ("Philo") tinha mantido correspondência com Cagliostro e dele havia recebido ordens de recrutar para os Illuminati os melhores homens da Observância Estrita. Em 1781, reconhecendo a capacidade de Knigge, Weishaupt lhe pediu para ir ao seu encontro na Baviera e ajudá-lo a criar graus Illuminati avançados, que iriam além dos três graus já existentes. O objetivo era infiltrar os Illuminati na Maçonaria do Rito Escocês na França para transformar os templários franceses em revolucionários. Knigge chegou à Baviera e lá descobriu que a Ordem dos Illuminati não era de origem antiga, como havia sido levado a crer. Inicialmente ficou decepcionado e há quem diga que descobriu que Weishaupt era satanista. Mas, percebendo o brilhantismo de Weishaupt, acabou aceitando e se esforçou muito para avançar nos graus e se corresponder com as várias lojas. Parece que estava considerando o próprio avanço, ou possivelmente o avanço dos Templários, com quem tinha antes se associado. Em 1782, o Iluminismo do Grande Oriente se infiltrou na Grande Loja francesa, de modo que os futuros Jacobinos Templários pudessem controlar a Franco-Maçonaria. Através do trabalho de Knigge, os Illuminati estavam penetrando na França.[46]

Mas havia tensões entre Weishaupt e Knigge. Preocupado por ter agora menos controle na Ordem, Weishaupt discutia repetidamente com Knigge. Aparecia para interferir no trabalho dele, fazendo com arrogância alterações e acréscimos no ritual avançado de Knigge. Knigge ficou aborrecido com esse tratamento e se afastou da Ordem. Tornou-se um "antimaçom selvagem" e se opôs a Weishaupt. Em janeiro de 1783, tinha escrito a Zwack ("Cato") reclamando do "jesuitismo", "despotismo" e "tirania" de Weishaupt. Agora, sentia com certeza a mesma coisa. No dia 15 de fevereiro de 1785, houve um segundo Congresso Maçônico em Paris. Nele, foi apresentado o plano de Weishaupt (preparado no ano anterior) para que os Illuminati criassem uma atmosfera favorável aos levantes de massa contra a Monarquia francesa. Cagliostro estava presente e recebeu fundos dos Illuminati para viajar pela Europa espalhando a política revolucionária. Entretanto, outras propostas não foram aprovadas por causa do rompimento entre Weishaupt e Knigge, e o Congresso fracassou.

Pode ser que a anti-Maçonaria de Knigge tenha sido uma estratégia planejada. Pois duas semanas depois da demissão de Knigge, o Eleitor da Baviera recebeu informações sobre os Illuminati que levaram à sua supressão. Só Knigge tinha acesso a documentos Illuminati que poderiam provocar tal coisa. Em 2 de março de 1785, os Illuminati foram suprimidos.[47]

Complô Iluminatista para Desacreditar a Monarquia

Nessa época, havia um complô iluminatista para desacreditar a Monarquia Francesa e a Igreja aos olhos do povo. Seu centro era Cagliostro. O complô tinha o objetivo de "expor" as licenciosidades de um sacerdote católico com a Rainha Maria Antonieta e, assim, avançar a causa de Frederico II e dos Illuminati. Provavelmente com fundos concedidos a ele no Segundo Congresso, Cagliostro encomendou aos joalheiros da corte um colar com 579 diamantes estimados em 1,6 milhão *livres*, em nome da rainha.[48] No reinado anterior, o Böhmer, joalheiro da corte, tinha feito esse colar na esperança de que Luís XV o desse a Madame du Barry, mas o rei não se interessou, deixando-o com uma mercadoria cara nas mãos. Ao mesmo tempo, o Luís de Rohan, Cardeal-Arcebispo de Strasbourg, foi levado a acreditar que a rainha desejava que ele lhe comprasse o colar sem nada dizer ao rei. O cardeal concordou, já que desejava acabar com a animosidade que a rainha tinha com relação a ele. Pensava que se correspondia com ela, mas suas cartas eram interceptadas e respondidas por Jeanne de Valois, Condessa de Motte (uma descendente sem dinheiro de um filho ilegítimo de Henrique II), que se assinava "Marie-Antoinette de France" (título que nenhuma rainha daria a si mesma). Ela contratou uma prostituta do Palais-Royal para se fazer passar pela rainha num encontro à meia-noite nos jardins de Versailles, quando o cardeal lhe entregaria o colar. E ele assim fez, pensando se tratar da rainha. A condessa desmontou o colar e comprou uma mansão, enquanto seu marido ia a Londres para vender os diamantes. Em 9 de agosto de 1785, Bohmer apresentou a conta da primeira prestação à rainha, que naturalmente negou saber qualquer coisa sobre aquele colar, dizendo que jamais aceitaria um tal luxo quando a economia francesa estava passando dificuldades tão terríveis (em resultado da má administração de Necker). O encontro à meia-noite foi devidamente relatado por panfletistas que operavam as impressoras instaladas nas antigas dependências de Orléans no palácio. Insinuações de escândalo agora cobriam a Monarquia e a Igreja.

Luís XVI prendeu os conspiradores, incluindo Cagliostro, que ficou preso na Bastilha por nove meses e meio. Levianamente, decidiu que os líderes seriam julgados pelo Parlamento, que era antirrealista e tinha agentes Illuminati e maçons entre seus membros. Cagliostro e o cardeal foram absolvidos, mas a condessa e seu cúmplice foram declarados culpados. Ela foi sentenciada a ser chicoteada, marcada a fogo e aprisionada por toda a vida, mas fugiu para a Inglaterra. Entretanto, o escândalo tinha prejudicado severamente a reputação da Família Real e da Igreja, que começaram a perder a confiança do povo. Tempos depois, Napoleão disse que o complô foi um dos fatores que desencadeou a revolução de 1789.

Em novembro de 1786, Cagliostro voltou a Londres e parece ter sido o responsável pela publicação de uma nota misteriosa num jornal londrino, no dia 2 de novembro, em hieroglifos Rose-Croix, aparentemente informando a um dirigente do Priorado de Sião que sua missão estava terminada.[49]

Os Illuminati São Banidos

Enquanto a impressão de paralisia financeira na França se acentuava com os problemas deflagrados por Necker e pelo caso do colar, o prestígio de Cagliostro entre os Illuminati ocultos aumentava: ele era agora o verdadeiro poder na Ordem, e não mais Weishaupt. Depois a supressão dos Illuminati em março de 1785, outras evidências danosas chegaram aos ouvidos do Eleitor em 10 de julho. Um iniciado Illuminati de grau inferior, o evangelista Jacob Lang (ou Lanze), tinha sido enviado pelos Illuminati como emissário a Silésia. Foi morto em Ratisbon, supostamente atingido por um raio.[50] A história é confusa. Edith Miller afirma que Weishaupt o acompanhava. Nesta Webster afirma que viajava só. Mas deve ter sido assassinado. Ele levava, costuradas nas roupas, instruções da ordem, comunicações codificadas de Weishaupt, uma lista de 2.000 membros e detalhes de lojas na França, Bélgica, Dinamarca, Suécia, Polônia, Hungria e Itália. Nenhum iniciado dos graus inferiores teria acesso a esse tipo de documentos, e muito menos os transportaria. Pode ser, portanto, que tais documentos tivessem sido "plantados". O Eleitor baniu os Illuminati e publicou os documentos (que depois apareceram em *Proofs of a Conspiracy*, 1798). Weishaupt se refugiou com o Duque de Saxe-Gotha (que era ligado à família real inglesa de Hanover)[51] e, aparentemente, a Maçonaria tinha agora uma oportunidade de se dissociar dos Illuminati (como fez George Washington na América do Norte em 1798).

Weishaupt já vinha se preparando para ser banido. Escreveu a Zwack ("Cato"): "Considerei tudo e me preparei, de modo que, se a Ordem for hoje à ruína, em um ano eu a restabelecerei mais brilhante do que nunca". Estaria ele "exterminando" deliberadamente os Illuminati, de modo que a organização pudesse continuar florescendo, indetectável, no interior da Franco-Maçonaria Templária (tanto a Grande Ordem quanto o Rito Escocês)? Nesse caso, ela tinha morrido da morte que os rosa-cruzes chamavam de "morte filosófica". Ou teria Knigge se voltado contra Weishaupt e o denunciado às autoridades – e era Knigge que estava "exterminando" os Illuminati, para transformar a organização numa operação templária sob o seu comando? Alternativamente, teriam os Templários do Grande Oriente Gentio não Judeu absorvido os graus de Weishaupt e "exterminado" Weishaupt, de forma que agora eram eles que dirigiam as atividades dos Illuminati?[52]

Não há respostas claras. Certo é que as atividades Illuminati continuaram no interior do Grande Oriente e nas lojas templárias do Rito Escocês, e que Cagliostro era agora a mais poderosa figura iluminista.[53] Também é certo que Knigge, o número 3 dos Illuminati, abaixo de Weishaupt e Cagliostro, tentou reviver os Illuminati na União Germânica em 1788.[54] (Em 11 de outubro de 1786, as autoridades bávaras tinham apreendido mais documentos na casa de

Zwack em Landshut, onde uma Sociedade de Leitura mascarava o começo da União Germânica criada pelo Dr. Charles Bahrdt sob a instigação de Knigge.)[55] Pode também ser que o astuto conspirador do caso do colar de diamantes, Cagliostro, tenha trabalhado com Knigge, seu velho cúmplice templário, para remover o autocrático Weishaupt dos Illuminati e assumir o controle do plano para a revolução mundial. Depois de sua prisão pela Inquisição, em 1789, Cagliostro revelou durante o interrogatório ante a Santa Sé, em Roma, no ano de 1790, que os Illuminati não estavam mortos, mas trabalhando ativamente para deflagrar uma revolução na França e derrubar o Papado. Afirmou (como já vimos) que a Casa de Rothschild havia fornecido fundos e que grandes somas tinham sido depositadas em bancos da Holanda, da Itália, da França e da Inglaterra para financiar futuras revoluções. Nenhuma evidência disso foi descoberta.[56]

O terceiro e último Congresso dos Illuminati se reuniu em segredo, em Frankfurt, no ano de 1786. Weishaupt não participou, mas todas as propostas que havia feito em Paris no ano anterior foram adotadas. Os fins da Franco-Maçonaria Iluminizada seriam: "(1) Panteísmo para os graus superiores, ateísmo para os graus inferiores e para o populacho; (2) Comunismo de bens, mulheres e preocupações gerais; (3) Destruição da Igreja e de todas as formas de Cristianismo e remoção de todos os governos humanos existentes para abrir caminho a uma república universal, na qual as ideias utópicas de total liberdade diante das restrições sociais, morais e religiosas existentes, de igualdade absoluta e de fraternidade social possam reinar. Quando esses fins forem atingidos, mas não antes, o trabalho secreto dos maçons ateus deve cessar".[57] Dois franceses relataram que o Congresso decretara a morte de Luís XVI e de Gustavo III da Suécia.[58]

O Grande Oriente Iluminizado: Mendelssohn e Mirabeau

Em 1786, as lojas do Grande Oriente Iluminizado tinham uma forte influência na França, que aumentou ainda mais quando as ideias dos Illuminati de Berlim chegaram a Versalhes, nas vizinhanças de Paris.

Weishaupt, e depois Cagliostro, já tinham dado expressão intelectual à visão espiritual de Rousseau – Weishaupt operando na Baviera e Frankfurt e Cagliostro com algum impacto na França. Essa expressão intelectual foi reforçada em Berlim através de Moses Mendelssohn, um maçom templário do Rito Escocês, que era um dos cinco membros originais dos Illuminati na Baviera. Traduzira a Torá, os primeiros cinco livros da Bíblia, para o alemão e fora o pai da subversiva Iluminação Judaica (*Haskala*), movimento que buscava integrar os judeus às sociedades europeias e destruir tanto o Cristianismo quanto o Judaísmo. Aluno de Locke e Leibniz, Moses Mendelssohn foi uma figura do Iluminismo racional e, como tal, admirava Menasseh ben Israel. Tinha muito interesse em quaisquer projetos que ajudassem os judeus a se emancipar e a estabelecer relações entre sua tradição religiosa e a cultura alemã. Teria financiado os Illuminati racionais com esse objetivo em vista.[59]

O escritor Lessing, fundador da moderna literatura alemã e maçom, apresentou Mendelssohn (em quem baseou o herói de *Nathan the Wise*) aos muitos *illuminés* (ou *iluminatistas*) que se reuniam em tavernas de toda a Alemanha. Em 1786, essas tavernas se transformariam nas lojas da *Tugendbund* ("União de Virtude"), fundadas como fachadas para os Illuminati. Mendelssohn se filiou à *Tugenbund* pouco antes de sua morte. Esse grupo se reunia num bordel em Berlim, onde duas filhas de Mendelssohn eram empregadas, e veio a ser conhecido como Franquistas. Mendelssohn escreveu sobre esse grupo Illuminati: "Aqueles que regulam a vida de acordo com os preceitos dessa religião da natureza e da razão são chamados de homens virtuosos [...] e são os filhos da salvação eterna".

Outro aspecto da expressão intelectual da Revolução Francesa emergiu na França logo depois. O sucessor de Mendelssohn na União de Virtude de Berlim era o judeu *iluminatista* Marcus Herz, que a dirigia com sua mulher Henrietta. O Conde Mirabeau, maçom do Grande Oriente, viajando entre Berlim e Paris em missões diplomáticas secretas, hospedou-se na União de Virtude de Henrietta Herz.[60]

Mirabeau, um aristocrata, tinha se casado com uma herdeira mas, preso a pedido do pai, que pretendia com isso livrá-lo de credores, escapou e fugiu para a Suíça, onde o esperava uma jovem, que era casada com um velho. Foi sentenciado à morte por sedução e só sobreviveu porque concordou em ficar preso. Depois de solto, foi rejeitado pela mulher e pelo pai, e teve que renunciar ao passado aristocrático. Há quem diga que, logo após sua libertação em agosto de 1782, visitou em Frankfurt a sede da nova Ordem combinada e levou o Iluminismo de volta para a França. Tenha ou não se juntado aos Illuminati nessa época, tornou-se agente secreto e trabalhou para os ministros de Luís XVI.

Em 1786, Mirabeau foi a Berlim numa missão secreta para Luís XVI e foi iniciado no Iluminismo através do Coronel Jacob Mauvillon. Adotou o nome "Leônidas" (líder dos espartanos que resistiram aos persas em Termópilas) e ficou amigo de Dohm, autor de *Upon the Civil Amelioration of the Condition of the Jews*. Foi através dele que os Illuminati se espalharam pela França em 1786.

Ao voltar a Paris, iluminizou a loja maçônica *Amis Réunis* (antes conhecida como *Philalèthes*) e iniciou o Abade Talleyrand. A iniciação foi na Grande Loja dos Illuminati franceses, a uns quarenta quilômetros de Paris, na mansão Ermenonville, propriedade do Marquês de Gerardin, e foi presidida por um rosa-cruz, o Conde de Saint-Germain, mentor de Cagliostro.[61]

Também em 1786 Mirabeau, Talleyrand e o Duque de Orléans fundaram uma loja Illuminati em Versalhes, o Club Breton, que foi "iluminizada" por Bode e Guillaume Barão de Busche em 1788. Nesse mesmo ano, Mirabeau popularizou o ideal iluminista no livro *The Prussian Monarchy under Frederick the Great*, que elogiava os iluministas racionalistas por melhorar "governos e legislações". Isso influenciou seus dois secretários pessoais, Desmoulins e Dumont (que, em Londres, ficou amigo de Paine e lhe transmitiu as ideias).[62]

AS QUATRO REVOLUÇÕES FRANCESAS

A Revolução Orléanista

Houve quatro revoluções francesas separadas e não um único levante dos desprivilegiados contra seus opressores ricos e poderosos. Cada uma dessas quatro revoluções tinha diferentes objetivos e diferentes líderes. A primeira foi a Revolução Orléanista de 1789.

Nessa época, havia ao menos 266 lojas do Grande Oriente Iluminizado na França.[63] Dois autores contemporâneos, o clérigo francês templário Abade Barruel e o professor escocês John Robison, do Rito Escocês, concordam que houve uma conspiração por trás da Revolução Francesa. Robison afirma que os Illuminati estavam no controle. Barruel sustenta que os Templários estavam no comando e expõe sua fidelidade à heresia maniqueísta, que sobrevivera através dos cátaros, dos Templários, dos maçons e dos revolucionários. Os dois estão certos. A Revolução Francesa teve um idealizador: os Illuminati no interior dos Templários.[64]

O testa de ferro de Weishaupt, o Duque de Orléans, Grão-Mestre do Grande Oriente Iluminizado (também conhecido como Philippe-Egalité), que ajudou a fundar o Breton Club, era o centro da conspiração orléanista. Tinha sido exilado para suas propriedades rurais em 1787, depois de um conflito entre Luís XVI e os nobres por causa de política financeira. Seu crime havia sido desafiar a autoridade do rei diante do *Parlement* de Paris. Seu objetivo era expulsar o rei e estabelecer uma monarquia democrática popular com ele mesmo como monarca. Pouco inteligente, foi um testa de ferro voluntário durante o estágio mais moderado da revolução e se pôs à disposição dos Illuminati infiltrados no Grande Oriente, homens como o sombrio Choderlos de Laclos, que conduziu a conspiração. Protegeu o clube revolucionário (o Breton Club) com seu nome e patrocinou uma marcha de "mulheres" (na verdade homens disfarçados) até Versalhes.[65]

A França pré-revolucionária estava no caos. O país tinha a maior população da Europa, mas não tinha comida para todos. A burguesia estava excluída do poder e os camponeses tinham retirado seu apoio ao sistema feudal. Os *Philosophes* tinham defendido a reforma social e política, despertando expectativas entre a população. A participação francesa na Guerra de Independência dos Estados Unidos tinha arruinado as finanças do Estado. A economia estava num estado tão perigoso que, em fevereiro de 1787, o controlador geral das finanças, Charles-Alexandre de Calonne, tinha convocado representantes do clero, da nobreza e da burguesia (os três estados) e proposto um aumento nos impostos para reduzir o *déficit*. Essa assembleia pediu a convocação da *Estates-General* (Assembleia dos Estados Gerais), que não se reunia desde 1614. O programa de reformas de Calonne fracassou e houve agitações em Paris e em várias outras cidades. O rei reconvocou Necker em agosto de 1788 para lidar com o crescente déficit da França (uma decisão inacreditável de Luís XVI diante da iminente bancarrota da França, pela qual Necker fora responsável), prometeu reunir a *Estates-General* e deu liberdade à imprensa.[66]

O descontentamento dos intelectuais nesse período turbulento pode ser avaliado em *As Bodas de Fígaro* (1784), de Beaumarchais, que fala sobre as dificuldades de um homem sem dinheiro para progredir num sistema social baseado no privilégio. As classes médias e inferiores odiavam a classe governante, vista como um obstáculo ao sucesso profissional. Fígaro começa como cirurgião-barbeiro. Tenta escrever uma peça de teatro e é censurado, tenta escrever sobre finanças de Estado e é preso, tenta o jornalismo e é reprimido. Tenta conseguir um emprego no governo e é rejeitado, embora seja adequado ao cargo. Esperando para pegar de surpresa sua noiva com seu mestre, ele observa sobre este último: "Como você é um grande lorde, pensa que é um grande gênio!... Nobreza, fortuna, posição, compromissos: tudo isso torna um homem tão orgulhoso! Mas o que fez você para merecer tantas coisas boas? Só se deu ao trabalho de nascer!" (*Vous vous êtes donné la peine de naître*).[67]

As eleições para a *Estates-General* coincidiram com mais revoltas, já que a colheita de 1788 não tinha sido boa. O inverno de 1788-9 foi muito frio e rios congelados paralisaram o transporte e as moendas de farinha. Com isso, o preço do pão subiu de 8 para 14 *sous* em janeiro de 1789, desencadeando tumultos em padarias e mercados e tornando necessário cobrar impostos dos donos de moinhos e de comboios de alimentos. Os parisienses descobriram que o racionamento de comida era agora uma política do governo, que a fome levaria o povo à submissão sob a espada repressiva das tropas reais.

A decisão de Luís XVI de convocar a *Estates-General* em Versalhes, no dia 5 de maio de 1789, é o marco de uma virada na história da França. O Duque de Orléans foi eleito para representar os nobres. Sendo populista, Orléans apoiava o Terceiro Estado (a burguesia ou a maioria do povo) contra os nobres e o clero, favorecidos pelo rei. Em 17 de junho, o Terceiro Estado se autoproclamou uma Assembleia Nacional e jurou dar à França uma nova Constituição. Em 25 de junho Orléans e outros nobres se juntaram a ela. Depois de reuniões tensas, em que os deputados o desafiavam, o rei cedeu e convidou os Três Estados a participar juntos de uma Assembleia Nacional Constituinte. Orléans era um herói. Uma multidão de aduladores se juntou à volta de sua casa no Palais-Royal.[68]

Foi a partir dessa época que o influente jornalismo do iluminatista Nicholas Bonneville deu expressão intelectual ao crescente sentimento revolucionário, teve um grande impacto sobre o público e precipitou a Revolução Francesa. Iniciado nos Illuminati no ano de 1787 em Paris por Christian Bode, "embaixador" de Weishaupt (e amigo de Lessing), Bonneville era um weishauptiano. Desenvolvera a ideia de Weishaupt (na obra *The Jesuits Driven from Free Masonry*, 1788), de que a Franco-Maçonaria precisava ser purificada da corrupção dos Jesuítas. *Aux armes citoyens!* (Às armas, cidadãos!) trovejava ele em sua *Tribun du Peuple*, usando pela primeira vez o grito de guerra (proferido por Camille Desmoulins) que depois levou a multidão à Bastilha, no dia 12 de julho de 1789, e agora faz parte da *La Marseillaise*. Com base no Palais-Royal, o complexo de entretenimento que pertencia ao Duque de Orléans, ele criou *La Bouche de Fer,* a voz da razão e da Verdade absoluta, e dominou os jornais revolucionários nos cinco anos seguintes.[69]

A Revolução Orléanista começou explorando a escassez de grãos naquele verão. Rumores de que os suprimentos de comida estavam ameaçados alcançaram as cidades e províncias. Dizia-se que o rei e os dois estados privilegiados – a nobreza e o clero – derrubariam o terceiro estado. Tropas se juntaram em torno de Paris. Necker, depois de concessões à Assembleia Nacional, foi destituído em 11 de julho. Isso foi (corretamente) interpretado como o começo de uma contrarrevolução por parte do rei, dos nobres e do clero contra a burguesia e a Assembleia Nacional e tumultos precederam a rebelião aberta. O Hôtel des Invalides foi tomado e milhares de espingardas foram distribuídas. Seguiu-se a isso o assalto à Bastilha (uma velha fortaleza que dominava Fauburg Saint-Antoine e um símbolo da tirania real por quase 500 anos), liderada pelos Templários, em 14 de julho.

A guarnição resistiu e dezenas de parisienses foram mortos. O principal objetivo do ataque não era destruir a prisão ou libertar prisioneiros, mas tomar armas, munições e pólvora para a luta que estava por vir.[70] Vários soldados foram massacrados pela multidão enfurecida depois da operação. A Bastilha era a prisão onde Jacques de Molay, o último Grão-Mestre Templário, passou seus últimos dias em 1314. Assim, abrir os portões da prisão do confinamento final de Jacques de Molay tinha um significado simbólico para os Templários, que não tinha se perdido no Grande Oriente Iluminizado Orléanista. O rei capitulou, usando no chapéu uma roseta tricolor em atenção à soberania do povo (branco para os Bourbons, vermelho e azul para Paris). A Assembleia Nacional estava salva da dissolução e Necker foi empossado novamente.

O plano do Duque de Orléans para usurpar o trono da França, traçado quando ele era Grão-Mestre do Grande Oriente, agora Iluminizado, estava no centro da "Conspiração Orléanista" de 1789, que pretendia armar o populacho contra a lei e a ordem e realizar uma revolução social. O duque era uma pessoa muito frágil, mas estava cercado por vários conspiradores determinados, que fizeram dele seu testa de ferro. Segundo se diz, essa ideia se originou com Adrien Dupont, confidente de Orléans e membro do Grande Oriente Iluminizado. A organização do que ficou conhecido como "o Grande Medo" foi certamente maçônica. As lojas do Grande Oriente tinham como objetivo "fazer a revolução para a burguesia, com o povo como instrumento". Foi uma agitação planejada. Em 22 de julho de 1789, mensageiros (enviados pelas lojas, percorreram a cavalo cidades e aldeias da França, levando cartazes que diziam "Édito do Rei" e anunciando que salteadores estavam se aproximando e que os cidadãos tinham que pegar em armas. Outros cartazes diziam "O rei ordena que todos os *chateaux* (palacetes) sejam incendiados". Os mensageiros acrescentavam que o rei queria manter só o dele, esperando que a multidão fortalecida entendesse que podia incendiar também os *chateaux* do rei com impunidade. O povo cumpriu devidamente os "desejos do rei", eclipsando o poder dos nobres em toda a França e permitindo que a burguesia, o Terceiro Estado, ocupasse o vácuo.[71]

A "Conspiração Orléanista" foi um levante da burguesia contra os nobres, usando as multidões populares para fazer o trabalho sujo. Começaram então as medidas antipopulares: os suprimentos de alimentos foram retidos, o Terceiro Estado bloqueou reformas na Assembleia Nacional – salvaguardando a propriedade, limitando o voto a pessoas com um certo nível de renda e proibindo as uniões de trabalhadores – e organizou manifestações que se opunham aos desejos do povo. Houve ataques a homens que favoreciam os pobres: o dono de uma fábrica em Reveillon e um padeiro (François) foram assassinados em outubro. A impressão em toda a França era de união do Terceiro Estado contra os aristocratas.

Em 4 de agosto de 1789, numa sessão na Assembleia, nobres e clérigos liberais renunciaram a seus antigos privilégios feudais. A Assembleia decretou então "a abolição do feudalismo", incluindo o direito de caça e o dízimo da Igreja. Os direitos senhoriais foram mantidos por mais dois anos, a menos que os camponeses pagassem grandes quantias como compensação aos senhores. Mas os nobres perderam seus títulos hereditários em 1790. Mas o fim do *ancien régime* tinha sido sinalizado e a Assembleia podia agora formar um novo regime. Em 22 de agosto, foi planejada uma nova Constituição com base na doutrina dos Direitos do Homem. Em 27 de agosto, seus princípios básicos foram afirmados numa *Declaração dos Direitos do Homem e do Cidadão*, baseada em grande parte nos princípios de Rousseau e considerada por seus autores como de significado universal. Proclamava a liberdade, a igualdade, a inviolabilidade da propriedade e o direito de resistir à opressão. O primeiro artigo era a afirmação rousseauniana de que "os homens nascem livres e permanecem livres e iguais em direitos". Benjamin Franklin divulgou a Constituição da Pensilvânia que afirmava ter escrito (mas provavelmente escrita por James Cannon, seguidor de Paine) e que foi admirada por muitos. A nova Constituição reformularia a sociedade de acordo com a razão e os direitos naturais e rejeitaria a história e a tradição. "No novo hemisfério, os corajosos habitantes de Filadélfia deram o exemplo de um povo que restabeleceu sua liberdade", disse um deputado, mas "a França daria esse exemplo para o resto do mundo".

Luís relutou em sancionar as duas conquistas da Assembleia no mês de agosto, a *Declaração dos Direitos do Homem* e a destruição do *ancien régime* feudal, dando a impressão de que resistia às exigências populares. Orléans esperava que a multidão assassinasse o rei e a rainha e o proclamasse rei democrático. Os Illuminati no interior do Grande Oriente, por outro lado, queriam atrair a família real para Paris, onde ficaria sem a proteção do exército. A oportunidade surgiu em outubro, quando Lafayette, comandante da Guarda Nacional de Paris, atravessou Versalhes com uma milícia de cidadãos formada para manter a ordem, mas incluindo soldados que tinham atacado a Bastilha. O rei estava pronto para fugir, com as carruagens esperando. A Assembleia insistiu com ele para que aprovasse os artigos constitucionais. Luís foi até a escrivaninha, assinou sua aprovação e a entregou a Mournier, Presidente da Assembleia.[72]

Nas primeiras horas de 6 de outubro, uma parte da multidão invadiu o palácio e matou dois guarda-costas da rainha. Ela fugiu por uma passagem secreta para se juntar ao rei. A multidão reduziu seu colchão a farrapos, frustrada por ela ter escapado. No dia seguinte, ambos apareceram no balcão. A multidão gritava: "Para Paris, para Paris!" O rei, a rainha e a família real percorreram os vinte quilômetros que separam Versalhes de Paris tendo à frente as cabeças dos dois guarda-costas mortos, que foram transportadas espetadas em estacas. A viagem levou sete horas. Foram instalados no Palácio das Tulherias, entre gritos de *Vive notre roi d'Orléans!* Luís estava agora sem a proteção do exército real.[73]

Em dezembro de 1789 o Breton Club, fundado como ponto de encontro para os deputados dos Estados Gerais, voltou a se reunir como Sociedade dos Amigos da Constituição. Era geralmente chamado de Clube Jacobino porque se reunia num antigo convento dos Dominicanos, que eram conhecidos como Jacobinos. Mas se esse nome evocava Savonarola, evocava mais ainda Jacques de Molay, o Grão-Mestre Templário queimado na fogueira em 1314, já que para os jacobinos, que eram templários do Grande Oriente Iluminizado, o nome evocava "Jacques": eles eram "Jacques-obins". O propósito do clube era proteger os ganhos da Revolução contra a reação aristocrática e admitia burgueses não deputados e homens de letras. Em julho de 1790, havia 1.200 membros no clube original em Paris e, no resto da França, 152 Clubes Jacobinos filiados.[74]

A mesma importância teve a atuação de Bonneville nos bastidores. Em 1790, no Circus do Palais-Royal, ele criou sua Confederação Universal dos Amigos da Verdade, que era controlada pelo "Círculo Social" (*Cercle Social*), uma elite intelectual e jornalística cujo quartel-general era numa câmara subterrânea no centro do Palais-Royal. O círculo interno se reunia no subterrâneo e era uma corte alternativa a Versalhes; o círculo externo, composto de cerca de 6.000 pessoas, se reunia no Circus. (Ao todo, Bonneville tinha três círculos: uma elite comunista no centro, um círculo socialista e democrático e um círculo externo liberal.) Essa elite habitava um "círculo de luz" e falava de se purificar e atingir a luz, uma visão que devia muito aos *Parfaits* cátaros, uma semelhança que aparentemente não percebiam. Seu objetivo era instituir um governo igualitário perfeito com a Verdade (isto é a imprensa) no centro.[75]

Bonneville definia seu círculo de escritores como "legisladores do Universo", uma expressão adotada por Shelley: "Os poetas são os legisladores não reconhecidos do mundo". Através de Bonneville, Saint-Just, Desmoulins e Babeuf, todos se tornaram membros dos Illuminati. No centro do círculo interno estava Maréchal, que se referia a si mesmo como HSD, *l'Homme Sans Dieu*, o Homem sem Deus, que tinha imunidade à prisão. Maréchal escreveu uma obra em seis volumes, *Viagens de Pitágoras*, que via a comunidade de Pitágoras como irmandade política e Pitágoras como modelo para os revolucionários. (Foi de Pitágoras que a Franco-Maçonaria tomou o símbolo do triângulo que faz parte do selo dos Illuminati.) Nessa obra, *le monde* se refere ao novo mundo aperfeiçoado dos Illuminati. Antoine Fabré d'Olivet, tradutor dos *Versos de Ouro* de Pitágoras, foi outro contemporâneo de Bonneville.[76]

Entre os escritores do círculo de Bonneville estavam Restif de la Bretonne, que escreveu um dicionário universal e cunhou o termo "comunismo", e Louis-Sebastien Mercier, que escreveu um romance utópico: *L'an 2440*. Ambos eram licenciosos – como o era Mirabeau – e o próprio Bonneville dividia sua casa e sua mulher com o revolucionário inglês e iluminatista Thomas Paine. (Em *An Essay on the Origins of Freemasonry*, publicado nos Estados Unidos em 1802, Paine revelaria a influência do "círculo de luz" de Bonneville, afirmando que os maçons descendiam dos druidas adoradores do sol, do culto zoroastriano ao fogo e de Pitágoras – e que criaram um culto que era uma alternativa ao Cristianismo.)[77]

A Assembleia Nacional Constituinte produziu uma série de medidas revolucionárias que beneficiaram a burguesia. Nacionalizou todas as terras da Igreja Católica Romana na França para saldar a dívida pública – uma medida de acordo com as políticas de Weishaupt – e houve uma redistribuição em larga escala das propriedades, principalmente para a burguesia. A Assembleia decidiu então reorganizar a Igreja, mas o papa e o clero francês resistiram. A reforma acabou com o sistema administrativo do *ancien régime,* substituindo-o por *départements*, distritos, cantões e comunas administradas por assembleias eleitas. A Assembleia tentou também criar um regime monárquico em que o Rei e a Assembleia compartilhariam o poder, mas o fraco Luís, cercado de conselheiros aristocráticos, tergiversava e vacilava, tornando a parceria inviável. O resultado foi que a França perdeu a oportunidade de ter uma monarquia constitucional como o sistema britânico criou sob o reinado de Guilherme III.[78]

Em maio de 1790, o Conde de Mirabeau se tornou conselheiro secreto de Luís XVI e Maria Antonieta, por recomendação de seu amigo Augusto, Príncipe de Arenberg, Conde de La Marck e com a aprovação do embaixador da Áustria em Paris, Florimund, Graf Mercy d'Argenteau, confidente de Maria Antonieta. Mirabeau, membro dos Illuminati e cofundador do Clube Jacobino, escreveu: "Minha principal tarefa será garantir que o poder executivo tenha seu lugar na constituição". A nomeação de Mirabeau se deu provavelmente a pedido da Casa Sionista de Lorraine, que esperava que ele influenciasse os acontecimentos. Ele tinha apoiado Necker, mas precipitou a sua renúncia, em setembro de 1790, com um discurso sobre a bancarrota nacional. E agora defendia o direito do rei de declarar guerra e paz, dizendo que seria melhor a França não ter rei do que ter um "rei supérfluo e sem poder". Um panfleto jacobino o acusou de traição. O rei e a rainha tiveram uma reunião secreta com ele em 3 de julho, mas não seguiram seu conselho. Ele achava muito difícil parecer um jacobino popular e, ao mesmo tempo, aconselhar secretamente o rei, em meio a acusações de traição. Foi Presidente da Assembleia durante duas semanas. Em março, ficou subitamente doente e morreu no começo de abril de 1791. Houve rumores de que tinha sido envenenado. Foi-lhe dado um funeral magnífico na igreja de Saint-Geneviève, convertida no Panteão especialmente para ele. No entanto, com a descoberta de documentos que provavam seu envolvimento com a família real, seus restos mortais foram removidos do Panteão por ordem da Convenção.[79]

Maria Antonieta tinha planejado fugir do país com o Delfim e agora exortava Luís a fugir de Paris antes da Constituição ser finalizada para que não fosse forçado a aceitá-la naquela forma. Nos dias 20 e 21 de julho de 1791, os membros da família real foram deixando o palácio um a um para dificultar o reconhecimento. A família toda embarcou numa carruagem de dois cavalos e tentou escapar de Paris – e da França – atravessando a fronteira oriental. Em Varennes, tinham que trocar os cavalos mas não havia nem sinal dos cavalos que deviam estar à sua espera. O rei e a rainha bateram nas portas pedindo cavalos descansados. No caminho para Varennes, o rei tinha sido reconhecido por um velho inimigo, um chefe de correio chamado Drouet, que saiu em sua perseguição. Drouet chegou com um grupo armado e exigiu os passaportes reais. Todos entraram na mercearia de um homem chamado Monsieur Sauce. No começo, Luís tentou desconversar, mas depois admitiu ser o rei. Disse que só queria ir ao Monte Médy e pediu a Sauce que o ajudasse. A rainha suplicou a ajuda de Madame Sauce, que soluçava em lágrimas: "O que a senhora quer que eu faça, Madame? Sua situação é muito desafortunada, mas a senhora percebe que isso exporia Monsieur Sauce: sua cabeça seria cortada".[80]

Luís XVI e Maria Antonieta voltaram a Paris: agora Luís perdera credibilidade como monarca constitucional.

A Revolução Girondina

Os girondinos, republicanos moderados, subiram ao poder com a intensificação de um sentimento republicano moderado. Em julho, o extremado Clube Jacobino, mais extremista, organizou um requerimento pedindo a destituição de Luís. Isso causou uma cisão e os deputados moderados bandearam para o clube rival dos Feuillants. O deputado Maximilien de Robespierre, que Weishaupt conhecera em Paris,[81] era agora uma figura importante no Clube.

Luís punha suas esperanças numa guerra com a Áustria. Havia uma aliança franco-austríaca desde 1756 que havia frustrado os sonhos de Frederico II, tanto de uma Alemanha unida sob a dominação prussiana, quanto de conquistar o trono francês. A rainha de Luís, Maria Antonieta, por ser filha da Imperatriz Maria Tereza, presidia um "comitê austríaco", e esperava que o exército austríaco invadisse a França e derrotasse os inimigos de Luís. Achava que a intervenção estrangeira, seguida de um desastre militar francês, restauraria a autoridade real. Luís, agora completamente sob sua influência, concordava. Na declaração de Pillnitz, em 27 de agosto de 1791, a Áustria e a Prússia (Leopoldo II e Frederico Guilherme II) convocaram os líderes europeus para ajudar Luís XVI a recuperar o poder.

Muitos nobres, clérigos e alguns burgueses emigraram e muitos *émigrés* formaram grupos armados na fronteira nordeste e pediram ajuda estrangeira. No início, os governantes foram cautelosos, mas ficaram alarmados quando a Assembleia Nacional Constituinte declarou que todos os povos tinham direito à autodeterminação e anexou o território papal de Avignon, em setembro de 1791.[82]

A nova Assembleia Nacional Constituinte se reuniu pela primeira vez no começo de outubro e foi controlada pela facção girondina de outubro de 1791 a setembro de 1792. A esquerda da velha Assembleia Nacional Constituinte agora era a direita: houve uma guinada à esquerda. Os girondinos eram republicanos moderados, muitos deles do *département* da Gironda na região de Bordeaux, jovens advogados que atraíam o apoio dos burgueses, homens de negócios, mercadores e industrialistas. No início, o líder era Jacques-Pierre Brissot e eles eram conhecidos como Brissotins. Seu tom era moderadamente intolerante e beligerante. No começo, eram críticos da corte e inspiraram as medidas contra *émigrés* e padres antirrevolucionários, ambas vetadas por Luís. Apoiavam também a guerra contra um país estrangeiro como forma de unir o povo francês em torno da Revolução. "O povo que depois de doze séculos de escravidão conquistou a liberdade, precisa de uma guerra para consolidá-la", dizia Brissot.[83]

A conselho de Maria Antonieta, Luís rejeitou as recomendações dos constitucionalistas moderados, liderados por Antoine Barnave, que insistiam na implementação da Constituição de 1791, e embarcou numa política de dissimulação. Vendo a guerra chegar, recusou a oferta de ajuda de Lafayette e apelou aos Girondinos para que indicassem um novo Gabinete. A Constituição não permitia que a Assembleia escolhesse ministros. Em 23 de março, nomeou um Ministério que se identificaria com os girondinos na Assembleia e lançou sobre eles a responsabilidade de declarar a guerra. Admitiu Girondinos no seu governo: Clavière, o General Dumouriez (que odiava a Áustria) e Jean-Marie Roland, cuja mulher tinha um salão que era ponto de encontro dos Girondinos.

Dumouriez decidiu ir à guerra contra a Áustria, governada por Francisco II (sobrinho de Maria Antonieta) a partir da morte de Leopoldo. Em 20 de abril, aceitando a recomendação do Ministério Girondino, um Luís pálido, balbuciante, com lágrimas nos olhos, declarou a guerra contra a Áustria, usando a fórmula "contra o Rei da Hungria e da Boêmia" para garantir a neutralidade da Prússia. Era uma guerra que os girondinos há muito pediam e que acabou sendo o ápice de sua revolução. Suspeita-se que o "Comitê Austríaco" da rainha tenha tramado isso.

A guerra "revolucionou a Revolução". A preocupação de Luís com a precisão constitucional não era aceitável num tempo de perigo nacional e havia suspeitas de que a rainha tivesse entregue os planos de guerra franceses ao inimigo – com toda razão, pois em 26 de março ela entregou a Mecy, o embaixador austríaco, um resumo das campanhas francesas em 5 de junho e escreveu a Ferson que "o exército de Luckner recebeu ordens de atacar imediatamente", além de lhe mandar mais informações em 23 de junho. Ela achava que, se perdesse a Bélgica, a Áustria tomaria uma parte equivalente da França.[84]

Os Templários Iluministas tinham ficado quietos em meio ao tumulto popular, mas tinham os olhos fixos no poder absoluto, ocupando-se com a organização do Clube Jacobino. Os Templários do Grande Oriente Iluminizado controlavam agora os Clubes Jacobinos. Em 1791 e 1792 seu criador, o Duque de Orléans, agora conhecido como Philippe-Égalité, renunciou ao cargo de

Grão-Mestre do Grande Oriente e todas as lojas na França foram fechadas para prevenir atividades contrarrevolucionárias a portas fechadas quando tomassem o poder. Os Templários na França estavam agora em Clubes Jacobinos, não em lojas. Agora que o Iluminismo era uma realidade, não havia mais necessidade de segredo. Em 1791, 900 cidades tinham clubes, quase todos filiados ao Clube Jacobino original. Em 1794, havia 6.800 Clubes Jacobinos, com meio milhão de membros.[85]

A essa altura, os Girondinos vacilaram. Tinham três ministros no governo de Luís, mas estavam do lado da Revolução e queriam uma república. E não agiram com responsabilidade. Em maio e junho, tramaram decretos que deixariam Luís sem apoio e o poriam em situação embaraçosa: um deles abolindo sua guarda pessoal de 1.800 homens, outra criando um acampamento para 20.000 soldados da Guarda Nacional perto de Paris e mais uma deportando os únicos padres verdadeiramente católicos da França. Durante 10 dias, Luís ficou tão deprimido que não disse uma palavra sequer, nem para sua família. Em 12 de junho, destituiu seus três ministros mais linha-dura, incluindo Clavière e Roland. Espalhou-se o rumor de que o rei estava prestes a tomar Paris com a ajuda de tropas de *émigrés*: uma repetição do que foi dito quando da destituição de Necker em 1789. Em 16 de junho, Dumouriez renunciou ao Gabinete e deixou Paris para comandar o exército no norte.

Pediram a Luís que retirasse o veto a dois decretos. (Os deputados da burguesia, o Terceiro Estado, tinham se proclamado uma Assembleia Nacional, o que a nobreza considerou ilegal.) Luís esperava ser assassinado e chamou seu confessor, M. Herbert, escrevendo: "Venha me ver; nunca tive tão grande necessidade de seu consolo. Não quero mais saber dos homens, olho para o Céu. Grandes infortúnios são esperados amanhã." No dia seguinte, foi apresentada uma petição. Uma turba invadiu as Tulherias e lá ficou por quatro horas. Luís ficou esse tempo todo no recesso de uma janela, separado da turba por uma mesa e alguns poucos granadeiros. Brincou com a multidão usando um capuz da Liberdade e brindando à França, mas não recuou de seu veto. Pétion, o prefeito girondino de Paris, e Santerre, da Guarda Nacional, não fizeram uma única tentativa de deter a turba. Pétion chegou alegando nada saber sobre a situação. Quando tentou se justificar no dia seguinte, Luís o mandou "calar a boca" e lhe virou as costas.

A coragem de Luís lhe trouxe um renovado apoio popular e, vendo o exército prussiano como seu salvador potencial, no dia 6 de julho apresentou à Assembleia uma declaração de guerra à Prússia. Os girondinos iniciaram então uma campanha para destroná-lo. A Assembleia ficou subitamente inundada com petições vindas dos clubes. Em 31 de julho, a seção Mauconseil retirou seu apoio ao rei. Luís e Maria Antonieta viviam em constante estado de alerta. Em 25 de julho, o comandante austríaco, Duque de Brunswick, ameaçou destruir Paris se a segurança da família real fosse ameaçada e se as Tulherias fossem novamente invadidas. A ameaça foi contraproducente e arrefeceu o apoio popular.

Um novo levante parecia provável. Luís podia resistir até a chegada dos prussianos no final de agosto – tendo neste caso que negociar com os Girondinos – ou podia confiar em Lafayette que, depois de atirar em peticionários que exigiam a abdicação do rei em julho de 1791, tinha sido nomeado comandante do exército em dezembro. Era o único homem capaz de dar a Luís um exército. Herói da América e agora da França, Lafayette esperava governar em nome do rei, agora que a França estava em guerra com a Áustria. Ele tinha a confiança do rei (embora a rainha continuasse hostil) e, em 28 de junho, foi à Assembleia e denunciou a invasão das Tulherias. Anunciou também sua intenção de inspecionar sua legião real e marchar com ela para fechar o Clube Jacobino. Segundo Lafayette, a rainha (que ainda se opunha a ele) mandou Pétion cancelar as ordens para a inspeção. Tenha ou não acontecido isso – e se aconteceu foi um erro colossal – só alguns poucos guardas se apresentaram e Lafayette voltou ao seu exército sem nada fazer contra os Jacobinos.

Lafayette queria tirar o rei de Paris, mas os termos da Constituição o proibiam de se afastar mais de 120 quilômetros e o rei queria cumprir a disposição. Além do mais, a rainha se opôs ao plano de Lafayette de remover o rei para Compiègne e manifestou sua oposição escrevendo a Fersen. Humildemente, Luís concordou com o veto dela.

Parece que Lafayette planejava um *coup d'état*. Ordenou a Dumouriez que marchasse sobre Paris, mas a ordem foi ignorada. O Ministério planejava agora renunciar *en masse* no dia 10 de julho, o que deveria forçar o rei a reconsiderar seu plano de fuga. Mas ele permaneceu em Paris e negociou com os Girondinos, que ainda tentavam impedir uma insurreição jacobina quando esta se desencadeou em 10 de agosto.

Nessa manhã, o Palácio das Tulherias estava defendido por 1.000 guardas suíços, 1.000 policiais montados e 2.000 guardas nacionais. Havia também 300 nobres armados. Era o suficiente para controlar uma multidão agressiva, mas muitos integrantes da Guarda Nacional eram contrários ao rei. Durante a noite, a municipalidade tinha sido substituída por uma comuna revolucionária que controlava a guarda nacional. Paris tinha se revoltado e uma comuna revolucionária se instalara no *Hôtel de Ville* (o Paço Municipal). Abatido, o rei passou em revista a Guarda às seis horas da manhã. Houve gritos de *Vive le Roi* seguidos de vaias da multidão. Roederer, do *Département*, aconselhou a família real a buscar refúgio na Assembleia, já que a resistência era impossível. Seguiram todos para a Assembleia entre duas linhas de soldados, em meio às pilhas de folhas que os jardineiros tinham juntado.

Então, a multidão jacobina atacou: esse ataque ficou conhecido como "Primeiro Terror". Georges Danton estava por trás desse incidente e, mais tarde, ele diria que "tinha sido responsável" pelos acontecimentos de 10 de agosto. A guarda suíça resistiu, abrindo fogo e matando 300 pessoas. Quando Luís ordenou que cessassem fogo, às 10 horas da manhã, a multidão se lançou sobre eles e os massacrou.

A Assembleia, dominada pelos girondinos, interditou Luís, mas não o depôs. Essa decisão seria entregue a uma nova assembleia, uma Convenção Nacional. A família real passou o dia nas dependências reservadas aos jornalistas. Às duas da manhã, foram transferidos para o Convento dos Feuillants, onde ficaram durante três dias. Às seis da tarde do dia 13 de agosto, foram levados em meio a uma multidão hostil ao Templo, a austera residência dos Cavaleiros Templários. Ao buscar refúgio na Assembleia, o rei tinha se tornado seu prisioneiro – prisioneiro da facção jacobina que agora predominava através dos Clubes Jacobinos. O ponto decisivo pode ter sido no dia 11 de agosto, quando os criados de Luís receberam ordens para deixar o convento. Luís lhes disse: "Então estou na prisão, e menos afortunado do que Carlos I, que teve permissão para manter consigo seus amigos até o cadafalso". Quando seus cortesãos lhe ofereceram dinheiro, Luís disse, como se intuitivamente soubesse o que tinha pela frente: "Fiquem com suas carteiras, cavalheiros. Vocês precisarão delas mais do que nós, pois terão mais tempo para viver, eu espero".

O grito *Vive notre roi d'Orléans* foi substituído pelo lema jacobino do Grande Oriente Maçônico: "Liberdade, Igualdade, Fraternidade!"[86] Ao chegarem ao Templo, foram recebidos por funcionários jacobinos da Comuna, que não tiraram o chapéu e se dirigiram ao rei como *Monsieur*, não como *Sire*.

A monarquia tinha sido derrubada pelos jacobinos, sem a participação dos girondinos. Os girondinos estavam em declínio e grupos mais radicais – a Comuna Jacobina de Paris, a multidão jacobino-maçônica de Paris e os Jacobinos comandados por Robespierre – assumiram a direção da revolução. Em 17 de agosto, Lafayette fugiu para Liège, onde foi prisioneiro dos austríacos até 1797.

Foi instituído um comitê executivo provisório, que incluía os girondinos demitidos e o jacobino maçônico iluminizado Danton. Mas, em Paris, o verdadeiro poder estava com a Comuna, cujos jacobinos maçônicos templários exigiram desde o começo que a família real fosse mantida no Templo.

Em 20 de setembro de 1792, começou a Convenção Nacional nas Tulherias. Seu nome era inspirado na Convenção da Revolução Americana. A oposição aos girondinos era feita pelos *montagnards*, deputados de esquerda que se tornariam Jacobinos, chamados de "Homens das Montanhas" porque ocupavam os bancos mais altos ("montanhosos"). Entre os *montagnards* estavam Danton, Robespierre, Carnot, Marat (com sua horrível doença de pele), Saint-Just e Phillipe-Égalité. Os girondinos eram ligados a homens de negócios de Paris e funcionários do governo; os *montagnards* à classe trabalhadora e aos artesãos parisienses. No conflito entre as duas tendências, os girondinos eram mais moderados e não admitiam o igualitarismo completo, rejeitavam o controle de preços pelo governo e confiavam nos *départements*. Os *montagnards* os chamavam de "federalistas". Tinham sido doutrinados pelo Clube Jacobino que, em setembro, mudara seu nome para "Sociedade de Jacobinos, Amigos da Liberdade e da Igualdade". Como tal, admitira os *montagnards* e se mostrava democrático e popular.

Em 21 de setembro, a Convenção decretou a abolição da monarquia. No dia seguinte (o equinócio de outono, 22 de setembro de 1792), proclamou que os novos atos públicos seriam datados a partir do Ano 1 da República. Em 25 de setembro (por insistência de Robespierre), declarou que "a República Francesa era una e indivisível". Como a Convenção Americana, começou a dar forma a uma nova Constituição. A Revolução Jacobina tinha levado a França da monarquia para a república.

No Templo, o rei tinha acesso à biblioteca dos Cavaleiros de Malta e leu 250 dos 1.500 volumes que lá estavam. Um dia, apontou para as obras de Rousseau e Voltaire e sussurrou a Hue, *valet de chambre* do Delfim: "Esses dois homens arruinaram a França". Na prisão, a família real foi se adequando a uma rotina diária: desjejum às 9, aulas particulares para o Delfim e trabalhos de costura às 10, caminhada ao meio-dia (enfrentando insultos, como receber no rosto a fumaça de uma cachimbada proposital do porteiro), almoço às 2 da tarde – o rei bebia meia garrafa de champanha e um cálice de licor – e depois jogar piquê ou gamão, um cochilo às 4, aulas ou jogos às 6 e jantar às 9, depois do que o rei lia em seu estúdio até meia-noite.

Os acompanhantes da família real foram levados poucos dias depois da chegada ao Templo, incluindo a Princesa de Lamballe, acompanhante e parente da rainha que tinha voltado a Paris para ajudá-la nesse momento de necessidade. A notícia de que os prussianos estavam para ocupar Verdun, última fortaleza antes de Paris, enfureceu a multidão – que (com organização considerável) invadiu várias prisões. O jacobino Iluminizado Georges Danton foi acusado de organizar a operação. Muitos na multidão eram jacobinos maçônicos. Faziam sinais maçônicos e se os prisioneiros sabiam como respondê-los eram poupados – senão, eram mortos. O massacre dos prisioneiros não maçônicos, ou não jacobinos, durou cinco dias e no final desse período tinham matado 1.200 prisioneiros, da nobreza e do clero, a maior parte deles prisioneiros políticos. A princesa estava entre eles. Foi estripada e suas partes íntimas foram levadas através de Paris como troféu para a Revolução. Não havia limite para as coisas desagradáveis que a multidão se dava o direito de fazer. Um grupo pegou o cadáver da princesa, decepou-lhe a cabeça a levou ao Templo para mostrá-la à rainha, mas a entrada estava bloqueada por uma faixa tricolor esticada na entrada. Então, a cabeça da princesa foi espetada numa estaca e levantava de maneira a ficar visível das janelas da Torre. Insistiram com um dos guardas para que obrigasse o rei e a rainha a aparecer na janela para vê-la. O guarda então os aconselhou a ir até a janela para ver a cabeça. A rainha desmaiou e Luís parece ter ido sozinho até a janela.

O Julgamento e a Execução de Luís XVI

A descoberta de uma arca de ferro contendo a correspondência de Luís com *émigrés* e contrarrevolucionários tornou inevitável um julgamento, ainda mais agora que os jacobinos controlavam a Convenção. E a Convenção decidiu julgá-lo ela mesma. Em 11 de dezembro – equivocadamente chamado de "Luís Capeto" e não "Luís Bourbon" (a dinastia dos Capetos terminou em 1328 e os Capetos de Bourbon os sucederam em 1589) –, Luís soube que ia ser julgado. Ele refletira sobre Carlos I e queria evitar um julgamento formal, que poria a nação francesa numa posição condenável. Robespierre tinha essa mesma visão, mas achava que Luís deveria ser executado sem julgamento. Luís foi levado à corte e acusado de "conspiração contra a liberdade e atentado à segurança do Estado" (uma acusação sem significado, que não podia ser legalmente provada). Foi acusado de fazer um exército marchar contra os cidadãos de Paris. Marat observou que havia acusações demais: algumas eram mal articuladas, outras banais. Luís foi então confrontado com documentos que declarou não conhecer (já que poderiam ser forjados). No final desse primeiro comparecimento, voltou ao Templo e comeu seis costeletas, uma galinha e alguns ovos.

O segundo comparecimento de Luís foi em 26 de dezembro. No final da sessão, ele fez um curto discurso protestando inocência. A Convenção não votou durante duas semanas. Os girondinos, conscientes de que a morte de Luís agravaria o conflito tanto interno quanto externo, tentavam salvar sua vida propondo um apelo ao povo e atacando o Duque de Orléans (que estava presente como Philippe-Égalité). Os jacobinos exigiam a execução de Luís e estigmatizavam os girondinos, chamando-os de realistas e moderados. Danton fez uma oferta: pouparia a vida do rei se Pitt pagasse dois milhões de francos, mas Pitt recusou (mais tarde descreveria a execução de Luís como o crime mais desumano da história, esquecendo-se de Carlos I). Finalmente, entre 14 e 20 de janeiro foram feitos quatro turnos de votação. Os votos pela pena de morte alcançaram a maioria por apenas 1 voto (361 dos 721 votos).

No domingo, 20 de janeiro, a Convenção encerrou seus trabalhos. Nessa mesma manhã, o carrasco, Charles-Henri Sanson, cuja família vivia fora dos limites da cidade, recebeu suas ordens. A execução do rei seria no dia seguinte, na Place de la Révolution. Sanson escreveu ao assistente do promotor dizendo que tinha avisado o carpinteiro que construiria o cadafalso e fazendo outras perguntas. Disseram-lhe que era para esperar o rei no cadafalso. O rei seria trazido da prisão no Templo numa carruagem fechada, acompanhado por dois *gendarmes*. (Sanson era suspeito de ser secretamente um realista capaz de facilitar a fuga do rei e os organizadores temiam que a multidão parisiense descarregasse sua fúria numa carroça aberta e matasse o rei antes de chegar ao cadafalso.)

Às duas da tarde, os membros do Conselho Executivo entraram na antecâmara do rei, entre eles os Ministros da Justiça e Assuntos Estrangeiros e Santerre, comandante da Guarda Nacional. O rei estava preso na Grande Torre do Templo, a residência medieval dos antigos Cavaleiros Templários, incluindo Jacques de Molay, o último Grão-Mestre da Ordem dos Cavaleiros Templários. (Thomas Carlyle[87] escreveu: "vindos dessas mesmas Torres, o pobre Jacques de Molay e seus templários foram queimados pela Realeza Francesa, cinco séculos antes".) As paredes tinham quase três metros de espessura e fendas em vez de janelas. Cerca de quinze homens observavam Joseph Garat, Ministro da Justiça, dirigir-se ao rei e pedir ao Secretário do Conselho, Philippe Grouvelle, que lesse os decretos do Conselho. Com voz fraca e trêmula, Grouvelle leu uma declaração de que Luís Capeto era "culpado de conspiração contra a liberdade da

Nação e de um atentado à segurança geral do Estado" e "deverá sofrer a punição da morte". Foi dito ao rei que ele seria executado em 24 horas. Em resposta, o rei lhes entregou uma carta pedindo um adiamento de três dias.

Jean-Baptiste Cléry, *valet de chambre* do rei na Prisão do Templo, escreveu um relato das últimas horas do rei.[88] Naquela noite, o rei comeu pouco, mas com apetite. Comeu duas asas de galinha e alguns legumes, tomou dois copos de vinho misturado com água e um pouco de vinho Málaga. Com a permissão do rei, seu confessor, o Abade Edgeworth de Firmont, foi à Câmara do Conselho e pediu aos Comissários da Torre que trouxessem ornamentos da igreja mais próxima, de modo que o rei pudesse assistir à Missa. Disseram-lhe que o serviço religioso tinha que terminar às sete da manhã seguinte, "porque exatamente às oito horas Luís Capeto sairá para o local da execução". O confessor voltou para junto do rei. "O breve relato que lhe fiz, sem mencionar as condições, pareceu lhe trazer a maior das alegrias." Em outras palavras, parece que ele não contou ao rei que este seria levado para a execução às oito horas.

O rei ficou algum tempo com seu confessor. Foi para a cama à meia-noite e meia e pediu para ser despertado às cinco. Cléry escreve: "Então eu desvesti o rei e, quando ia enrolar seu cabelo, ele disse: 'Não vale a pena'". Nem bem se deitou e caiu num sono profundo que continuou, sem interrupção, até as cinco. Cléry passou a noite a seu lado, sentado numa cadeira.

Às cinco, o rei acordou com o barulho de Cléry acendendo o fogo. Fora, na Place de la Révolution, carpinteiros erigiam o patíbulo. O rei se vestiu e passou uma hora com seu confessor no gabinete. Quando voltaram ao quarto do rei, descobriram que lá havia sido preparado um altar. O rei ouviu a Missa ajoelhado no chão. Disse ao seu confessor: "Como estou contente... por ter conseguido agir de acordo com meus princípios! Sem eles, onde estaria eu neste momento? Mas agora a morte me parece suave, pois existe no alto um juiz incorruptível que me fará a justiça que me foi negada na terra".

Rompeu a aurora. Ouviu-se na Torre os sons do movimento de tropas, do rufar de tambores e do rugir de um canhão. O rei observou que era "provavelmente a Guarda Nacional entrando em forma". Tinha prometido ver a rainha pela manhã, mas o confessor lhe pediu que não fosse, que lhe poupasse essa agonia, que seria intolerável. O rei disse: "Você tem razão; seria intolerável para ela. É melhor privar-me da alegria de vê-la mais uma vez e deixá-la viver com esperança um pouco mais". É evidente que, a essa altura, o rei sabia que seu fim era iminente.

Às 8, Charles Henri Sanson saiu de casa, com seu chapéu alto verde-escuro e gravata branca. Estava acompanhado do filho e ambos usavam adagas e pistolas sob o casaco, prevendo perigo. O assistente os esperava no cadafalso. O tempo estava gelado e nebuloso, e os guardas nacionais cercaram o cadafalso enquanto Sanson testava a lâmina da guilhotina. Milhares de cidadãos franceses se juntaram na Place de la Révolution, congestionando as ruas que a ela conduziam.

Às 8h30, Santerre chegou à Torre com sete ou oito funcionários municipais e dez soldados, que se puseram em posição. Cléry escreve: "Com o movimento, o rei saiu de seu gabinete e perguntou a Santerre: 'Vocês vieram me buscar?' 'Sim', foi a resposta. 'Um momento', disse o rei e voltou ao gabinete, de onde voltou logo depois acompanhado de seu confessor. Sua Majestade tinha nas mãos seu Testamento e, dirigindo-se a um funcionário municipal (chamado Jacques Roux, um padre renegado), que por acaso estava mais na frente, disse: 'Peço-lhe o favor de entregar este papel à rainha – à minha mulher'. 'Isso não é problema meu', respondeu o funcionário, recusando-se a pegá-lo. 'Vim aqui para conduzi-lo ao cadafalso'. Sua Majestade voltou-se então para Gobeau, outro funcionário municipal: 'Eu lhe imploro que entregue esse papel à minha mulher. Pode lê-lo: há nele alguns detalhes que desejo que sejam de conhecimento da Comuna'.

Eu estava de pé atrás do rei, próximo à Lareira: ele se virou para mim e lhe ofereci seu sobretudo. 'Não quero', disse-me, 'dê-me apenas o meu chapéu'. Quando lhe entreguei o chapéu, sua mão tocou a minha e ele a apertou pela última vez. Dirigiu-se aos funcionários municipais: 'Cavalheiros, eu ficaria contente se Cléry pudesse ficar com meu filho, pois ele se acostumou a ser atendido por ele. Espero que a Comuna atenda ao meu pedido'. Sua Majestade olhou então para Santerre e disse: 'Vá na frente'."

O confessor do rei, o Abade Edgeworth de Firmont, teve permissão para acompanhá-lo ao cadafalso porque era irlandês.[89] O seu relato é o mais interessante entre os relatos de testemunhas oculares:

"A última batida na porta foi de Santerre e seus homens. O rei abriu a porta e eles disseram (embora eu não saiba as palavras que usaram) que estava na hora de ir. 'Estou ocupado por um momento', disse-lhes em tom autoritário, 'esperem-me aqui, estarei com vocês em um minuto'. Fechou a porta e, vindo a mim, ajoelhou-se. 'Está terminado', disse (ecoando as últimas palavras de Cristo na cruz). 'Dê-me a última bênção e reze a Deus para que ele me ampare até o fim'.

Depois de um momento ele se levantou e, deixando o gabinete, foi em direção ao grupo de homens que estavam no quarto. Todos eles mostravam a mais completa segurança e nenhum tirou o chapéu. Vendo isso, o rei pediu seu chapéu. Enquanto Cléry, com lágrimas escorrendo pelo rosto, se apressou para pegá-lo, o rei disse: 'Se um de vocês é membro da Comuna, peço-lhe que se encarregue deste papel'.

Era seu Testamento... Depois de um momento, num tom firme, o rei disse: 'Vamos!'

A essa palavra, todos saíram. O rei cruzou o primeiro pátio (que tinha sido o jardim) caminhando [...] Na entrada do segundo pátio estava um coche, com dois *gendarmes* ao lado da porta. Quando o rei se aproximou, um deles entrou no veículo e sentou-se no banco com as costas para os cavalos. O rei então se sentou de frente para ele e me colocou a seu lado. O outro guarda sentou-se ao lado do companheiro e fechou a porta [...] Um grande grupo de pessoas fiéis ao rei tinha decidido tirá-lo à força das mãos dos executores ou ao menos arriscar tudo com esse intento. Dois dos líderes, jovens de nome bem conhecido, tinham me avisado disso na véspera e, apesar de não estar muito otimista, não perdi toda a esperança até chegar ao pé do cadafalso [...]

O rei, vendo-se fechado num coche onde não podia nem falar comigo e nem me ouvir sem testemunhas da nossa conversa, manteve silêncio. Entreguei-lhe meu breviário, o único livro que trazia comigo. Ele aceitou com gratidão. Parecia querer que eu lhe indicasse os salmos mais adequados à situação e os recitou alternadamente comigo. Os guardas ficaram em silêncio e pareciam admirados com a calma e a piedade do monarca, que nunca tinham visto tão de perto.

O percurso levou quase duas horas. Todas as ruas estavam cheias de cidadãos armados, alguns com lanças e outros com mosquetes. Um grande número de soldados, sem dúvida recrutados entre os mais corruptos e revolucionários de Paris, cercavam o coche. Como precaução adicional, alguns tamboreiros marchavam na frente dos cavalos, impedindo que fossem ouvidos quaisquer gritos a favor do rei. Mas não houve gritos. Nas portas e janelas não se via uma alma: ninguém estava nas ruas, exceto esses cidadãos armados que, sem dúvida por medo e fraqueza, eram coniventes com um crime que talvez muitos deles detestavam em seu coração.

Em meio a um grande silêncio, o coche chegou na Place Louis XV, parando no meio de um amplo espaço vazio, reservado em torno do cadafalso. Esse espaço estava cercado de canhões e, além deles, tão longe quanto os olhos podiam alcançar, via-se uma multidão armada.

Tão logo o rei sentiu que o coche estava parando, inclinou-se para mim e disse num sussurro: 'Chegamos, se não estou enganado'. Meu silêncio disse que sim. Um dos executores se adiantou para abrir a porta mas o rei o deteve [...]

Assim que o rei saiu do coche, três executores o cercaram e tentaram lhe tirar o casaco. Ele os empurrou para longe com dignidade e o tirou ele mesmo. Tirou também o colarinho e a camisa e se aprontou com as próprias mãos. Os executores, desconcertados por um momento pelo porte orgulhoso do rei, se recobraram e o cercaram novamente para lhe amarrar as mãos. 'O que vocês estão fazendo?', perguntou o rei puxando rapidamente as mãos. 'Amarrando suas mãos', respondeu-lhe um deles. 'Me amarrando!', exclamou o rei numa voz indignada. 'Nunca! Façam aquilo que lhes foi ordenado, mas nunca me amarrarão.' Os executores insistiram, levantaram a voz e pareciam a ponto de pedir ajuda para forçar o rei a obedecer.

Foi o momento mais agoniante dessa manhã terrível. Um minuto mais e o melhor dos reis teria sofrido um ultraje mil vezes pior do que a morte, pela violência que queriam usar contra ele. Ele parecia temer a mesma coisa e, virando a cabeça, parecia pedir meu conselho. Fiquei em silêncio mas, como ele continuou a olhar para mim, disse com lágrimas nos olhos: 'Sire, nesse novo ultraje vejo uma última semelhança entre Sua Majestade e o Deus que está para ser sua recompensa'.

A essas palavras, ele ergueu os olhos para o céu com uma expressão de indizível tristeza. 'Certamente', replicou, 'não é necessário nada mais do que Seu exemplo para fazer com que eu me submeta a um tão grande insulto'. Então, voltando-se para os executores: 'Façam o que quiserem. Beberei o cálice até a última gota'."

As mãos de Luís foram amarradas às suas costas. Ele era corpulento e achou difícil subir os íngremes degraus do cadafalso. Disse o Abade: "Filho de São Luís, ascenda ao céu (*au ciel*)". Luís se adiantou até a frente do cadafalso e tentou falar à multidão. Mandou os tocadores de tambor silenciarem e eles silenciaram, como descreve o abade: "Os degraus do cadafalso eram extremamente íngremes. O rei foi obrigado a se apoiar no meu braço e, pela dificuldade que teve, temi que sua coragem estivesse começando a esvanecer. Mas qual foi meu espanto quando, chegando ao topo, ele me largou, cruzou o cadafalso com passo firme, silenciou com um olhar os quinze ou vinte tamboreiros posicionados em frente e, numa voz tão alta que podia ser ouvida na *Pont-Tournant*, pronunciou essas inesquecíveis palavras: 'Morro inocente de todos os crimes de que me acusaram. Perdoo os culpados por minha morte e rezo a Deus para que o sangue que estão para derramar nunca mais seja exigido da França'."

Depois das primeiras semanas de execuções, Charles-Henri Sanson tinha passado a supervisionar a guilhotina em vez de operá-la. Mas agora era diferente. Tinham lhe dado a tarefa de decapitar o rei e ele mesmo a cumpriria. Normalmente, um dos ajudantes punha os prisioneiros em fila de costas para o cadafalso. Quando seus nomes eram chamados, subiam, um por vez, Charles-Henri de um lado, seus assistentes do outro. Faziam a vítima se abaixar sobre uma prancha de madeira e punham seu pescoço no colarinho de madeira conhecido como *lunette*.

O próprio Sanson nos conta o que aconteceu em seguida:

> Aqui, de acordo com minha promessa, está a verdade exata sobre o que aconteceu na execução de Luís Capeto.
> Quando ele saiu da carruagem, disseram-lhe para tirar o casaco. Ele objetou, dizendo que a execução poderia muito bem ser realizada com ele vestido como estava. Quando informado de que isso era impossível, ele mesmo nos ajudou a lhe tirar o casaco. A mesma situação se repetiu quando veio a questão de lhe amarrar as mãos e, novamente, quando lhe foi explicado, ele cooperou. Perguntou então se os tambores continuariam a rufar e respondemos que não sabíamos, o que era a verdade. Subiu no cadafalso e se adiantou, como se fosse falar, mas lhe dissemos que era proibido. Deixou-se então ser levado ao local onde o amarramos e disse em voz clara: 'Meu povo, morro inocente'. Voltou-se então para nós e disse: 'Senhores, sou inocente de tudo aquilo de que me acusam. Só me resta esperar que meu sangue cimente a alegria do povo francês'.
> Estas, cidadãos, foram suas verdadeiras e últimas palavras [...] Para ser fiel à verdade, ele aguentou tudo com um sangue-frio e uma força que nos espantaram. Estou convencido de que tirou essa força dos

princípios de sua religião, porque não poderia haver alguém com mais fé do que ele.

(Assinado:) Sanson, executor da Justiça Criminal." [90]

Essa declaração foi feita em 21 de fevereiro, um mês depois da execução. Em 1806, Charles-Henri informou a Napoleão: "*Sire*, executei Luís XVI".

O pescoço de Luís era grosso demais para caber no encaixe da *lunette* e, quando a lâmina caiu, sua nuca e maxilar ficaram "horrivelmente mutilados". Houve muito sangue, recolhido numa gamela sob a guilhotina. Depois da Revolução, Maria Antonieta, sua mulher, tinha dito que desejava lavar suas mãos no sangue dos franceses mas agora eram os franceses que se amontoavam para lambuzar os dedos e as palmas das mãos no sangue do rei. Alguns levavam os dedos manchados de sangue à boca e diziam que o gosto era bom, outros achavam salgado. Sanson lhes disse: "Esperem, vou lhes buscar um balde para que molhem as mãos mais facilmente".

O abade continua seu relato: "O mais jovem dos executores (parecia ter menos de 18 anos) agarrou a cabeça cortada e contornou o cadafalso, exibindo-a ao populacho. Esse ritual monstruoso foi acompanhado de gritaria e gestos obscenos. Seguiu-se um silêncio profundo e logo depois se ouviram alguns gritos de 'Vida longa à República'. Mas pouco a pouco as vozes se multiplicaram e em menos de dez minutos o grito, repetido milhares de vezes, se transformou no grito unânime de uma multidão".

Foi nesse momento que um velho maçom templário francês mergulhou as mãos no sangue real e gritou. "Eu os batizo em nome da Liberdade e de Jacques!" Ele se referia a Jacques de Molay, o último Grão-Mestre Templário. E um outro gritou: "Jacques de Molay, você foi vingado!"[91]

O corpo de Luís XVI foi jogado numa cesta de vime e posto na carroça do executor. Foi levado ao cemitério de La Madeleine, atirado numa cova com quase quatro metros de profundidade e coberto com cal viva.

Os girondinos, sob pressão dos jacobinos mais extremados, foram responsáveis pela execução de Luís. Assim como no caso da execução de Carlos I, há questões a serem respondidas. Quem estava por trás desse ato? Por que queriam Luís morto? E, dado o envolvimento dos maçons templários na Revolução Americana, teria algum significado a escolha da prisão de Luís – o Templo – e os gritos de que Jacques de Molay, o último Grão-Mestre dos Templários, tinha sido vingado? Por que, com tantas prisões disponíveis, Luís foi levado à residência medieval dos Cavaleiros Templários, incluindo Jacques de Molay? A resposta parece ser a seguinte: o Grande Oriente Templário Orléanista, agora uma fachada para os Illuminati de Weishaupt, estava por trás da execução girondinista do rei.

A Revolução Jacobina

De abril a setembro de 1792, a guerra tinha ido mal para a França, que sofreu várias derrotas. Mas os revolucionários começaram a reverter esse quadro. Em 20 de setembro, forças francesas sob o comando de Dumouriez e Kellermann fizeram o exército austro-prussiano recuar em Valmy. Em novembro, os franceses ocuparam a Bélgica. No entanto, uma coalizão entre Áustria, Prússia, Espanha, Províncias Unidas e Grã-Bretanha conseguiu impedir seu progresso. Em dezembro, a Convenção dominada pelos jacobinos convocou o proletariado da Europa a se erguer contra todos os governos organizados. Era um chamado à Revolução Mundial, de acordo com a doutrina de Weishaupt, mas visava principalmente à coalizão. O proletariado não se ergueu.

Na primavera de 1793, a guerra trouxe novas derrotas francesas (nas Províncias Unidas, na Bélgica e no Reno). Dumouriez desertou e se rendeu à Áustria. O poder jacobino tinha aumentado e os girondinos foram responsabilizados pelas derrotas do exército francês e pela deserção de Dumouriez. Além disso, perderam popularidade por não atender às queixas dos trabalhadores. (Nessa época, Thomas Jefferson, que tinha vivido três anos na França e acreditava que a maioria dos franceses era jacobina e que a Revolução na França era "bela", escreveu a Brissot no dia 8 de maio de 1793, dizendo que estava "eternamente ligado aos princípios" da Revolução Francesa.)

Em 31 de maio de 1793, começou em Paris um levante popular liderado por maçons jacobinos contra os girondinos.[92] Em 2 de junho a Convenção foi cercada por insurgentes armados, que eram todos jacobinos. A multidão tinha sido armada pela Comuna jacobina e era liderada por Hanriot que ordenou a prisão de 29 deputados girondinos, que ficaram sob a mira de canhões enquanto seus nomes eram chamados. Os *montagnards* jacobinos, agora no comando, adotaram medidas de emergência para defender a Revolução e atender às exigências dos trabalhadores. Muitos girondinos fugiram para as províncias para incitar mais levantes contra a Convenção, mas tiveram pouco apoio popular. A Revolução Girondinista estava no fim.

Os *montagnards* – os jacobinos Danton, Robespierre e Marat – comandaram a Convenção depois da queda dos girondinos e deram expressão política à

Revolução. Favoreciam as classes inferiores à custa da burguesia, que os girondinos defendiam. O país estava numa posição diferente: a França fora invadida pela Coalizão e sessenta departamentos tinham se levantado contra a Convenção. Havia guerra civil envolvendo o movimento contrarrevolucionário (*La Vendée*) e ações em direção ao federalismo na Normandia e em Provence. A Convenção aprovou uma Constituição baseada na *Declaração dos Direitos do Homem* e reconhecendo o direito à insurreição popular – mas tal Constituição não poderia vigorar enquanto durasse a ameaça da Coalizão.

O poder dos girondinos que restavam diminuiu depois da morte de Marat. Marat, símbolo dos *montagnards*, foi posto diante de um tribunal revolucionário em abril, mas foi inocentado. Durante um banho de tratamento para sua infecção de pele, Charlotte Corday, uma jovem militante girondina, o apunhalou várias vezes.

Em 10 de outubro, a Convenção decretou que o governo provisório da França seria revolucionário até a restauração da paz. Em outras palavras, a Convenção Jacobina aprovada em junho, que garantia o sufrágio universal e o direito à subsistência e à educação gratuita, estava engavetada. No lugar dela haveria um governo forte, centralizado e ditatorial. O Comitê de Segurança Pública tinha sido formado em abril. (Ninguém estava seguro ante esse comitê que dizia defender o povo.) Em julho, Robespierre substituiu Danton no comitê e ocupou seu lugar ao lado de Saint-André, Carnot, Barère, Couthon e Saint-Just. O Comitê de Segurança Geral era o principal órgão policial e a Lei de Suspeitos, que executava, foi responsável pela detenção de pelo menos 300 mil cidadãos, 10 mil dos quais morreram na prisão.

A Ditadura de Robespierre e o Reinado do Terror

No final de 1793, com a economia francesa em total desordem, a nova República Revolucionária tinha diante de si centenas de milhares de trabalhadores desempregados: os que estavam em situação mais crítica eram os que trabalhavam com artigos de luxo. Os líderes revolucionários, sob o comando de Robespierre (que conhecera Weishaupt em Paris), partiram então para a "despopulação" (ou "redução de população", como é chamada hoje em dia), que ele considerava "indispensável". Ou sejam a população francesa de 25 milhões de pessoas tinha que ser reduzida a 16 milhões (de acordo com uma fonte) ou até mesma para 8 milhões. Como diz Nesta Webster, "o sistema do Terror era a resposta para o problema do desemprego".[93]

Robespierre

Os comitês revolucionários encarregados de extermínio trabalhavam dia e noite. Usavam mapas para calcular o número de "imprestáveis" em cada cidade ou província, aproximando-se cada vez mais da meta de 8 milhões. A burguesia sofreu. Nas províncias, qualquer suspeito de ter tendências contrarrevolucionárias era executado depois de um julgamento apressado. Em pouco tempo, centenas morreram assim.

Em 5 de setembro, o Terror foi entregue a uma força especial de 6.000 revolucionários, que prendia quem era denunciado por revolucionários locais. Enquanto isso, tribunais revolucionários e comissões militares decretaram 17 mil penas de morte.[94]

A essa altura, havia carnificina humana, canibalismo, bebedeira e roubo. Começou também uma campanha contra a religião e, no mês de setembro, centenas de padres prisioneiros foram massacrados, atendendo a uma solicitação de Clootz, o autor jacobino iluminizado de *A República Universal*. Todas as vilas ou ruas cujos nomes lembrassem o Cristianismo, a realeza ou o feudalismo, receberam novos nomes – de acordo com a política de Weishaupt. O Illuminatus Chaumette (que controlava a Comuna de Paris com Hérbert) transformou em crime capital estocar alimentos e, num programa de descristianização que proibia cerimônias religiosas dentro e fora das igrejas, pregou cartazes nos cemitérios proclamando: "A Morte é um Sono Eterno" (um tema dos Illuminati). A Catedral de Notre-Dame foi chamada de Templo da Razão e uma corista foi entronizada como Deusa da Razão. Festas da Razão eram celebradas nas igrejas, de acordo com o ensinamento de Weishaupt de que "a Razão deve ser o único código do homem". Vestes e símbolos religiosos eram objeto de zombaria e o calendário foi reformado: a semana passou a ter dez dias e havia três períodos de 10 dias em cada mês.

Para os revolucionários, a Deusa da Razão era sinônimo de Deusa da Natureza, que prometia uma nova Idade de Ouro. Houve uma fusão de racionalismo e paganismo, refletindo o interesse da Franco-Maçonaria na Antiguidade pré-cristã (especialmente na figura de Pitágoras, que inspirou o nome da obra em que Weishaupt definiu o Iluminismo como filosofia política). Os símbolos pagãos estavam em toda parte. A nova República tinha sido declarada no equinócio de outono, em 22 de setembro de 1792, no momento (importante para os pagãos) em que havia total igualdade entre o dia e a noite, cada um com doze horas exatas. O altar de Notre-Dame foi substituído por um monte de terra. O que restava da Bastilha (atacada em julho de 1789) foi agora totalmente destruído e a área que ocupava voltou à natureza: tornou-se uma arena de terra para os festivais pagãos da nova República. No centro, foi colocada uma colossal estátua de Isis, ou a própria Natureza. Os festivais realizados aí e no Champs de Mars, uma área ainda maior, insuflaram um novo espírito de nacionalismo.[95]

Em 4 de dezembro, a Convenção aprovou uma lei centralizando a autoridade numa ditadura parlamentar, com o Comitê de Segurança Pública no comando. Nunca houve maior Perigo Público. Todas as administrações, tribunais e comitês revolucionários locais ficaram sob suas ordens e os Clubes Jacobinos monitoravam todos os funcionários. O Comitê tentou deter ações ultrarrevolucionárias, como as dos "descristianizadores", que vandalizavam ou fechavam igrejas. Robespierre era a favor de uma religião civil deísta e declarou que tal comportamento era contrarrevolucionário.

No dia de Natal de 1793, Robespierre justificou a ditadura coletiva da Convenção Nacional e a centralização administrativa. Na Convenção, os "descristianizadores" sob o comando do ateísta Hébert, opuseram-se aos "Indulgentes", sob o comando de Danton, que achava que o Terror tinha que ser abrandado. No começo de 1794, Robespierre se fez autoridade suprema mandando guilhotinar os dois líderes: Hébert em abril, por atividades anticristãs que Robespierre, deísta, desaprovava; e Danton (juntamente com Desmoulins) em maio, por defender prematuramente o fim do Terror.

A "ditadura" de Robespierre era agora responsabilizada pelo Terror. Ele era mais conhecido do público do que qualquer outro membro do Comitê de Segurança Pública, já que era seu maior porta-voz na Convenção. Robespierre não era socialista, mas um seguidor de Rousseau, não sendo portanto um verdadeiro Illuminatus na concepção de Weishaupt. Enquanto Weishaupt festejava a anarquia da Revolução, querendo a destruição e a liquidação como fins em si mesmas, Robespierre e Saint-Just viam a anarquia da Revolução como um meio a serviço de um fim. Assim como para Rousseau, era um meio para uma utopia futura, em que haveria socialismo de Estado uma vez eliminada a burguesia. Robespierre sabia que o Comitê exigia um espírito público livre de interesses pessoais, que ele chamava de "Virtude" (como Rousseau) e que poderia ser estimulado pelo Terror.

Num relatório à Convenção Nacional em maio, ele afirmou a existência de um Ser Supremo, de um "Deus" e de uma alma imortal, que presentificam a justiça nos homens. "O Terror nada mais é do que justiça", declarou Robespierre. Seu discípulo Saint-Just decretou que as posses dos suspeitos fossem distribuídas a patriotas. Em 4 de junho de 1794, com 35 anos de idade, Robespierre foi eleito Presidente da Convenção e presidiu o primeiro Festival, dedicado ao culto do Ser Supremo. Os ateístas, que seguiam o culto da Razão, se ofenderam com isso. Chegaram notícias de uma brilhante vitória do exército francês sobre os austríacos e, fortalecido, Robespierre falou sobre a necessidade de um novo expurgo. Em 10 de junho, o Comitê de Segurança Pública introduziu novas medidas repressivas e desencadeou "O Grande Terror": só em junho, foram guilhotinadas 1.300 pessoas. Estima-se que 17.000 "contrarrevolucionários" tenham sido guilhotinados durante o Reinado do Terror em Paris, nos anos de 1793 e 1794.[96]

De sua posição de poder absoluto, Robespierre mostrou desprezo pela Convenção. Tinha feito 450 discursos na Assembleia Legislativa e no Clube Jacobino e estava irritadiço com o cansaço. Ficou afastado da Convenção Nacional e do Comitê de Segurança Pública, falando apenas no Clube Jacobino Templário. Temendo pela própria vida, membros do Comitê de Segurança Geral começaram a conspirar contra ele. No dia 26 de julho, Robespierre foi à Convenção Nacional e Tallien, representando um grupo que temia ir para a guilhotina a menos que se livrasse dele, o acusou (Robespierre "O Incorruptível") de despotismo na Convenção Nacional.

Robespierre tentou conseguir uma audiência, mas foi preso e levado à Prisão de Luxemburgo. O diretor se recusou a prendê-lo, de modo que a Comuna o libertou e ele foi para o Hôtel de Ville. Os *sansculottes* (pequenos comerciantes que o apoiavam) não o resgataram e a Convenção Nacional o declarou um fora da lei. Ele se recusou a liderar uma insurreição. Em 27 de julho (9 Termidor), uma força armada invadiu o Hôtel de Ville, onde houve um tumulto e a multidão tentou prendê-lo. Robespierre tentou se dar um tiro, mas conseguiu apenas despedaçar o maxilar. Em 28 de julho, foi arrastado sangrando até o cadafalso na Place de la Révolution (Place de la Concorde), e morreu na guilhotina com Saint-Just. Os que o apoiavam na Assembleia e os militantes da Comuna tiveram o mesmo fim – 108 ao todo. Em 27 de julho, a guilhotina executou 45 antirrobespierristas e, nos três dias seguintes, 104 robespierristas. As leis sociais e o ideal de igualdade econômica não foram mais aplicados.[97]

A Revolução Termidoriana

A Revolução Termidoriana liderada por Carnot (que tinha assumido cargos militares em agosto de 1793) foi mais um ajuste de contas entre líderes extremistas do que um golpe de moderados contra os extremistas. Mas, com a morte de Robespierre, a Convenção se tranquilizou, o poder passou da esquerda para o centro, depois para a direita, e a mudança foi equivalente a um golpe moderado. Isso encerrou a fase política mais extremada da Revolução Francesa e criou um breve "Terror Branco" contra os jacobinos. A Revolução reafirmou o governo pela Convenção Nacional e pela nação à custa do Comitê de Segurança Pública e da Comuna de Paris. O Comitê foi desarmado, as prisões foram esvaziadas e os Clubes Jacobinos foram expurgados e fechados em novembro. A lei de 10 de junho (22 Prairial), que desencadeou a fase mais sangrenta do Terror, foi rejeitada.[98] As execuções se tornaram menos frequentes, mas 300.000 tinham morrido desde o começo do Terror.[99]

No sul (em Provence e no Ródano), velhas pendências foram resolvidas com linchamentos, assassinatos e massacres de *sanscullotes* (partidários de Robespierre) em prisões. O controle de preços imposto por Robespierre foi abolido. Houve uma nova crise econômica e uma nova escassez de grãos e farinha. Os Realistas voltaram à vida.

Em 1795 houve fome. Entretanto, os franceses tinham conquistado uma vitória em Flandres e a Prússia se retirou da guerra em março. Em vez de implementar a Constituição democrática de 1793, a Convenção Termidoriana instituiu uma república liberal como a de 1791, com uma legislatura de duas casas e um Diretório executivo de cinco membros.

Paine

A essa nova sociedade se juntou o Illuminatus Thomas Paine, que tinha deixado a América e voltado à Inglaterra em 1787. Rosa-cruz sionista como Franklin e maçom do Grande Oriente Templário (também como Franklin), em 1789 tinha avisado (anonimamente) Pitt para não se envolver numa guerra com a França (pois a guerra "só tem uma coisa de certo e essa coisa é o aumento dos impostos"). Edmund Burke atacou a Revolução Francesa em *Reflections on the Revolution in France*, de 1790, falando de "desastres" pelos quais "a glória da Europa se extinguiu para sempre". Paine respondeu com *Rights of Man*, de 1791, e um ano depois publicou *Rights of Man, Part 2*, que analisava as condições sociais da Europa – pobreza, analfabetismo, desemprego – que tinham levado à Revolução. Foi ordenada a prisão de Paine e seu livro foi recolhido, mas ele estava *en route* para a França, onde saudou a queda da monarquia mas ficou consternado com a perspectiva do rei ser guilhotinado (ele recomendara o banimento). Viveu na casa de Bonneville e sua mulher numa *ménage à trois* e, como Bonneville, foi iniciado nos Illuminati por Bode. Quando Robespierre assumiu o comando, Paine foi posto na prisão (de dezembro de 1793 a novembro de 1794) e escreveu *Age of Reason*. (A Parte 2 veio depois da sua libertação em 1796.) Nessas obras, revelou sua lealdade aos Illuminati, que tinha ajudado a se infiltrarem em diversas lojas. Era (como Robespierre) um deísta que acreditava num Ser Supremo, embora fosse considerado ateísta. Paine foi readmitido na Convenção Nacional e ficou na França até 1802. Depois voltou para os Estados Unidos – para descobrir que tinha sido esquecido.[100]

Babeuf

O novo Diretório teve que lidar com a conspiração de Babeuf,[101] Illuminatus e discípulo de Weishaupt, de codinome Gracchus e precursor francês do Comunismo. Babeuf discordara de Robespierre a respeito do "segredo imenso" do Terror, um plano para reduzir a população da França em até 15 milhões, para que o resto da população tivesse pão e trabalho. Embora simpático a Robespierre e à *Declaração dos Direitos do Homem*, ele achava a medida drástica demais. Já tinha sido preso por ter discordado de um plano para levar o povo à revolta espalhando notícias de uma fome fictícia e depois matar os revoltosos. Agora denunciava os despopuladores no panfleto *Sur la Dépopulation de la France*. Depois da queda de Robespierre, Babeuf criticou a Reação Termidoriana, que considerava um desastre, e disse que a única esperança era concluir o trabalho de Robespierre e manter a Constituição de 1793, fundamentada na *Declaração dos Direitos do Homem*, que não tinha sido implementada.

Babeuf foi jogado de novo na prisão, em Plessis e depois em Arras, onde conheceu pessoas como ele, dispostas a trabalhar por uma revolução social weishauptiana para "a felicidade geral e a verdadeira igualdade". Fora da prisão, os *babouvistes* (Dartjé, Germain, Bodson e Buonarotti) continuavam unidos "para fazer a igualdade triunfar" e se reuniam longe dos olhos da polícia, nos jardins da Abadia de Sainte Geneviève, no refeitório ou na cripta. Como o Panteão ficava perto, eram às vezes chamados de panteonistas. Em pouco tempo, essas reuniões já contavam com umas 2.000 pessoas e foi formado um pequeno comitê secreto que se reunia na casa de Amar, um dos mais temidos membros do Comitê de Segurança Geral durante o Terror. Propriedade é roubo, argumentavam Babeuf e os outros, de maneira que "não deverá existir propriedade individual". O Marquês d'Antonelle dizia: "O Estado de Comunismo é o único que é justo, o único que é bom; sem esse estado de coisas nenhuma sociedade pacífica e realmente feliz pode existir".

Em 1795-6, o Diretório desaprovou as atividades de Babeuf, que caiu na clandestinidade mas continuou a editar seus dois jornais. Quando Darthé leu um de seus artigos em voz alta numa reunião, Napoleão em pessoa fechou o lugar e pôs a chave no bolso.

Babeuf resolveu criar um "Diretório Secreto" de doze homens, que trabalhavam em distritos diferentes e não se conheceriam.[102] Em abril de 1796, acabou de escrever o *Manifesto dos Iguais,* que proclamava uma "República de Iguais" onde haveria "comunidade de bens e de trabalho", ou seja, pagamento igual para todos em troca de número de horas iguais, fosse qual fosse a natureza do trabalho. Isso seria alcançado por meios pacíficos, embora o populacho tivesse que ser incitado à violência. No "Grande Dia", quando fosse instituída a "República da Igualdade", não haveria oposição – apenas 17.000 homens marchando sobre a Assembleia Legislativa, o quartel-general do exército e as casas dos ministros.

A marcha foi planejada para 11 de maio. Mas foi delatada por um soldado chamado Grisel e, na manhã da marcha, um cartaz do Diretório alertava os cidadão de Paris para um complô. A polícia prendeu Babeuf, Buonarotti e 45 outros líderes. De fevereiro a maio de 1797, todos os líderes da conspiração foram julgados. Babeuf culpou superiores Illuminati: "Os cabeças e os líderes precisavam de um diretor de opinião pública e eu estava em situação de atrair essa opinião. Em 27 de maio, juntamente com 28 outros *babouvistes,* Babeuf e Darthé foram sentenciados à morte e, apesar de tentarem se matar com um punhal, ambos morreram no cadafalso."[103]

Assim terminou a última tentativa da Revolução Francesa de implantar o esquema de Weishaupt, que havia sido mantido vivo nas lojas iluminizadas, mencionadas por Paine em *Age of Reason* (1794) e por Robison em *Proofs of a Conspiracy,* de 1797.

A CONSOLIDAÇÃO DE NAPOLEÃO

A Europa se Transforma numa República Templária

Napoleão deu expressão física à Revolução. Foi escolhido pela Franco-Maçonaria Templária para consolidar a Revolução em seu nome, já que havia rumores sobre uma possível volta dos Realistas Bourbon exilados.[104] Os Templários queriam a unificação da Europa sob o comando de uma república maçônica (e não sob o comando de um Rei do Graal Merovíngio de Jerusalém). Dillon escreve: "Como um mal menor e como um meio de favorecer a unificação da Europa, que tinham planejado com suas conquistas, os maçons puseram o poder supremo nas mãos de Bonaparte, e o impulsionaram em sua carreira".[105]

Napoleão era um jacobino templário.[106] Simpatizava com os Illuminati mas, quando estes foram expostos em 1785, tornou-se templário. Planejava resgatar documentos templários que estavam em poder da Igreja Católica Romana (o que fez em 1810, levando três mil caixas de documentos do Vaticano para Paris). A *Mackeys's Encyclopedia* afirma que Napoleão foi saudado como maçom pela "Loja de Strassburg".[107]

Os Templários levaram Napoleão ao poder através de Charles-Morris de Talleyrand-Perigord,[108] um cardeal católico que se juntara aos Illuminati sionistas em 1779, sendo iniciado por Mirabeau em 1786 numa loja sionista iluminizada. Nesse ano, ajudou a fundar o Breton Club, que depois foi tomado por templários e renomeado como Clube Jacobino. Talleyrand se tornou templário. Na época, era membro de uma sociedade secreta rosacruciana sionista chamada Philadelphes ou Filadelfos ("círculo dos irmãos livres"), aparentemente fundada em Narbonne em 1780.[109] Seu fundador era o homem que tinha sido Grão-Mestre do Priorado

Napoleão I, Imperador dos Franceses

de Sião desde 1801, Charles Nodier, filho de um procurador francês, mestre templário e presidente do tribunal revolucionário de sua cidade. Foi uma figura literária menor, que inventou o gênero do melodrama, e mentor de Victor Hugo. Parece que, como Franklin e Voltaire, Talleyrand era um agente duplo do Priorado de Sião, que trabalhava para o Priorado quando estava com os templários.

Para os Filadelfos, o mundo todo era uma irmandade e a Paris revolucionária seria o centro de uma república mundial. O selo dos filadelfos era uma estrela de cinco pontas, que Nodier interpretava como símbolo de amor universal. (Esse selo inspirou o desenho do Pentágono do exército norte-americano.) Em 1797, Nodier foi exilado para Besançon, a que deu o nome de Filadélfia, que depois mudou para Crotona em homenagem a Pitágoras. (Escreveu *A Apoteose de Pitágoras*.) Era nesse meio internacionalista que Talleyrand se movimentava.

Foi no Clube Jacobino que Talleyrand conheceu Napoleão.[110] Quando as quatro Revoluções se esgotaram, Talleyrand aconselhou aos Templários: "Ponham Napoleão no trono e abram os Grandes Orientes". Se conseguisse persuadir os Templários a pôr Napoleão no trono, planejava cercá-lo de Illuminati sionistas, que ficaram escondidos nas lojas do Grande Oriente, até que estas foram fechadas e substituídas pelos Clubes Jacobinos.[111]

Napoleão, protegido de Robespierre, chamara a atenção de um iluminista, o Visconde de Barras, que o viu resistir ao cerco das forças inglesas e espanholas em Toulon, em 1793. No dia seguinte, foi promovido a Brigadeiro-General.[112] Quando era um jovem oficial de artilharia, tinha debelado um levante contra o Diretório – liquidando uma coluna de revoltosos que marchavam sobre a Convenção Nacional – em Paris, no ano de 1795, "com uma única chuva de balas". Recompensado com um comando contra os austríacos no norte da Itália, Napoleão[113] triunfara: constituiu as repúblicas Cisalpina e Liguriana e forçou a Áustria a entregar os Países Baixos austríacos para a França. Tinha se preparado para invadir a Inglaterra (enquanto outros exércitos franceses constituíam as repúblicas Romana e Helvética) e depois foi ao Egito para ameaçar o Império Britânico, mas foi derrotado por Nelson na batalha naval de Aboukir.

O Diretório tinha se tornado impopular depois do fracasso da reforma monetária. Barras, que tinha conspirado contra Robespierre, foi nomeado Comandante-chefe das forças militares francesas e depois indicado (juntamente com Carnot) para o Diretório de cinco que governava a França. Tornou-se o homem mais poderoso do país e escolheu Napoleão para liderar as forças militares francesas. Em 1797, a eleição para a legislatura resultou em maioria realista e o Diretório de cinco se dividiu. Napoleão deu apoio militar à maioria de três e anulou a eleição de setembro. Extinguiu também o Círculo Social do jornalista Bonneville. Indignado com a repressão à liberdade de expressão, Bonneville o comparou a Cromwell, como ditador que traíra a revolução. Em 1799, os franceses foram derrotados pela Áustria e pela Rússia na Itália. Napoleão voltou a Paris e conspirou com um dos Diretores, Barras, para derrubar o governo. (Napoleão desmaiou no momento crucial, o que sugere que estava por demais emocionado.) Agora, Napoleão era o primeiro de três cônsules.

Ao tomar o poder em novembro de 1799, Napoleão aboliu o Diretório e, temendo que Barras tentasse restaurar a monarquia, rompeu com ele e se tornou cônsul único e vitalício. Antes investido em doze pessoas (o Comitê de Segurança Pública), o poder tinha se restringido a cinco (o Diretório), depois a três (os Cônsules) e finalmente a uma única pessoa (Napoleão).

Tão logo Napoleão conquistou o poder, todas as lojas do Grande Oriente foram abertas.[114] Mas em 1801 elas se fundiram ao Rito Escocês Templário republicano.[115] Um plano que supostamente beneficiaria os sionistas fora adotado pelos Templários, que viam sua chance de unificar a Europa numa república sob o comando de Napoleão. Os Templários, através do chefe de polícia Joseph Fouché, sugeriam agora que o consulado vitalício deveria se transformar num império hereditário. Em 1804, os Templários permitiram com relutância que Napoleão se declarasse Imperador dos Franceses.[116] Como no caso de Roma, uma república tinha dado lugar a um Império e, com o estímulo dos Illuminati Templários do Grande Oriente, Napoleão, que agora se via como o mestre universal da Europa, tentava se parecer com Augustus.

Os Templários passaram a conspirar com o Império para enfraquecer os austríacos e os russos em Austerlitz, passando informações para os comandantes franceses, e dar assim a vitória a Napoleão.[117] O serviço de inteligência de Napoleão era dirigido por maçons[118] e, até 1810, seu progresso foi espetacular. Napoleão pôs seus irmãos nos tronos conquistados da Europa – Joseph como Rei de Nápoles em 1806 e depois como rei da Espanha em 1808 (quando seu cunhado Murat se tornou rei de Nápoles), Luís como rei da Holanda e Jerome como rei da Westphalia – e, inchado de orgulho, queria ser rei da França e casar com uma princesa Habsburgo para tornar mais legítimo o seu reinado. Em 1809, divorciou-se de Josephine, da Casa de Bourbon, e Metternich, Ministro da Áustria para Assuntos Estrangeiros, arranjou para Napoleão um casamento com uma princesa merovíngia, a Arquiduquesa Marie Louise, da Casa de Habsburgo.[119]

O Priorado derruba Napoleão

Mas os Templários retiraram seu apoio a Napoleão, temendo que uma dinastia de reis napoleônicos impedisse que a república universal viesse a existir.[120] Napoleão, por sua vez, demonstrou frieza com relação aos Templários e procurou impedi-los de se disseminar. Em 1810, eles o excomungaram[121] e (através de intermediários) incentivaram sua desastrosa expedição a Moscou, quando ele perdeu 500.000 homens em temperaturas que chegaram a -35°C.

Os sionistas ingleses tinham deixado Napoleão desorganizar a Europa porque precisavam do caos para aumentar seu controle. Pouco fizeram antes de 1810, deixando Napoleão espalhar a devastação, mas agora conspiravam para derrubá-lo. Os Filadelfos estavam no centro do complô. William de Hesse, príncipe alemão rosacruciano sionista, tinha proposto uma ação conjunta anglo-germânica contra os franceses e, em 1812, o general sionista Malet, filadelfo e rosa-cruz, tentou derrubar o Império. Agiu em conjunto com o Grão-Mestre do Grande Oriente, General Massena. Do complô também faziam parte Charles Nodier (Grão-Mestre do Priorado de Sião), Talleyrand, Morusau e Trochot, todos eles maçons. Antes da expedição, a assembleia de filadelfos foi informada de que Napoleão "seria o último dos opressores de Jerusalém", o que significava que seria substituído por um rei merovíngio de Jerusalém.[122]

Malet foi derrotado e o Priorado de Sião passou a usar a imprensa para manipular a opinião pública (como acontece hoje em dia). Com esse objetivo, Charles Nodier usou seus talentos literários. O Priorado de Sião inglês, rosacruciano, planejou a queda de Napoleão com vazamento de informações, mentiras, verdades parciais e informações falsas. Os Templários tinham permitido com relutância o despotismo de Napoleão, para favorecer sua república universal, mas não mais aprovavam sua autocracia. Decidiram então substituí-lo por um membro da Casa de Bourbon que estivesse distante da Igreja Católica. Depois de considerar o rei da Holanda, que era maçom, optaram por Luís XVIII, a quem poderiam controlar, favorecendo os Templários e a destruição da Igreja.[123] Luís XVIII era tio do Delfim Luís XVII, em cuja educação Luís XVI esbanjara tanto cuidado e que desapareceu misteriosamente quando estava preso no Templo, em junho de 1795.

Na Europa, os reis merovíngios do Graal, que eram sionistas, tinham percebido que a Franco-Maçonaria Iluminizada ameaçava seus tronos. Aliaram-se então à *Tugenbund* (União de Virtude), ligada à loja maçônica de Hanover, que era rosacruciana. Usaram-na como base para recuperar ou proteger seus tronos, sob a liderança da Grã-Bretanha, que lutava para expulsar Napoleão. (O dinheiro vinha da Casa de Rothschild.) Havia agora uma aliança entre a monarquia britânica, a Igreja e a Franco-Maçonaria.[124]

Mayer Amschel "Rothschild" morrera em 1812. Seu filho mais velho, Amschel, e seu filho caçula, Carl, dirigiam o banco em Frankfurt; o rosa-cruz inglês Nathan dirigia a filial inglesa (sendo a Inglaterra a maior potência comercial da Europa); Salomon vivia em Paris e James em Gravelines, perto de Calais. Nathan buscou o apoio dos reis europeus nas lojas de Londres e, em 1807, a Marinha Real bloqueou os portos franceses. Em 1810, os Rothschilds tinham financiado um *revival* das *Tugendbund*, dirigido por rosa-cruzes que se opunham a Napoleão – ao contrário da primeira *Tugendbund*, que era do Grande Oriente. Essa nova *Tugendbund* atuou como um movimento de resistência que sabotava Napoleão enquanto ele levava revolução através da Europa. Quando percebeu o que estava acontecendo, Napoleão eliminou a *Tugendbund* e fez declarações antimaçônicas, dizendo que a Franco-Maçonaria Iluminizada era um "Estado dentro do Estado", cuja influência devia ser combatida.

De 1812 a 1814, a Inglaterra teve a atenção desviada pela guerra norte-americana. Mas, uma vez assinado o tratado de dezembro de 1814, voltou com força total e, em aliança com a Áustria, a Rússia e a Prússia, forçou Paris a capitular. Em abril, Talleyrand anunciou a deposição do imperador a favor de Luís XVIII, que estivera exilado na Sicília. Napoleão, por sua vez, foi mandado para o exílio em Elba.

Napoleão fugiu durante o Congresso de Viena, em 1815. A Inglaterra enviou o maçom Duque de Wellington, que estava em Portugal, para se encontrar com Napoleão em Waterloo. Ele era financiado por Nathan Rothschild (na tradição dos financiadores judeus de Jaime II e Guilherme III): este enviava dinheiro para seu irmão James, que fazia transações financeiras para o governo francês e o enviava a Wellington via Espanha.[125] Houve um momento em que Napoleão parecia estar vencendo a batalha de Waterloo. Mas o Marechal Soult, seu segundo em comando, deixou deliberadamente de cumprir suas ordens, dando a vitória aos rosa-cruzes sionistas. Depois da batalha, Napoleão foi mandado para o exílio em Santa Helena. Os Templários o elevaram, o Priorado o derrubou.

Quando o primeiro enviado militar chegou a Londres com notícias do sucesso de Napoleão, o mercado de ações de Londres entrou em colapso. Nathan comprou as ações a preços baixos e, quando elas subiram, tornou-se o homem mais rico da Inglaterra, controlando finalmente o banco central inglês. Para isso, usou métodos de negócio modernos e agressivos. Parece que prometeu um prêmio ao barco que trouxesse mais rapidamente notícias do resultado da batalha. Seu agente Roworth esperou em Ostend, obteve notícias da batalha na *Gazeta Holandesa* e embarcou num navio que partia para a Inglaterra. Chegou em Londres no dia 20 de junho de 1815, um dia antes do Major Percy, o enviado de Wellington.[126]

Por que Napoleão caiu? Porque perdeu o apoio dos Templários e porque o Rosacrucianismo Sionista, com a ajuda dos Rothschilds, agiu com mais presteza do que os maçons do Grande Oriente, que tiveram que aceitar o exílio permanente de Napoleão e o retorno dos Bourbons. O Grande Oriente pode ter sido fraco politicamente, mas influenciou soldados antinapoleônicos, inclusive russos que, ao voltar para a Rússia, fundaram uma loja do Grande Oriente em 1816. (Dessa primeira loja derivaram outras quarenta, que atuaram na tentativa de Revolução de 1825.)[127]

No Congresso Sionista de Viena de 1815 (e no Congresso de Verona de 1822), os monarcas europeus renunciaram ao Grande Oriente ateu e apoiaram a Inglaterra. Os Rothschilds transferiram então seu quartel-general para Londres, iniciando uma longa associação entre os Rothschilds, ex-alemães de Frankfurt, e a Família Real, ex-alemã de Hanover. Aderir ao Rosacrucianismo Sionista inglês era a única esperança para os monarcas que tinham suas coroas ameaçadas pelos republicanos templários. Percebiam que as guerras napoleônicas eram uma tentativa templária de usurpar seus tronos.

Com Talleyrand representando a França, o Congresso de Viena tentou deter os republicanos templários devolvendo à Igreja Católica seu papel unificador na Europa – desde então o Priorado e o Catolicismo estiveram em aliança contra o Templarismo. O Congresso tentou formar uma Federação Unida da Europa contra o Templarismo (ideia de Metternich), uma confederação monárquica de reinos independentes com um corpo governante sediado em Viena – uma precursora da Comunidade Europeia. Essa federação envolveria a Suécia, a Dinamarca, a Espanha, Portugal, o Papado, a Saxônia, Wurtemberg e a França, mas não a Rússia, pois o Czar Alexandre I era um partidário inabalável do Grande Oriente. Esse plano de Metternich era o primeiro passo para um governo mundial.[128]

O plano não foi posto em prática porque a Rússia queria uma participação nos espólios da vitória. Em seu lugar, foi feita a Tripla Aliança, negociada no Congresso por Talleyrand com Metternich e Castelreagh, entre Áustria, Grã-Bretanha e França, que ofereceu um exército de 300.000 homens para frustrar as ambições da Rússia na Polônia. A Rússia suspeitava que os Illuminati controlavam o Congresso através de Talleyrand, mas Weishaupt ainda estava no exílio e Nathan Rothschild não estava presente. Weishaupt perdera sua importância: o que importava agora era o Priorado de Sião, que estava em vantagem no longo conflito com os Templários.

O Congresso tentou tirar os judeus das mãos de seus libertadores templários. Além disso, escolheu a Suíça como estado neutro para guardar a riqueza sionista. Assim, o quartel-general financeiro sionista passou a ser em Zurique e o Rosacrucianismo Sionista começou a absorver as lojas suíças do Grande Oriente.[129]

A Maçonaria Sionista Rosacruciana era deísta, o que muitos maçons entendiam como luciferiana. A Maçonaria Templária era ateísta. Os Illuminati eram uma mescla das duas tradições e alguns Illuminati eram ao mesmo tempo deístas e ateístas. (Para Weishaupt, o Ser Supremo era Lúcifer – ou Satã – e o deísmo de Robespierre revelava a influência que Weishaupt teve sobre ele no início da carreira.) À medida que as cabeças coroadas da Europa redesenhavam o mapa europeu, ficava claro que os deístas tinham se juntado para conter os Templários.

SUMÁRIO: A DINÂMICA REVOLUCIONÁRIA DA REVOLUÇÃO FRANCESA

O que fica na lembrança depois de um exame da dinâmica revolucionária da Revolução Francesa é o idealismo de algumas figuras – Robespierre e Saint-Just queriam um Socialismo de Estado, Virtude e Razão – e a sensação de que o plano deu terrivelmente errado. Trezentas mil mortes, a guilhotina funcionando sem parar, filas de pessoas aterrorizadas esperando sua vez depois de julgamentos apressados (se tivessem sorte) e um plano para matar cerca de 15 milhões de cidadãos franceses como forma de garantir alimento e emprego – essa não é uma forma defensável de alcançar a utopia. (Foram mentes aristocráticas e profissionais que tomaram tais decisões. Não foi a multidão de Paris que criou a Revolução Francesa, mas os aristocratas e os profissionais burgueses: o bem-nascido Duque de Orléans e o Conde de Mirabeau, o médico Marat e o advogado Robespierre.) O que salta aos olhos é a virtude racional de seus objetivos e a violência com que os implementaram. A razão e a compaixão humana se separaram. A razão e a virtude ditaram que toda uma classe (no caso de Robespierre, a burguesia) tinha que ser eliminada. A lógica de Robespierre e Saint-Just marcou o crepúsculo do Iluminismo racional, cujas noções de progresso pereceram com a guilhotina.

Ficamos também com a impressão de que alguns revolucionários eram egoístas e inescrupulosos. Alguns, como Weishaupt, queriam criar o caos para governar o mundo. Outros, como o Duque de Orléans (e mais tarde Napoleão), queriam ser o rei da França. Na expressão intelectual e política da ideia oculta da Revolução, alguns consideravam mais o próprio avanço do que a criação de uma nova sociedade utópica. Marat, marcado pela varíola, parece ter estado por trás do massacre de prisioneiros e da invasão do Palácio das Tulherias. Clootz estava por trás do massacre dos padres presos. Seus motivos tinham mais a ver com o Vício, que se baseia na Fraude, do que com a Virtude, que se apoia na Verdade. Não tinham boas intenções: eram oportunistas interessados em autopromoção.

Percebemos também que alguns revolucionários foram traiçoeiros. Como Franklin e Voltaire, Mirabeau e Talleyrand fizeram jogo duplo – e escaparam da guilhotina. Cagliostro era um vigarista brilhante e foi desleal com Weishaupt: sua malevolência merecia ser punida com o cadafalso.

Alguns revolucionários foram apenas ingênuos: Rousseau, com sua visão de civilização que Weishaupt distorceu a favor de seus abomináveis fins, e Moses Mendelssohn, que estava pronto a acreditar que Weishaupt apoiava os objetivos de seu Haskala, ou Iluminação Judaica. Weishaupt tirou vantagem de sua boa vontade e de sua disposição a financiar os Illuminati nos estágios iniciais, antes de saber que direção tomaria a nova organização.

Reconhecemos que alguns revolucionários tinham boas intenções: Danton, por exemplo, que morreu tentando acabar com o Terror.

É preciso dizer que Luís XVI, cercado por um grupo tão calculista, precipitou a Revolução com uma diplomacia desajeitada (ignorando, por exemplo, os conselhos de Mirabeau), vaidade e fraqueza. Um monarca mais inteligente poderia ter impedido a Revolução: não teria, por exemplo, nomeado Necker e nem aceitado as vontades da rainha, favoráveis à Áustria.

Não há dúvidas de que a Revolução trouxe avanços para a sociedade francesa: deu a ela uma Constituição com direitos humanos e a levou de uma monarquia absoluta para uma república constitucional. O sofrimento humano foi muito grande, talvez grande demais. A política de despopulação, com suas filas para a guilhotina, foi um preço muito elevado a pagar pelos ganhos da Revolução.

As revoluções ocorrem quando uma sociedade religiosa no interior de uma civilização religiosa se torna subitamente secular e desafia suas instituições. Todas as civilizações passam por um estágio em que uma ou mais de suas sociedades religiosas são abaladas por ideias antirreligiosas e seculares – como a entronização da Razão. Uma revolução é uma transformação súbita e violenta numa sociedade, quando a religião de sua civilização é desafiada pelo progresso secularizante. A sociedade pode progredir enquanto a civilização decai. É como se a secularização se avolumasse atrás de um dique e, de repente, transbordasse. Uma sociedade pode se tornar mais secularizada e humana, enquanto a civilização, afastada da ideia metafísica original, decai. A secularização parece favorecer o progresso mas, na verdade, acelera o declínio e a decadência de uma civilização, enquanto fortalece as condições humanas. O progresso através da guilhotina pode ser corretamente entendido como um movimento regressivo, embora muita coisa tenha melhorado para os cidadãos que sobreviveram para ver o retorno dos Bourbons.

Resumindo, em termos de dinâmica revolucionária, a visão oculta herética da Revolução Francesa veio do Utopismo dos cátaros. O intérprete herético oculto foi o neocátaro Rousseau, que reviveu a visão da "volta à Natureza" dos cátaros e desenvolveu as ideias de *Sir* Thomas More e de Francis Bacon, de uma sociedade ideal em que os homens amavam o próximo. Rousseau pode ter sido influenciado por Charles de Lorraine, que certamente influenciou Weishaupt.

O originador revolucionário que corrompeu a visão dos cátaros e de Rousseau foi Weishaupt, que desenvolveu a rejeição dos cátaros à Igreja e imaginou uma Utopia, em que a Razão Suprema florescesse. Queria que a civilização fosse destruída para que pudesse surgir um estado mundial, onde os homens voltariam ao Jardim do Éden e seguiriam a sedução da Serpente: "Vós sereis como deuses". Weishaupt era o profeta da entronização do homem tornado deus através da Razão. Tais ideias espirituais (se é que podemos usar a palavra "espiritual" a respeito do satanista Weishaupt) estavam por trás do esforço templário por uma república universal e da expansão dos sionistas, do reino veneziano de Jerusalém para um estado mundial.

O intérprete intelectual reflexivo que deu à visão um novo viés foi Cagliostro. Ele teve a ajuda de Moses Mendelssohn, que se identificava com as lojas *Tugendbund*. O intelectual semipolítico que depois se tornou político foi Mirabeau. A expressão intelectual da Revolução Francesa alcançou o povo através do jornalista Nicholas Bonneville: seus novos jornais difundiram a mensagem revolucionária de julho de 1789 a 1794. A dinâmica revolucionária da Revolução pode ser expressa da seguinte maneira:

Visão oculta herética	Intérprete herético oculto	Originador revolucionário oculto	Intérprete intelectual reflexivo	Intérprete semipolítico intelectual
Catarismo / Bacon / Rosacrucianismo Sionista (através de Charles de Lorraine)	Neocátaro Rousseau	Weishaupt	Cagliostro	Mirabeau

Na França, todos os que deram expressão intelectual à ideia herética oculta eram membros dos Illuminati, uma organização fundada para reunir sionistas e templários.

A expressão política da ideia revolucionária foi quádrupla, já que houve quatro Revoluções Francesas diferentes – a Orléanista, a Girondinista, a Jacobina e a Termidoriana – em rápida sucessão e cada uma com seus próprios líderes. A que deixou mais marcas foi a jacobina, sob o comando de Robespierre. A consolidação da Revolução Francesa se deu sob o comando de Napoleão, que recebeu o poder dos Templários e foi tirado do poder pelos sionistas.

A dinâmica revolucionária completa da Revolução Francesa é a seguinte:

Inspiração herética oculta	Expressão intelectual	Expressão política	Consolidação física
cátaros cabalistas / Bacon / Rosacrucianismo Sionista: De Lorraine? / Rousseau	Weishaupt / Cagliostro / Mendelssohn / Mirabeau / Bonneville / Marat	Duque de Orléans / Brissot / Robespierre / Carnot	Napoleão

Podemos expressar a dinâmica revolucionária das ideias que estavam por trás da Revolução Francesa da seguinte maneira:

Inspiração herética oculta	Expressão intelectual	Expressão política	Consolidação física
Luciferianismo / Catarismo	Iluminismo (por exemplo o do Círculo Social / Igualitarismo	Republicanismo	Terror e conquista da Europa

CAPÍTULO SEIS

A REVOLUÇÃO IMPERIALISTA NA GRÃ-BRETANHA E NA GERMÂNIA

Os governos de hoje têm que lidar não apenas com outros governos, com imperadores, reis e ministros, mas também com sociedades secretas que têm agentes inescrupulosos por toda parte e podem, a qualquer momento, frustrar seus planos.

Disraeli, discurso em Aylesbury, no dia 10 de setembro de 1876

O ápice da Revolução Imperialista foi o confronto entre as duas nações-estado que tinha criado, o Império Britânico e o Império Alemão, no conflito titânico da Primeira Guerra Mundial. Seu objetivo foi desde o começo weishauptiano: nivelar poderosas nações-estados através do conflito como preparação para duas outras revoluções – a russa e a da Ordem do Novo Mundo – que trariam um novo governo mundial. Como o propósito da Revolução Imperialista era criar dois impérios opostos, que se destruíssem um ao outro para começar esse processo de nivelamento, temos que vê-la dos dois pontos de vista: o britânico e o alemão.

Embora estejamos focalizando a Alemanha e a Grã-Bretanha, não podemos ignorar a França e a Itália, já que foram berço e campo de batalha do desenvolvimento imperialista das outras duas nações. Tanto os Rothschilds[1] quanto os Mazzini eram muito ativos na França e na Itália.

O IMPERIALISMO SIONISTA EUROPEU DOS ROTHSCHILDS

A Fortuna dos Rothschilds

Vimos que Adam Weishaupt parece ter sido financiado, de 1770 a 1776, pela recém-organizada Casa de Rothschild[2] e que Mayer Amschel "Rothschild" parece ter encontrado Weishaupt em 1773 para planejar a revolução mundial.[3] A Ordem da Aurora Dourada foi uma tentativa de Weishaupt de criar uma Ordem secreta para os Rothschilds,[4] que adotaram suas ideias e foram se tornando extremamente influentes entre os Illuminati à medida que crescia sua influência nos negócios. Desde o começo, a Casa de Rothschild procurava uma oportunidade para criar um governo mundial weishauptiano,[5] na esteira de uma Grande Potência que pudesse ser instada a se tornar expansionista – imperialista.

Em 1806, Napoleão era senhor da Europa continental. Tinha derrotado a Áustria e castigado a Rússia: só a Grã-Bretanha lhe oferecia resistência. Enquanto ele se preparava para invadir a Grã-Bretanha, os Rothschilds alemães mantinham relações comerciais com a Inglaterra e davam apoio clandestino aos inimigos de Napoleão.

A Casa de Rothschild "fez um empréstimo" para iniciar os negócios. Mayer Amschel "Rothschild" tinha sido agente do Príncipe-Eleitor William IX, *Landgrave* de Hesse-Kassel, neto de George II e primo de George III, que herdou a maior fortuna particular da Europa quando seu pai morreu, em 1785: 40 milhões de libras. O dinheiro fora enviado pela Grã-Bretanha para uso dos 16.800 soldados hessianos durante a Revolução Americana. (O pai de William nunca pagou os soldados, guardando o dinheiro para si.) Quando Napoleão invadiu a Alemanha em 1806, William fugiu para a Dinamarca, deixando parte de sua fortuna (600.000 libras) com Rothschild,[6] que enterrou o tesouro dentro de cascos de vinho no seu jardim em Frankfurt, pouco antes da chegada dos soldados republicanos de Napoleão. Eles lhe levaram todo o dinheiro (40.000 táleres), mas não encontraram o tesouro escondido de William.

William tinha constituído Budrus von Carlhausen seu advogado. Budrus fez de Mayer Amschel "Rothschild" seu banqueiro e lhe passou a responsabilidade de coletar juros sobre empréstimos reais. Em pouco tempo, os Rothschilds estavam administrando os investimentos do Eleitor, e Budrus convenceu

William a permitir que parte de seus fundos fossem administrados por Nathan, filho de Mayer Amschel "Rothschild", radicado em Londres. Em 1808, Nathan comprou 150.000 libras em ações do governo britânico e, em 1809, recebeu mais 150.000 libras. As ações estavam em seu nome e Londres ficou pasma com a escala de transações que esse investimento permitiu. Embora o Eleitor não tivesse recebido certificados por essas 300.000 libras, Nathan começou a negociar com barras de ouro, enviando uma parte para o Continente. Napoleão estava tentando bloquear o comércio britânico com a Europa, mas os navios de Nathan Rothschild, que partiam de Folkestone comandados por corajosos capitães, conseguiram passar várias vezes pela frota de Napoleão que bloqueava a passagem.

O Eleitor de Hesse-Kassel confia seu tesouro a
Mayer Amschel Rothschild, a Gutle e à sua filha Henrietta

Segundo alguns relatos, os Rothschilds financiaram Napoleão depois que este declarou seu desejo de ser rei em 1810,[7] uma declaração que lhe custou a confiança dos Templários. Napoleão tinha uma dívida com a Casa de Habsburgo, que tinha lhe dado a sua nova mulher, e com Metternich, que tinha arranjado o casamento. Parece também que Metternich apresentou Napoleão a Jaime, irmão de Nathan, um companheiro sionista radicado em Paris.[8]

Enquanto Jaime negociava com Napoleão, Mayer Amschel "Rothschild" enviou parte do dinheiro do Eleitor William para Londres, para que Nathan pudesse financiar o duque de Wellington. Nathan investiu esse dinheiro (cerca de 800.000 libras) em ouro da Companhia das Índias Orientais, sabendo que a Guerra Peninsular de Wellington precisaria desses recursos.[9] Teve então um lucro de 50 por cento negociando o papel-moeda de Wellington: lucro na venda do ouro para Wellington, lucro ao recomprá-lo e lucro ao enviá-lo a Portugal para o duque. Já vimos que Nathan fez uma fortuna trazendo para Londres notícias de uma derrota britânica em Waterloo. Os Rothschilds podem ter tido alguma participação na derrota de Napoleão. O imperador francês ficou doente na véspera da batalha de Waterloo, talvez vítima de envenenamento por arsênico. E o marechal Soult, seu número 2 que recebia ordens dos Rothschilds[10] – tendo recebido fundos de James Rothschild durante os cinco anos de Guerra Peninsular na Espanha, quando comandava as forças francesas –, pode ter desobedecido Napoleão por ordem dos Rothschilds. Em outras palavras, os Rothschilds apoiaram os dois lados na batalha de Waterloo, garantindo a derrota de Napoleão enquanto espalhavam notícias de sua vitória.

Quando morreu, em 1812, Mayer Amschel "Rothschild" tinha se tornado o homem mais rico que o mundo já conhecera.[11] Esse comerciante inspirador do imperialismo tinha fundado novos bancos Rothschild na Inglaterra, França e Alemanha. Seu testamento determinava que todas as posições importantes nos negócios dos Rothschilds tinham que ser ocupadas por homens da família[12] e que o filho mais velho do filho mais velho (no caso Nathan) seria o patriarca (à antiga maneira judaica). O testamento determinava também que os homens da família tinham que se casar apenas com primas em primeiro ou segundo grau, para manter a fortuna na família. Especificava ainda que não haveria nenhum inventário público ou publicação do valor do espólio de Mayer Amschel "Rothschild".

Mayer Amschel "Rothschild" teve cinco filhos, simbolizados na aljava com cinco flechas unidas no centro, que forma o escudo da família. Ele os espalhou por diferentes países da Europa. Como já vimos, durante as guerras napoleônicas, um ramo da família financiava Napoleão, enquanto outros financiavam a Grã-Bretanha, a Alemanha e outras nações europeias. As diferentes filiais são indicadas pelas iniciais dos cinco filhos: Nathan Mayer Rothschild era chefe do novo banco Rothschild em Londres, Inglaterra, conhecido como N. M. Rothschild and Sons; James Mayer Rothschild era encarregado no banco Rothschild em Paris, França, conhecido como Messieurs de Rothschild Frères; o banco Rothschild em Frankfurt, Alemanha, era conhecido como M. A. Rothschild & Söhne, de Mayer Amschel Rothschild; o banco Rothschild na Áustria era conhecido como S. M. von Rothschild, de Salomon Rothschild; e Carl Mayer Rothschild comandava o banco Rothschild em Nápoles, chamado C. M. von Rothschild. Os Rothschild eram agora tão influentes que Amschel Mayer Rothschild disse em 1838: "Permitam-me emitir e controlar o dinheiro de uma nação, que não me importo com quem faz suas leis".[13]

Na época do Congresso de Viena (1814-15), a maioria das nações europeias estava em dívida com os Rothschilds, que esperavam emancipar os judeus europeus do controle policial e criar uma Liga das Nações (uma aspiração dos Illuminati), que lhes daria controle político sobre o mundo. O príncipe Metternich, Ministro Austríaco de Assuntos Estrangeiros e o estadista mais influente da Europa, era visto por alguns como agente dos Rothschild.[14] Firmou uma aliança com a Prússia e a Rússia, esperando formar uma Federação Unida da Europa, que seria um degrau para o governo mundial. A Rússia não se deixou iludir pelo plano, que nunca se concretizou. Indignado, Nathan Rothschild jurou que um dia a sua família destruiria o Czar e sua família.[15]

A reorganização da Europa depois do Congresso de Viena tinha posto o Templarismo republicano na defensiva. Incrivelmente, embora Luís XVI tivesse sido decapitado por templários, o seu irmão mais novo, Luís XVIII de Bourbon – para quem N. M. Rothschild tinha adiantado 200.000 libras para cobrir as despesas imediatas da volta dos Bourbons para Paris em 1814[16] – favoreceu o Grande Oriente templário.[17] Ele deu o cargo de ministro ao sionista Talleyrand, que tinha muitos contatos templários, e deu cargos importantes a outros maçons da época de Napoleão.

Nathan Mayer Rothschild multiplicou sua fortuna de maneira fantás-

Nathan Rothschild

tica – 2.500 vezes segundo algumas estimativas, 6.500 segundo outras – especulando sobre o resultado da batalha de Waterloo em 1815.[18] Conta-se que, em Londres, o mercado de ações tinha caído muito com a expectativa da vitória de Napoleão. Um dos seus agentes, chamado Roworth, esperou em Ostend e trouxe as primeiras notícias da vitória de Wellington, publicadas na *Dutch Gazette*. Pegou um barco que rumava para Londres e deu as notícias a Nathan, que as repassou ao governo britânico via Herries. Nathan comprou ações imediatamente e, quando o preço subiu, teve um lucro entre 20 e 135 milhões de libras. Foi isso que lhe permitiu abrir o Banco da Inglaterra. Fontes rothschildianas[19] contam outra história: dizem que Nathan estava presente na batalha e que viajou com Wellington, que mandou uma mensagem por pombo-correio. Sustentam que essa história já tinha sido desmentida, embora reconheçam que algum ganho foi auferido com o resultado de Waterloo.

A Casa de Rothschild viu uma chance de controlar a França em outubro de 1818. O governo francês estava endividado, tendo feito empréstimos num banco francês em Ouvrard e no Baring Brothers, de Londres. Então, os Rothschilds compraram títulos do governo francês e os jogaram no mercado aberto, baixando seu preço e provocando pânico. Os Rothschilds, que já tinham o controle da economia inglesa em 1815, ganharam então o controle da França.[20]

Entre 1815 e 1820, o capital financeiro da filial inglesa dos Rothschilds tinha aumentado (numa estimativa modesta) de 3 milhões de dólares para 7.500 milhões de dólares – 2.500 vezes ao longo de cinco anos. Os cinco irmãos reconheceram a primazia de Nathan e lhe deram uma parte maior dos lucros dos Rothschilds na divisão do capital advindo dos negócios da família. Em francos franceses (1 libra = mais ou menos 25 francos), os números são os seguintes:

	1818	1825	1828
Amschel	7.776.000	18.943.750	19.963.750
Salomon	7.776.000	18.943.750	19.963.750
Nathan	12.000.000	26.875.000	28.200.000
Carl	17.448.000	18.643.750	19.393.750
James	17.448.000	18.643.750	19.393.750[21]

Ao morrer, em 1836, Nathan deixou 3,5 milhões de libras. Em valores de hoje (multiplicando por 35,5 para compensar a inflação e relacionando ao PIB), temos 1,669 milhão de libras, caminhando para os 2 bilhões.[22]

A Revolução de 1830 na França

Agora que tinham o controle da França, os Rothschilds se aliaram ao Priorado de Sião contra o templário Luís XVIII, pretendendo destroná-lo e substituí-lo por um pró-sionista.[23] Quando o velho rei morreu, tentaram subverter seu irmão e sucessor Carlos X. O assassinato do filho de Carlos, em 1820, por um bonapartista fanático, Louval, tinha apressado a virada reacionária do governo e polarizado a cena política entre as facções realista e revolucionária. Carlos X se opunha ao seu primo Luís-Felipe, Duque de Orléans, filho do líder da Revolução Orléanista de 1789, que tinha sido guilhotinado, e cliente do banco de James Rothschild, além de seu amigo. Em 1830, Carlos tentou dar um golpe real: fechou a Câmara dos Deputados, que tinha se reunido em março, e ordenou novas eleições em julho. Isso levou a três dias de protestos (*Les Trois Glorieuses*, 27-29 de julho), quando barricadas foram erguidas nas ruas por estudantes e membros da pequena burguesia. Os republicanos templários (em conformidade com a nova palavra de ordem do Grande Oriente templário: o "socialismo") combateram os monarquistas constitucionais sionistas-orléanistas que queriam Luís Felipe no trono e que enfrentaram os republicanos no Hôtel de Ville. Lafayette, que apoiava Luís Felipe, apareceu no balcão com ele, envolto na bandeira tricolor, e o abraçou sob os aplausos da multidão. Carlos X abdicou dois dias depois e o parlamento proclamou Luís Felipe "Rei dos Franceses". James Rothschild doou imediatamente 15.000 francos para as famílias dos feridos que tinham tombado em julho, e se tornou consultor não oficial de Luís Felipe, com acesso à sua corte. Estava ainda mais perto do centro do poder do que seu irmão e sogro Salomon Mayer – James tinha casado com a sobrinha – em Viena.[24]

O Priorado de Sião, tendo se oposto aos Bourbons, concordou com uma monarquia constitucional nos moldes merovíngios (em que o rei reinava mas não governava), em oposição à monarquia absoluta de Luís XVI.[25] Apoiava Luís Felipe, cuja mulher era sobrinha de Maximiliano de Lorraine e, portanto, aliada da Casa de Habsburgo-Lorraine. A casa de Rothschild estava por trás do novo governo sionista na França, que tinha se distanciado da preferência pelo Grande Oriente de Luís XVIII.

Os Rothschilds eram agora incrivelmente poderosos em cinco países. Nathan era muito próximo do Duque de Wellington e dos altos círculos ingleses. Salomão controlava Metternich na Áustria. Jaime via o rei da França várias vezes por semana. Carl era próximo dos chefes da Itália, de Nápoles à Sardenha. Amschel controlava a Confederação germânica. Todos os cinco irmãos agiam em uníssono. Quando Amschel deu apoio financeiro à Áustria contra a Prússia, Bismark protestou. Então, Amschel ficou "doente" e inacessível, enquanto os outros quatro acalmavam Bismark com argumentos tranquilizadores – sem retirar o apoio à Áustria.

A Revolução Industrial

A Casa de Rothschild tinha abraçado a Revolução Industrial. Usava energia e matéria-prima – ferro, aço, carvão, eletricidade, petróleo, o motor a vapor e o motor de combustão interna – para aumentar a produção nas fábricas com menos energia humana, e para melhorar o transporte e as comunicações. Do lado contrário, estavam os grupos de tecelões e trabalhadores manuais conhecidos como "ludditas", que se revoltaram nos anos que se seguiram a 1811, pedindo a destruição das novas máquinas têxteis, que os estava tornando dispensáveis. (Em maio de 1812, Spencer Perceval, Primeiro-ministro britânico, recebeu uma carta de um certo General Ludd condenando-o à morte e, pouco depois, foi assassinado no saguão da Casa dos Comuns por John Bellingham, que seria um comerciante do norte com simpatias ludditas. Ele argumentou: "Foi uma ofensa particular – uma negação de justiça por parte do governo". Os ludditas de Lancashire, Cheshire e Nottinghamshire aplaudiram sua ação como um feito luddita. Na mesma semana, Bellingham foi enforcado perto de Newgate.)

O império financeiro dos Rothschilds, levado pelos cinco filhos a cinco capitais europeias, construiu as primeiras estradas de ferro da Europa. A primeira delas tinha sido construída na Inglaterra em 1829, usando as locomotivas a vapor de George Stephenson. A Inglaterra, oficina industrial do mundo, tinha tomado a dianteira. Na França, James Rothschild inaugurou a ferrovia Paris-St. Germain em 1837 e a linha Paris-Versailles em 1839. Na Áustria, Salomon Rothschild financiou a linha Viena-Bochnia. Em 1846, o Barão Jaime Rothschild inaugurou a ferrovia do norte, na França. Como resultado dos empréstimos dos Rothschilds para a França, Luís Felipe estava nas mãos de James Rothschild – e a França, travada pela Revolução Francesa, só se tornou uma potência industrial em 1848. A Alemanha só começou a se industrializar em 1870.[26]

Um dos quadros mais vivos da Revolução Industrial está em *Hard Times*, de Dickens: as cidades enfumaçadas, o frio nos barracos dos trabalhadores, a insistência de Gradgrind nos fatos. Isso parece muito distante da arrebatada imaginação romântica mas, assim como o Romantismo tinha suas raízes no Revolucionismo (como podemos ver nos escritos de Rousseau, Goethe e Blake, impregnados de espírito revolucionário) e os dois movimentos – um literário, outro político – compartilhavam a mesma paixão, exaltando as aspirações individuais acima das da sociedade, assim também há uma ligação surpreendente entre o Romantismo e a Revolução Industrial, que também professavam um objetivo comum. A tecnologia era considerada favorável à liberdade individual: a máquina nos libertaria. Os ludditas, com medo de perder o emprego para as máquinas, não viam as coisas dessa maneira, mas os desempregados poetas românticos não eram tecelões com medo de perder o emprego. As revoluções artísticas e estéticas derivam muitas vezes de levantes sociais e políticos – e assim como a Reforma descartou de início a Renascença como reação pró-clássica, pré-cristã contra a Igreja, assim também a Revolução Industrial descartou o Romantismo como reação contra o materialismo científico.[27]

AS REVOLUÇÕES TEMPLÁRIAS EUROPEIAS DE MAZZINI

Mazzini, Marx e as Revoluções de 1848

Em 1830, Adam Weishaupt, fundador dos Illuminati que parece ter continuado no comando da Ordem apesar do exílio, morreu aos 82 anos. Sua morte ocorreu numa época em que a Franco-Maçonaria norte-americana estava se separando dos Illuminati. Conta-se que, no leito de morte, o luciferiano Weishaupt se arrependeu (como o Doutor Fausto) e se converteu à Igreja Católica.[28] Em 1834, o italiano Giuseppe Mazzini, filho de um médico genovês, tornou-se chefe dos Illuminati. Alguns dizem que Weishaupt o nomeou pessoalmente antes de morrer, impressionado com a implacabilidade de Mazzini quando este se tornou maçom do Grande Oriente em 1827, aos 22 anos. (O Grande Oriente tinha penetrado entre os Carbonari, uma antiga forma de Franco-Maçonaria italiana que pretendia eliminar o Cristianismo, e que Mazzini acabou absorvendo.)[29]

Mazzini passou seus primeiros três anos como maçom fazendo treinamento revolucionário. Foi exilado da Itália para a França em 1831 e fundou uma nova organização maçônica, a Jovem Itália, que em pouco tempo tinha 60.000 membros e foi proibida pelo governo italiano. Com a ajuda do maçom (depois estadista britânico) Henry Palmerston, fundou a Jovem Europa na Suíça, e as "Jovens" sociedades secretas continuaram a proliferar: Jovem América, Jovem Inglaterra e Jovem Turquia. Os "jovens" recrutas foram depois iniciados nas lojas do Grande Oriente Templário nos países em questão. A essa altura, já tinham sido treinados em terrorismo e subversão pelos maçons do Grande Oriente e do Rito Escocês Templário. Aprenderam a usar dinamite em Paris, protegidos pela constituição francesa. Eram conhecidos também como anarquistas ou niilistas, e sua tarefa era espalhar a revolução templária pela Europa, sob a liderança de Mazzini. Em 1833-4, Mazzini liderou levantes de "jovens" na Savoia e em Gênova (onde trabalhou primeiro com Garibaldi, que fugiu para a França logo depois).[30]

Na Itália, grupos da "Jovem Itália" assaltavam bancos e incendiavam casas comerciais que se recusavam a lhes pagar por proteção, sequestravam e pediam resgate, com o intuito declarado de levantar dinheiro para a reunificação da Itália. Dizia-se em toda a Itália: *Mazzini autorizza furti, incendi, e attentati* (Mazzini autoriza furtos, incêndios e atentados), expressão que foi abreviada para MAFIA.[31]

A Franco-Maçonaria de Mazzini era idêntica à de Weishaupt: oferecia os mesmos graus, símbolos, senhas e apertos de mão; usava assassinatos; pretendia destruir a Igreja e estabelecer um governo mundial. A diferença entre elas é que Weishaupt era basicamente um rosa-cruz sionista (embora seus Illuminati tivessem unido o Priorado e os Templários), enquanto Mazzini era basicamente um templário. Enquanto o Priorado de Sião era abertamente monarquista, direitista, capitalista e antissindicalista, os templários de Mazzini eram republicanos, esquerdistas, comunistas e pró-sindicalistas – e usavam a força em vez do poder financeiro.[32]

Na França, o Grande Oriente templário perseverou com o "socialismo" (palavra inventada por Robert Owen), que tinha surgido durante a revolução de 1830, e fundaram em 1835 a Liga dos Justos (com os remanescentes do Clube dos Jacobinos) para liderar o movimento socialista. Os radicais (em oposição aos socialistas pacifistas) formaram comunas para acelerar a atividade revolucionária e deram à Liga dos Justos um novo nome: Liga Comunista. Em 1814, seu porta-voz era Levi Mordechai, judeu alemão e maçom do 32º grau do Grande Oriente, que mudou de nome e se tornou Karl Marx.[33]

Marx tinha renegado sua origem judaica e se declarava ateísta. Estudou nas universidades de Bonn e Berlim, leu Weishaupt e *The Science of Government Founded on Natural Laws*, de Clinton Roosevelt, escrito em 1814 com o objetivo de destruir a Constituição dos Estados Unidos e comunizar o país segundo os princípios weishauptianos. Chamou seu plano de *New Deal*. (Esse plano foi depois implementado por seu descendente Franklin D. Roosevelt, cuja família era de origem holandesa-alemã. Na Grã-Bretanha, o governo Blair também adotou esse termo dos Illuminati para um de seus programas.) Em 1847, fazendo eco a Weishaupt e Clinton Roosevelt, e usando um rascunho escrito por Engels e um grupo de Illuminati, Marx escreveu *O Manifesto Comunista*, que conclamava os trabalhadores à revolta e os governos a tomar posse de todas as propriedades. Essa obra foi encomendada pela Liga Comunista, inspirada nos Illuminati.[34] Segundo pelo menos uma fonte, *Das Kapital*, que Marx escreveu nos anos 1860, foi financiado por um Rothschild, que deu a Marx dois cheques de alguns milhares de libras para finalizar sua teoria do socialismo.[35] Conta-se que esses cheques estiveram expostos no Museu Britânico e que eram assinados por Nathan Rothschild, que no entanto morreu em 1836. É possível que tenham sido assinados por N. M. Rothschild. O arquivista do Museu Britânico não tem conhecimento desses cheques. (Embora fossem monarquistas que apoiavam regimes de direita, os Rothschilds consideravam o socialismo favorável à visão de Weishaupt de um único governo mundial.)

Em 1848, a Maçonaria Templária do Grande Oriente, inspirada pelo templário Marx em Bruxelas e Colônia e organizada por Mazzini, coordenou levantes comunistas através da Europa[36] – começando na França e se espalhando pela Alemanha, Itália e Império Austríaco. Tais levantes eram no fundo de ataques templários a monarcas sionistas-rothschildianos. Tinham sido planejados no Congresso Maçônico de 1847, em que estavam presentes os principais líderes revolucionários na Europa.

Na França, os republicanos templários não tinham perdoado Luís Felipe por ter frustrado sua revolução em 1830. Pensadores socialistas como Enfantin, Fourier, Blanc, Proudhon (que define a propriedade como um roubo no livro *O que é a Propriedade?* de 1840) e Cabat estavam todos ativos nos anos 1840. Em 1846, o país sofreu os efeitos de safras ruins, da fome e de uma séria crise econômica. O regime de Luís Felipe parecia pobre em padrões morais e perdeu o apoio de muitos intelectuais, como Lamartine e Victor Hugo, que era amigo de Charles Nodier e se tornou Grão-Mestre do Priorado de Sião em 1844, apoiando Luís Napoleão. A oposição francesa queria reformas. Em fevereiro, o governo proibiu um "banquete" político em Paris e os Templários organizaram uma revolução comunista de trabalhadores: estudantes e trabalhadores tomaram as ruas, construíram barricadas e se chocaram com a polícia. Para evitar derramamentos de sangue e apaziguar os manifestantes, Luís Felipe demitiu Guizot, seu Primeiro-ministro. No entanto, na mesma noite, a tropa que guardava a casa de Guizot matou quarenta manifestantes. Com a iminência de guerra civil, Luís Felipe anunciou sua abdicação no dia 6 de março e fugiu para a Inglaterra.[37]

A Câmara dos Deputados foi invadida por uma turba que exigia uma república. A Câmara instituiu um governo provisório com onze membros, dos quais nove eram maçons do Grande Oriente. Liderados pelo poeta Lamartine, os membros do governo provisório e uma delegação de 300 maçons templários do Grande Oriente, usando joias e lenços maçônicos, marcharam para o Hôtel de Ville, onde os líderes dos republicanos tentavam criar um regime. Quatro desses republicanos foram incluídos no governo provisório que, sob a pressão da multidão, proclamou a república. Foi anunciado que todos os homens teriam direito ao trabalho – que o Estado teria que proporcionar empregos para todos – e que todos os homens teriam direito ao voto. O eleitorado aumentou imediatamente de 200.000 para 9 milhões. Houve eleições para uma assembleia constituinte e o país votou em candidatos moderados que se recusavam a ajudar os desempregados. Apesar dos esforços de Lamartine para manter a unidade republicana, houve guerra civil nos "Dias de Junho" (23-6 de junho), quando milhares de desempregados e estudantes armaram barricadas nas ruas.

Em resposta, a Assembleia recorreu ao General Cavagnac para livrar as ruas das barricadas. Com experiência na repressão aos rebeldes algerianos, o general usou artilharia, matando 1.500 rebeldes e prendendo mais 12.000, muitos dos quais foram mandados para a Argélia. (É provável que Victor Hugo tenha baseado *Os Miseráveis*, recentemente transformado num musical de sucesso, nesse episódio da Revolução de 1848.)

Com Cavagnac no controle executivo, a Assembleia passou seis meses elaborando uma Constituição democrática. Nas eleições para presidente da república (escolhido por sufrágio universal masculino), Luís Napoleão Bonaparte, sobrinho de Napoleão I, teve uma vitória esmagadora. Embora a monarquia de Luís Felipe tivesse sido substituída por uma Assembleia republicana, os monarquistas tinham sobrevivido com força igual à dos extremistas republicanos e, assim, não se podia considerar total o sucesso da revolução francesa de 1848. Frustrado, Luís Napoleão partiu para um golpe. Barricadas foram erguidas nas ruas, centenas de manifestantes foram mortos e 27.000 foram presos. Finalmente, em 1852, Luís Napoleão desafiou o Grande Oriente e se proclamou Imperador do Segundo Império, como Napoleão III.[38] A Revolução Francesa de 1848, que depôs Luís Felipe, foi acompanhada ou seguida por uma série de revoluções lideradas por templários na Itália, Alemanha e Áustria: em Palermo (9 de janeiro), Baden (1 de março) e Viena (12 de março), onde os embates violentos levaram à renúncia de Metternich. Ele foi a primeira vítima das revoluções de 1848. Houve mais revoluções em Berlim (13 de março), Milão (18 de março), Parma (20 de março), Viena outra vez (22 de março) Londres (o levante cartista de 10 de abril) e Nápoles (15 de abril). Houve também agitações na Espanha (7 de maio) e na Rússia, onde houve 64 levantes de servos. Houve também revoluções na Dinamarca, Irlanda e Schleswig-Holstein (Eslévico-Holsácia). Em todas essas revoluções, os líderes eram maçons templários.[39]

Os levantes que se espalharam pela Sicília levaram Ferdinando II a promulgar uma Constituição, exemplo logo seguido na Itália pelo Grão-Duque Leopoldo II da Toscânia, Carlos Alberto da Savoia e pelo Papa Pio IX. A revolução alemã foi idealizada por Heinrich Bernard Oppenheim, antigo membro da Liga dos Justos, do Grande Oriente. Mazzini, que estava na Inglaterra desde 1837, voltou para a Itália em 1848 para liderar a revolução contra os austríacos.

Os únicos governantes que não cederam foram os austríacos, apesar dos levantes por todo o Império de Habsburgo – em Praga, Lvov e Cracóvia. No começo, a Áustria reforçou as guarnições na Lombardia e na Venécia e prendeu líderes revolucionários em Milão e Veneza. Mas, em março, a Hungria se libertou da Áustria num movimento de independência liderado por Louis Kossuth, com quem Mazzini mantinha uma estreita ligação. Sob a influência de Mazzini, Carlos Alberto, rei da Sardenha-Piemonte, declarou guerra à Áustria. Quando a revolução chegou a Viena, no dia 22 de março, Veneza e Milão se libertaram. A contra-ofensiva austríaca recuperou a Lombardia e Milão.[40]

Durante o verão de 1848, os exércitos de Habsburgo, com o apoio do Priorado de Sião e dos Rothschilds, acabaram com os levantes na Boêmia e na Itália. A situação da Hungria encorajou uma nova revolução em Viena, em outubro, que levou à renúncia do Imperador Ferdinando I em favor do sobrinho de 18 anos, Francisco José. No final de outubro, os exércitos de Habsburgo tinham reconquistado Viena.[41] Em novembro, Mazzini conseguiu que o governo constitucional em Roma convocasse uma Assembleia Constituinte e proclamasse uma república, que ele e Garibaldi lideraram. Na Prússia, Frederico Guilherme IV começou a reivindicar a coroa e, na Europa inteira, houve uma virada à direita. Em abril de 1849, a Hungria proclamou uma república sob a presidência de Kossuth, mas ela acabou em agosto e Kossuth fugiu para a Turquia, enquanto muitos dos seus seguidores eram executados. No verão de 1849, as revoluções do ano anterior tinham todas sido esmagadas.[42]

No Congresso Maçônico da Paz, reunido em Paris naquele ano, o Grande Oriente cessou sua agitação comunista. Victor Hugo, Grão-Mestre do Priorado de Sião, fez o discurso de abertura. Sugeriu que a Europa se unisse sob o nome "Estados Unidos da Europa" – foi a primeira vez que esse termo (sionista) foi usado. Não houve apoio e nada aconteceu. Mas, alguns anos depois, a ideia dos "Estados Unidos da Europa" era promovida pelo Socialismo Internacional.[43]

As revoluções de 1849 marcaram a segunda tentativa feita pela Franco-Maçonaria Iluminizada – a Revolução Francesa de Weishaupt foi a primeira – para criar uma desordem mundial desencadeando uma súbita transformação social na França. Os templários de Mazzini tinham sido derrotados, mas a luta continuava. Como Weishaupt, Mazzini buscava a união entre o Priorado de Sião e os Templários. Com esse fim, criou uma rede templária através da Europa, de modo que os revolucionários maçônicos pudessem se ajudar uns aos outros. Na verdade, formou uma rede de revolucionários templários maçônicos no mundo todo: Garibaldi, líder do exército revolucionário italiano; Kossuth, presidente da Hungria; Vorcell da Polônia; Herzen da Rússia; Palmerston da Grã-Bretanha; Bismarck da Alemanha e Albert Pike dos Estados Unidos. Eles o ajudaram financeiramente. Mazzini recorreu especialmente a Palmerston, que financiou a insurreição do Grande Oriente na Itália, que durou até 1865.[44]

Palmerston

Palmerston era uma figura muito importante na Franco-Maçonaria mundial (segundo George Dillon).[45] Assumiu a liderança da Alta Vendita, a mais alta loja dos Carbonari (uma extensão dos Illuminati) quando o nobre italiano de codinome "Nubius" morreu em 1837 (possivelmente envenenado por Mazzini, que queria a posição para si). De 1814 a 1848, a Haute Vente romana dessa sociedade dirigiu as atividades de todas as sociedades secretas. Como sucessor de Nubius, Palmerston tornou-se Grande Patriarca dos Illuminati e Regente de toda as sociedades secretas do mundo – embora os revolucionários do mundo todo confiassem mais em Mazzini do que em Palmerston. A partir de 1830, como Secretário Britânico para Assuntos Estrangeiros, Palmerston usou toda sua energia para convencer o governo britânico a se aliar ao programa maçônico e assim revolucionar a Europa, o que implicava convencer os contribuintes britânicos a financiar revolucionários como Mazzini.[46]

Palmerston, que era também Grão-Mestre da Irmandade Britânica e líder da Franco-Maçonaria inglesa, recebeu do Priorado de Sião a tarefa de criar uma cisão entre a Áustria e a Rússia, já que a Maçonaria Sionista Rosacruciana tinha pouco controle sobre a Áustria e a Rússia ameaçava a Índia. O plano de Palmerston era atacar a Rússia junto com a França, sua parceira templária, e causar uma ruptura na aliança entre e Áustria e a Rússia. O enfraquecimento da Áustria permitiria a Napoleão III libertar a Itália da ocupação austríaca. Foi esse o plano que Palmerston seguiu na Guerra da Crimeia[47] (quando os Rothschilds adiantaram 80 milhões de dólares para o governo britânico).[48] Quando Mazzini pediu ajuda financeira para a revolta templária na Itália, Palmerston levantou fundos com a ajuda do Parlamento Inglês sionista rosacruciano, que não percebeu que estava apoiando o Templarismo.[49]

Mazzini fez progresso na Itália quando, em 1851, o Rei Vítor Emanuel II, da Casa de Savoia, rei de Sardenha-Piemonte, decidiu entregar o governo ao Conde Cavour, um maçom da Grande Loja que se opunha aos republicanos do Grande Oriente de Mazzini. Mazzini e Cavour chegaram a um acordo: unir a Itália sob uma monarquia constitucional com base em Savoia. Assim, Mazzini ordenou que o General Garibaldi, maçom do Rito Escocês, invadisse Nápoles e a Sicília e expulsasse os Bourbons, que lá viviam sob a proteção da Grã-Bretanha.[50]

Como parte de sua oposição ao Vaticano, Mazzini defendeu e promoveu a teoria da evolução, de Darwin. O violento ataque weishauptiano contra o Cristianismo devia muito ao materialismo francês do século XVIII, e o posterior declínio do Cristianismo no século XIX teve a influência de Darwin.[51] A visão do século XVIII, de que o universo consiste em matéria atômica granulosa e a mente depende de processos físicos, não havendo uma alma imaterial, foi exacerbada pela obra de Darwin, *A Origem das Espécies*, publicada em 1859, que pretende mostrar que o homem evoluiu do macaco. O efeito da teoria de Darwin foi reduzir o homem à condição de animal e negar sua imortalidade – uma visão que favoreceu o esforço de Weishaupt de destruir a religião.

O avô de Darwin, o médico Erasmus Darwin, era ligado ao rosa-cruz próweishauptiano William Small, que foi professor de Thomas Jefferson no Colégio William and Mary e o apresentou, na qualidade de mentor, à obra dos rosacruzes Bacon e Newton, tendo-o iniciado provavelmente na Ordem dos Illuminati, de Weishaupt. Erasmus Darwin foi cofundador, com Small, da Sociedade Lunar Rosacruciana e autor de *Zoonomia, ou as Leis da Vida Orgânica*, sendo um dos primeiros a formular uma teoria da evolução das espécies, o que sugere que a ideia veio dos rosa-cruzes via Small. O propósito de *A Origem das Espécies* era "assassinar Deus" (ou seja, destruir o Cristianismo), segundo Darwin – uma ideia rosacruciana weishauptiana. A ligação da família de Darwin com os rosa-cruzes pode explicar por que *A Origem das Espécies* foi exaltada por eles, que teriam comprado a primeira edição inteira no dia da publicação do livro – para distribuí-lo e dar notoriedade à teoria.

De fato, a primeira edição parece ter sido comprada pelos Illuminati pós-Weishaupt, sob a influência dos grupos "Jovens" de Mazzini e de Palmerston, que se tornou novamente Primeiro-Ministro em 1859. Os Illuminati usaram o livro como um meio para enfraquecer o Cristianismo em Roma e através da Europa e para destruir a civilização. Em que medida a teoria de Darwin, de que o homem descende do macaco, era verdadeira e em que medida era propaganda weishauptiana?[52]

Garibaldi

Em maio de 1860, o camisa-vermelha Garibaldi, agindo sob as ordens de Mazzini, liderou o exército de guerrilha da Expedição dos Mil numa invasão à Sicília e derrotou duas vezes as forças do rei Bourbon de Nápoles. Cavour ofereceu ouro piemontês ao rei de Nápoles e o sul da Itália se submeteu a Garibaldi. Em setembro de 1869, a tomada de Nápoles uniu a Itália sob Vítor Emanuel II, de Sardenha-Piemonte. Na mesma época, a Franco-Maçonaria inglesa, que tinha participado da Segunda Guerra do Ópio, na China, começou a fornecer ópio para a Máfia Maçônica de Mazzini e lhe ofereceu um lar na Sicília, que estava sob a sua proteção. Assim, depois de Garibaldi e da armada inglesa, a Máfia chegou à região e estabeleceu sua sede na ilha.

Cavour morreu em 1861 e, financiados pela inteligência britânica, os rebeldes templários de Mazzini forçaram Vítor Emanuel II a abdicar. Mazzini estabeleceu então a República da Itália em Piemonte. Vítor Emanuel II retaliou instituindo o reino da Itália em Turim. Em março de 1961, começou uma campanha para retomar Roma (que acabou tendo sucesso em 1870).[53]

OS IMPÉRIOS PRUSSIANO E BRITÂNICO

Os Rothschilds Sionistas e a Guerra Civil Norte-Americana

Os Rothschilds (que tinham apoiado Vítor Emanuel II enquanto indiretamente financiavam Mazzini) voltavam agora a atenção para a América. O segundo Banco dos Estados Unidos, criado por James Madison em 1816, tinha falido em 1836. No ano seguinte, os Rothschilds enviaram um agente, August Belmont, para administrar um banco em Nova York, comprar títulos do governo e estabelecer suas credenciais aconselhando o presidente. O objetivo dos Rothschilds era criar um incidente que resultasse num banco central norte-americano: uma guerra, por exemplo, faria com que o governo norte-americano pedisse dinheiro emprestado aos Rothschilds para financiá-la. A Inglaterra e a França não participariam por causa da distância; o Canadá e o México não eram suficientemente fortes; e embora os Rothschilds tivessem atuado como agentes financeiros para a Rússia durante vinte anos, até a morte de Lionel Rothschild, filho de Nathan, a Rússia ainda não estava sob seu controle.[54]

Como o Priorado de Sião queria recuperar os Estados Unidos, agora nas mãos dos Templários, os Rothschilds planejaram uma guerra civil norte-americana. O norte seria uma colônia britânica sionista, anexada ao Canadá e controlada por Lionel Rothschild. O sul, templário, seria dado a Napoleão III da França e controlado por James Rothschild. Para convencer o sul a se separar da união, maçons sionistas iluminizados, de orientação rosacruciana, usaram os Cavaleiros do Círculo de Ouro, um grupo formado em 1854 por George Bickley para espalhar a tensão racial. Seu braço militar era a Ku Klux Klan. Jesse James roubou ouro dos bancos e o enterrou – cerca de 7 bilhões de dólares – para financiar uma guerra civil. Os estados separatistas se juntariam no Estado Confederado da América: cada um seria como um país independente. Abraham Lincoln disse ao povo norte-americano que "combinações poderosas demais para serem reprimidas pelos mecanismos comuns de um governo de tempos de paz tinham assumido o controle em vários estados do sul."[55]

Os Rothschilds financiaram o norte através de Belmont, Jay Cooke, dos irmãos Seligman e da Speyer & Co. Financiaram o sul através do agente Judah Benjamin, que se tornou Secretário de Estado pela confederação dos estados do sul, em 1862. Seu sócio numa firma de advogados da Louisiana, John Slidell, era o enviado dos confederados na França. Sua filha era casada com o Barão D'Erlanger de Frankfurt, que era parente e agente dos Rothschilds. Em nome do sul, Slidell pediu dinheiro emprestado a D'Erlanger para financiar os estados confederados do sul.[56]

Em 1861, a Inglaterra enviou 8.000 soldados ao Canadá e, no ano seguinte, soldados ingleses, franceses e espanhóis desembarcaram no México, supostamente para cobrar dívidas. Em 1836, a França tomou a Cidade do México com 30.000 soldados.[57]

Albert Pike, um general do exército confederado, era maçom do Rito Escocês, templário e pró-França, e o maçom mais poderoso do mundo. Na verdade, a maioria dos líderes políticos e militares dos confederados era maçom sob o comando secreto de Pike.[58] Os confederados ofereceram a Louisiana e o Texas a Napoleão II se ele enviasse tropas para combater o norte. Lincoln, como o Czar Alexander II ao libertar os servos, decretou a libertação de todos os escravos em 1863. (Pouco tempo depois, o Czar enviou uma frota russa em apoio a Lincoln.) O Congresso aprovou o plano de Lincoln: tomar emprestados 450 milhões de dólares em troca de títulos públicos, ou "greenbacks", para custear a guerra civil. Com isso, Lincoln não precisaria pedir dinheiro emprestado a banqueiros internacionais como os Rothschilds. Bismarck disse: "Os financistas estrangeiros [...] logo perceberam que os Estados Unidos fugiriam ao seu controle. A morte de Lincoln foi resolvida naquele momento".[59]

O National Bank Act, lei promulgada por Lincoln em 1863, autorizava os bancos privados licenciados pelo governo federal a emitir notas do banco nacional. Os banqueiros internacionais espalharam o pânico e, com isso, 172 bancos estaduais e 177 bancos privados fecharam. Em 1865, Lincoln foi assassinado por John Wilkes Booth, patriota confederado e membro dos Cavaleiros do Círculo de Ouro (juntamente com Jefferson Davis). Mensagens codificadas foram encontradas no caminhão de Booth e a chave para decifrar o código foi encontrada nas coisas de Judah Benjamin, o agente dos Rothschilds no norte. (A essa altura, Benjamin tinha fugido para a Inglaterra.) Jay Cooke, intermediário bancário dos Rothschilds, estava envolvido.[60]

O plano dos Rothschilds de criar um banco central dos Estados Unidos não tinha dado certo, pelo menos até o momento. Seu envolvimento na Guerra Civil revela sua influência na política externa dos governos britânico, francês e russo – como sempre financiando os dois lados. Em maio de 1865, o sucessor de Lincoln, Andrew Johnson, anunciou que a escravidão estava abolida e que o sul não se responsabilizaria pela dívida contraída. Com isso, os Rothschilds perderam muito dinheiro. (Os Estados Unidos também deviam 7,2 milhões de dólares à Rússia por enviar a frota e, sem meios legais para fazer um pagamento à Rússia, compraram o Alasca em 1867.)[61]

332

Os Rothschilds se reagruparam então e decidiram solapar o sistema financeiro norte-americano – um processo lento que duraria décadas.[62]

O Império Prussiano de Bismarck Derrota a França

Palmerston morreu em 1865 e Benjamin Disraeli, um maçom judeu, tornou-se Primeiro-ministro em 1868. Como seu predecessor, Disraeli apoiou Mazzini, mas não levantou fundos do Parlamento para financiá-lo: recorreu aos dois principais banqueiros judeus, o maçom Lionel Rothschild e Moses Montefiore. Assim, os Rothschilds passaram a financiar as atividades de Mazzini e, como Mazzini estava financiando Bismarck, os Rothschilds passaram a financiar Bismarck indiretamente. No entanto, a revolução de Mazzini estava começando a desmoronar. Visando uma guerra mundial, recorreu à Alemanha, onde o maçom templário Otto von Bismarck tinha se tornado Primeiro-Ministro.[63]

A Prússia tinha uma história de envolvimento Templário-Illuminati. Vimos que, no século XVIII, Frederico II da Prússia, "o Grande" (em quem Hitler se inspirou), era um maçom templário e o líder templário da Europa. Foi durante seu reinado (de 1740 a 1786), que Goethe floresceu. Goethe era um Illuminatus a quem Adam Weishaupt chamava de Abaris e é provável que o seu Fausto tenha sido inspirado em Weishaupt. Desse ponto de vista, seu movimento romântico foi um *revival* gnóstico.[64] O sobrinho e sucessor de Frederico, Frederico Guilherme II, era um Illuminati. No reinado do seu filho, Frederico Guilherme III, os Illuminati de Weishaupt assumiram o controle das lojas maçônicas na Alemanha e formaram a *Tugendbund* (Liga da Virtude),[65] um grupo templário iluminizado que estava disposto a destronar todos os príncipes da Alemanha com a exceção do rei da Prússia, que governaria a Alemanha Unida que disso resultaria, conforme os planos de Bismarck. (O plano weishauptiano da *Tugendbund* era idêntico ao plano dos Rothschilds para o mundo: destronar todos os reis com a exceção do rei de Jerusalém.) Hegel foi o filósofo da Prússia e, portanto, do nacionalismo alemão. Ele defendia a substituição dos príncipes alemães guerreiros por uma nova elite burocrática de classe média. O socialismo messiânico e revolucionário de Karl Marx acabava favorecendo o militarismo prussiano, já que abolia as antigas formas de governo, assim como o novo liberalismo. A Revolução de 1830 em Paris afetou a Alemanha, estimulando a Prússia a reformular as antigas estruturas sociais.

Frederico Guilherme IV, que reinou de 1840 a 1861, acreditava no direito divino dos reis e se rebelou contra o poder maçônico. Recusou-se a aceitar a reforma parlamentar. Isso contribuiu para as revoluções de 1848 na Europa – especialmente para o levante em Berlim – de que participou o prussiano Marx, depois de escrever o influente *Manifesto Comunista*, com base nos Illuminati. No ano seguinte, quando a assembleia nacional em Frankfurt ofereceu a Frederico Guilherme IV a coroa alemã, ele recusou: não queria aceitar a coroa templária iluminizada da *Tugendbund*. Foi declarado insano em 1857 – os Templários iluminizados simplesmente o descartaram – e foi no ano da sua morte que Bismarck se tornou Primeiro-Ministro.[66]

Bismarck usou os judeus para reabastecer seu cofre de guerra e empregou o agitador socialista judeu, Ferdinand Lassalle, um maçom do Grande Oriente que fazia propaganda da máquina imperial prussiana. Seu propósito, como o de Marx, era abolir as estruturas políticas e sociais existentes. Bismarck logo virou herói: tinha unido a Alemanha sob a liderança prussiana, derrotando a Áustria na guerra de 1866 e excluindo-a da Alemanha. Tinha também participado da guerra franco-germânica (ou franco-prussiana) de 1870-1, em que a Prússia derrotou a França, acabou com a hegemonia francesa na Europa, fundou o império alemão dominado pela Prússia e criou uma nova unidade alemã, já que os estados alemães do sul se juntaram à Confederação Alemã do Norte.[67]

A Prússia era muito forte na Alemanha, mas os estados alemães do sul continuavam independentes. Bismarck queria que eles se juntassem voluntariamente à Prússia – lutando ao lado da Prússia contra um inimigo de fora. A França de Napoleão III tinha declarado guerra à Prússia porque os conselheiros de Napoleão lhe disseram que uma guerra favoreceria sua popularidade em declínio. A França fez objeções a uma tentativa da Prússia de pôr um príncipe de Hohenzoller no trono da Espanha e, através de um telegrama provocador, Bismarck insinuou que o rei Guilherme tinha sido insultado.[68]

Os Rothschilds de Frankfurt e da Prússia estavam agora comprometidos com lados opostos. Os Rothschilds ingleses instaram Gladstone a mudar sua política não intervencionista e tentaram influenciar Disraeli, líder da oposição. Enquanto os estados do sul da Alemanha estavam do lado da Prússia, a França não tinha apoio e teve que se render na batalha de Sedan, no começo de setembro de 1870.[69]

Um governo de defesa nacional depôs o imperador francês e instituiu a Terceira República. Por trás disso estava o Grande Oriente, que queria derrubar Napoleão III desde 1852, quando ele se declarou imperador. O poder temporal do papado, que tinha sido mantido por Napoleão III, acabou – e as tropas italianas entraram em Roma em setembro de 1870. Os alemães cercaram Paris, que se rendeu em janeiro de 1871 e, no dia primeiro de março, as tropas prussianas entraram na cidade. A Alemanha anexou então a Alsácia, a Lorena e Metz, e o rei Guilherme I da Prússia foi coroado Imperador da Alemanha em Versailles, para deixar claro que a França não tinha mais influência sobre os estados germânicos, o principal dos quais era agora a Prússia. As tropas alemãs permaneceram na França até que foi paga uma enorme indenização (6.000 milhões de francos). Os Rothschilds de Paris, liderados por Alphonse, garantiram essa soma para o governo francês e organizaram dois empréstimos estatais, que renderam mais de 48.000 milhões de francos, dando aos Rothschilds uma enorme comissão.[70]

A Revolução de 1871 em Paris

Em 1871, houve uma insurreição em Paris contra o governo republicano: os radicais templários tomaram o Hôtel de Ville, expulsaram o governo de Versailles e instituíram a Comuna de Paris no seu lugar, um governo que durou dois meses. De Londres, Marx e Engels tentaram controlar a revolução e Marx chegou a emitir algumas ordens, mas o regime liderado pelos generais da Comuna, Brunel e Bergeret, era anárquico demais.[71] No dia 26 de abril, uma delegação de maçons chegou para congratular a Comuna e foi saudada com gritos de "A República Universal" – o *slogan* do Iluminismo.[72]

Deflagrou-se a guerra contra as instituições estabelecidas: lembrando o Reinado do Terror de 1793, foi formado um Comitê de Segurança Pública, surgiram jornais com nomes evocativos dos jornais de Babeuf e Hébert e houve uma vasta profanação de igrejas. O disciplinado Bakunin lamentava a desordem. A Coluna de Vendôme, um monumento às vitórias nacionais francesas, foi derrubada como um insulto ao Internacionalismo.

Ofendido, o exército iniciou uma semana de lutas nas ruas, durante as quais os generais da Comuna puseram fogo no Palácio das Tulherias. Houve uma tentativa orquestrada de incendiar Paris com parafina. O Palácio das Tulherias, o Ministério das Finanças, o Palácio da Legião de Honra, o Palácio da Justiça e o Hôtel de Ville foram todos destruídos.[73] Muitas casas e armazéns se consumiram em chamas e reféns foram massacrados, incluindo o Arcebispo de Paris. Segundo Kropotkin, 30.000 morreram antes que a ordem fosse restaurada.[74]

Esse massacre foi bem recebido por revolucionários de outros países: não viam o sofrimento e a dor, mas aplaudiam o quadro idealizado da luta. Um deles esperava pelo dia em que "conseguiremos destronar a rainha da Inglaterra, transformar o Palácio de Buckingham numa oficina e derrubar a coluna de York". Assim terminou a terceira experiência templária de governo revolucionário, realizada pelos descendentes de Weishaupt na França. As experiências de 1793, 1848 e agora 1871 tinham todas terminado em fracasso.[75]

Mazzini e Pike do Grande Oriente Planejam Dois Impérios Opostos na Europa

Nomeado Príncipe e Chanceler Imperial como recompensa pela vitória sobre a França em 1871, Bismarck estava no topo de sua influência. Mazzini queria que ele dividisse a Europa em dois campos opostos através de tratados de paz. Com esse objetivo, escreveu a Albert Pike, o general que começou a revolta do sul na guerra civil norte-americana.[76]

Pike, líder norte-americano da Maçonaria do Rito Escocês, maçom do 33º grau e autor de um enorme manual maçônico, ficou fascinado com o governo mundial e coordenou as atividades dos Illuminati nos Estados Unidos. Era Grão-Mestre de um grupo luciferiano conhecido como Ordem do Paládio (ou Conselho Soberano de Sabedoria), que tinha sido fundado em Paris em 1737. O rito reverenciava o templário Baphomet e o termo "Paládio" vinha da palavra hindu *pala* (falo), sugerindo as forças geradoras do homem, que lhe permitem atingir seu *status* divino e se tornar um homem-deus. Esse era um símbolo templário e não sionista-rosacruciano.[77]

Pike recriou esse rito para unir as hierarquias da Maçonaria inglesa, francesa e norte-americana. Ele, Palmerston, Bismarck e Mazzini difundiram essa doutrina nas lojas do Rito Escocês Templário.[78] Em janeiro de 1870, Mazzini escrevera a Pike a respeito do Rito do Paládio Novo e Reformado: "Temos que criar um super-rito que permaneça desconhecido, para o qual chamaremos maçons de alto grau que escolheremos".[79] Numa carta do dia 15 de agosto de 1871, Pike escreveu a Mazzini: "Vamos pôr à solta os niilistas e ateístas e provocar um formidável cataclismo social que, em todo o seu horror, mostrará claramente às nações o efeito do ateísmo absoluto, origem da selvageria, e do mais sangrento tumulto. Em toda parte, os cidadãos, obrigados a se defender contra a minoria mundial de revolucionários, exterminarão esses destruidores da civilização. A multidão, desiludida com o Cristianismo, cujo espírito deístico estará daí em diante sem bússola, ansioso por um ideal, mas sem saber onde depositar sua adoração, receberá a pura luz [...] de Lúcifer, trazido finalmente à visão pública, uma manifestação que resultará do movimento reacionário geral que se seguirá à destruição do Cristianismo e do ateísmo, ambos subjugados e exterminados ao mesmo tempo."[80]

O texto completo dessa carta profética, incluindo um apêndice, evoca três guerras mundiais e duas revoluções. A primeira guerra mundial (o "cataclismo") permitiria ao ateísmo comunista destruir o governo do Czar na Rússia e instituir o "ateísmo". A segunda guerra mundial se seguiria à ascensão do "Fascismo", que poria a Grã-Bretanha contra a Alemanha. A Rússia comunista destruiria então os governos e a religião, e promoveria o Zionismo. Uma terceira guerra mundial nasceria do conflito entre Zionistas e árabes, que se destruiriam mutuamente e levariam o resto do mundo a um conflito final. Haveria o caos social, político e econômico, do qual surgiria uma ditadura maçônica universal. Era um plano para os cem anos seguintes.[81]

Essa carta, com o apêndice descoberto em 1949, ficou em exibição no Museu Britânico em Londres até que desapareceu misteriosamente (como os cheques dos Rothschilds para Marx), embora ainda esteja catalogada. É uma surpresa a menção ao "Fascismo", um termo que não foi cunhado antes de 1921, e a um conflito entre judeus e árabes, desconhecido em 1871, já que só se revelou depois da Declaração de Balfour, em 1917.[82] Pode ser que a carta de Pike seja uma falsificação dos Illuminati, escrita depois de 1921 e antedatada para atribuir ideias dos Illuminati, posteriores a 1921, ao falecido Pike, talvez por razões de segurança. Pode ser também uma falsificação anti-Illuminati para desacreditá-los. Essa é a visão de Salem Kirban em *Satan's Angels Exposed:*[83] "É bem possível que esses esquemas dos Illuminati para três Guerras Mundiais sejam invenções recentes, antedatadas para dar autenticidade aos que procuram pôr a culpa do pecado e do sofrimento do mundo de hoje em algum grupo secreto". A dificuldade para corroborar essa carta é semelhante à dificuldade que oferecem os *Protocolos dos Sábios de Zião* (ver cap. 7). O melhor é observar que essa carta esteve em exibição no museu e suspender qualquer julgamento.

Não há dúvidas sobre uma declaração dualista que Pike fez em 1889 para 23 Conselhos Supremos, depreciando o Deus cristão Adonai: "Sim, Lúcifer é Deus e, infelizmente, Adonai também é Deus. Porque, pela lei eterna, não há luz sem sombra, não há beleza sem feiura, não há branco sem preto, já que o absoluto só pode existir como dois Deuses: sendo as trevas necessárias à luz [...] A religião filosófica pura e verdadeira é a crença em Lúcifer, o igual de Adonai. Mas Lúcifer, Deus de Luz e Deus do Bem, está lutando pela humanidade contra Adonai, o Deus das Trevas e do Mal." Essa visão poderia ter vindo diretamente dos cátaros maniqueístas do século XIII.[84]

Em 1872, Mazzini morreu e foi substituído como chefe da Máfia Maçônica Italiana por Adriano Lemmi.[85]Antes da morte de Mazzini, Bismarck mantinha contato constante com os dois, seus companheiros luciferianos: os três odiavam o ateísmo dos iniciados de graus inferiores do Grande Oriente templário.[86] Bismarck estava decidido a implementar o plano maçônico templário de dividir a Europa em dois campos opostos – o inglês e o alemão – através de competição imperial: a revolução imperialista.[87]

CONSOLIDAÇÃO DOS IMPÉRIOS BRITÂNICO E ALEMÃO

Já havia um "Império" francês e um "Império" alemão formalmente constituídos, com imperadores coroados, e a Grã-Bretanha estava seguindo uma estratégia imperial. Essas três nações-estados tinham agora Impérios locais e pretendiam estender seu território anexando terras de além-mar.

Os Rothschilds e o Império Britânico

A expansão da Europa para outras áreas do mundo visava à expansão de mercados e fontes de matéria-prima. Entre as nações europeias, havia a prática de tomar à força territórios que tivessem a matéria-prima que necessitavam: em geral, a bandeira se seguia ao comércio. Havia também concorrência por prestígio nacional.

Os Rothschilds estavam fortes, como revela a compra do Canal de Suez pela Grã-Bretanha. O imperialista judeu Benjamin Disraeli deu expressão política ao imperialismo britânico que vinha evoluindo. Oponente de Gladstone por doze anos, quando suas próprias finanças estavam abaladas, reafirmou os Rothschilds como banqueiros do governo, um papel que desempenhavam desde 1815. O Canal de Suez, cavado entre 1859 e 1869, tinha sido financiado pela Companhia do Canal de Suez, uma companhia acionária em que Said Pasha detinha 44 por cento das ações numa concessão de cem anos. Problemas financeiros o obrigaram a pô-las no mercado em 1875 e, com a ajuda do Barão Lionel Rothschild (filho de Nathan), que em apenas 24 horas reuniu 4 milhões de libras para lhe adiantar, Disraeli comprou as ações.

A história é fascinante. Disraeli estava jantando com Lionel Rothschild na Piccadilly Street 148 quando o mordomo trouxe uma folha de papel numa bandeja de prata. O Quediva (Said Pasha) tinha oferecido suas ações ao governo francês, mas rejeitara a oferta francesa. Disraeli perguntou: "Quanto?" Rothschild telegrafou para Paris. A resposta lhe foi trazida na bandeja: "4 milhões de libras". "Vamos ficar com elas", disse Disraeli. "Ah", disse Lionel. Mas havia um problema. A lei proibia o governo de fazer empréstimos no Banco da Inglaterra quando a Casa dos Comuns não estava em sessão, e não havia tempo para esperar pela aprovação de diretores. No dia seguinte, o secretário de Disraeli fez uma visita a Lionel Rothschild, que estava comendo uvas moscatel. "Vou lhe dar o dinheiro", disse ele. Em menos de 48 horas, N. M. Rothschild tinha depositado 4 milhões de libras na conta do Quediva.

Parece estranho o fato de Disraeli usar a mesa de jantar de Lionel Rothschild como base de suas operações, e da mensagem do Quediva ter sido enviada para lá. A explicação mais provável é que o Canal de Suez tenha sido comprado por iniciativa de Rothschild, *já que ele controlava Disraeli*. Não é isso que dizem os relatos que chegaram a nós mas, através da filial francesa, os Rothschilds teriam informações atualizadas sobre a oferta do governo francês pelas ações do Quediva. É mais compreensível que Rothschild tenha procurado Disraeli oferecendo-se para financiar o projeto, desde que Disraeli comprasse o Canal para o governo britânico. Como que validando a situação subentendida, Disraeli escreveu à rainha: "O governo francês foi posto fora do jogo [...] Quatro milhões de libras esterlinas! E quase imediatamente. Havia apenas uma firma que poderia fazer isso – os Rothschilds".[88]

As ações foram subindo de valor até 1900, dando à Inglaterra voz ativa numa passagem marítima que oferecia um atalho para a Índia e que era vital para a Armada Real governar os mares. A Grã-Bretanha lucrou imensamente com esse investimento imperialista, que lhe valeu 2,25 milhões de libras só em 1936-7. Disraeli tinha tido a oportunidade de observar os Rothschilds de perto e, no romance *Coningsby*, escreveu: "O mundo é governado por personagens muito diferentes do que imaginam aqueles que não estão nos bastidores". Seguindo o exemplo de seu pai Isaac, autor de *Life of Charles I*, em dois volumes, quanto à revelação de conhecimento sobre o movimento revolucionário mundial, ele transformou Nathan Rothschild (também em *Coningsby*) no velho Sidonia, "senhor e mestre do mercado monetário mundial".[89]

Os Rothschilds estavam intensamente envolvidos em financiar a expansão do comércio mundial. As potências europeias tinham tornado acessíveis a China (onde a Grã-Bretanha travou as Guerras do Ópio), a Índia e várias ilhas que serviam de escala. Os portugueses tinham reunido escravos na África (em Angola e Moçambique), levando-os para capitais europeias. Os franceses entraram na Argélia em 1830. Os britânicos tinham colonizado o Canadá, a Austrália e a Nova Zelândia, além de tomar a África do Sul dos holandeses (sendo que, em 1842, avançaram em direção a Natal e, em 1867, descobriram ouro e diamantes nos territórios bôeres, ao longo dos rios Orange e Vall). Os agentes dos Rothschilds tinham antevisto as oportunidades comerciais que esses territórios agora ofereciam. Enquanto isso, a Bélgica criou um império no Congo; os italianos tomaram a Somália italiana e os alemães penetraram na África quando o *Kaiser* Guilherme II herdou o trono alemão e conquistou a África Oriental Alemã (Tanganica), Camarões, o Togo e a África Ocidental Alemã (Namíbia). Em 1890, as potências europeias estavam loteando o globo entre si.[90]

Os impérios francês e alemão nunca foram lucrativos para seus países-mãe e o império italiano drenou a Itália, mas os britânicos prosperaram, partindo para um segundo império britânico sob o comando de Disraeli, nos anos 1860 e 1870, além de uma outra onda imperial nos anos 1880 e 1890.

Na época de Disraeli, os Rothschilds estavam por trás da expansão imperialista da Grã-Bretanha para o interior da África. Na verdade, as várias filiais dos Rothschilds tinham investido nesse *élan* imperialista em nome de todas as maiores potências europeias. A N. M. Rothschild and Son tinha investido pesadamente nas minas indianas e financiado a extração de diamantes de Cecil Rhodes na África do Sul. Tinham feito empréstimos por toda a América do Sul. Na França, o Rothschild Frères se envolveu com a indústria elétrica, desenvolveu a Ferrovia Mediterrânea, penetrou na África do Norte e passou a controlar os campos de petróleo de Baku, na Rússia. Na Áustria, o S. M. Rothschild and Son penetrou na Hungria através do empréstimo em ouro de 1881 e dava apoio a todas as áreas do Império de Habsburgo.[91]

Cecil Rhodes tentou submeter a África ao sul de Zambezi ao domínio britânico, "para pintar o mapa de vermelho". Quando Robert Cecil, o Marquês de Salisbury (um descendente dos Cecils elisabetanos), era Primeiro-ministro, Rhodes enfrentou a oposição de Kruger a seu plano de se expandir para o norte. Ao avançar para o norte, os mineiros britânicos incomodavam os Bôeres (termo holandês para "fazendeiros"), que proclamaram sua independência, libertando-se dos ingleses que governavam a Cidade do Cabo. Eles organizaram duas repúblicas, Transvaal e o Estado Livre de Orange. O presidente Kruger de Transvaal não permitia que os britânicos participassem da vida política de seu estado.[92] Determinado a dominar o sul da África, Cecil Rhodes, Primeiro-Ministro da Colônia do Cabo, dono da De Beers Mining Company e cúmplice dos

Rothschilds, voltou para a Inglaterra em 1887 e procurou Natty Rothschild (filho de Lionel, em oposição a Nathan, pai de Lionel), que garantiu à De Beers 1 milhão de libras para melhorar o rendimento da companhia. Convencido de que os Rothschilds eram exclusivamente imperialistas, Rhodes fez um testamento em 1888, nomeando Natty como administrador de seu espólio, prevendo o financiamento de uma sociedade secreta para promover o poder britânico. Em 1892, os Rothschilds, que agora já tinham feito investimentos em minas e ferrovias do sul da África, fizeram um empréstimo para o governo bôer de Transvaal. Como nas guerras napoleônicas e na Guerra Civil Norte-americana, os Rothschilds apoiaram os dois lados. (Seu método hegeliano contrastava tese e antítese para formar uma síntese.)[93]

A Guerra Bôer foi travada para proteger os interesses da atividade de mineração anglo-judaica de ouro e diamantes. O imperialismo mercantil passava por cima do princípio de soberania e dos interesses rurais dos fazendeiros holandeses (bôeres). Rhodes incitou os bôeres à guerra através do ataque a Jamestown. Em 1899, inspirado pela atitude agressiva do Alto Comissário Visconde Milner contra os bôeres, exigiu plena cidadania para os residentes britânicos em Transvaal e começou a Guerra Bôer: com a ajuda do dinheiro dos Rothschilds, meio milhão de soldados britânicos combateram 88.000 bôeres, que também eram financiados pelos Rothschilds. No começo, os bôeres se saíram bem, sitiando as principais cidades e conquistando vitórias, mas o Lorde Kitchener e o Conde Roberts logo viraram a maré. Finalmente, a população bôer foi cercada e enviada para campos de concentração, onde 20.000 morreram. Essa foi a primeira vez que foram usados campos de concentração, depois associados à Alemanha nazista (que na verdade copiou a ideia da prática britânica na Guerra Bôer). Os bôeres negociaram a paz em 1901 e os britânicos anexaram suas repúblicas.[94]

O Império Alemão

Foi nesse cenário que Bismarck, que também deu expressão política à Revolução Imperialista, unificou a Alemanha numa potência imperial.[95]Agora que Guilherme I tinha sido coroado Imperador da Alemanha, em cumprimento da política da *Tugendbund* iluminizada, Bismarck concedeu mais poder aos judeus. Muitos tinham cargos importantes no seu governo – por exemplo, von Bleichröder, Lasker, Bamberger e Oppenheimer – e lideravam a maioria nacional liberal no *Reichstag*. Como banqueiros, tinham influência na nomeação de ministros. Em 1880, havia 45.000 habitantes judeus só em Berlim (na Inglaterra inteira havia 46.000). A indústria alemã estava agora se expandindo num ritmo fenomenal sob um governo controlado por templários do Grande Oriente, com Bismarck como testa de ferro.

O Segundo Reich (império) de 1871, liderado pelos prussianos Hohenzollerns – o Primeiro Reich foi o Santo Império Romano, que durou mil anos (de 800 a 1806) –, tinha no início ignorado as aventuras imperialistas da França, esperando que a distraíssem da dor de perder a Alsácia-Lorena. Em meados dos anos 1880, no entanto, a Alemanha, agora aliada da Rússia e da monarquia de Habsburgo da Áustria-Hungria, começou a achar intolerável a expansão colonial francesa e se preparou para a expansão industrial e imperialista. Bismarck sabia que a França queria outra guerra para desfazer as consequências da desastrosa Guerra Franco-Prussiana de 1870-1. Em 1882, isolou a França assinando um tratado, conhecido como Tríplice Aliança, entre Alemanha, Áustria-Hungria e Itália, chamadas coletivamente de Potências Centrais. Bismarck formou então clandestinamente uma aliança dos estados oponentes – Grã-Bretanha, Rússia e França, coletivamente chamados de Potências Aliadas – e a Tríplice Entente foi ratificada em 1907.

Na Inglaterra, Lorde Rosebery, duas vezes Secretário do Exterior de Gladstone antes de ser tornar Primeiro-Ministro, de 1894 a 1895, continuou a política de Salisbury de colaboração secreta com as potências da Tríplice Aliança. Era casado com Hannah Rothschild, filha de Mayer[96] e, assim, os Rothschilds estavam agora colaborando com a Alemanha e com a política de Pike de dividir a Europa em campos opostos, que Bismarck tinha unido antes de 1890. Como resultado da atividade diplomática de Bismarck entre 1871 e 1890, quando foi demitido pelo *Kaiser* Guilherme II, a Alemanha estava agora a caminho de se tornar a principal nação industrial da Europa: superou rapidamente a Grã-Bretanha na produção de aço e produtos químicos, ampliando sua supremacia a toda a produção industrial.

O Templário Bismarck, influenciado por Lemmi, sucessor de Mazzini, tinha predisposto a Europa a uma guerra mundial, como Pike predisse em sua carta. No lado da Tríplice Aliança estavam os templários iluminizados que vieram depois de Mazzini. Do outro lado estavam os monarcas sionistas-rosacrucianos, que tinham reprimido os levantes republicanos templários e que se opunham agora aos revolucionários jacobinos: os monarcas da Grã-Bretanha, da Rússia e da França Imperial.[97] Na verdade, os Rothschilds, com a ajuda de Mazzini, tinham criado dois dragões imperiais que agora lutariam até a morte.

O Grande Oriente Iluminizado Atiça uma Guerra

O Grande Oriente templário passou a controlar efetivamente a opinião pública na Grã-Bretanha antes da Primeira Guerra Mundial. Houve uma onda de sentimento popular contra o namorador Príncipe de Gales, Alberto Eduardo (depois Eduardo VII), chamado de Bertie por sua mãe, a Rainha Vitória. Ele costumava visitar jovens casadas que o interessavam, e isso caiu na boca do povo. O Grande Oriente tinha se infiltrado em Londres quando Karl Marx chegou em 1849 – e sua filha, Eleanor Marx, continuou, junto com Engels, a difundir suas ideias depois da sua morte. A Sociedade Fabiana Marxista do Grande Oriente, um grupo de extrema esquerda fundado em 1883-4 e inspirado nos escritos do filósofo escocês Thomas Davidson, estava em atividade e seus membros incitavam greves e agitações de trabalhadores. Em 1887, o socialismo revolucionário tinha progredido a tal ponto na Grã-Bretanha que houve um grande levante e o Novo Oriente comunista pôs os trabalhadores contra a família real. Para a aristocrática Franco-Maçonaria Inglesa da Grande Loja Britânica, ainda fiel às políticas de Palmerston, parecia que um golpe comunista era iminente. Em 1889, no Congresso Maçônico em Paris, a Franco-Maçonaria inglesa, prevendo o colapso das religiões e das monarquias em vista da incontrolável atividade do Grande Oriente, aceitou que o socialismo de Estado nos negócios e nas finanças evitasse uma revolução – mas fez questão de manter o poder político. Então, a Franco-Maçonaria inglesa convenceu a Coroa inglesa a se submeter a uma democracia socialista em troca de manter seu *status* como figura decorativa.[98]

A Grã-Bretanha estava agora do lado dos seus parceiros revolucionários, França e Rússia, e contra as Potências Centrais monarquistas: Alemanha, Áustria-Hungria e Itália. A Franco-Maçonaria Francesa do Grande Oriente templário planejava substituir o czar por um governo republicano revolucionário antes do início do conflito global previsto por Pike e Bismarck.[99]

A partir de 1907, seguindo-se à Tríplice Entente, houve crises na Bósnia, em Agadir, na Tripolitânia, nos Bálcãs e na Albânia. O Grande Oriente estava envolvido em todas elas. Em 1910, houve rumores de que o Arquiduque Francisco Ferdinando, herdeiro presumido do trono austro-húngaro, tinha sido sentenciado à morte pela loja sérvia, empenhada em libertar a Sérvia da influência austríaca.[100]

O Império Otomano na Europa tinha começado a se desintegrar em 1831, quando a Grécia conquistou sua independência. Todos os novos estados autônomos aceitavam os príncipes alemães como seus reis, exceto a Sérvia, que tinha uma forte voz pan-eslávica e apostava no maior dos estados eslávicos, a Rússia. Os austríacos, apoiados pelo Priorado de Sião, faziam objeções ao pan-eslavismo da Sérvia e, em 1908, anexaram a Bósnia e a Herzegovina (que incluía Saravejo).

Gavrilo Princip do Grande Oriente Mata o Arquiduque

Francisco Ferdinando era um obstáculo aos objetivos revolucionários do Grande Oriente. Era um merovíngio e, portanto, da linhagem do "rei de Jerusalém", de Sião. Era também um católico e, às vésperas da Primeira Guerra Mundial, havia um trato secreto para anexar a Sérvia ao Estado do Vaticano e criar um novo país católico. Os oito homens que tramavam para matá-lo eram membros da loja maçônica sérvia Mão Negra (ou Irmandade União ou Morte), a ala terrorista de Narodna Odbrana, que usou o terror contra o domínio otomano, ou de Habsburgo, para conquistar a independência da Bósnia-Herzegovina.[101]

O objetivo da Narodna Odbrana era unir todos os estados eslavos do sul numa só federação e, para isso, era preciso matar o Arquiduque Francisco Ferdinando. O idealizador do plano foi o maçom do Grande Oriente Radislav Kazimirovitch, que viajou para o continente e voltou com revólveres e bombas. Essas armas foram entregues, através do Major Tankosich, do Grande Oriente, ao maçom do Grande Oriente Gavrilo Princip e a outros sete assassinos. Outro maçom sérvio do Grande Oriente, Major Todorovitch, mantinha um diário sobre o plano, que depois foi usado como evidência no tribunal. Enquanto isso, o ramo internacional da Maçonaria templária do Rito Escocês, que tinha sido fundado por Pike e Mazzini, imprimia propaganda contra a Alemanha e a Áustria. Isso levou a um levante maçônico da Sérvia sob o comando do Coronel Dimitrijevic, que era chefe da inteligência militar da Sérvia e também da sociedade secreta União ou Morte. Seu codinome era Apis e ele tinha sido influenciado pelo maçom russo Bakunin, do Grande Oriente.[102]

No dia 28 de junho de 1914, o arquiduque, que tinha o apoio dos sionistas, e sua morganática esposa Sophie (antiga dama de companhia), que estava grávida, voltavam a Sarajevo de uma viagem oficial. Estavam no banco de trás de uma limusine preta, com a parte de trás da capota baixada, e o arquiduque usava uniforme azul e chapéu com pala redonda. Oito assassinos aguardavam no meio na multidão. Quando o carro chegou à ponte Cumurja, Cabrinovic jogou uma bomba que feriu alguns populares e os ocupantes do carro atrás do

344

arquiduque. O arquiduque mandou que parassem o carro e perguntou sobre os feridos. Ele e a mulher foram então a uma recepção oficial no Paço Municipal. Depois, entraram no carro e voltaram pela ponte Cumurja com o Conde Harrach de pé no estribo do carro, no lado de onde tinha vindo o ataque, para proteger o arquiduque e a arquiduquesa. Muitas pessoas da multidão jogavam flores no casal real.

Depois de atravessar a ponte (agora ponte Gavrilo Princip), o carro parou na esquina da Francis-Joseph Street. Princip disparou vários tiros de uma automática. O arquiduque e a arquiduquesa foram atingidos. A cabeça de Sophie tombou sobre o ombro do arquiduque, e um fio de sangue escorreu dos lábios dele, que murmurou: "Sophie, não morra, viva pelo bem de nossos filhos." Foram levados para o palácio do Governador, onde os dois foram declarados mortos.[103]

Em outubro, vinte maçons do Grande Oriente foram julgados. Oito eram os assassinos armados e, entre eles, três foram sentenciados à morte e enforcados. Estranhamente, os principais participantes – Princip, Cabrinovic e Grabez – foram sentenciados a vinte anos de prisão. Todos morreram na prisão antes de 1918.[104]

O Grande Oriente Faz a Guerra

Os assassinos do Grande Oriente favoreceram o plano de Pike e a guerra mundial irrompeu cinco semanas depois:[105] ameaças e ultimatos levaram a mobilizações e surgiram acordos firmados por Bismarck e outros maçons do Grande Oriente. Em retaliação pelo assassinato, os austríacos (principalmente von Hötzendorf, chefe do *staff* geral, e von Berchtold, Ministro do Exterior) apresentaram à Sérvia um ultimato inaceitável. Entre outras coisas, exigia que oficiais sérvios fossem demitidos e que oficiais austro-húngaros entrassem no território sérvio e esmagassem as forças contrárias à Austro-Hungria. A Sérvia aceitou parte do ultimato, mas pediu arbitragem internacional a respeito dessas duas exigências. A Austro-Hungria se mobilizou, acreditando que a Alemanha a apoiaria sob os termos da Tríplice Aliança, que tinha sido confirmada em outubro de 1913. O *Kaiser* Guilherme II disse à Áustria que não havia justificativa para uma guerra, mas oficiais do Ministério do Exterior alemão tinham incentivado Berchtold a convencer o Imperador Francisco José a autorizar a guerra contra a Sérvia – e a Áustria bombardeou Belgrado. A Rússia, protetora da Sérvia, se mobilizou.

A Alemanha estava se preparando há muito tempo para guerrear em duas frentes – contra a França e contra a Rússia. Exigiu então que a mobilização russa cessasse e pediu que a França prometesse neutralidade se houvesse uma guerra contra a Rússia. O *Kaiser* convenceu o Czar russo a retirar suas ordens, mas não tinha poder para reverter a mobilização. Assim, a Rússia e a França ignoraram essas exigências. A Alemanha declarou guerra conta a Rússia e exigiu que a Bélgica permitisse a passagem das tropas alemãs a caminho da França. A Alemanha declarou guerra contra a França e invadiu a Bélgica, que a Grã-Bretanha estava comprometida a defender por força de um tratado. A Grã-Bretanha declarou guerra à Alemanha no dia 4 de agosto. Todo mundo então declarou guerra contra todo mundo: a Austro-Hungria contra a Rússia; a Sérvia contra a Alemanha; a França e a Grã-Bretanha contra a Austro-Hungria; o Japão contra a Alemanha; a Austro-Hungria contra o Japão e a Bélgica. A Itália confirmou a Tríplice Aliança em 1912 mas não era obrigada a apoiar seus aliados numa guerra de agressão ou contra a Inglaterra – e, sendo agora uma monarquia constitucional, posicionou-se do lado da Entente. No dia 5 de setembro, a Grã-Bretanha, a França e a Rússia reafirmaram a Tríplice Entente no Tratado de Londres, e cada país prometeu não declarar a paz separadamente com as Potências Centrais.[106]

Os sucessores de Bismarck e Mazzini, também templários do Grande Oriente, tinham manobrado para levar a Alemanha e a Austro-Hungria a uma guerra agressiva contra a Grã-Bretanha, agora com influência templária e governo sionista; a França, republicana e templária; e a Rússia czarista. O *Kaiser* Guilherme II (cuja máquina de guerra era financiada por Max Warburg, maçom do Grande Oriente e também Chefe de Polícia na Alemanha)[107] presidiu a consolidação do Império Alemão na Europa, enquanto os Primeiros-ministros de George V, Asquith e depois Lloyd George, presidiram a consolidação do Império Britânico. Para ambos, a linha de frente eram as trincheiras na frente ocidental da França. Lorde Kitchener, Secretário da Guerra e rosa-cruz sionista,[108] compartilhava com o exército britânico uma baixa opinião a respeito dos políticos.

Os Rothschilds, divididos entre cinco países, reagiram financiando os próprios governos, especialmente os da Grã-Bretanha e da Austro-Hungria, e lutando pelos próprios países, mas não tinham controle sobre os acontecimentos. Enquanto o exército britânico, comandado por *Sir* John French, bloqueava a passagem das forças germânicas de von Hindenburg no Rio Marne, um impasse que durou quatro anos, os acontecimentos eram controlados nos Estados Unidos, onde a Franco-Maçonaria (que agora representava dois milhões de homens) tinha aprovado uma resolução para dar à Grã-Bretanha e seus aliados todo o apoio possível na guerra.[109]

Nos Estados Unidos, a figura-chave era um maçom do 33º grau da Grande Loja Inglesa, que tinha fortes ligações com o Grande Oriente, o Coronel E. M. House, conselheiro pessoal do Presidente Woodrow Wilson. Na campanha para a reeleição, Wilson defendeu a política de manter os Estados Unidos fora da guerra, enquanto House estava secretamente levando os Estados Unidos a entrar na guerra do lado da Inglaterra.[110] Os Estados Unidos tinham emprestado aos Aliados 3 bilhões de dólares e mais 6 bilhões para exportações, e House representava aqueles que tinham feito o empréstimo: J. P. Morgan e o novo gigante do petróleo, John D. Rockefeller, ambos ligados a organizações templárias; e Warburg e Schiff, que eram maçons do Grande Oriente.[111] Todos os quatro queriam proteger seus investimentos na Europa e foi sua influência que levou os Estados Unidos à guerra. Em 1916, o Coronel House foi à Inglaterra com o intuito de envolver os Estados Unidos na guerra. Nessa época, Wilson disse: "Nós nos tornamos um dos piores governos, um dos mais controlados, do mundo civilizado – não somos mais um governo com liberdade de opinião, não governamos mais por convicção e pelo voto da maioria, mas governamos segundo a opinião e a coação de um pequeno grupo de homens dominantes."

Em abril de 1917, o Congresso declarou a guerra, apresentando-a como "uma guerra para acabar com todas as guerras" e uma guerra "para tornar o mundo seguro para a democracia". Os Estados Unidos embarcaram mais de 2 milhões de homens para a França e isso se mostrou decisivo.[112]

O Congresso Internacional da Franco-Maçonaria, reunido na sede do Grande Oriente na Rue Cadet, Paris, em abril de 1917, pediu aos jornalistas maçônicos que escrevessem artigos exigindo a deposição de Guilherme II da Alemanha e de Carlos I da Áustria, que seriam substituídos por republicanos com princípios revolucionários socialistas. Na Alemanha, os maçons se preparavam para a revolução – e as revoluções que irromperam nos estaleiros Kier e em outros portos, chegando finalmente a Munique, levaram à abdicação do *Kaiser*.[113]

Os Templários do Grande Oriente Governam a Europa

Do ponto de vista maçônico, o principal objetivo da Primeira Guerra Mundial, em que 8,5 milhões morreram,[114] era derrubar monarquias e prejudicar as Grandes Potências Católicas para instituir uma república mundial ou universal. (Outros objetivos eram a captura da fortuna do czar, a destruição da

Igreja Ortodoxa Russa, a criação da Liga das Nações, a imposição do padrão-ouro em todo o mundo e uma promessa de transferir a Palestina para os judeus.) O Tratado de Versailles incluía a transferência da fortuna de monarcas derrubados para nações em dificuldades financeiras do Grande Oriente, em forma de enormes indenizações de guerra. Isso deu certo. Os maçons norte-americanos tinham apoiado a difusão de governos republicanos contra a autocracia, embora os maçons sionistas anglófilos (como o Coronel House) tivessem garantido a sobrevivência de George V, monarca da Grã-Bretanha.

Os radicais templários que controlavam a Inglaterra sionista tinham derrotado a Alemanha monarquista e a Áustria sionista. Guilherme II, cercado por templários do Grande Oriente, não conseguiu se aliar aos Rothschilds, fato que deve ter lastimado. Pedira aos Rothschilds que fundassem um banco em Berlim – pediu primeiro a Mayer Carl (sobrinho de Amschel) e em 1908 a Edouard (filho de Alphonse), mas sem sucesso. (Mayer Carl tinha se sentido discriminado quando recebeu a Ordem da Águia Vermelha, Terceira Classe, de Guilherme I e Bismarck. Recebeu uma águia judaica, especialmente desenhada, em vez do emblema prussiano cruciforme. Esse menosprezo pela família resultou no boicote ao *Kaiser* Guilherme I e ao Kaiser Guilherme II.[115] Pelo menos, essa é a versão oficial. É mais provável que os Rothschilds, sendo sionistas, não quisessem abrir um banco numa Berlim dominada por templários do Grande Oriente.) Tanto a Alemanha quanto a Grã-Bretanha tinham consolidado seus impérios contra a França, que tinha se oposto à Grã-Bretanha na época de Napoleão e à Alemanha na Guerra Franco-Prussiana.

A consolidação do Império Britânico tinha fortalecido a Revolução Imperialista Britânica, embora enfraquecesse o país-mãe. Por outro lado, a consolidação do Império Alemão terminou em colapso em 1918. Aconteceu o mesmo com o Império austro-húngaro, que tinha a própria dinâmica revolucionária.

O resultado da Primeira Guerra Mundial foi diferente do resultado das guerras napoleônicas. A Revolução Francesa de 1719 terminou na republicanização da Europa sob o domínio de Napoleão. Isso foi revertido pelo Congresso Sionista de Viena, em 1814-15. A Primeira Guerra Mundial de 1914 terminou numa nova republicanização da Europa: as novas repúblicas maçônicas democráticas, socialistas e comunistas, substituíram quatro dinastias imperiais (Alemanha, Rússia, Áustria-Hungria e Turquia), que tinham tido o apoio do Priorado de Sião e dos Rothschilds sionistas. No começo, enquanto o Império Britânico crescia, a revolução imperialista era um projeto sionista-rothschildiano, que se tornou templário com o surgimento do Império Alemão, embora a Áustria continuasse sionista. A Primeira Guerra Mundial terminou em vantagem para os Templários. Assim, entre 1918 e 1930, a Europa esteve sob influência templária do Grande Oriente.

SUMÁRIO: A DINÂMICA REVOLUCIONÁRIA DA REVOLUÇÃO IMPERIALISTA DO SÉCULO XIX

A expansão dos Rothschilds e a expansão de Bismarck, rivais entre si, tinham terminado em catástrofe. O desenvolvimento do imperialismo tinha levado ao fim desastroso que Pike previra.

O imperialismo britânico foi melhor do que a maioria e a Grã-Bretanha deixou vários territórios – que continham um quarto da população do mundo no auge do Império Britânico – em melhores condições do que estariam sem sua presença: mais desenvolvidos, mais avançados e mais educados; mais preparados para governar a si mesmos. No entanto, o sonho imperialista é um sonho de expansão territorial que, levado à sua conclusão lógica, termina em expansão pelo mundo inteiro ou em domínio mundial. O imperialismo capitalista rothschildiano do Segundo Império Britânico parecia mais uma degeneração da visão espiritual universalista de uma humanidade única do que o Primeiro Império Britânico, já que enfatizava o comércio e punha o dinheiro acima da lei, enquanto o Primeiro Império Britânico era movido pela honra: o desejo de espalhar a glória da Inglaterra e de sua rainha (e mais tarde rei) através do mundo.

Para resumir em termos da dinâmica revolucionária, o Iluminismo, que Weishaupt transmitiu a Mayer Amschel "Rothschild" e depois a seu sucessor Mazzini, proporcionou a visão herética oculta da Revolução Imperialista na Grã-Bretanha e na Alemanha. Essa visão foi interpretada pelos intérpretes heréticos ocultos, o sionista Mayer Amschel "Rothschild" e o templário Mazzini, de duas maneiras diferentes, que resultariam em dois processos diferentes – um que acabaria num reino universal, o outro numa república universal. O originador revolucionário oculto, que daria à visão uma nova inclinação, foi Lorde Palmerston, que era ao mesmo tempo Grão-Mestre da Maçonaria inglesa (um sionista), Grande Patriarca dos Illuminati e Regente de todas as sociedades secretas do mundo (e portanto templário). O intérprete intelectual dessa visão oculta era Pike, que parece ter previsto a Primeira Guerra Mundial. O intérprete intelectual semipolítico, que depois se tornou político, era Disraeli na Grã-Bretanha e Lassalle (que era uma fachada para Bismarck) na Alemanha. A Franco-Maçonaria – nas pessoas de Weishaupt, Palmerston e Pike – era comum aos Impérios Britânico e Alemão e ajudou a precipitar o conflito. A dinâmica revolucionária inicial da Revolução Imperialista foi a seguinte:

Império	Visão oculta herética	Intérprete oculto herético	Originador revolucionário oculto	Intérprete intelectual reflexivo	Intérprete intelectual semipolítico
Grã-Bretanha (Sião)	Weishaupt	Rothschild	Palmerston	Pike	Disraeli
Prussiano/ Alemão (templário)	Weishaupt	Mazzini (e revoluções de 1848)	Palmerston	Pike	Lassalle (Bismarck)

A expressão intelectual da Revolução Imperialista levou a revoluções fracassadas na França em 1830 (causadas pelos Rothschilds), 1848 (causadas por Mazzini) e 1871 (causada por Marx).

A dinâmica revolucionária da Revolução de 1830 foi a seguinte:

Inspiração herética oculta	Expressão intelectual	Expressão política	Consolidação física
Duque de Orléans (Philippe-Égalité)/ Mayer Amschel Rothschild	Lafayette	Luís Felipe	Monarquia burguesa: repressão de levantes*

(* por republicanos em Lyon, 1831, e pelo pretendente ao trono Luís Napoleão, 1836 e 1840)

A dinâmica revolucionária da Revolução de 1848 na França foi:

Inspiração herética oculta	Expressão intelectual	Expressão política	Consolidação física
Marx/Mazzini	Lamartine/Blanc	Luís Napoleão Bonaparte (Napoleão III)	Prisões depois do golpe/ Segundo Império

A dinâmica revolucionária da Revolução de 1871 na França foi:

Inspiração herética oculta	Expressão intelectual	Expressão política	Consolidação física
Marx	Brunel/ Bergeret	Comuna de Paris	Massacres e incêndios em Paris: 30.000 mortos

A expressão política da Revolução Imperialista está na criação do Segundo Império Britânico através de Salisbury e Rhodes, do Segundo Império Francês através de Luís Napoleão (Napoleão III), da república italiana através de Garibaldi e do Império Prussiano através de Bismarck. A consolidação dos Impérios Alemão e Britânico ocorreu quando seus respectivos exércitos lutaram na Guerra Bôer na África alemã, onde os exércitos alemães reprimiram o levante de Maji Maji em Tanganica, em 1905, e aniquilaram o levante dos povos Nama e Herero na África do Sul, reduzindo a população herero de 70.000 para 16.000, de 1905 a 1907.[116] O plano destrutivo foi realizado na devastação das cidades da Europa e na destruição niveladora que se espalhou pela Europa com a Primeira Guerra Mundial, o que possibilitou novas Revoluções na Rússia, na Europa e no mundo (Revolução da Nova Ordem Mundial).

A dinâmica revolucionária da Revolução Imperialista nos principais países europeus do século XIX é a seguinte:

Grande potência	Inspiração herética oculta	Expressão intelectual	Expressão política	Consolidação física
Grã-Bretanha	Weishaupt/ Rothschilds	Palmerston/ Disraeli	2º Império Britânico de Salisbury/ Rhodes	Exército britânico/ George V na Guerra Bôer/ Primeira Guerra Mundial
Prússia-Alemanha	Weishaupt/ Mazzini	Lassalle	Império Prussiano de Bismarck na África/ Primeira Guerra Mundial	Exército alemão/ Kaiser Guilherme II

Grande potência	Inspiração herética oculta	Expressão intelectual	Expressão política	Consolidação física
França	Marx/ Mazzini	Lamartine/ Blanc	Governo de Luís Napoleão Bonaparte	Império de Napoleão III, 1852-71
Itália	Weishaupt/ Mazzini	Cavour	República italiana de Garibaldi	Reino da Itália de Vítor Emanuel II

Quais foram as ideias que inspiraram a Revolução Imperialista? Imperialismo e revolução têm estado inextricavelmente ligados, já que a Utopia revolucionária é imaginada para o mundo inteiro, assim como para uma nação. Desde as revoluções norte-americana e francesa, que promoveram ambas a causa da liberdade, a revolução tinha se tornado mais elevadamente "espiritual", embora oculta. O movimento romântico dos anos 1790, que teve suas origens em Rousseau e Goethe (ambos rosa-cruzes ocultos, em algum momento), exaltava os objetivos espirituais dos revolucionários ao pretender uma súbita e rápida transformação da sociedade, e via a revolução como sublevação espiritual. Blake escreveu um poema sobre os Estados Unidos em que a revolução é retratada como força espiritual (na verdade, oculta): seu Inferno, onde "energia é eterno deleite", é o lar dos sucessores dos rebeldes de Satã, enquanto o Céu pertence ao antigo regime. Wordsworth foi para a França e se entusiasmou com a Revolução Francesa antes de ser desiludido pelo Reinado do Terror e pela guilhotina. Kant e o Marquês de Condorcet viam a revolução como uma força que transcendia a política. Todos esses escritores foram brevemente cativados pela visão oculta de revolução.

Na época do Congresso de Viena (1814-15), Hegel, que provavelmente era rosa-cruz e que se tornou professor em Heidelberg, capital do antigo Palatinado, via a história humana como uma manifestação do Espírito Mundial (uma ideia rosacruciana) que une contradições e traz liberdade. (Hegel falava da "interioridade do povo alemão" que tinha irrompido na revolução da Reforma.) No século XIX, sob a influência do romantismo, surgiu a ideia de que os resultados políticos da revolução eram secundários em importância diante da revolução "espiritual" (na verdade, oculta) que deu origem a eles.

A revolução se tornou novamente materialista décadas depois, quando Karl Marx deu ao hegelianismo uma base científica, começando no extremo material da dinâmica espírito-matéria de Hegel. Para Marx, o controle dos meios de produção e a classe que exerce esse controle dão um padrão à história. Uma nova classe derruba a antiga classe, uma nova ordem social substitui a antiga ordem. A História é a história de revolucionários tomando o poder.

O imperialismo do século XIX nasceu da visão de um mundo único, que poderia ser realizada por uma única nação-estado. O esquema sionista pedia um reino maçônico mundial, enquanto o esquema templário pedia uma república maçônica mundial (ou "república universal"). Seja como for, o imperialismo era conceitualmente o esforço de uma nação-estado (inspirada por sionistas ou templários) para impor o governo mundial através do processo revolucionário. Do lado sionista, os intérpretes eram os Rothschilds e, do lado templário republicano, Mazzini. Como os sionistas tinham favorecido todas as monarquias europeias depois do Congresso de Viena, os Rothschilds trabalhavam com monarcas – esse nem sempre era o caso porque os Rothschilds financiaram Marx, por exemplo – enquanto Mazzini era mais subversivo e trabalhava com revolucionários. Os Rothschilds eram os imperialistas do Priorado. Mazzini era o imperialista dos Templários.

É claro que o imperialismo era mais do que governo mundial. Em termos econômicos, as Grandes Potências usaram o capitalismo utópico: sua produção e expansão industrial, assim como as máquinas e as fábricas, buscavam novos mercados para dar vazão a produtos, capital de investimento e superpopulação. (Expandir os mercados para além-mar era uma alternativa mais aceitável do que despopular pela guilhotina.) No capitalismo, os meio de produção são de propriedade particular e a produção é guiada pelos mercados, que determinam a renda. Em *Inquiry into the Nature and Causes of the Wealth of Nations*, publicado em 1776, Adam Smith sustenta que as forças de mercado governam as decisões econômicas e, depois das guerras napoleônicas, suas políticas foram postas em prática: O livre-comércio – segundo o qual o governo não interfere nas exportações e nem toma medidas contra as importações – se tornou desejável: havia um dinheiro sólido com base no padrão-ouro, os orçamentos estavam equilibrados e o amparo à pobreza era mínimo. Os críticos do capitalismo, no entanto, argumentam que os impérios absorvem a superprodução e o excesso de capital. Seja como for, os impérios formados pelos imperialistas forneceram mercados para a produção doméstica e contribuíram para a saúde das economias. Novas máquinas prometiam uma nova Utopia doméstica e também externa, já que os navios a vapor levavam as mercadorias para lugares distantes.

A esquerda revolucionária admirava a Revolução Industrial. No final do século XVIII, os templários iluminizados alemães enviaram "missões" para a Inglaterra, onde converteram muita gente, incluindo Thomas Paine, o propagandista revolucionário amigo de Blake e de Franklin, que defendeu a Revolução Francesa contra Edmundo Burke. Paine fundou várias lojas iluminizadas na Inglaterra, que pregavam a revolução social, uma ideia agora firmemente ligada à Revolução Industrial. (A Revolução Industrial era uma ideia puritana, que louvava a indústria ou o trabalho duro, e as pessoas pressupunham que a maior industrialização levaria à liberdade.) Os propagandistas da Revolução Social Comunista instavam os agricultores a deixar a terra pelas fábricas e a se pôr à disposição de forças comerciais. O campo era mecanizado internamente enquanto o Império – que era um símbolo potente da civilização Cristã no mundo apesar de fundamentado na tecnologia, no livre-comércio e no capitalismo industrial secular – se expandia externamente.

O Império Britânico era abertamente cristão, o Império Alemão declaradamente pagão. Mas, olhando com mais cuidado, vemos que havia dois Impérios Britânicos: atrás do império cristão, com seus missionários de Bíblia na mão confrontando negros nativos na mais negra África, havia um Império Maçônico oculto, implementando a ideia utópica de dominação mundial e pondo em prática o princípio de despopulação da "sobrevivência do mais apto", de acordo com a filosofia apresentada em *A Origem das Espécies*, de Charles Darwin, publicado em 1859. Esse Império Maçônico observava o Império Britânico cristão e o Império Alemão pagão lutando até a morte. Mas não era assim tão simples, pois havia ainda dois competidores pelo Império da Franco-Maçonaria judaica: os Rothschilds e o Priorado; Mazzini e os templários.

Com tudo isso em mente, é possível expressar a dinâmica Revolucionária do imperialismo em termos das ideias que inspiraram seus inspiradores:

Inspiração oculta herética	Expressão intelectual	Expressão política	Consolidação física
Lúcifer/ Satã	Capitalismo/ materialismo/ livre-comércio/ mercantilismo	Governo mundial	Guerra mundial

É melancólico concluir que o imperialismo de nações-estado concorrendo entre si leve à guerra mundial. O final do século XVIII viu o colapso da noção de progresso da Iluminação através da razão humana: o progresso pereceu juntamente com 300.000[117] vítimas da Revolução Francesa, cujo horrível clímax sucumbiu na guilhotina de Robespierre e Saint-Just. No século XIX, uma nova ideia substituiu o progresso racional: o imperialismo competitivo de nações-estado. O começo do século XX viu o colapso da noção de livre competição capitalista imperialista entre nações-estado, já que a ideia imperialista resultou em massacre na Europa durante a Primeira Guerra Mundial, com 8,5 milhões de mortos. Essa lição foi repetida em colônias territórios imperiais através do globo durante boa parte do século XX.

Agora, duas novas ideias surgiram quase ao mesmo tempo: o Comunismo revolucionário socialista (nominalmente anti-imperialista, mas imperialista na prática) como império mundial; e uma federação mundial de estados substituindo todas as nações-estado. As duas ideias eram essencialmente uma, dois lados da mesma moeda. As duas ideias não eram assim tão novas: eram variantes do Utopismo Baconiano e da "república universal" da Franco-Maçonaria. Será que também entrariam em colapso?

CAPÍTULO SETE

A REVOLUÇÃO RUSSA

Lenin foi enviado à Rússia [...] do mesmo modo que se pode mandar um frasco contendo uma cultura de tifo ou de cólera para ser despejada no reservatório de água de uma grande cidade, e funcionou com incrível precisão [...] Ele reuniu os principais espíritos de uma seita formidável, a mais formidável seita do mundo.

Winston Churchill, discurso na Câmara dos
Comuns no dia 5 de novembro de 1919

O clímax da Revolução Russa foi a execução do Czar Nicolas II e de sua família em Ekaterinburgo, no dia 17 de julho de 1918, depois da Revolução de Outubro dos Bolcheviques. O clímax do terrorismo que criou o clima em que a Revolução Russa podia acontecer foi o assassinato do Czar Alexander II, que levou um tiro quando sua carruagem caiu numa emboscada em meio à neve, em março de 1881. Essa bem-sucedida operação niilista marcou o fim de um processo anarquista que, pode-se dizer, começou com Mazzini, que conheceu Bakunin em Londres, em 1861, e discutiu com ele assassinatos políticos, incluindo o de Napoleão III.

A *intelligentsia* russa tinha surgido entre as revoluções europeias de 1830 e 1848. Tinha importado as ideias comunistas[1] dos colonos da Virgínia e dos *Pilgrim Fathers* de Plymouth, onde todos trabalhavam igualmente e usavam uma fonte comum de alimentos; dos *Diggers* de Winstanley; e dos *Shakers* do século XVIII, que se estabeleceram em Watervliet, perto de Nova York. Foi fortemente influenciada pelas ideias de socialistas utópicos franceses, como Saint-Simon, Proudhon, Fourier, Babeuf e Louis Blanc. Desses, Babeuf era o mais influente. Vimos que Babeuf, um membro dos Illuminati conhecido como Gracchus[2] e com ideias semelhantes às de Weishaupt, escreveu o *Manifesto dos Iguais*, presidiu reuniões para mais de 2.000 membros perto do Panteão, foi julgado e enforcado. Fourier planejou comunas ou comunidades-modelo, mas não conseguiu fundar a comunidade que pretendia fundar perto de Versailles, em 1832. As ideias de Robert Owen, um escocês dono de uma fábrica têxtil que, como Weishaupt, queria "fazer da espécie humana [...] uma família boa e feliz"[3] e fundou o movimento socialista, também chegaram à Rússia. Ele queria converter o mundo em "vilarejos com 300 a 2.000 almas".[4]

Todos os membros da *intelligentsia* russa compartilhavam um objetivo comum: a reforma política e social. Isso significava restringir o poder do Czar e emancipar os servos. Nessas questões, a *intelligentsia* russa estava dividida. Os eslavófilos, que apareceram nos anos 1830, influenciados pelo pensador alemão Schelling, concluíram que a Rússia não devia usar a Europa Ocidental como modelo de desenvolvimento e modernização, mas seguir um curso determinado pela sua história e pelo seu caráter. Acreditavam que Pedro I, o Grande, tinha corrompido a Rússia ao imitar o Ocidente. Eram nacionalistas místicos que acreditavam no destino singular da Rússia, com base na Ortodoxia e no princípio de comunidade encarnado no Mir (com suas terras comuns). Os ocidentalistas dos anos 1840 e 1850, ao contrário, viam a Rússia como parte da cultura ocidental e defendiam a democracia parlamentar, a industrialização e a educação secular moderna. Esse debate era apaixonado e sincero, preocupado com os interesses nacionais. A Revolução veio de fora.[5]

A nova ideia de Comunismo nasceu do socialismo revolucionário, que veio da Inglaterra e da França. Veio também das lutas ideológicas dentro do Império Prusso-Germânico. Sem falar de Weishaupt, Hegel, o filósofo prussiano que introduziu o método dialético na história, sintetizando matéria e Espírito Mundial e o também prussiano Marx, que adotou suas ideias juntamente com Engels, foram os três inspiradores do Comunismo e o ponto inicial de nossa abordagem à Revolução Russa.

O GRANDE ORIENTE E OS COMUNISTAS

Apesar das influências anteriores (principalmente os *Diggers*, que já mencionamos), a visão herética oculta que moldou a Revolução Russa foi a de Weishaupt. O programa comunista pretendia implementar seu plano de seis pontos através do mundo.

Hegel

A formação de Hegel[6] não parece promissora para um intérprete oculto da visão herética que inspiraria a Revolução Russa. Na juventude, era amigo de Hölderlin, o poeta panteísta, e de Schelling, o idealista alemão. Tinha uma profunda convicção religiosa da realidade do Espírito Santo, que dá unidade a todas as contradições. Na verdade, unidade além da contradição é uma ideia rosacruciana. Em 1801, juntou-se a Schelling em Jena, através dele, pode ter conhecido as ideias de Weishaupt a respeito de um mundo único. (Tinha também ouvido falar de Weishaupt em Weimar, em visita à casa de Goethe, aliás "Abaris", na Ordem de Weishaupt.)[7] Via a Prússia como uma burocracia corrupta e gostou da vitória de Napoleão em Jena. Suas palestras sobre filosofia, história e religião, em Jena, em Heidelberg e depois em Berlim, dadas com voz fraca entrecortada de acessos de tosse a meia dúzia de alunos, introduziram uma filosofia da história centrada no Espírito Mundial (outra ideia rosacruciana) e uma perspectiva de mundo único que, já antes dele morrer de cólera em 1831, tinham se transformado no Hegelianismo.

Marx e Engels

O originador revolucionário que deu à visão weishauptiana e hegeliana um novo viés e inspirou realmente a Revolução Russa foi Karl Marx,[8] que nasceu Moses Mordecai Marx Levi, um judeu alemão prussiano. Marx estudou em Bonn e Berlim, onde se juntou aos jovens hegelianos e conheceu as ideias de Weishaupt e Hegel. Em 1841, recebeu grau de doutor na universidade de Jena, onde foi fortemente influenciado pela obra de Hegel. Marx pegou o método de Hegel, de afirmar dois opostos (tese e antítese) e depois reconciliá-los numa síntese, e combinou essa dialética com o materialismo de Feuerbach. Contrapôs então um novo materialismo histórico ao idealismo (rosacruciano) de Hegel. Tornou-se jornalista num recém-fundado jornal de Colônia e um de seus colegas (Moses Hess) introduziu-o às ideias socialistas. Tornou-se editor, mas logo seu jornal foi fechado pelo governo prussiano.[9] Emigrou para Paris em 1843, conheceu escritores socialistas, tornou-se maçom (do 32º grau) do Grande Oriente – e absorveu mais das ideias de Weishaupt.[10]

Marx era luciferiano, como Weishaupt. Por volta de 1840, entrou para a igreja satanista em Berlim, dirigida por discípulos de Joanna Southcott (morta em 1814), que dizia ter contato com o demônio Shiloh[11]e considerava a religião cristã "a mais imoral de todas as religiões". Estudou economia em Paris, onde aprendeu muito sobre o Comunismo francês, tornando-se revolucionário e comunista. Apesar de judeu, escreveu *Um Mundo Sem Judeus*[12] e, em 1844, tornou-se amigo de Frederick Engels, uma amizade que duraria a vida inteira.

Engels teve muita importância no desenvolvimento da visão marxista: na verdade, pode-se dizer que foi ele e não Marx que implementou a visão de Weishaupt. Engels era um gentio prussiano, filho de um rico proprietário de uma tecelagem na região do Reno. Tinha se juntado à Jovem Alemanha, criada na Suíça em 1835 por Mazzini e Palmerston, secretário do exterior da Grã-Bretanha.[13] Familiarizou-se com as ideias dos Illuminati na Suíça e tornou-se maçom templário do Grande Oriente. De 1838 a 1841, viveu em Bremen trabalhando como aprendiz na firma do pai. Depois do expediente, encontrava-se com os Jovens Hegelianos de esquerda e aprendeu com eles a dialética hegeliana: o progresso racional e a mudança histórica revolucionária resultam do conflito de visões opostas que terminam numa nova síntese.[14]

Entrou para o serviço militar prussiano, servindo num regimento de artilharia em Berlim e, lá, tornou-se membro do círculo de Jovens Hegelianos conhecidos como Os Livres. Em 1842, conheceu um colega de Marx, Moses Hess, que tinha o apelido de "rabino comunista" e que o converteu ao Comunismo demonstrando que a conclusão lógica da filosofia e da dialética de Hegel era o Comunismo. Hess enfatizava que a Inglaterra seria o campo de batalha da nova filosofia graças à sua indústria avançada, a seus poderosos capitalistas e a seu proletariado em expansão.[15]

Engels foi para a Inglaterra para continuar seu treinamento numa filial do negócio da família em Manchester. Passava a maior parte do tempo escrevendo artigos sobre o Comunismo e conversando com líderes rebeldes. Em 1844, escreveu dois artigos no *German-French Yearbooks*,[16] um jornal controlado pela Maçonaria Templária do Grande Oriente e coeditado por Marx e Arnold Ruge, um agente de Palmerston.[17] Esses artigos caíram nas mãos de Palmerston que, como vimos, controlava todas as sociedades secretas. Ele percebeu que Engels estava desenvolvendo uma doutrina para o movimento comunista. Fez então com que a imprensa maçônica promovesse Engels, espalhando sua fama pela Alemanha.[18]

A Maçonaria Templária do Grande Oriente estava agora promovendo o Comunismo e queria um judeu para ser o pai visível do movimento. Parece que a ideia era fazer com que os judeus levassem a culpa se a conspiração fosse descoberta.[19] (Em 1918, por outro lado, os Illuminati fizeram um esforço para encobrir o envolvimento judeu na Revolução Russa – uma mudança de política, já que os judeus tinham deixado de ser marginais, tornando-se figuras centrais na Revolução Russa.)

Engels tinha conhecido Marx em Colônia, onde Marx era editor de um jornal, em 1842. Depois, voltando da Inglaterra, foi a Paris para uma estada de dez dias com seu futuro colaborador. Em 1845, o governo prussiano interveio novamente e fez com que Marx fosse expulso da França. Ele então se mudou para Bruxelas e renunciou à nacionalidade prussiana. Em 1845, Engels se juntou a ele em Bruxelas e o levou de volta para a Inglaterra.[20]

Em 1848, aos 30 anos, Marx publicou o *Manifesto Comunista* a partir de um rascunho (intitulado *Confissões de um Comunista*) escrito por Engels. Engels queria converter a sociedade secreta socialista Liga dos Justos (que era uma extensão dos Illuminati) às ideias comunistas. Engels teve sucesso pois, como vimos, o *Manifesto Comunista* foi encomendado pela Liga Comunista, antes Liga dos Justos ou Liga dos Homens Justos. Essa liga era uma ramificação da Liga Parisiense dos Proscritos,[21] fundada por membros dos Illuminati (todos maçons do Grande Oriente) que fugiram de Paris para a Alemanha quando os Clubes Jacobinos foram fechados no final do Reinado do Terror, na Revolução Francesa. A Liga dos Justos, ou *Bund*, mudou de nome quando Marx e Engels foram convidados a se juntar a ela em 1847 e, depois, ficou conhecida como Partido Comunista Internacional.[22] Marx e Engels convenceram o segundo Congresso Comunista, realizado em Londres, a adotar suas ideias. Os comunistas sediados em Londres pediram a Marx e Engels que escrevessem o programa da Liga. Eles trabalharam nisso de dezembro de 1847 até o final de janeiro de 1848 e enviaram o manuscrito para Londres, onde foi imediatamente adotado como manifesto da Liga: o *Manifesto Comunista* da Liga Comunista. Em poucos dias, as revoluções irromperam na Europa, como já vimos.[23]

A visão de Marx era uma visão de guerra mundial. Em 1848, ele escreveu: "A guerra mundial iminente fará que não apenas classes e dinastias reacionárias desapareçam da face da terra, mas também povos reacionários inteiros." Seus planos revolucionários para o socialismo incluíam a abolição total da religião e da propriedade e ecoavam as doutrinas de Weishaupt. Era um programa para um Estado perfeito. Os trabalhadores derrubariam a propriedade privada da indústria e toda e qualquer propriedade passaria ao governo. A ditadura definharia e os bens seriam distribuídos com base na necessidade, permitindo uma Utopia sem classes.[24]

Engels foi o verdadeiro pai do marxismo, mas o Grande Oriente não queria que ele aparecesse como fundador do Comunismo por ser gentio. Na verdade, o fundador do Comunismo foi a Franco-Maçonaria Templária e o Grande Oriente escolheu Marx como "fundador" ideal.[25]

Marx e Engels coordenaram os levantes de 1848, quando estavam em Londres (onde se associaram a seguidores de Robert Owen). Quando os estados germânicos rejeitaram uma forma autoritária de governo a favor de uma forma de governo mais constitucional e representativa, Marx e Engels tiveram sua primeira (e única) oportunidade de participar de uma revolução e de traçar táticas que trouxessem uma vitória comunista. Marx foi para Paris a convite do governo provisório e depois para Colônia, na região do Reno, onde voltou a escrever para o jornal que antes editava (agora reaberto), argumentando contra a revolução proletária e defendendo a cooperação com a burguesia liberal. Marx e Engels tinham feito um julgamento tático: os proletariados da Europa teriam mais chance de tomar o poder se trabalhassem com a burguesia em vez de confrontá-la. Incitado por Engels (que estava sendo orientado pela rede maçônica de Palmerston), Marx argumentava que o Manifesto Comunista tinha que ser esquecido e a Liga Comunista desfeita. (O Grande Oriente tinha percebido, sem dúvida, que os levantes não estavam dando certo e queria manter seus líderes revolucionários fora da prisão.)

Marx pregava uma democracia constitucional e a guerra com a Rússia. Quando o Rei da Prússia dissolveu a Assembleia Prussiana em Berlim, ele pegou em armas e organizou a resistência. Acabou sendo preso e julgado, mas foi absolvido por unanimidade e o júri lhe agradeceu quando alegou que a coroa prussiana tinha feito uma tentativa ilegal de contrarrevolução. No entanto, com a continuação dos levantes, Marx foi banido em maio de 1849 pelo governo prussiano. Sem dinheiro e sem emprego, voltou para Londres, que seria o seu lar pelo resto da vida.

Em Londres, Marx passou a defender uma política revolucionária mais arrojada e, com Engels, escreveu o *Comunicado do Comitê Central à Liga Comunista*.[26] Os militantes, impacientes pela revolução, agora ridicularizavam Marx como um revolucionário que fazia preleções em vez de agir. Marx vivia em dois pequenos cômodos no Soho, em extrema penúria, sustentado financeiramente por Engels, que assumiu uma posição subordinada na firma da família em Manchester, a Ermen & Engels, e conseguia lhe mandar apenas algumas notas de 5 libras. Vários filhos de Marx morreram. Sua única fonte de renda era o jornal *The New York Tribune*, onde publicou cerca de 500 artigos, muitos dos quais escritos por Engels. Fora isso, fazia pesquisas em economia e história social na sala de leitura do Museu Britânico.[27]

Engels continuou a promover as ideias deles. Em 1864, com Marx como sócio passivo, fundou em Londres a Associação Internacional dos Trabalhadores, que depois ficou conhecida como Primeira Internacional Socialista: "A Internacional". O secretário pessoal de Mazzini, Wilhelm Wolff, amigo de Marx, fez com que adotassem estatutos semelhantes aos de Mazzini e Weishaupt. Tempos depois, Marx escreveu para Engels: "Eu estava presente, só como personagem mudo no palanque". No entanto, assumiu o controle da organização, que recebia o apoio das lojas maçônicas do mundo inteiro. (A Internacional era na verdade uma sociedade secreta que pouco ligava para os trabalhadores.) Como membro do Conselho Geral, ele ia regularmente às reuniões e viu a Internacional chegar aos 800.000 membros em 1860, quando o programa comunista de Weishaupt foi plenamente adotado no 4º Congresso. (Nessa ocasião, foi exigida a abolição da propriedade privada.) A essa altura, a Internacional estava rapidamente se tornando uma associação Iluminista pan-germânica.[28]

Marx continuou trabalhando para seus patrões iluministas templários do Grande Oriente (Illuminati), escrevendo o primeiro volume de *O Capital* em 1867. Essa obra recorre amplamente às ideias de Weishaupt, que ele consultava na sala de leitura do Museu Britânico. Vimos que um Rothschild (um descendente de Mayer Amschel "Rothschild" que financiava Weishaupt) pode ter dado dois cheques a Marx nessa época, embora o Museu Britânico, que supostamente exibiu os cheques, não tenha agora conhecimento deles. Ainda um propagandista, Engels reescreveu partes do livro em linguagem mais acessível.[29]

Herzen

Outro exilado que vivia em Londres deu expressão intelectual ao Comunismo inicial da Revolução Russa. Aleksander Herzen,[30] filho ilegítimo de um nobre francês e de uma moça alemã de família humilde, cresceu na casa do pai em Moscou, sendo educado por tutores franceses, alemães e russos. Foi muito influenciado pelo levante de 1825 contra Nicolas I e jurou continuar a luta dos dezembristas pela liberdade da Rússia. Frequentou a Universidade de Moscou de 1829 a 1833 onde, com o amigo Ogaryov, formou um círculo que desenvolveu uma filosofia idealista da história, influenciada por Schelling e Saint-Simon, em que o Espírito do Mundo (oculto) avançava em direção à liberdade e à justiça. Esse grupo foi preso em 1834 e Herzen ficou no exílio (na Rússia) por seis anos, período em que se casou, leu Hegel e Feuerbach. Agora mais materialista, sustentava que a dialética hegeliana é a "lógica da revolução" e que as verdades desencarnadas da ciência (idealismo alemão) têm que ser concretizadas na luta por justiça. À sua maneira, estava em busca de uma dialética revolucionária que começa com o espírito (oculto) e termina numa ação física.

Em 1842, Herzen voltou para Moscou, onde se tornou ocidentalista, absorveu o racionalismo europeu e fundou o movimento revolucionário na Rússia. Foi influenciado pelo socialismo anarquista de Proudhon e, quando seu pai morreu em 1846, deixando-lhe uma fortuna substancial, foi para Paris onde conheceu Mikhail Bakunin, outro discípulo de Proudhon, tornou-se maçom do Grande Oriente e testemunhou a revolução de 1848. Diante do fracasso dessa revolução e do levante italiano, ficou convencido de que a ordem social da Europa nunca seria nivelada – e de que a Europa estava acabada como força histórica. Voltou à Rússia, achando que o futuro da Rússia estava na revolução, já que seu passado não continha nada que valesse a pena conservar. Via a comuna camponesa como a base para a nova ordem socialista (a mesma visão de Mao, na China) e comunicou essa ideia em cartas para Mazzini, em 1850-1.

Em 1852, Herzen mudou para Londres e fundou a Imprensa Russa Livre, a primeira atividade de imprensa sem censura da história da Rússia. Quando Alexander II se tornou czar e anunciou que pretendia emancipar os servos, os reformistas passaram a ter mais liberdade e um novo clima de revolta surgiu na Rússia. As novas filosofias materialistas e ideologias revolucionárias do Ocidente (principalmente o marxismo e o anarquismo) entraram livremente na Rússia e transformaram reformistas liberais em radicais. Durante os anos de 1855 e 1856, Herzen enviava para a Rússia periódicos criados em Londres e, em 1857, passou a enviar o seu influente jornal político *Kolokol* (O Sino), que defendia a emancipação dos camponeses. Em vista da postura reformista do czar, moderou sua oposição, sabendo que o *Kolokol* era lido tanto pelos ministros do czar quanto pela oposição revolucionária. Logo Herzen estava em situação difícil: era criticado por intelectuais moderados como Turgenev, por sua temeridade utópica, e também por radicais mais jovens, como Chernyshevsky, que o achavam pouco ousado. Mais tarde, ele mesmo criticou a Lei da Emancipação de 1861 por não ser suficientemente radical e trair os camponeses.

Herzen se tornou mais extremista, aliou-se ao anarquista Mikhail Bakunin e o *Kolokol* apoiou a revolução polonesa em 1863. Com isso, perdeu os leitores mais moderados sem ganhar mais apoio entre os revolucionários. Mudou-se para Genebra para ficar perto dos exilados russos mas, quando o *Kolokol* fechou em 1867, passou a se interessar pela Primeira Internacional e pela federação de Marx de organizações da classe trabalhadora.

Pode-se dizer que Herzen (que identificou as implicações revolucionárias da dialética de Hegel nos anos 1830) foi, junto com Marx, um originador intelectual da Revolução: morreu quase 50 anos antes da Revolução Russa e tinha uma visão utópica dos camponeses que complementava a visão utópica que Marx tinha dos trabalhadores. No entanto, Herzen deu expressão intelectual à visão revolucionária de Marx através de seu trabalho na Rússia nos anos 1840 e dos seus periódicos e jornais nos anos 1850 e 1860. Então, faz sentido dizer que ele deu expressão intelectual ao papel originador revolucionário de Marx, além de acrescentar a própria visão a respeito dos camponeses, em vez de vê-lo como originador dissidente.

ANARQUISTAS E NIILISTAS INTELECTUAIS

Alexandre II e os Niilistas

Alexandre II subiu ao trono na época da guerra da Crimeia, em 1855. Na primeira metade do século XIX, os czares foram o último baluarte do absolutismo. Embora Alexandre I e Nicolas I mostrassem interesse em reformas, não querendo ficar atrás do Ocidente, nenhum dos dois apresentou uma constituição ou concordou com uma monarquia constitucional. Todas as revoltas tinham sido implacavelmente reprimidas: o levante dos reformadores dezembristas em 1825 (quando cinco líderes foram enforcados em público – duas vezes, já que da primeira não deu certo), o levante polonês em 1830 e o levante das minorias austríacas em 1848, que Nicolas ajudou a Áustria a aniquilar.

Alexandre II queria a reforma interna e é preciso lembrar que emancipou os servos em 1861 e deu aos conselhos distritais (*zemstvos*) um certo grau de autonomia (1864). Os reformadores passaram a ter mais liberdade para desenvolver seus movimentos. Muitos aproveitaram essa oportunidade para apoiar o novo levante polonês de 1863, e atitudes mais extremas floresceram.[31]

Os niilistas (do latim *nihil*, que significa "nada")[32] surgiram nos primeiros anos do reinado de Alexandre. Foi o materialismo do pensamento revolucionário ocidental que deu origem ao Niilismo, que rejeitava todos os vínculos sociais e morais e defendia a verdade científica racional como o único critério de julgamento. O Niilismo era, portanto, uma nova encarnação da "religião da razão" de Weishaupt. Ameaçava destruir a própria estrutura da sociedade e da civilização. No começo, os niilistas eram céticos negacionistas, como o Bazarov de *Pais e Filhos*, um romance de Turgenev publicado em 1862. A filosofia de Bazarov é de negação. Contra a ordem social estabelecida, todos os sistemas filosóficos e todas as formas de estética, Bazarov entende que o mal deriva da ignorância, que deve ser combatida com utilitarismo e verdade científica. Bazarov aprova o que é "útil" e não tem tempo para a cultura e a ordem social existentes, consideradas "inúteis". Despreza a história e a tradição, representando uma nova geração revolucionária que deposita sua confiança exclusivamente no racionalismo e no darwinismo. Feuerbach, que era materialista, e os racionalistas científicos Darwin e Herbert Spencer, foram os primeiros heróis dos niilistas.

A Franco-Maçonaria tinha sido banida da Rússia por Alexandre I em 1822, logo depois do Congresso de Verona, onde Metternich exortou todos os governos a tomar providências contra essa ordem. ("Monarquias absolutas, monarquias constitucionais e até mesmo repúblicas estão ameaçadas pelos Niveladores.") Até então, Alexandre I tinha sido um entusiasmado maçom do Grande Oriente e sua corte tinha sido dominada pelas mulheres maçons Madame Bouche e Madame de Krudner. Assim que o czar baniu o Grande Oriente e as Grandes Lojas, Pavel Pestel, Grão-Mestre do Grande Oriente, traçou um plano para assassiná-lo. A revolução estava programada para 1829, mas foi antecipada pela súbita morte de Alexandre I. Depois do fracasso do levante dezembrista do Grande Oriente, organizado por Pestel, e da execução dos rebeldes, o Grande Oriente russo passou a operar na França e foi dali que o movimento revolucionário russo foi organizado e manipulado.[33]

A influência da Maçonaria Templária Iluminizada do Grande Oriente pode ser notada ainda em todos os movimentos revolucionários russos da segunda metade do século XIX. Sua presença é revelada pelos duros ataques à Franco-Maçonaria feitos por Tolstoi através de Pierre, em *Guerra e Paz*, e por Dostoievski, através do Grande Inquisidor, em *Irmãos Karamazov*. A emancipação dos servos em 1861 levou a uma grande afluência de pessoas para as cidades e ao crescimento no novo proletariado urbano industrial, que foi manipulado pela Internacional de Londres, formada em 1864. Assim como o capitalismo disseminou os bancos, as fábricas e as ferrovias, disseminou também a revolução maçônica organizada pelos templários entre a nova geração.

Mas o Niilismo logo assumiu um segundo significado: revolução negacionista. Para os revolucionários, o Niilismo envolvia a negação dos princípios morais e de toda a moralidade convencional, agindo contra a tirania e a hipocrisia a favor da liberdade individual. Sua crença era a negação da crença da Igreja na alma e da autoridade do Estado, que derivava de um direito divino (que eles negavam) – e justificavam o terror e a destruição como meios para atingir seus fins. Seus objetivos eram muito próximos dos objetivos dos Illuminati, com quem tinham uma grande ligação.

Bakunin e o Anarquismo

Mikhail Bakunin deu expressão intelectual reflexiva à visão oculta de Marx. Como era muito influente entre os niilistas, que também deram expressão intelectual à utopia sem classes do Comunismo, pode-se considerar que ele originou a visão. Na verdade, era um profeta dos meios, da criação da anarquia através do terrorismo, pelo qual o fim da visão utópica poderia ser atingido.

Filho de um proprietário de terra russo, Bakunin foi enviado à Escola de Artilharia de St. Petersburgo e depois para uma unidade militar na fronteira com a Polônia. Desertou e foi para casa. Começou a estudar Hegel e Fichte, o filósofo alemão, e se mudou para Moscou, onde conheceu Herzen. Mudou-se depois para Berlim e se juntou aos jovens hegelianos. Foi para Desdren, onde publicou um panfleto revolucionário que terminava assim: "A paixão pela destruição é também uma paixão criativa". Ao ler tal panfleto, a administração czarista ordenou sua volta a Moscou e, como ele recusou, tomou seu passaporte. Bakunin foi para a Suíça, depois para a Bélgica e finalmente se estabeleceu em Paris, onde se associou a Proudhon e Marx, e conheceu *émigrés* poloneses, que lhe pediram para ajudá-los a libertar os povos eslavos.[34]

Nessa época, tornou-se maçom do Grande Oriente e discípulo de Weishaupt. Abraçou o anarquismo, adaptando a versão de Proudhon para incluir a necessidade de uma ação revolucionária violenta (e "destrutiva") através de associações de trabalhadores autônomas, frouxamente ligadas. Tornou-se satanista – como Marx – e via Satã como o chefe espiritual dos revolucionários, como rebelde supremo e como libertador dos seres humanos.[35] Como Weishaupt, via a Igreja e o Estado como opressores, e sustentava: "Satã (é) o eterno rebelde, o primeiro franco-pensador e o emancipador dos mundos. Faz com que o homem se envergonhe de sua obediência e de sua ignorância bestial; ele o emancipa, carimba em sua testa o selo da liberdade e da humanidade ao instá-lo a desobedecer e comer o fruto do conhecimento."[36]

Em fevereiro de 1848, Bakunin lutou nas ruas de Paris e, depois de alguns dias, mudou-se para a Alemanha e então para a Polônia, pretendendo espalhar a revolução. Em Praga, no mês de junho, foi ao Congresso Eslavo e depois escreveu *Um Apelo aos Eslavos*, conclamando os camponeses a derrubar o Império de Habsburgo e criar uma federação livre de povos eslavos.

Bakunin esteve envolvido no levante de Dresden em maio de 1849, foi preso pelas autoridades saxônicas e enviado de volta à Rússia, onde ficou preso na Fortaleza de São Pedro e São Paulo por três anos. Foi solto em 1857 com a condição de viver na Sibéria. O governador da Sibéria Oriental era primo de sua mãe e, através dele, Bakunin obteve permissão para fazer alguns negócios. Conseguiu embarcar num navio norte-americano com destino ao Japão e depois aos Estados Unidos, de onde viajou para a Grã-Bretanha, chegando em 1861.

Em Londres, Bakunin conheceu Mazzini e, segundo uma fonte, os dois tramaram o assassinato de Napoleão III (que tinha se oposto à unificação da Itália). Juntou-se novamente a Herzen, que tinha visto pela última vez em 1847, mas os dois logo se desentenderam. Em 1863, Bakunin partiu num navio cheio de voluntários poloneses para espalhar um levante na Polônia, depois do que viveu na Itália por quatro anos. Lá, formulou sua versão do anarquismo, que defendia uma derrubada violenta da ordem existente, sem qualquer autoridade ou controle centralizado. Essa filosofia influenciou o niilismo dos anos 1860.

Em 1868, Bakunin tinha se estabelecido em Genebra. Era mais extremista do que Marx, que defendia a revolução não violenta através de greves de trabalhadores e não a revolução destrutiva e violenta. (O controle centralizado e autoritário de Marx – a ditadura do proletariado – ia no sentido contrário aos grupos locais de Bakunin, que agiam sem autoridade central, como membros de uma Aliança Social Democrata.)

Foi em Genebra, em março de 1869, que Bakunin conheceu Sergey Nechayev, que tinha estudado na Universidade de St. Petersburgo e ensinado na Escola de St. Petersburgo. Na época com 21 anos e membro do movimento revolucionário de St. Petersburgo, Nechayev revelou a Bakunin que era representante de um (fictício) "Comitê Revolucionário Russo". Bakunin o designou para uma igualmente fictícia "Seção Russa da Aliança Revolucionária Mundial" e lhe deu um número "fictício", 2772, sugerindo que a organização de faz de conta já tinha 2.770 membros.[37]

Nesses termos dúbios, Nechayev iniciou uma colaboração com Bakunin e, voltando para Moscou em setembro, fundou a Retribuição dos Povos (conhecida também como Sociedade do Machado), cujos membros tinham que se submeter à vontade do líder. Quando um dos membros, o estudante Ivanov, protestou, Nechayev ordenou sua execução, que foi levada a cabo por ele mesmo e por três outros membros do grupo. Atraíram Ivanov à Escola de Agricultura de Moscou, atiraram nele e o estrangularam – Ivanov deu uma forte mordida na mão de Nechayev – e jogaram o corpo numa lagoa semicongelada, onde foi encontrado quatro dias depois.

O crime foi descoberto e transpirou que Nechayev, apesar da pouca idade, era chantagista, espoliador, vigarista e assassino cruel. Fugiu para a Suíça enquanto 67 membros da sua organização bakuninista eram julgados. O satanista Bakunin se afastou dele, já que Nechayev era por demais destituído de princípios, até mesmo para ele. O jovem foi preso pela polícia suíça em 1872 e levado de volta à Rússia: foi sentenciado a 20 anos na Fortaleza de São Pedro e São Paulo, onde morreu. A essas alturas, tinha ficado famoso pelo assassinato implacável e niilista de Ivanov e Dostoievski baseou nele o seu Pedro Verhovensky – Stavrogin – em *O Possuído*. (Shatov foi inspirado em Ivanov.)[38]

Outro niilista que levou o anarquismo de Bakunin para a Rússia foi o Príncipe Pedro Kropotkin, que também deu expressão intelectual à visão comunista. Educado no Corpo de Pagens em St. Petersburgo, serviu como ajudante de Alexandre II e, de 1862 a 1867, como oficial do exército na Sibéria, onde ganhou fama por suas observações científicas. Foi convidado para ser secretário da Sociedade Geográfica Russa, mas recusou para que pudesse dedicar a vida ao anarquismo. Em 1872, entrou para um grupo revolucionário em St. Petersburgo. Foi preso em 1874 mas fugiu: saiu correndo pelo portão do pátio da prisão, perseguido por um sentinela e três soldados. Fora, pulou para uma carruagem puxada por um cavalo veloz, trazida por um cúmplice. Com a ajuda de outros cúmplices, chegou a um restaurante e almoçou numa sala secreta enquanto os soldados vasculhavam as ruas à sua procura. Embarcou então para a Inglaterra. Viveu na Suíça até ser expulso em 1881 e mudou-se então para a França, onde ficou preso por mais três anos. Depois que foi solto, foi para a Inglaterra onde viveu 30 anos, até 1917, quando voltou para a Rússia. Durante esse longo exílio, deu ao anarquismo uma base científica como "comunismo anarquista", aceitando a violência como "propaganda pela ação". Pode ser considerado o principal fundador dos movimentos anarquistas inglês e russo: mais do que Bakunin, espalhou o Comunismo Anarquista pela Rússia.[39]

Muitos niilistas são conhecidos por suas frases. Bielinsky, seguidor de Hegel, disse: "A negação é meu deus, como era antes a realidade. Meus heróis são os destruidores do passado". Herzen faz eco a essa frase: "A aniquilação do passado é a procriação do futuro". Pisarev se perguntou se seria justificado matar a própria mãe e respondeu a própria pergunta (em palavras que teriam tido a aprovação de Nechayev): "E por que não, se quero fazer isso e acho que será útil?" (A razão fez com que todos os niilistas se afastassem da moralidade convencional em direção ao egoísmo racional e ao interesse próprio.) A declaração de Proudhon de que Deus é Mau ("Venha, Satã, vítima das calúnias dos reis e dos que têm mente estreita!") foi desenvolvida por seu seguidor Bakunin: "Má é a rebelião satânica contra a autoridade divina, uma rebelião em que vemos, no entanto, a semente fecunda de todas as formas de emancipação humana". Nechayev levou a lógica da revolução – "tudo é permitido" – à sua conclusão: o homicídio.[40]

Ao aplicar a negação à moralidade, os niilistas acabaram por adotar estranhas atitudes. Pisarev e Chernyshevsky eram ambos pró-feminismo. Pisarev chegou até a escrever para uma revista feminina russa, a revista *Dawn*. Queria casar com a prima Raisa e lhe disse que ela seria livre para ter amantes. Mas, quando ela se casou com outra pessoa, Pisarev atocaiou seu marido na estação de St. Petersburgo e o atacou a socos, desafiando-o depois para um duelo. Da mesma maneira, Chernyshevsky explicou para a animada Olga que, depois do casamento, ela estaria livre para ter um filho com outro homem, mas ficou perplexo quando ela, tomando-o ao pé da letra, tornou-se amante de um *émigré* polonês (entre outros), encontrando-o na alcova contígua ao quarto em que o marido escrevia.[41]

Atos Terroristas Niilistas

Mas fora essas atitudes experimentais de negação, os niilistas são conhecidos principalmente por seus atos. As primeiras agitações de estudantes na frente da Universidade de St. Petersburgo foram em 1861. Os alunos protestaram contra a nomeação do General Philipson como Curador do Distrito Educacional e houve confrontações com a polícia e com soldados. Vinte estudantes receberam coronhadas e várias centenas foram levados para a Fortaleza de São Pedro e São Paulo. Incêndios misteriosos apavoraram St. Petersburgo em 1862 e a rebelião polonesa aconteceu um ano depois.

Dmitry Karakozov (que tinha sido expulso de duas universidades) cometeu um atentado contra a vida de Alexandre II. Pálido e de cabelos longos, ele pertencia a um grupo chamado A Organização, que tinha sua base em Moscou e um braço em St. Petersburgo. Seu líder era Nicholas Ishutin, que admirava Chernyshevsky. Karakozov anunciou que ia matar o Czar e, no dia 4 de abril de 1866, deu-lhe um tiro quando ele voltava para casa depois de uma caminhada no Jardim de Verão de St. Petersburgo. Errou o tiro, foi julgado e enforcado diante de uma multidão nos campos de Smolensk, em St. Petersburgo. Ishutin, que também tinha sido condenado à forca, teve sua pena suspensa no último momento e foi mandado para a Sibéria. Como resultado do incidente, a repressão policial se intensificou e ouve uma onda de violência contrarrevolucionária no final dos anos 1860, conhecida como Terror Branco.[42]

Bakunin se desentendeu com seu originador revolucionário, Marx, a respeito da revolução de 1871 na França.[43] Em 1871, a Comuna de Paris fez de Marx uma figura internacional. Vimos que ele e Engels a patrocinavam e, depois que ela acabou, Marx a saudou em *Guerra Civil na França*: "A História não tem nenhum exemplo comparável de tanta grandeza [...] Seus mártires estão guardados para sempre no grande coração da classe trabalhadora". Para Engels, ela foi o primeiro exemplo histórico de "ditadura do proletariado". No entanto, a Associação Internacional dos Trabalhadores estava dividida a respeito do apoio que Marx dava à Comuna, e se dividiu.

As ideias de Marx chegaram à Rússia graças a seu apoio à Comuna de Paris e ao conflito com o russo Mikhail Bakunin, acusado por Marx de ser um agente czarista, em 1848. Bakunin admirava a ação revolucionária da Comuna e achava que Marx era um judeu alemão autoritário, que favorecia as estruturas centralizadas. Achava que Marx devia se concentrar em camponeses e estudantes, e não nos ineficazes trabalhadores do proletariado. Formou a Aliança Internacional da Social Democracia, que Marx conseguiu afastar da Internacional, valendo-se do envolvimento de Bakunin com o assassino Nechayev.

No Congresso Internacional de Haia, em 1872, Marx derrotou os bakunistas. Engels propôs então que o Conselho Geral da Internacional tivesse sua base em Nova York e não em Londres. Essa proposta vinha do Grande Oriente e o Conselho Geral teve seu fim na Filadélfia, quatro anos depois.

Marx esperava que uma guerra europeia derrubasse o czarismo russo, a principal força de reação na Europa. Já no fim da vida, manifestou sua admiração pelos terroristas russos que assassinaram o Czar Alexandre II, em 1881.[44]

Nos anos 1870, a hostilidade contra o governo russo aumentou, especialmente depois da guerra Russo-Turca de 1887-8, que revelou a incompetência interna da Rússia que, no entanto, tinha ganho a guerra. Houve outras tentativas de insuflar levantes camponeses[45] nos anos 1870. Em 1877, os revolucionários bakuninistas conseguiram mobilizar os camponeses em Chigirin, perto de Kiev, imprimindo uma carta, supostamente do czar, instando a revolução contra os senhores de terras. Cerca de 1.000 camponeses foram recrutados dessa maneira e, quando a trama veio à tona, várias centenas de camponeses foram presos e muitos foram mandados para a Sibéria. Em outubro, 193 foram julgados em St. Petersburgo: quase todos foram absolvidos, mas os 14 líderes foram condenados a trabalhos forçados.

Um dia depois das sentenças serem anunciadas, a 24 de janeiro de 1878, a niilista Vera Zasulich feriu com um tiro o General Trepov, prefeito de St. Petersburgo. Trepov tinha reprimido uma manifestação de trabalhadores em dezembro de 1876, quando a polícia prendeu um niilista conhecido como Bogolyubov, que não participa da manifestação mas estava passando pelo local. Ele foi julgado e condenado a quinze anos de trabalhos forçados. Em julho de 1877, estava preso com os outros 193 na Prisão Remand, em St. Petersburgo, quando o General Trepov chegou. Bogolyubov se recusou a tirar o gorro diante de Trepov que, num acesso de raiva, arrancou-lhe o gorro, deu-lhe alguns socos e ordenou que fosse chicoteado. O chicoteamento se deu no corredor na prisão e foi tão brutal que desencadeou um motim. Como resultado, alguns presos foram espancados até a inconsciência e jogados em solitárias. As notícias se espalharam e Vera Zasulich quis vingar Bogolyubov (que não conhecia) pelo tratamento que tinha recebido.

Ela se juntou a uma multidão que aguardava o General e, quando ele tombou ferido, esperou calmamente que a prendessem. As autoridades permitiram que fosse julgada por um júri, achando que o juiz a condenaria. Mas o júri a considerou inocente, apesar das testemunhas oculares. O veredicto foi muito aplaudido no tribunal. Quando ela saiu em liberdade, houve uma manifestação, já que a multidão que aguardava na rua suspeitava que ela voltaria a ser presa. Na confusão, Vera foi levada para longe dali.

Vera Zasulich começou uma nova onda de militância niilista. Em janeiro de 1878, a polícia de Odessa invadiu a casa de Ivan Kovalsky, que mantinha uma gráfica secreta. Ele enfrentou os policiais com um revólver e um punhal, enquanto seus amigos queimavam apressadamente o material incriminador. Foi sentenciado à morte e fuzilado em agosto. Em fevereiro, um espião da polícia foi morto por revolucionários do Comitê Executivo do Partido Socialista Revolucionário russo, de Valerian Osinsky, que atirou também no promotor público de Kiev. Gregory Popko matou com um punhal um *gendarme* e, dois dias depois, três homens ajudaram os três líderes de Chigirin a fugir da prisão. Em agosto (dois dias depois da execução de Kovalsky), Segey Kravchinsky apunhalou o General Mezentsov, chefe dos *gendarmes*, numa rua de St. Petersburgo, num aparente contra-ataque niilista.

Em fevereiro de 1879, o governador geral Kropotkin, primo do revolucionário Peter Kropotkin, foi morto a tiros em sua carruagem por Gregory Goldenberg. Preso, Goldenberg contou tudo o que sabia para um solícito revolucionário (na verdade um informante da polícia) que dividia a cela com ele. Ao perceber que tinha traído seus amigos niilistas, Goldenberg se enforcou na cela.

No dia 2 de abril de 1879, outro atentado foi feito contra a vida de Alexandre II. Alexandre Solovyov atirou cinco vezes no czar, que caminhava nos jardins do Palácio de Inverno. O czar se desviou correndo em zigue-zague e escapou com um buraco no sobretudo. Solovyov foi preso, julgado por corte marcial – a corte que agora julgava todos os casos contra o Estado – e enforcado no dia 26 de maio diante de uma multidão. Governadores-Gerais militares foram nomeados para St. Petersburg, Kharkov e Odessa.

Ainda em 1879, dezesseis niilistas foram enforcados (quatorze deles no sul da Rússia). As ofensas desses niilistas incluíam tentativa de assassinato de um espião da polícia, resistência armada à prisão, posse de dinamite e envolvimento da revolta de Chigirin. Um desses enforcados, Dmitry Lizogub, tinha apenas distribuído propaganda revolucionária. Os três homens que tinham realmente matado – Popko, Kravchinsky e Goldenberg – escaparam da forca. (Kravchinsky chegou a ensinar russo para Constance Garnett, a famosa tradutora de romances russos para o inglês.)

O Governador-Geral de Kharkov, Loris Melikov, que era admirado pelo czar por sua liderança firme mas moderada, recebeu poderes ditatoriais sobre toda a Rússia em fevereiro de 1880. Poucos dias antes de sua nomeação, tiros foram disparados contra ele por Mlodetsky, que errou e foi enforcado dois dias depois.

O Assassinato de Alexandre II

Os niilistas ainda tramavam para matar o czar. Foi formado um novo grupo chamado "A Vontade do Povo". Era inspirado no satanista Bakunin, cujo partido anarquista defendia o terrorismo e o assassinato como meios para derrubar todas as formas existentes de governo. (Bakunin tinha criticado Herzen por condenar a tentativa de Karakosov de matar Alexander II em 1866.) Numa reunião na floresta, no dia 26 de agosto de 1879, "A Vontade do Povo" sentenciou Alexandre II à morte. O líder era Alexandre Mikhaylov e, depois de duas tentativas fracassadas com revólver, resolveram usar explosivos enterrados. O grupo não tinha esperança de derrubar o governo do czar: o máximo que podiam esperar era a substituição de Alexandre II por Alexandre III.

"A Vontade do Povo" fez seis tentativas mal-sucedidas de explodir o Czar entre o final de 1879 e o começo de 1880, cinco delas no trajeto entre St. Petersburgo e a casa de férias em Livadia, na Crimeia.

Mikhaylov foi preso numa tentativa de pegar fotografias de dois colegas executados no estúdio de um fotógrafo. Depois de sua prisão, Andrey Zhelyabov se tornou líder do grupo. Ele e sua namorada, Sophia Perovsky, planejaram uma emboscada dos niilistas ao czar. Descobriram que todos os domingos, no final da manhã, ele ia de carruagem para o Palácio de Inverno. Passava pelo Nevsky Prospekt e depois pela rua Malaya Sadovaya até chegar ao campo de exercícios da cavalaria, chamado Mikhaylov (mesmo nome do líder preso). Lá, passava as tropas em revista e depois voltava. Era escoltado por cossacos montados seguidos de trenós cheios de soldados e policiais.

Os niilistas alugaram um imóvel comercial na esquina onde ele virava, cavaram um túnel sob a rua e abriram uma loja de queijos com nomes falsos. No dia 27 de fevereiro, Zhelyabov foi preso e decidiram agir no dia 1º de março, com Sophia Perovsky no comando. Quatro niilistas armados com bombas de nitroglicerina (com 2 quilos cada uma) acabariam com o czar se necessário.

Às 12h55 horas do dia 1º de março, um domingo, ironicamente depois de assinar uma proclamação anunciando sua intenção de aprovar uma constituição, o czar saiu do Palácio de Inverno e pegou um caminho diferente para o campo de exercícios, pelo Catherine Quay. Voltaria pelo mesmo caminho porque ia visitar sua prima, a Grã-Duquesa Catherine, no Palácio Mikhaylov no caminho de volta.

Os quatro niilistas com suas granadas escolheram novas posições. Sophia Perovsky coordenava seus movimentos, fazendo-lhes sinais com o lenço (assoando o nariz, por exemplo). Ela atravessou o canal, viu a cavalgada imperial se aproximando e fez sinal com o lenço.

A carruagem imperial era conduzida por um cocheiro de libré, que usava uma capa vermelha, e era ladeada por cossacos com chapéu de pele e capas escarlate, montando cavalos negros. Dois trenós seguiam pela neve, um deles levando o Chefe de Polícia de St. Petersburgo. Um dos jovens niilistas, Nicholas Rysakov, jogou uma granada, que atingiu o eixo traseiro da carruagem e explodiu sem penetrar no chão. Os cavalos dispararam, chicoteados pelo cocheiro. Sem nenhum ferimento, o czar ordenou que parassem a carruagem; desceu e se aproximou do atirador da granada, que tinha sido agarrado pela polícia. Um oficial perguntou: "Onde está o czar?" O czar respondeu: "Graças a Deus estou a salvo", chamando atenção para si.

Quando voltava para a carruagem, outro niilista atirou outra bomba de nitroglicerina, que aterrissou aos pés do czar. Com a explosão, corpos foram arremessados em meio a uma nuvem de neve e fumaça. Quando a nuvem se desfez, o czar estava sentado junto à grade do Canal Catherine com a cabeça desprotegida, sem a capa, o uniforme aos farrapos, as pernas e o rosto cobertos de sangue. Pediu socorro e disse que estava sentindo muito frio. Vinte pessoas estavam feridas, o lançador da segunda bomba entre elas (mais tarde ele morreu no hospital).

O czar foi carregado de volta para o Palácio de Inverno, onde morreu antes das 4 da manhã. Foi sucedido por Alexandre III, menos dado às reformas. Na prisão, Zhelyabov ficou sabendo do ataque e confessou imediatamente sua participação no assassinato. Exigiu ser enforcado, dizendo que seria injusto receber uma pena menor. Prisões se seguiram e Nicholas Rysakov denunciou seus camaradas, na esperança de se salvar.

Na manhã do dia 7 de abril, os cinco assassinos condenados foram amarrados em plataformas de quatro metros de altura montadas sobre carroças. Tinham os pulsos e tornozelos acorrentados e placas dizendo "czaricídio" presas ao pescoço. A primeira carroça levava Zhelyabov e Rysakov. A segunda levava Sophia Perovsky, ladeada por Kibalchich (o especialista em explosivos) e Timothy Mikhaylov (que não chegou a jogar sua bomba). Seguiram até a Praça Semyonov, onde 80.000 pessoas se aglomeravam em torno de um cadafalso de seis metros de altura. Os cinco foram acorrentados a pilares e suas sentenças lhes foram lidas. Todos os cinco beijaram a cruz enquanto os tambores rufavam. Sophia Perovsky beijou Zhelyabov, que foi para a morte sorrindo. Os cinco foram encapuzados e os estrados sob seus pés foram chutados, deixando-os pendurados e se contorcendo enquanto eram lentamente estrangulados. Mikhaylov era pesado demais e por três vezes a corda, esticada demais, começou a arrancar o anel de metal de onde pendia. Foi enforcado na terceira tentativa. Rysakov teve que ser arrastado até a corda e tentou desesperadamente manter os pés sobre o estrado depois que este tinha sido chutado. Os outros quatro enfrentaram a morte com grande dignidade.

Assim terminaram os niilistas bakuninistas patrocinados pelo Grande Oriente, que operaram no reinado de Alexandre II e deram expressão intelectual à Revolução Russa. Os terroristas que ainda havia na Rússia eram agora revolucionários em tempo integral.

TRÊS REVOLUÇÕES RUSSAS

Alexandre III

Alexandre III era um reacionário. Sempre se opôs ao programa de reformas do pai e ficou do lado dos franceses na guerra franco-prussiana, enquanto o pai apoiava os prussianos. Sem perda de tempo, cancelou a promessa do pai de uma constituição e implementou reformas que confirmariam seu poder autocrático e desmantelariam a leniência para com os liberais. Ele queria uma nação russa com uma só religião e uma só língua e não tinha tempo para concessões aos eslavos. Proibiu novamente a Franco-Maçonaria, mas esta já era poderosa demais para ser suprimida. Suas políticas favoreciam os propagandistas marxistas. Em 1887, houve um atentado bakuninista contra a sua vida, patrocinado pelo Grande Oriente. Como na época do grupo "A Vontade do Povo", ele tomou medidas enérgicas, enforcando mais cinco rebeldes. Um deles, Alexandre Ulyanov, era o irmão mais velho de Lenin. Em 1890, a aliança da Rússia com a Alemanha terminou e ele se aliou à França.[46]

Alexandre III e seu sucessor igualmente autocrático, seu filho Nicolas II, que subiu ao trono em 1894, abriram a Rússia aos capitalistas mercantis do Ocidente. A figura-chave era Sergey Witte, que foi Ministro das Finanças da Rússia de 1892 a 1903. Sua política era incentivar o desenvolvimento econômico da Rússia nos moldes da expansão industrial do sul da Alemanha. O Banco do Estado foi remodelado para fornecer capital à indústria; companhias de navios a vapor foram criadas, assim como bancos de investimentos; as leis empresariais foram modificadas. Introduziu também o padrão-ouro e levou a Rússia ao sistema de crédito internacional. O rublo se tornou conversível e a industrialização russa foi financiada por investidores da França, Grã-Bretanha, Bélgica e Alemanha – incluindo os Rothschilds. (A construção de ferrovias ligou a Europa e a Ásia à Rússia.) A política de Witte permitiu a entrada de maçons capitalistas e, recorrendo ao capital francês com total despreocupação, a Rússia se tornou uma das nações mais devedoras do mundo. Witte criou o monopólio estadual das bebidas alcoólicas e, como resultado, os camponeses e os operários agora bebiam os seus salários.[47]

O Grande Oriente e a Tentativa de Revolução de Lenin em 1905

Uma guerra desastrosa contra o Japão em 1904-5, provocada parcialmente pela política expansionista da Rússia na Coreia e na Manchúria, resultou na destruição da Frota Báltica da Rússia e criou (nas palavras de Lenin) "a locomotiva da revolução". A guerra contra o Japão foi financiada pelo Grande Oriente, que viu aí uma oportunidade de enfraquecer a Rússia para que não conseguisse resistir à revolução que o Grande Oriente tinha programado para 1905. A guerra levaria as tropas russas para o leste, deixando a frente ocidental relativamente desprotegida. Um empréstimo de 30 milhões de dólares foi feito aos japoneses por um banco de Warburg em Nova York, administrado pelo maçom do Grande Oriente Jacob Schiff. Tratava-se de uma subsidiária dos Rothschilds, Kuhn, Loeb & Co., que administrava empréstimos de guerra.[48] Em 1904, junto com o Grande Oriente, os Rothschilds traçaram um plano para ficar com a fortuna do czar. Talvez fizesse parte desse plano ficar com os depósitos (1 bilhão de dólares) que o czar teria feito nos bancos dos Rothschilds na Europa e em Nova York.[49]

A essas alturas, Kuhn, Loeb & Co. eram também banqueiros dos Rockefellers,[50] que eram ligados aos Warburgs. Os Rockefellers estavam de olho nos campos de petróleo russos de Baku, no Azerbaijão, na costa ocidental do mar Cáspio. Esse campo de petróleo começou a ser explorado em 1872 e, em 1900, já era o maior do mundo e estava sob o controle dos Rothschilds.[51] Continuou a ser o maior campo de petróleo soviético, abastecendo a Rússia pelo rio Volga até os anos 1940. No início de 1905, os Rockefellers, interessados no campo de Baku dos Rothschilds, estavam preparados para provocar uma revolução na Rússia.[52] Os Rothschilds, por sua vez, estavam de olho na fortuna do czar.[53] E, como vimos no início deste parágrafo, tanto os Rockefellers quanto os Rothschilds empregavam os Warburgs e a Kuhn, Loeb & Co.[54] A situação era complexa.

Vladimir Ilich Lenin

Lev Davidovich Bronstein (Trotsky)

Nesse cenário modificado, a principal expressão intelectual da visão revolucionária de Marx e Engels foi dada por seu intérprete semipolítico, Trotsky,[55] que nasceu Lev Davidovich Bronstein, de pais judeus, perto de Odessa. Em 1895, com Lenin e outros, Trotsky fundou o Partido Social Democrata dos Trabalhadores, que se tornou o Partido Comunista da Rússia em 1891. Em 1898, aos 19 anos, ele já era membro do Grande Oriente (conhecendo assim as ideias de Weishaupt) e usou suas lojas para organizar uma sociedade revolucionária, a União dos Trabalhadores do Sul da Rússia, em Nikolayev, um porto no Mar Negro perto de sua casa.[56] Em 1899, foi preso pela polícia do czar e exilado para a Sibéria, junto com alguns amigos maçons. Em 1902, fugiu para a Europa Ocidental. Em Londres, conheceu Lenin, que tinha surgido como líder do grupo majoritário ("bolcheviques" ou "maioria") no Partido Social Democrata Russo. Trotsky não quis participar do programa bolchevique, que visava à derrubada violenta do governo. (Ele preferia greves de trabalhadores.) Foi para a Áustria, depois para Paris e visitou as lojas do Grande Oriente,[57] levantando apoio financeiro para suas revoluções, além de conseguir o apoio de líderes marxistas em Paris. Na primavera de 1905, quando o Grande Oriente francês o enviou de volta à Rússia para fomentar a revolução, ele fundou o "Soviete dos Trabalhadores" em St. Petersburgo.[58] (Lenin também voltou para a Rússia em 1905, mas não participou desses sovietes.) Trotsky tinha também fundado um jornal diário, *Nachalo* (O Início), com o apoio do Dr. Herzenstein, um rico editor judeu. O jornal vendia meio milhão de cópias por dia, muito mais do que o jornal diário de Lenin, *Novoya Zhizn* (Nova Vida). Por meio desse jornal, Trotsky difundia a visão.[59]

Os dois jornais chegaram à Casa de Warburg, na Alemanha. Max Warburg, maçom do Grande Oriente e chefe do Banco Warburg em Frankfurt, filiado aos Rothschilds, estava financiando a guerra japonesa contra a Rússia através de Schiff. Warburg passou então a financiar Trotsky,[60] que refletia sua própria visão de revolução mundial, mas apoiava Lenin na formação de um governo revolucionário. Assim, garantia a cooperação dos dois. Trotsky acabou percebendo que as greves de trabalhadores eram ineficazes e passou a apoiar a derrubada violenta do governo. O movimento bolchevique foi fundado por maçons do Novo Oriente em Berlim, Paris e Londres.[61]

Lenin, nove anos mais velho que Trotsky, era seu rival como revolucionário e também como jornalista. Nascido Vladimir Ilich Ulyanov, de mãe judia e pai gentio, foi muito influenciado pelos ideais revolucionários do irmão mais velho, enforcado por tentar assassinar Alexandre III quando Lenin tinha 17 anos. Como o irmão, Lenin tinha como referência o anarquista Bakunin, maçom do Grande Oriente Russo. Em 1889, entrou para a Franco-Maçonaria do Grande Oriente, começou a ler Marx e se tornou marxista quando estudava na universidade de Kazan. Começou a exercer Direito e foi para St. Petersburgo como defensor público, o que o pôs em contato com revolucionários marxistas. Em 1895, foi preso como subversivo: ficou quinze meses na prisão e foi exilado para a Sibéria. Voltou e, a partir de 1900, viveu na Europa Ocidental. Como líder dos bolcheviques, tramou a derrubada violenta do governo do Czar. Em 1902, o seu *Que Fazer?* apresentava o Partido Social Democrata como "vanguarda do proletariado". Em 1905, viajou para Londres para levantar fundos junto à Sociedade Socialista Fabiana, formada por maçons como George Bernard Shaw, G. Wells e Annie Besant.[62]

Em St. Petersburgo, o descontentamento de estudantes e trabalhadores, gerado pela guerra russo-japonesa, era coordenado pela União de Liberação. Em janeiro de 1905, uniões legais de trabalhadores apoiaram uma onda de greves. Uma dessas uniões, a Assembleia de Operários Russos, liderada por Georgy Gapon, organizou uma manifestação pacífica diante do Palácio de Inverno, em que Gapon apresentaria as reivindicações dos trabalhadores para Nicolas II. Os manifestantes levaram ícones religiosos e retratos de Nicolas para a praça. Como o czar estava fora da cidade, seu tio, o Chefe de Polícia Grão-Duque

Vladimir, tentou deter a marcha e depois ordenou que seus policiais atirassem nos manifestantes. Mais de 100 foram mortos e várias centenas foram feridos num massacre conhecido como Domingo Sangrento.

Houve protestos imediatos: greves gerais em St. Petersburgo e em outras cidades, levantes de camponeses e motins no exército, conhecidos coletivamente como Revolução de 1905.[63] Em fevereiro, Nicolas II anunciou sua intenção de instituir uma assembleia eleita para orientar o governo. Os trabalhadores em greve, os camponeses e outros exigiram uma assembleia constituinte. A revolta se espalhou para a Polônia, Finlândia, Báltico e Geórgia – e ataques de contrarrevolucionários a judeus e socialistas.[64]

Na primavera de 1905, Lenin voltou a St. Petersburgo para receber fundos adicionais de um maçom, Joseph Stálin, conhecido como "Jesse James dos Urais", já que vinha roubando bancos para financiar os bolcheviques. Lenin começou a revolução no dia 1º de maio de 1905 (aniversário da fundação dos Illuminati).[65] Em junho, a tripulação do encouraçado *Potemkin* se amotinou em Odessa.

Em agosto, um decreto anunciou eleições para uma assembleia consultiva, conforme a ideia original do czar. Sua posição não tinha mudado e as notícias foram recebidas com mais protestos. Em outubro, as estradas de ferro estavam em greve e logo foi decretada uma greve geral permanente. Um conselho de trabalhadores, ou *soviete*, foi formado em Ivanovo-Vosnesensk e outro em St. Petersburgo. Esses conselhos conduziam a greve geral e, com a participação dos sociais democratas, especialmente os mencheviques (a "minoria"), passaram a ter a força de um governo revolucionário, não muito diferente da Comuna de Paris em 1871. Outros sovietes foram formados em Moscou, Odessa e em outras partes.

Nicolas foi forçado a agir. A conselho de Witte, promulgou com relutância o Manifesto de Outubro, que prometia uma constituição e uma legislatura eleita (a Duma), e nomeou Witte presidente de um novo Conselho de Ministros.[66] Alexandre II tinha prometido uma Constituição no dia do seu assassinato em 1881[67] e, assim, a Rússia conseguia agora o que já teria conseguido 25 anos antes se Alexandre não tivesse sido assassinado. Não foi o bastante para os revolucionários, que queriam uma república com uma assembleia democrática. No entanto, muitos trabalhadores suspenderam a greve e voltaram ao trabalho, o que bastou para acabar com o Soviete de St. Petersburg.[68] Muitos líderes revolucionários foram presos: Lenin foi exilado para a Suíça, Trotsky e Stálin para a Sibéria. Os acontecimentos de 1905 marcaram um fracasso para Trotsky e

Lenin, mas transformaram o governo da Rússia de uma autocracia para uma monarquia constitucional.

Os incidentes terroristas continuaram. Um dos mais notáveis, que Camus focalizou em *O Rebelde* (e também na peça *Os Justos*), envolvia Kaliayev, membro da Organização para o Combate, criada em 1903 pelo partido Socialista Revolucionário de Savinkov. Kaliayev, o "Poeta" acreditava em Deus. Pouco antes de uma tentativa de assassinato que fracassou, Savinkov o viu numa rua "ao lado de uma estátua, uma bomba numa das mãos e fazendo o sinal da cruz com a outra". Convocado para matar o Grão-Duque Segey, reconheceu a necessidade de matar para produzir a mudança, mas não acreditava em assassinato. Na primeira vez, recusou-se a levar a cabo a missão porque havia crianças na carruagem do Grão-Duque. Na segunda vez, conseguiu matá-lo, mas se entregou e pediu a pena de morte. Na execução, vestido de preto e usando um chapéu de feltro, o "Poeta" desviou os olhos do crucifixo que lhe ofereceram, dizendo: "Já lhe disse que encerrei a vida e que estou preparado para a morte". O consciencioso Kaliayev; seu companheiro Sazanov, que matou Plehva em 1905 e que escreveu "nossa conduta era permeada por um tal grau de sentimento que a palavra 'irmão' não transmite com suficiente clareza a essência de nossas relações uns com os outros"; Voinarovsky, que morreu atirando uma bomba no Almirante Dubassov e que tinha declarado "se Dubassov estiver acompanhado da mulher, não vou atirar a bomba" – tudo isso revela, no coração do Niilismo, uma nobreza que é altamente moral e desafia a rejeição da moralidade convencional.[69] O que os niilistas eram chamados a fazer por seus controladores do Grande Oriente era chocante e odioso, mas não é possível deixar de admirar sua coragem e sua lealdade. Tais observações nos aproximam da rede de lealdades que cercava Trotsky e Lenin.

Os Protocolos de Zião e Rasputin

Foi em novembro de 1905 – quando a paz tinha sido negociada com o Japão, a primeira revolução comunista tinha terminado, o Czar tinha concordado com uma transição para a democracia e Rasputin tinha se juntado à família real para curar o jovem Aleksei com o poder da fé – que os *Protocolos dos Sábios de Zião* (às vezes escrito *Sion*) foram publicados na Rússia. Os *Protocolos* (definidos no texto como "atas") relatavam um suposto plano judaico para adquirir a fortuna de todos os povos, derrubar os governos e criar um reino de judeus com um rei judaico. Sugeriam que a revolução de 1905 fora inspirada por judeus. Rasputin, por sua vez, disse ao Czar que o levante de 1905 fora uma conspiração judaica para destruir a dinastia dos Romanov e o aconselhou a matar os judeus. Vieram então as perseguições de Kiev, Alexandrovsk e Odessa, quando os judeus se juntaram a grupos revolucionários em busca de proteção.[70]

Muito já se escreveu sobre a autenticidade dos *Protocolos*. Há quem diga que foram escritos por ninguém menos que Adam Weishaupt com o intuito de responsabilizar os judeus pelo plano dos Illuminati para implantar uma ditadura mundial. O mais plausível é que tenham sido escritos para o Congresso Zionista de 1897, embora os judeus tenham sempre negado sua autoria. Parece que os *Protocolos* caíram nas mãos de Sergey Nilus que, em 1903, os apresentou ao Czar, talvez para desacreditar o predecessor de Rasputin, Monsieur Philippe.[71]

Segundo o historiador russo Mikhail Lepekhine, que teve acesso a arquivos recentemente abertos, os *Protocolos* são uma falsificação, obra de Mathieu Golovinsky, cujo pai era amigo de Dostoievski. Golovinsky trabalhava para o serviço secreto czarista e pode ter escrito os *Protocolos* em 1900 ou começo de 1901, com o intuito de demonstrar ao czar que a onda crescente de capitalismo e modernização era na verdade uma conspiração judaica com o objetivo de derrubá-lo, juntamente com a velha ordem. Parece ter se inspirado num panfleto escrito em 1864 por um advogado antibonapartista, segundo o qual Napoleão III estava prestes a usurpar o poder do povo francês.[72]

Já foi dito também que a versão original foi plagiada de *Diálogos de Genebra*, do francês Maurice Joly. Joly era amigo do judeu Adolphe Cremieux, Comandante Supremo dos maçons do Rito Escocês do Grande Oriente e maçom do Conselho Supremo de 33ª Grau do Rito Antigo e Primitivo de Misraim em Paris, uma loja maçônica rosacruciana fundada pelo iluminista sionista Cagliostro. Nessa época, essa loja era a sede do Priorado de Sião, cujo objetivo de instituir um trono universal na Europa ocupado pelo "rei de Jerusalém" estava ameaçado pelo Zionismo. Em 1860, o Priorado de Sião, através da loja de Paris, fundou a Aliance Israelite Universelle para atrair os judeus da Reforma, como Jacob Schiff e os Warburgs. Como reação, a Casa de Rothschild, pró-zionista, assumiu a liderança dos zionistas europeus e doou enormes somas de dinheiro à causa – ficando assim contra os Warburgs. Sionismo e Zionismo estavam agora em lados opostos.[73]

Em 1884, o Priorado de Sião, tramou o "roubo" dos *Protocolos* de sua própria loja Misraim (que se fundiu em 1875 às ordens rosacrucianas de Mênfis e Martin).[74] Os *Protocolos* foram então levados para a Rússia para serem usados como propaganda contra os judeus zionistas. Durante vinte anos nada se falou sobre isso até que, em novembro de 1905, os *Protocolos* apareceram.

Na visão antibolchevique, os *Protocolos* foram publicados para associar Trotsky e Lenin, ambos judeus, a um plano judaico para a revolução mundial. Rasputin, que era provavelmente agente sionista, incentivou perseguições contra os judeus para destruir o Zionismo.[75] Os judeus buscaram então a proteção dos dois grupos revolucionários: o moderado Partido Social Democrata dos Trabalhadores (antigos mencheviques, ou "minoria" de Trotsky), que era financiado pelos Rothschilds pró-zionista; e os extremistas bolcheviques, uma facção que tinha se tornado um partido independente sob a liderança de Lenin em 1912, financiado pelos Warburgs antizionistas.[76]

Na visão antizionista, como os Rothschilds e os Warburgs do Grande Oriente estavam em lados opostos,[77] assim como os Rothschilds e o Priorado de Sião, os *Protocolos* foram originalmente escritos para desacreditar o Zionismo Rothschildiano. Seu reaparecimento tinha o intuito de desacreditar o Zionismo e as políticas de Trotsky e Lenin, ambos judeus.

Na visão antirrothschild, os Rockefellers estavam tentando sabotar a presença dos Rothschilds no campo de petróleo de Baku. Teriam feito com que os *Protocolos* chegassem às mãos do czar para culpar os Rothschilds pela revolução fracassada de 1905, esperando que o czar acabasse com a influência dos Rothschilds em Baku. Se essa visão for correta, então os Rockefellers estavam por trás do reaparecimento dos *Protocolos* através de seu agente, o banqueiro Jacob Schiff.

Trotsky escapou da Sibéria pouco depois de chegar e voltou para St. Petersburgo, onde foi escondido por amigos do Grande Oriente. Deixou então a Rússia e viajou pela Europa, discursando em diferentes cidades sem ser apanhado. Em Paris, intelectuais russos aristocratas discutiam uma nova revolução nas lojas maçônicas. Na Rússia, fundaram uma loja do Grande Oriente em St. Petersburgo (loja Estrela Polar) e outra em Moscou. Essas lojas não tinham rituais e eram, na prática, clubes revolucionários.[78]

A essa altura, Rasputin, sempre um santo na presença do czar e da czarina, estava usando seu poder para enfraquecer o trono do czar, de maneira sinistra e destrutiva. Recomendou a nomeação de legisladores incompetentes na Duma, de ministros incompetentes no governo e de generais incompetentes no exército. Tinha muitas amantes e tentava seduzir outras mulheres. Um relatório do Primeiro-ministro fez com que o czar o dispensasse em 1911, mas a Czarina Alexandra exigiu sua volta meses depois. Quando Nicolas II deixou

St. Petersburgo para conduzir as tropas no fronte, Rasputin ficou praticamente com o governo nas mãos. Fez com que a czarina se voltasse contra o comandante-chefe do exército, que era sobrinho do czar.[79] Tomou força a ideia de que, para salvar a monarquia, era preciso depor Nicolas II. Assim, Kerensky e o Príncipe Lvov, dois livres-maçons do Grande Oriente, começaram a tramar um golpe.[80]

A Revolução de "Fevereiro de 1917" dos Rothschilds e de Kerensky

Em 1914, Trotsky estava na Áustria, editando o jornal revolucionário *Pravda*. O Grande Oriente já tinha assassinado o arquiduque e tinha seguidores na polícia, que não o prendeu mas o aconselhou a deixar a Áustria. Trotsky foi então para a Suíça, deixando seus documentos sob a responsabilidade de sua loja em Viena. Juntou-se a Lenin e organizou a Terceira Internacional (com o intuito de promover "guerra civil e não paz civil"). Depois da Suíça, mudou-se para Paris e então para a Espanha, foi preso e mandado para o exílio em Nova York, onde foi recebido em 1916 pelo maçom do Grande Oriente Jacob Schiff, que era agente de Felix e Max Warburg, também do Grande Oriente.[81] Foi instalado num apartamento caro e recebeu uma limusine com motorista. Schiff lhe deu emprego como editor do jornal comunista *Novy Mir* (Mundo Novo), junto com Nikolai Bukharin. Parte do tempo que passou na América, Trotsky morou numa propriedade da Rockefeller Standard Oil, no local de uma refinaria em Constable Hook, Bayonne, New Jersey.[82] Trotsky era, portanto, agente dos Rockefellers.

Na Rússia, os conflitos se espalhavam. Em parte devido à influência de Rasputin, o governo estava cada vez mais corrupto e ineficaz. A Duma também tinha se dissolvido em várias ocasiões e a Grande Guerra ia mal. Com tropas mal conduzidas e mal equipadas, o exército russo sofreu severas perdas: um milhão de homens em 1915 e outro milhão numa única batalha (o contra-ataque à Áustria) em 1916. O alimento era escasso e houve agitações em Petrogrado (novo nome de St. Petersburgo).

A Franco-Maçonaria inglesa e a Casa de Rothschild vinham planejando a Revolução de 1917 há algum tempo.[83] É provável que os Rothschilds estivessem inclinados a recuperar o campo de petróleo de Baku, que tinham entregue em 1911 em troca de ações da Shell.[84] Depois da batalha de Verdum em 1916,[85] os Rockefellers assumiram o controle de campos de petróleo dos Rothschilds perto de Mosul e na região otomana que seria o Iraque. Sabendo da tentativa dos Rockefellers de tomar Baku através da fracassada Revolução de 1905 (nesse meio-tempo, os Rothschilds tinham saído da Baku e ficado com a Shell),[86] é provável que os Rothschilds estivessem empenhados em aumentar seus ativos em petróleo – e para tomar a fortuna do Czar.

A guerra também era um fator. Em 1916, as Potências Centrais pareciam estar ganhando a Grande Guerra: havia um impasse na França e o Czar, cansado da guerra, estava pronto para negociar uma paz separada. Nesse meio-tempo, a Alemanha tinha feito uma proposta de paz à Grã-Bretanha. Se a Grã-Bretanha ia ganhar a guerra, era vital tramar o envolvimento dos Estados Unidos e manter a Rússia lutando. Isso significava substituir o Czar. Em 1916, Alexandre Kerensky, um maçom de 33º grau do Rito Escocês e membro da Loja do Grande Oriente (Estrela Polar) em St. Petersburgo, que controlava a ala direita do Partido Social Revolucionário e apoiava a participação da Rússia na Grande Guerra, tinha mandado uma mensagem para Londres: o governo do seu regime republicano manteria a Rússia na guerra se os ingleses financiassem seu golpe.[87] O governo inglês respondeu imediatamente e os Rothschilds, sempre de olho na fortuna do czar, parecem ter garantido esse financiamento.[88] Lorde Miller, que era muito ligado aos Rothschilds (através da África do Sul, da Mesa Redonda e do governo inglês), gastou 21 milhões de rublos (cerca de 3 milhões de dólares) financiando a revolução de Kerensky – dinheiro que pessoalmente não tinha e que devia ser dos Rothschilds.[89] Os maçons ingleses mantinham encontros secretos com Kerensky já no outono de 1916.[90]

Em dezembro de 1916 – e alguma ligação deve haver com essas reuniões secretas –, a influência de Rasputin sobre o czar acabou e ele foi assassinado: foi atraído à casa do Príncipe Yusupov, que parece ter sido maçom do Grande Oriente e aliado de Kerensky, onde foi envenenado no porão e depois atingido por vários tiros. Mesmo assim, subiu pela escada estreita até o quintal e Yusupov lhe deu outros tiros, sem conseguir matá-lo. Fizeram então um buraco no gelo do Rio Neva e Rasputin foi empurrado para dentro d'água, acabando por morrer afogado.[91]

No dia 19 de janeiro de 1917, Lorde Milner, membro do Gabinete de Guerra, maçom de 33º grau e chefe dos grupos da Mesa Redonda, saiu de Londres e ficou três semanas em Petrogrado, abastecendo as forças russas com armas ocidentais. A trama para empossar Kerensky foi finalizada na Embaixada Britânica, em Moscou.[92]

Lorde Milner enviou Sydney Reilly, do Serviço Secreto, para Baku, para garantir os campos de petróleo para investimento britânico (Shell) e também para os Rockefellers. (Bruce Lockart, do Serviço Secreto, era o representante pessoal de Lorde Milner que controlava Lenin e Trotsky.) Kerensky deveria sugerir que a verdadeira oposição aos bolcheviques vinha da Grã-Bretanha e dos Estados Unidos, quando o oposto era verdade. Através de Somerset Maugham, do Serviço Secreto, Kerensky enviou uma carta a Lloyd George requisitando armas. Lloyd George se recusou a ajudar.[93]

No dia 12 de março, houve uma insurreição em Petrogrado. (Segundo o antigo calendário, ela ocorreu no dia 27 de fevereiro, ficando conhecida como Revolução de Fevereiro.) A maior parte do exército aderiu à revolta. Em Petrogrado, foi formado um soviete de trabalhadores e de representantes dos soldados e, como as principais tropas estavam no *front* austro-germânico, um golpe bem organizado tinha grandes chances de sucesso.[94]

Num ágil golpe da Duma, o Príncipe Lvov forçou o Czar Nicolas a abdicar três dias depois. O irmão de Nicolas, o Grão-Duque Michael, recusou o trono. Assim, 300 anos de poder dos Romanov e mil anos de monarquia russa chegavam ao fim. Com a aprovação do Soviete, o comitê da Duma indicou um governo provisório, chefiado por Lvov, em que Kerensky se tornou Ministro da Justiça.[95]

Se os Rothschilds realmente deram ajuda financeira a Kerensky – se estavam por trás dos 21 milhões de rublos de Milner e da soma de pelo menos 1 milhão de dólares dada pela organização de J. P. Morgan, no dia 2 de dezembro de 1917, a pedido do diretor de uma filial do Banco Central (Federal Reserve) em Nova York, que era amigo de Kerensky em Petrogrado[96] – então seu preço pode ter sido a declaração de Lorde Balfour, no dia 2 de novembro de 1917, concordando com um assentamento judaico na Palestina, que se tornaria o estado zionista de Israel.[97] Lorde Balfour era o Ministro do Exterior britânico e os ingleses ainda estavam desesperados para trazer os Estados Unidos para a guerra. Os Estados Unidos tinham uma forte população judaica que exercia grande influência sobre o governo. Assim, em troca dessa promessa de restaurar a Palestina, Lorde Balfour pode ter pedido aos judeus que convencessem o governo norte-americano a participar da guerra.[98] *Sir* Mark Sykes, do Ministério da Guerra, procurou a Casa de Warburg, que controlava parte dos bancos norte-americanos, mas Felix Warburg e Jacob Schiff eram antizionistas e não se interessaram. Procurou então Lorde Milner que, através de um maçom judeu do 33º grau do Rito Escocês (o juiz Brandeis), o pôs em contato com o Coronel

House, maçom judeu do 33º grau da Grande Loja, que aconselhava o Presidente Woodrow Wilson. Ele era zionista e fez contato com o Dr. Chaim Weizmann, outro maçom judeu inglês e zionista. Fizeram um trato: uma Palestina judaica em troca de tropas norte-americanas.[99]

No dia 7 de fevereiro de 1917, anglo-zionistas, incluindo James de Rothschild e o Dr. Weizmann, se reuniram para ouvir o plano de Sykes. Enviaram então mensagens para líderes russos zionistas, exortando-os a apoiar a revolução de Kerensky. Na sede do Priorado de Sião, a Alliance Israelite Universelle, antizionista e pró-"rei de Jerusalém", ridicularizou a ideia dos judeus se estabelecerem de novo na Palestina. Só o Barão Edmond de Rothschild era a favor da ideia. O papa, ao contrário, aprovou. Os árabes não gostaram, mas T. E. Lawrence, maçom inglês e agente de inteligência britânico, foi convidado a trabalhar com eles através de lojas maçônicas (fundadas por Mazzini com o nome de Jovens Turcos e chamadas depois de Irmandade Muçulmana). Lawrence ficou assim em contato com os seguidores de Mazzini. Os maçons judeus Dr. Weizmann e o juiz norte-americano Brandeis ficaram em contato, e Weizmann conheceu o maçom Lorde Balfour.[100]

Weizmann rascunhou a Declaração. Ela foi enviada para Brandeis, que a passou ao Coronel House para aprovação do Presidente Wilson. O Barão Edmund de Rothschild a aprovou na França e ela foi então submetida ao Ministério da Guerra em Londres – e assinada em novembro de 1917. Mas muito antes, o *lobby* judeu tinha garantido a entrada dos Estados Unidos na guerra, o que aconteceu em abril de 1917, um mês depois da revolução de Kerensky.[101]

Enquanto isso, a despeito de sua reação oficial, os Rothschilds vinham trabalhando ativamente essa rede, primeiro para financiar e empossar Kerensky, com o intuito de tomar a fortuna do Czar, e depois para garantir uma terra natal para os judeus na Palestina.[102] Pode-se supor que a ideia de trocar uma "Palestina judaica por tropas norte-americanas" tenha sido dos Rothschilds.

O Grande Oriente e a Revolução de Lenin em Outubro de 1917

Trotsky, Lenin e os Warburgs do Grande Oriente ficaram chocados com a revolução de Kerensky, que os pegou de surpresa. Como Ministro da Justiça no governo provisório, Kerensky introduziu rapidamente liberdades civis, incluindo a liberdade de discurso. Em maio, ele se tornou figura dominante no governo e, em julho, já era primeiro-ministro. Quando a Duma foi eleita, ficou encarregado de um governo eleito.

Os Warburgs ficaram consternados ao ver seus rivais, os Rothschilds, financiando o governo de Kerensky e se preparando para (na visão deles) pilhar a fortuna do czar. Era uma surpresa o apoio dos zionistas a Kerensky. Embora a revolução de Kerensky fosse maçônica do Grande Oriente – em 1914 havia 42 lojas do Grande Oriente na Rússia, às quais pertenciam todos os membros do governo[103] –, era por demais burguesa e não tinha introduzido urgentes reformas sociais e econômicas. Além disso, a Rússia continuava na guerra e as perdas se acumulavam.

Max, irmão de Felix Warburg, era chefe do serviço secreto do *Kaiser* e o ramo alemão da família financiava a máquina de guerra do *Kaiser*. Planejando uma contrarrevolução, ele convocou uma reunião da loja do Grande Oriente em Hamburgo.[104]

Em Nova York, o antizionista Schiff recebeu instruções para enviar Trotsky a Petrogrado. Lenin, que estava na Suíça, recebeu instruções para se encontrar com Trotsky. Os dois homens ainda lideravam movimentos revolucionários separados: Trotsky era mais democrático e mais afinado com Kerensky do que o movimento extremista de Lenin. Max Warburg estava na festa de despedida que fizeram para Lenin em sua loja suíça.[105]

Havia um fundo de 20 milhões de dólares no nome de Trotsky num banco dos Warburg na Suécia, o Nya Bank de Estocolmo.[106] Essa conta tinha sido aberta pela Max Warburg & Co. de Hamburgo e pelo Sindicato da Vestfália. O Coronel House informou aos ingleses que Trotsky tinha embarcado para a Rússia com 300 terroristas, graças a esse financiamento.

Um navio de guerra britânico encurralou o navio de Trotsky no Canadá e mandou seus ocupantes para um campo de prisioneiros. Schiff reclamou imediatamente com o conselheiro do Presidente Woodrow Wilson, Coronel House. Com a ajuda de um dos companheiros maçons de Trotsky, House convenceu o Presidente Wilson a exigir que o navio fosse libertado, sob pena dos Estados Unidos não entrarem na guerra. Com isso, Trotsky foi libertado pelos ingleses, já que participação norte-americana na guerra era uma questão de sobrevivência nacional da Grã-Bretanha. Rumou então para a Rússia via Estocolmo, onde recebeu uma ordem de pagamento no valor de vinte milhões de dólares.[107]

Nesse meio-tempo, Max Warburg, chefe da polícia secreta do *Kaiser*, apresentou Lenin como um agente alemão que solaparia o inimigo russo. Embarcou Lenin e um bando de terroristas bolcheviques num vagão de carga fechado,

388

com 5 ou 6 milhões de dólares, e o enviou para a Rússia através da Alemanha.[108] Lenin e Trotsky se encontraram em Petrogrado em maio de 1917 e logo se juntou a eles o ladrão de bancos Joseph Stálin. Juntos, lançaram uma campanha para substituir o governo provisório de Kerensky por um sistema nacional de sovietes (ou conselhos de trabalhadores revolucionários).[109] Houve vários ataques terroristas contra os Rothschilds, o governo republicano, o exército e a marinha (as duas forças que podiam impedir a anarquia). Um "ex-comissário russo" escreveu que esses ataques tinham o intuito de "frustrar os objetivos mais conservadores e moderados dos Rothschilds".[110]

O Grande Oriente, através dos templários Warburgs e Schiff, partiu então para tomar a Rússia. O dinheiro vinha também de outras fontes. Ao revelar essas fontes, fica difícil distinguir entre pessoas e suas firmas comerciais, conglomerados de empresas e corporações. Os nomes de família que estão entre aspas – "Rockefellers", "J. P. Morgan" ou "Rothschilds" – não se referem a pessoas, mas à ênfase numa determinada visão comercial. Durante a Primeira Guerra Mundial, a estrutura financeira e empresarial dos Estados Unidos era dominada por dois conglomerados: Standard Oil, que reunia empreendimentos "Rockefeller" (incluindo petróleo, minérios e bancos); e o complexo "J. P. Morgan" de companhias de finanças e de transportes (incluindo estradas de ferro e bancos como o Chase National Bank, que era filiado aos "Rockefellers"). Não é surpresa que o apoio financeiro viesse desses dois gigantes.[111] (No final da guerra, "J. P. Morgan" tinha ativos de 640 milhões de dólares, os "Rockefellers", Carnegie e Ford declararam uma receita de 2 bilhões de dólares – em 1937, a fortuna conhecida dos "Rockefellers" era de pelos menos 5 bilhões de dólares – enquanto os "Rothschilds" tinham uma fortuna de 500 bilhões de dólares numa estimativa modesta.)[112]

Os "Rockefellers" passaram a dar apoio financeiro aos revolucionários depois que o Czar recusou o acesso da Standard Oil aos campos de petróleo russos, que já estavam sendo explorados pela Royal Dutch Co., "propriedade dos Rothschilds", e pela Shell (da qual John D. Rockefeller tinha 15 milhões de dólares em ações). "J. P. Morgan" entrou pelo menos com 1 milhão de dólares, como já vimos. *Sir* George Buchanan, o sueco Olaf Aschberg (do Nya Bank de Estocolmo), o Sindicato da Vestfália e um financista chamado Jovotosky (cuja filha depois se casou com Trotsky) também contribuíram. William Boyce Thompson, diretor do Chase National Bank (afiliado aos Rockefellers), deu 1 milhão de dólares e Albert Wiggin (presidente do mesmo banco) também deu dinheiro. Todos esperavam um retorno considerável por seu investimento em Trotsky e Lenin.[113]

Ao longo de abril de 1917, Lenin ganhou aceitação para sua ideia de retirar o apoio ao governo provisório e então tomar o poder (de acordo com a ideia bakuninista de que uma revolução proletária tem que esmagar a máquina estatal e introduzir uma "ditadura do proletariado").[114] Essa política foi endossada por uma conferência nacional de bolcheviques no final de abril, quando foi eleito o Comitê Central. Seus 133 delegados representavam apenas 75.000 membros, um número muito pequeno diante de toda a população russa. No entanto, o Soviete de Petrogrado, cujos 2.500 delegados vinham de fábricas e unidades militares, tinha mais autoridade do que o governo, que era odiado por continuar a guerra.

No dia 14 de março, o Soviete tinha orientado os militares a obedecer às suas ordens e não às do governo, que ficou impotente para cancelar essa ordem. Tendo sido reorganizado quatro vezes entre março e outubro e dependendo de uma coalizão, o governo tinha pouco poder para fazer frente às ações camponesas de ocupação de terras, aos movimentos de independência em áreas de "minoria" e às atitudes derrotistas do exército.[115] Numa eleição geral para a Primeira Assembleia Constitucional, o congresso nacional de sovietes, o Partido Revolucionário Socialista de Kerensky tinha a maioria e os bolcheviques de Lenin estavam em minoria.[116] (Trotsky, no entanto, tinha assumido a liderança da "minoria" esquerdista menchevique.) Os bolcheviques eram atacados de todos os lados e, quando Kerensky acusou Lenin de ser um "agente alemão" (referindo-se sem dúvidas ao apoio de Max Warburg), ele teve que se esconder na Finlândia.[117] Stálin assumiu como seu representante.

Trotsky e Lenin precisavam de um exército proletário e o recrutaram entre as classes mais pobres e oprimidas, incluindo muitos criminosos. Em julho de 1917, o exército de Trotsky provocou um levante em Petrogrado. (Foi uma tentativa de golpe que ficou conhecida como "Dias de Julho".) O levante foi um protesto na presença de um Romanov, o Príncipe Lvov, no governo provisório. Lvov prontamente renunciou e Kerensky assumiu o governo, indicando apenas maçons para os postos mais altos.[118]

Na repressão comandada por Kerensky, Trotsky foi preso. Em agosto, ainda na prisão, foi aceito entre os bolcheviques de Lenin e eleito para o Comitê Central. Embora antes condenasse a ditadura de Lenin, agora estava disposto a se submeter à liderança deste, abrindo mão assim dos próprios ideais.[119]

No final de agosto, Kerensky debelou uma tentativa de golpe por parte do exército do General Lavr Kornilov, cujo cargo assumiu. Seu Partido Revolucionário Socialista ficou dividido com a dissidência da ala esquerda, formada por revolucionários que, desiludidos com a não implementação de seu programa, aliaram-se aos bolcheviques, que ainda eram minoria. Em meados de setembro, os bolcheviques tinham conquistado várias vitórias políticas nos sovietes e já controlavam os conselhos-chave de Petrogrado e Moscou.[120]

Lenin, que estava na Finlândia, percebeu que a Rússia seria uma república soviética – uma ditadura da maioria sem posses – ou senão uma república parlamentar – uma ditadura da burguesia ou minoria com posses. Enviou vários artigos a Petrogrado, exortando o Comitê Central do Partido a organizar imediatamente um levante armado. No dia 20 de outubro, voltou a Petrogrado disfarçado e falou para o Comitê Central bolchevique no dia 23 de outubro. Depois de um debate de dez horas, resolveram "pôr a insurreição armada na ordem do dia". (Só Zinoviev e Kamenev se opuseram.) Foram organizados treinamentos para soldados, marinheiros e Guardas Vermelhos (a milícia dos trabalhadores) sob o disfarce de autodefesa no soviete de Petrogrado. Trotsky, agora eleito presidente do soviete de Petrogrado cooperou, ressaltando a necessidade do levante armado.[121]

No dia 6 de novembro, Kerensky enviou tropas para fechar os jornais bolcheviques, o que foi visto como o começo de um golpe contrarrevolucionário. Lenin, escondido em Petrogrado, escreveu uma carta para o Comitê Central exortando-o a prender os membros do governo provisório naquela mesma noite.[122] Trotsky, no Soviete de Petrogrado, comandou uma operação de defesa do Congresso de Sovietes. Garantiu ao público que o Comitê Revolucionário Militar estava meramente defendendo o Congresso de Sovietes. Na verdade, estava perpetrando um golpe para os bolcheviques.[123]

Nos dias 7 e 8 de novembro, Guardas Vermelhos, marinheiros e soldados liderados por bolcheviques sitiaram e tomaram o governo provisório no Palácio de Inverno, depondo-o num golpe quase sem sangue e tomando as estações telegráficas e os prédios do governo.[124] Trotsky continuou a ser o líder militar da revolução e organizou as forças que derrotaram Kerensky na Batalha de Pulkovo, no dia 13 de novembro, quando este tentava retomar Petrogrado com tropas que lhe eram fiéis. Trotsky continuou ao lado de Lenin na defesa das propostas para um governo de coalizão de bolcheviques, mencheviques e socialistas revolucionários.[125] Trotsky, que tinha mudado sua atitude em maio, agia agora mais como um bolchevique do que como um menchevique. Kerensky e os maçons de seu governo fugiram para a França onde fundaram lojas do Grande Oriente.[126]

Os bolcheviques anunciaram que o poder de Estado estava com os Sovietes. Os bolcheviques marxistas e sua ala esquerda, dissidente do Partido Revolucionário Socialista, tinham agora uma substancial maioria no Segundo Congresso Nacional de Sovietes que (como tinha sido providenciado) se reuniu imediatamente, aceitou o pleno poder e ratificou o golpe. Elegeram Lenin para presidente do Conselho dos Comissários do Povo, o novo governo soviético. Num só lance, ele foi de fugitivo a chefe do (então) maior país do mundo.[127]

LENIN COMO LÍDER POLÍTICO DA REVOLUÇÃO SOVIÉTICA

O Plano Maçônico de Lenin

Lenin, um bolchevique marxista do Grande Oriente, dava agora expressão política à Revolução Russa. Sua tomada do poder foi copiada em sovietes através da Rússia. Em Moscou, houve lutas durante uma semana, houve resistência no sul da Rússia, na Ucrânia e entre os cossacos de Don.

Lenin se instalou no Kremlin e de lá operava. Uma série de decretos aboliram a propriedade privada e distribuíram a terra entre os camponeses que nela trabalhavam. Isso ratificou a ocupação de terras já praticada por camponeses. Outros decretos davam aos trabalhadores o controle da indústria e dos bancos nacionalizados, aboliam a polícia e as velhas cortes, substituindo-as por tribunais revolucionários e milícias de trabalhadores. Outros aboliram os privilégios de classe e os títulos hereditários, e estabeleceram a igualdade entre os sexos. A reforma do calendário foi instituída para alinhar a Rússia à datação ocidental.[128]

Havia um debate entre os que queriam um partido (Lenin e Trotsky) e os que queriam uma coalizão (Zinoviev e Kamenev). Lenin eliminou a oposição. Como nas eleições para a Assembleia Constituinte em novembro, os bolcheviques ganharam apenas um quarto das cadeiras – mas então ela foi considerada contrarrevolucionária e fechada em janeiro.[129]

Para atingir seus objetivos weishauptianos, Lenin começou imediatamente e erodir a consciência nacional russa. Do ponto de vista do Grande Oriente, o propósito da Primeira Guerra Mundial, que Bismarck tinha estabelecido de acordo com o plano de Pike, era fomentar a revolução na Rússia para que ela se transformasse numa plataforma para a revolução mundial. A Franco-Maçonaria queria destruir a Igreja Ortodoxa Russa e sabia que não poderia fazê-lo sem antes matar o czar, que personificava o mistério e a autoridade da Igreja e o direito divino de governar. (A Igreja Ortodoxa Oriental nunca sofrera uma Reforma e tinha muita influência sobre a mente e o coração do povo russo.) O principal suporte da Igreja era a burguesia, que devia ser eliminada. O povo russo tinha que ser destituído do seu senso de nacionalidade: o exército russo se transformou no Exército Vermelho, a bandeira russa se transformou na bandeira vermelha do socialismo internacional. O hino do Estado era agora a Internacional e a Rússia se transformou em "União dos Sovietes" (ou conselhos revolucionários).

Os mencheviques e a ala direita do Partido Revolucionário Socialista se recusaram a aceitar o sistema soviético e foram dispersados com o fechamento da Assembleia Constituinte. O governo soviético, à maneira da Comuna de Paris, tinha substituído o governo parlamentar.[130]

Os sovietes queriam paz, mas os Aliados se recusavam a reconhecer o novo regime. Sob a direção de Trotsky, como comissário do exterior, o governo soviético começou imediatamente a negociar a paz com as Potências Centrais. Mas, depois de um armistício em dezembro, Lenin passou por cima de Trotsky (que "não queria nem a guerra, nem a paz") e de Bukharin (que queria uma guerra revolucionária) e abriu mão de parte do território soviético em troca da paz nos termos do Tratado de Brest-Litovsk, em março de 1918. Em protesto, Trotsky renunciou ao cargo de Comissário do Exterior e se tornou imediatamente Comissário da Guerra.[131]

Lenin formou um governo de judeus. Sua mãe era judia e eram tantos os judeus no seu governo que parecia a muitos que os judeus tinham planejado o golpe bolchevique.[132] Um relatório da inteligência norte-americana, enviado para o segundo *bureau* do Estado Maior do Exército dos Estados Unidos pelo embaixador norte-americano na França, informa que, entre os integrantes dos sovietes, 31 a cada 32 eram judeus. Incluía nessa lista Lenin e Trotsky, mas não Stálin (que foi uma exceção, embora fosse um rosa-cruz martinista, membro da sociedade secreta de Martinez Paschalis). Uma lista feita em abril de 1918 mostra que havia 300 judeus entre os 384 comissários.[133] Dos 546 membros da administração bolchevique de Trotsky e Lenin, 447 eram judeus e, destes, quase todos eram maçons.[134] O governo norte-americano foi informado de que a revolução bolchevique era um levante de judeus: na verdade, foi um levante maçônico do Grande Oriente planejado pelos Warburgs, usando judeus do Grande Oriente *para que os judeus levassem a culpa e não o Grande Oriente*. Como resultado, a Franco-Maçonaria, segundo o plano de Lenin e de Max Warburg, não estaria envolvida. Na verdade, o plano era antirreligioso e antissemita – um plano satânico para destruir tanto o Judaísmo quanto o Cristianismo nas linhas weishauptianas.[135]

O plano maçônico gentio, não judeu, era fazer com que Trotsky destruísse a monarquia do czar e a Igreja Ortodoxa Russa. Então, Lenin destruiria Trotsky e seus seguidores. Mas, como Lenin morreu prematuramente, Stálin herdou a tarefa de destruir Trotsky.[136]

De acordo com o plano, Trotsky, agora comissário da guerra, assumiu as forças militares dos sovietes e começou a formar um novo Exército Vermelho – um nome que pode ter vindo do "escudo vermelho" dos Rothschilds[137] – a partir do antigo exército russo para defender o governo revolucionário contra a intervenção estrangeira e a guerra civil. Muitos revolucionários (incluindo Stálin) o criticaram por abandonar as táticas de guerrilha que tinham efetuado a revolução. Trotsky agora chamava suas forças de "Sovietes de Trabalhadores e Soldados". Muitos soldados eram criminosos que tinham sido iniciados no Ordo Templi Orientis,[138] alojado no Grande Oriente de 33º grau e combinado à Ordem da Aurora Dourada. (O satanista Aleister Crowley seria seu membro mais famoso e, alega-se, teria praticado o sacrifício humano em seus rituais.) O Exército Vermelho adotou a estrela maçônica de cinco pontas, ou pentagrama, como emblema. Trotsky criou um sistema de espionagem que exterminava implacavelmente todos os membros desleais. Esse serviço de espionagem se transformou na Cheka, que parece ter sido formado por maçons da OTO do Grande Oriente, que realizavam rituais satânicos. Transformou-se depois na KGB.[139]

Guerra Civil

A guerra civil irrompeu em maio de 1918 entre as forças soviéticas e a legião dos checoslovacos, que estavam sendo evacuados da Rússia. Ao Exército Vermelho dos Sovietes opunham-se os "Brancos" da Bielorrússia ("Rússia Branca"), cujo controle se estendia do rio Volga até o Pacífico. Eram chefiados por antigos generais e almirantes czaristas e tinham o apoio dos Aliados.[140] Contrariada ao ver a Rússia sair do seu controle, a Franco-Maçonaria inglesa e os "Rothschilds" financiavam agora os Brancos, esperando uma contrarrevolução contra os bolcheviques.[141] Essa luta começou no início de 1919 e se transformou numa guerra civil, que estava na ordem do dia da Terceira Internacional desde o começo, em 1915. Lenin neutralizou os Brancos oferecendo direitos de autonomia a minorias e patrocinando o direito dos camponeses a tomar a terra dos seus proprietários sem compensação.[142]

Os Aliados invadiram partes da Rússia para impedir que munições e armas caíssem nas mãos dos alemães. Em março, os ingleses entraram em Murmansk, os Estados Unidos no norte da Rússia e o Japão, com os Estados Unidos, na Sibéria oriental. Todos apoiavam os Brancos que, assim, fizeram ofensivas contra Moscou em 1919 (a partir da Sibéria, do Báltico, de Don e da Crimeia). Todas foram repelidas.[143]

A União Soviética ficou cercada pelos inimigos e, para romper esse confinamento, Lenin fundou em 1919 uma Terceira Internacional Comunista (como planejava desde 1915), cujo manifesto Trotsky escreveu. Essa Internacional rompeu com a Segunda Internacional, que era socialista e reformista, defendendo a democracia parlamentar. Em vez disso, apresentava o partido comunista russo e a revolução bolchevique como modelo para todos os partidos comunistas do mundo. Todos aqueles países em torno da Rússia (incluindo os países do Leste Europeu) teriam que se tornar comunistas e aliviar a pressão do cerco – esse era o plano de Lenin.[144]

O Exército Vermelho expulsou os estrangeiros do país. Em 1920, os Brancos não conseguiram resistir aos Vermelhos na Crimeia e abandonaram o sul da Rússia. A guerra civil estava acabada. Bela Kuhn (Cohen), que tinha organizado o massacre do Grande Oriente na Hungria, tornou-se comandante-chefe de Trotsky na Crimeia. No outono de 1922, os japoneses se retiraram e os Brancos foram para o exílio.[145]

A guerra civil transformou o regime comunista de Lenin numa ditadura terrorista de um só partido. A Assembleia Constituinte foi fechada e os partidos conservadores suprimidos. A ala esquerda da facção revolucionária socialista renunciou ao comissariado do Conselho do Povo em protesto ao Tratado de Brest-Litovsk, deixando um Executivo comunista unipartidário. Quando, em julho de 1918, essa ala se levantou contra o governo, foi subjugada, assim como os mencheviques em 1920. Lenin, dando expressão política à Revolução Russa, fez do governo unipartidário pelos comunistas uma questão de princípios. A "ditadura do proletariado" tinha chegado. Nela, Lenin era o número 1 e Trotsky era seu número 2.[146]

O Assassinato do Czar

O plano maçônico weishauptiano exigia a eliminação da família real como parte importante da derrubada da velha ordem da Igreja e do Estado. Trotsky queria o czar e sua família mortos, já que os Romanov eram uma perigo para a

Revolução Bolchevique. Temia que o povo pedisse o retorno deles, como tinha acontecido com os Bourbons depois da Revolução Francesa. No dia 17 de julho de 1918, em Ekaterinberg, o judeu Yourowsky, agindo pela Cheka sob ordens de Trotsky, atacou a tiros e golpes de baioneta o czar, a czarina, o czarevitch, as quatro Grã-Duquesas, o médico da família, um casal de servos, a cozinheira e o cachorro. Na noite seguinte, três Grão-Duques e uma Grão-Duquesa foram jogados num poço na Sibéria. Outro Grão-Duque foi assassinado em Perm.[147] Numa parede ao lado dos corpos do czar e da sua família, foi pintada uma mensagem simbólica: três letras "L" cabalistas com uma linha entre elas, sugerindo que o assassino estava cumprindo ordens de um superior. Era uma mensagem cabalista satânica sugerindo que os assassinos eram maçons antes de serem judeus: seguidores da OTO do Grande Oriente, ou possivelmente do satanista Bakunin, que era um estudioso da Cabala. Ou talvez fossem agentes do Priorado de Sião, para quem os Romanov não poderiam ser reis de Jerusalém por não serem da linhagem merovíngia do Santo Graal.[148]

Em agosto de 1918, só um mês depois do assassinato da família real, pelo qual foi amplamente responsabilizado, Lenin levou dois tiros de um assassino czarista, que o atacou quando ele saía de uma fábrica depois de fazer um discurso. Ele se recuperou rapidamente mas uma das balas ficou alojada no seu pescoço, o que contribuiu para o colapso precoce de sua saúde.[149]

O Terror Vermelho

Os Revolucionários Sociais, doutrinalmente terroristas, assassinaram alguns líderes comunistas e foram responsabilizados pelo tiros que Lenin levou em agosto de 1918. Lenin reagiu com o Terror Vermelho, idealizado para aterrorizar e erradicar qualquer oposição ao regime. Os Vermelhos executavam prisioneiros Brancos, que retaliaram: 100.000 perderam a vida nessas ações olho por olho e dois milhões emigraram. O Partido Comunista tornou-se então mais autoritário.[150]

O Terror Vermelho foi iniciado por Trotsky e pela OTO do Grande Oriente.[151] Agora, a principal tarefa dos sovietes era exterminar a burguesia como classe. (Pertencer à classe burguesa era razão suficiente para uma pessoa ser executada.) Todas as pessoas instruídas eram alvos. Em Kiev, a Cheka transformou uma grande garagem em salão de execuções. Os símbolos maçônicos eram entalhados no rosto, no pescoço e no tronco das vítimas, como durante a Revolução Francesa. Como os jacobinos do Grande Oriente no Reinado do Terror francês em 1793, os comunistas do Grande Oriente destruíram a antiga estrutura econômica e social.[152]

Segundo a Comissão de Inquérito de Denikin, 1,7 milhão de pessoas foram assassinadas de 1918 a 1919 e mais 1,5 milhão no inverno de 1920. Uma lista dos mortos, publicada em 1923, inclui 535.250 membros de profissões liberais e intelectuais. Um grupo de ex-condenados invadiu vários vilarejos do sul da Rússia, matando os duzentos ou trezentos habitantes: os homens tinham antes que ver suas mulheres sendo estupradas. Quando a munição ficou escassa, centenas foram levados em fila para os ancoradouros da Crimeia, amarrados em pedaços de ferro e afogados no mar. Em 1929, Nikilay Bukharin, companheiro de Trotsky em Nova York, alardeava numa carta: "Não há [...] na Rússia inteira uma única casa em que não matamos alguém".[153]

Em meados de 1918, começou uma tentativa de criar a Utopia sem classes com maior nacionalização e centralização. Era um Comunismo de Guerra, um novo comunismo planejado para vencer a guerra civil. Foi também em 1918 que os Vermelhos criaram situações de extrema escassez como forma de matar. Com o nome de "reorganização da agricultura", todas as fazendas e todos os grãos foram confiscados e um sistema de troca substituiu a moeda e os salários. Qualquer máquina ou grão escondido resultava em execução. Os cavalos foram tomados para uso do Exército Vermelho e o gado foi massacrado. Algumas organizações de socorro procuraram alimentar os que passavam fome. (Em 1945, Stálin disse a Churchill que 1,2 milhão de camponeses tinha morrido através da "reorganização da agricultura".)[154]

Em 1921, no entanto, Lenin, com o apoio de Trotsky, já tinha abandonado a experiência por considerá-la um erro. Rejeitava agora o "controle dos trabalhadores" e sua nova Política Econômica permitiu a volta à paz. Afastou-se um pouco do comunismo ideal e satisfez a agitação pública com uma dose de democracia através dos sindicatos. Capitalismo de estado, desnacionalização e descentralização estavam agora em voga. O efeito foi semelhante ao da Reação Termidoriana na Revolução Francesa: a vida social e intelectual da União Soviética voltou a ser o que era na Rússia pré-revolucionária. Lenin iniciou então uma purgação do partido: seus 700.000 membros ficaram reduzidos a 400.000 e, em abril de 1922, Stálin se tornou Secretário-Geral. A indicação desse homem implacável era a última coisa que as pobres e sofredoras massas comunistas precisavam naquele momento.[155]

Em 1921, começaram os julgamentos para reprimir os oponentes do Bolchevismo. A pena era em geral a morte. Esses julgamentos, mais do que qualquer outra medida de Lenin, prepararam o caminho para o governo de um só homem de Stálin. (O próprio Lenin acreditava numa "ditadura do proletariado" e se opunha a um governo de um só homem.)[156]

A Morte de Lenin

No mesmo mês em que Stálin foi nomeado, os médicos removeram do pescoço de Lenin uma das balas do assassino de agosto de 1918. Ele se recuperou da operação mas, em maio, sofreu a primeira de uma série de hemorragias cerebrais, ou derrames. Isso pode ter sido causado pelas balas, mas parece que ele tinha sífilis.[157]

A batalha para a sucessão começou. Trotsky era o segundo na hierarquia, mas tinha a oposição de todo o Politburo e da maioria do Comitê Central, que pôs uma *troika* no comando: um triunvirato formado por Zinoviev, Kamenev e Stálin. Em dezembro, Lenin ficou semiparalítico depois de outro derrame e ditou seu testamento político, pedindo que Stálin fosse destituído de sua posição de Secretário-Geral. Nos momentos de lucidez, Lenin atacava a *troika* através de cartas, especialmente Stálin (cujo poder crescente não lhe agradava) por forçar repúblicas soviéticas não russas a integrar uma federação formal: a URSS. Lenin esperava que Trotsky atacasse o crescente poder de Stálin, uma indicação de que via Stálin como o sucessor menos indicado.[158]

Em março de 1923, Lenin finalmente perdeu a capacidade de falar devido a outro derrame. Nesse outono, Trotsky atacou a *troika*, alegando violação à democracia, numa crítica submetida ao comitê central. Stálin montou um contra-ataque, acusando Trotsky de ser um oportunista a serviço dos objetivos de sua própria facção. Trotsky então caiu doente (terá sido vítima de uma tentativa de envenenamento?) e, em junho de 1924, o 13º Congresso do Partido confirmou a *troika* e condenou a oposição de Trotsky como divergência faccional.[159]

Lenin sofreu ainda outro derrame em janeiro de 1924. No leito de morte, disse: "Cometi um grande erro. Meu pesadelo é sentir que estou perdido num mar de sangue de incontáveis vítimas. É tarde demais para voltar atrás".[160] Ele não estava errado. Para a Rússia, o preço de Lenin e do Grande Oriente Iluminizado foi colossal. A guerra civil entre Vermelhos e Brancos resultou na morte de 28 milhões de russos entre 1919 e 1922. A fome causou outras 5 milhões de mortes.[161] Lenin foi responsável pelo inacreditável número de 33 milhões de mortes. Suas palavras no leito de morte deixam claro que ele sabia que Stálin seria um sucessor sangrento. E, embora fosse um bakuninista que, como os niilistas, rejeitava a moralidade convencional, sentia-se mal a respeito da Rússia que tinha matado – assim como muitos bakuninistas e niilistas sentiram remorso pelo que tinham feito. A Utopia de Lenin tinha matado cem vezes mais do que a Revolução Francesa.

A CONSOLIDAÇÃO DE STÁLIN ATRAVÉS DE EXPURGOS

Stálin, Sucessor de Lenin

O rosa-cruz Stálin[162] ganhou a luta pelo poder contra Trotsky, do Grande Oriente, e agora consolidava a Revolução Russa numa fase física brutal. Nascido Iosif Visarionovich Dzhugashvili, teve varíola quando criança, o que o deixou com o rosto todo marcado. Filho de um sapateiro pobre e bêbado que batia nele, falava georgiano em casa e aprendeu russo numa escola da igreja. Destinado a ser padre, mudou para um seminário teológico mas logo divergiu e foi expulso por atividades revolucionárias depois de ler Marx secretamente. Tornou-se escriturário e embarcou numa carreira revolucionária fomentando greves.[163] Em 1900, passou um ano morando com Gurdjieff, um "Mago" da Georgia e maçom rosa-cruz martinista, que iniciou Stálin na Franco-Maçonaria martinista.[164] Em 1904, casou-se com uma moça georgiana que morreu três anos depois, deixando-lhe um filho.

Seguidor de Lenin, ele assaltava bancos para levantar fundos para os bolcheviques. Foi preso sete vezes por atividades revolucionárias entre 1902 e 1903 e cumpriu penas curtas na prisão e no exílio. (As sentenças lenientes já levantaram suspeitas de que ele teria sido informante da polícia.) Adotou o nome Stálin para sugerir força (do russo *stal*, aço) e, em 1917, era editor do *Pravda*.[165] Era também maçom do 33º grau martinista, rosa-cruz e sionista.[166] Em 1919, casou-se com uma judia que procurou moderar suas ações.

A luta pela sucessão de Lenin resultou numa quarta Revolução Russa. Foi longa e amarga. Stálin usou de má fé. Fez com que Trotsky, que convalescia na costa do mar Negro, recebesse a notícia do funeral de Lenin, mas com a data errada. Assim, Trotsky não compareceu ao funeral, em que Stálin desempenhou o principal papel, uma indicação pública do poder que já tinha acumulado. Em 1923, houve na Alemanha uma tentativa fracassada de levante comunista com inspiração soviética. Trotsky culpou Zinoviev e Kamenev enquanto a *troika* atacou Trotsky, taxando sua teoria de revolução permanente de heresia menchevique. Em junho de 1925, Trotsky foi destituído do posto de comissário de guerra.[167]

Em dezembro de 1925, Zinoviev e Kamenev tentaram derrubar Stálin no 14º Congresso do Partido, mas Stálin sobreviveu e removeu os aliados de Zinoviev de Leningrado. No começo de 1926, Zinoviev e Kamenev uniram forças com Trotsky, seu antigo aliado, numa "Oposição Unida". Enfatizavam a democracia parlamentar e o planejamento econômico, criticavam o capitalismo de Stálin e a má administração econômica (de Lenin), procurando fortalecer os trabalhadores proletários contra os camponeses. Nos assuntos estrangeiros, defendiam uma política de revolução mundial, sugerindo que Stálin estava se desviando numa direção não socialista, já que a Rússia estava isolada.[168]

Isolamento de um Estado Maçônico

Em resposta, Stálin reviveu sua teoria (enunciada pela primeira vez em 1924) de "socialismo num só país". Lenin tinha escrito em 1915 que a União Soviética deveria construir o socialismo por si mesma, sem esperar que outros países do Ocidente fizessem suas revoluções comunistas. Para a "Oposição Unida", essa teoria era pouco mais do que um pretexto para abandonar a revolução mundial.[169]

Na verdade, o debate ia muito mais fundo e dizia respeito à Maçonaria. A União Soviética tinha rapidamente se tornado um estado maçônico. Em 1922, a Franco-Maçonaria fundara em Paris lojas do Grande Oriente, em que se falava russo, para abrigar "um comitê temporário reconhecido pelo Conselho Supremo da França, que se tornará subsequentemente o Conselho Supremo do Rito Escocês na Rússia."[170] A tarefa era "devolver à Rússia um governo normal [...] e condições comuns de vida política e econômica".[171] Cumprida essa tarefa, haveria um novo corpo legislativo, formado por representantes dos cidadãos e das repúblicas. Esse corpo seria chamado de "Soviete Supremo" (*Soviete*, "Conselho"), como o Conselho Supremo do 33º Grau da Franco-Maçonaria. A denominação indicava que a União Soviética era agora um Estado Maçônico. A Cortina de Ferro que confinaria o socialismo à Rússia tinha em parte o objetivo de manter o segredo maçônico do Estado Soviético.[172]

Instituído o Estado Maçônico, a Maçonaria foi banida depois de uma resolução do 4º Congresso da Internacional Comunista. Ela não era mais necessária e suas portas fechadas apenas fomentariam a revolução.[173] (Gorbachev, iniciado no Grande Oriente em 1984, em Paris, reabriu as lojas do Grande Oriente em 1989 e isso levou rapidamente ao fim do Comunismo. É possível que a atitude de Gorbachev tenha sido incitada por um maçom chamado Philby com esse objetivo. Se foi isso, então Philby, que trabalhava para Blunt e não era controlado pela KGB, era um espião inglês patriota e um agente triplo fantasticamente bem-sucedido.)[174]

O Soviete Supremo era portanto controlado por uma hierarquia do Partido Comunista.[175]

Se estivesse vivo, Lenin teria segurado os judeus na Rússia, uma tarefa que Stálin herdou. Stálin era antizionista e queria manter o Zionismo dentro de suas fronteiras, uma posição de acordo com o Priorado de Sião. Stálin planejava expurgar os judeus (como Trotsky, Zinoviev e Kamenev) e então fechar as fronteiras para que eles não pudessem emigrar. O zionista Rothschild, por outro lado, queria que os judeus emigrassem para a Palestina.[176] Svetlana Stálin confirmou[177] que Stálin, que era antirrothschild, queria se livrar de todos os zionistas.

O Acordo do Petróleo de Stálin com os Rockefellers

Houve uma longa disputa entre os Rockefellers, a Rússia e os ingleses pelos campos de petróleo caucasianos, principalmente Baku.[178] Em 1918, os ingleses mandaram uma expedição chefiada pelo General Dunsterville, que uniu forças com uma brigada de russos brancos liderada pelo General Bitcherakov. Ocuparam Baku, forçando a retirada da forças soviéticas, mas foram expulsas por forças turcas lideradas por oficiais alemães. Em novembro de 1918, os ingleses voltaram e tomaram Baku. O *The Finacial News* falava jubilosamente de uma segunda Índia e de forças britânicas se espalhando para Barum, Tiflis, Ásia Menor, Mesopotâmia e Pérsia. Os Rockefellers, no entanto, apoiavam o movimento trabalhista britânico, que se opunha à ocupação militar do Cáucaso e forçou a retirada das tropas. Com apoio britânico, Denikin assumiu o comando em agosto de 1919 e instituiu dois estados subordinados à Grã-Bretanha: a Geórgia e o Azerbaijão. O Departamento de Estado norte-americano, dominado pelos Rockefellers, recusou-se a reconhecê-los e bloqueou a concessão dos campos de petróleo caucasianos para a Royal Dutch e a Shell. Em fevereiro de 1920, os bolcheviques entraram em Baku, tomaram a Geórgia e a Royal Dutch foi fechada.[179]

Em 1920, a Standard Oil dos Rockefellers comprou dos bolcheviques metade da produção da Nobel & Co. em Baku, estabelecendo assim a posse legal dos campos caucasianos.[180] Pouco depois, compraram do governo persa uma concessão de 50 anos dos campos de petróleo do norte da Pérsia. Isso os pôs em contato com os interesses britânicos e soviéticos: os russos tinham vendido para a Anglo-Persian Co. uma concessão comprada em 1920 e tanto o governo russo quanto o governo britânico tinham objeções à concessão dos Rockefellers.[181]

Os Rockefellers criaram um conflito entre os interesses da Royal Dutch britânica e a Rússia. Frustraram a tentativa da Royal Dutch de obter da Rússia uma concessão de petróleo monopolística, bloqueando o petróleo russo e usando depois um intermediário, Harry Sinclair, para obter uma concessão dos campos de petróleo de Baku e Grozny. Em novembro de 1923, foi feito um acordo que dava partes iguais a Sinclair e ao governo russo. Um representante dos Rockefellers, o Senador Burton Wheeler, exigiu que Sinclair fosse investigado por corrupção e ele acabou indo para a cadeia por contumácia. Com isso, os Rockefellers tomaram posse de suas companhias. Agora, seus planos de monopólio mundial estavam ameaçados pelo excesso de petróleo russo.[182] Assim, em 1925, a Standard Oil se aliou à Royal Dutch e à Shell, comprou 290.000 toneladas de querosene e gasolina de Moscou e obteve assim o controle do petróleo russo.[183]

Também em 1925, em nome da *troika*, Stálin fez um acordo com os "Rockefellers": deu-lhes participação em metade dos lucros dos campos de petróleo russos, incluindo Baku (antes explorado pelos Rothschilds zionistas), em troca de financiamento para seus planos quinquenais.[184]

No momento em que firmou esse acordo com os Rockefellers, Stálin se tornou, em parte, um agente "Rockefeller": sua ligação com os Rockefellers pode ser anterior à Revolução Bolchevique de 1917, mas agora era com certeza leal aos Rockefellers. Em março de 1926, a Standard Oil de Nova York, propriedade dos Rockefellers, e sua subsidiária Vacuum Oil Co. entraram num acordo com o Sindicato Nafta, o monopólio do governo russo, para comprar 800.000 toneladas de óleo cru e 100.000 toneladas de querosene e comercializar o petróleo russo em toda a Europa.[185] Essa foi a primeira transação comercial entre a Standard Oil dos Rockefellers e o governo russo. No entanto, como rosa-cruz, Stálin mantinha seus vínculos com o Priorado de Sião e pôs em prática uma agenda sionista nos anos 1930.[186]

O Exílio de Trotsky

Trotsky queria espalhar o Comunismo pelo mundo todo – a "revolução mundial" – e abrir as fronteiras. Stálin, no entanto, queria o "socialismo num só país" e, quando propôs isolar a Rússia (baixando a Cortina de Ferro), Trotsky gritou em fúria: "Você traiu a Revolução!" Irritado, Stálin se pôs contra ele. No outono de 1926 (tendo se aliado aos direitistas Bukharin e Rykov), Stálin destituiu Trotsky, Zinoviev, Kamenev e seus aliados de suas posições no Partido e no governo (expulsando-os do Politburo), substituindo-se pelos próprios aliados. Então, no 15º Congresso do Partido, em dezembro de 1927, Stálin organizou a expulsão da "Oposição Unida" do Comitê Central do Partido Comunista. Zinoviev e Kamenev se retrataram e foram readmitidos. Mas Trotsky foi exilado com seus aliados para regiões remotas da União Soviética, já que Stálin não tinha poder suficiente para matá-lo. Trotsky foi mandado para Alma Ata, na Ásia Central, antes de ser deportado da União Soviética em janeiro de 1929. Finalmente tinha sido banido.[187]

Trotsky fugiu para a Turquia e depois para a França, protegido por Blum, o Primeiro-Ministro Francês, um maçom do Grande Oriente que contestava o isolacionismo de Stálin. Caçado pelo serviço secreto de Stálin, Trotsky fugiu para o México, onde havia uma forte comunidade do Grande Oriente, que lhe deu uma boa casa com todo o conforto. Entre 1934 e 1938, a polícia secreta de Stálin matou muitos trotskistas. Trotsky retaliou fundando a Quarta Internacional para mobilizar as massas revolucionárias contra as classes dominantes do mundo inteiro, mas especialmente contra Hitler e, é claro, Stálin: Trotsky, do Grande Oriente, ainda tinha esperança de voltar à Rússia e matar o rosa-cruz Stálin. Mas, em 1940, os agentes de Stálin finalmente chegaram a Trotsky. Um comunista espanhol, Ramón Mercader (agente do NKVD), que tinha conquistado sua confiança, assassinou-o com um machado. O governo soviético negou qualquer responsabilidade.[188]

Em 1928, Stálin já tinha poder para impor o governo de um só homem ao Partido Comunista – exatamente o que Lenin temia. Era o líder inquestionável do Partido Comunista e, visando ao desenvolvimento econômico, impingia o controle do Partido a todos os aspectos da vida diária. Distanciou-se também de antigos companheiros, com quem tinha dividido a liderança durante a desacreditada Nova Política Econômica. Sua virada à esquerda foi contestada por Bukharin (editor do *Pravda*), por Rykov (presidente do Conselho dos Comissários do Povo) e por Tomsky (presidente dos sindicatos), que foram destituídos de seus postos em 1920 e 1930. Em 1929, houve um expurgo de intelectuais em todos os campos das artes e das ciências, e outro expurgo do partido, semelhante ao de 1921.[189] A própria mulher de Stálin criticava com amargura esses expurgos e acabou cometendo suicídio em 1932, num ato de contestação.[190]

O Grande Expurgo

Stálin instigava agora uma nova revolução, tão momentosa para os russos quanto a de 1917, que levou a economia soviética do capitalismo de Estado ao socialismo. Ele reintroduziu o conceito de economia planejada, com controles econômicos centralizados, para forçar uma rápida industrialização. A Comissão de Planejamento do Estado traçou outro Plano Quinquenal com alvos ambiciosos, que ele implementou no começo de 1933. De acordo com o plano, 25 milhões de unidades de agricultura familiar foram reorganizadas à força em enormes fazendas coletivas. Passaram por uma coletivização compulsória: a propriedade privada de terras foi abolida e as quotas de produção tinham que ser atingidas, sob pena de punição. Com isso, Stálin garantia o suprimento de comida para as cidades. Houve assim uma oposição considerável por parte dos camponeses, que foi esmagada por imposição de um regime totalitário através de tropas e da polícia política (OGPU). Tais medidas foram possíveis porque, sob Stálin, o Partido Comunista era estritamente centralizado.[191]

Em 1934, Stálin começou o Grande Expurgo para reforçar a industrialização, a coletivização e o totalitarismo: os três esteios de sua plataforma. Havia inquietação entre os camponeses e os intelectuais; havia fome – mas Stálin continuava a exportar grãos – e havia receios provocados por sua política brutal. Milhões foram presos e liquidados, principalmente comunistas e funcionários do governo e da indústria. (Qualquer oposição a Stálin era considerada contrarrevolucionária e punida com a morte.) Em dezembro de 1934, o número 2 de Stálin, Kirov, que tinha protestado contra a coletivização, foi assassinado (provavelmente pela polícia secreta de Stálin, como Krushchev alegou publicamente em 1956). Isso precipitou o Expurgo, sendo usado como pretexto para prisões em massa. Os antigos oponentes de Stálin, Zinoviev e Kamenev, foram julgados por ajudar no assassinato e, no ano seguinte, admitiram que conspiravam para assassinar toda a liderança soviética – e foram fuzilados. Então, em 1937, foram arrancadas confissões de proeminentes aliados de Trotsky, também fuzilados. Em 1938, a mesma sorte recaiu sobre Bukharin, Rykov e Yagoda (chefe da NKVD, que tinha organizado o julgamento de Zinoviev e Kamenev) – que confessaram uma tentativa de assassinar Lenin em 1918! Muitos judeus zionistas foram executados, enquanto outros foram sentenciados a décadas em campos de trabalhos forçados.[192]

No Grande Expurgo de 1934-8, Stálin praticamente acabou com o Bolchevismo. É provável que estivesse agindo para o Priorado de Sião rosacruciano contra o Templarismo do Grande Oriente. Como o expurgo de Stálin eliminava os bolcheviques que derrubaram Kerensky, deve ter agradado aos "Rothschilds", que viam agora os bolcheviques receber seu troco. Por outro lado, como envolvia a matança de judeus, deve tê-los desagradado muito, levando-os a retirar seu apoio. Parece que, com o expurgo, os "Rockefellers" esfriaram com relação a Stálin, temporariamente pelo menos, e passaram a financiar Hitler para que tomasse Moscou e derrubasse o líder soviético. (Ver *A Corporação.*) É provável que os "Rockefellers" estivessem seguindo a velha tática rothschildiana (demonstrada na Guerra Civil norte-americana) de apoiar os dois lados de uma guerra.

Conhecemos a rede de campos de concentração e trabalhos forçados, o Arquipélago Gulag, através dos escritos de uma de suas vítimas, Aleksandr Solzhenitsyn. É provável que Stálin seja responsável por matar pelo menos 40 milhões de pessoas durante sua ditadura de um só homem.[193] (48 milhões de soviéticos foram mortos na Segunda Guerra Mundial e muitas dessas mortes podem ser atribuídas a Stálin.)[194] A ditadura do proletariado de Lenin tinha se transformado na ditadura tirânica de um só homem.

Com esses expurgos e campos prisionais, Stálin deu continuidade ao programa de Weishaupt: consolidou a Revolução Russa através da União Soviética, o maior país do mundo, e a levou à vitória sobre Hitler na Segunda Guerra Mundial e à liderança do Império da Europa Oriental no período que se seguiu.

SUMÁRIO: A DINÂMICA REVOLUCIONÁRIA DA REVOLUÇÃO RUSSA

Para resumir em termos da dinâmica revolucionária, a visão herética oculta da Revolução Russa veio de Weishaupt, rosa-cruz e sionista. O intérprete herético oculto foi Hegel, que fazia palestras em Heidelberg e pegou sua ideia principal (o Espírito do Mundo) do Rosacrucianismo. O originador revolucionário oculto que deu à visão um novo viés foi Marx, que devia muito a Engels, seu mentor (além de se inspirar nos *Diggers* de Winstanley, em Saint-Simon, em Proudhon, em Babeuf e em outros socialistas franceses). Estão todos ligados nesse papel. O intérprete intelectual reflexivo foi Bakunin, cujo anarquismo inspirou os niilistas. O intérprete intelectual semipolítico, que depois se tornou político, foi Trotsky, que tentou fazer a primeira Revolução Russa, em 1905. A dinâmica revolucionária inicial da Revolução Russa pode ser enunciada da seguinte maneira:

Visão herética oculta	Intérprete herético oculto	Originador revolucionário oculto	Intérprete intelectual reflexivo	Intérprete intelectual semipolítico
Weishaupt	Hegel	Marx/Engels	Bakunin	Trotsky

Weishaupt influenciou – inspirou, na verdade – Hegel, Marx/Engels, Bakunin e Trotsky, mas a *intelligentsia* russa pode não ter visto isso.

A expressão intelectual da Revolução Russa incluiu Herzen, Kropotkin e Kerensky, que liderou a segunda das quatro revoluções russas. A expressão política da Revolução Russa pode ser encontrada em Lenin, que liderou a terceira Revolução Russa. A consolidação foi feita por Stálin, que tramou a quarta Revolução Russa e cujos expurgos acabaram com qualquer forma de dissidência. Mas, por trás das quatro revoluções russas, está o capitalismo dos "Rothschilds" – e dos norte-americanos "Rockefellers", uma nova força na cena internacional. A plena dinâmica revolucionária da Revolução Russa pode ser enunciada da seguinte maneira:

Inspiração herética oculta	Expressão intelectual	Expressão política	Consolidação física
Weishaupt/Hegel ("Rockefellers/ Rothschilds" por trás dos quatro estágios)	Marx/ Engels/ Herzen/ Bakunin/ Kropotkin/ os niilistas/ Trotsky	Lenin	Stálin

Stálin tinha recuperado a revolução para o Priorado de Sião, mas agora o sistema de alianças tinha virado de ponta-cabeça. A aliança entre o Priorado de Sião e os Templários dentro dos Illuminati, nascida da conveniência (i.e. derrubar os Bourbons), tinha sempre sido incômoda. De 1776 a 1900, o Priorado de Sião apoiou os "Rothschilds" e a Franco-Maçonaria inglesa, trabalhando para o "Rei de Jerusalém". Mas isso mudou com a Palestina. O Priorado de Sião era antizionista, queria que os judeus ficassem na Rússia, onde era antirrothschild. (Como os "Rothschilds" eram ligados à Franco-Maçonaria inglesa, o Priorado de Sião se afastou da Inglaterra na questão russa.) Os "Rothschilds", por outro lado, eram pró-zionistas, queriam os judeus fora da Rússia e numa nova terra palestina – com esse fim, tinham financiado a Franco-Maçonaria inglesa e Kerensky através da organização de J. P. Morgan e de Milner. É provável que nunca tenham recuperado o que gastaram, já que Lenin nunca lhes pagou. No entanto, tiveram outras compensações. Alega-se que o Czar tenha depositado 80 milhões de dólares no Banco Rothschild em Paris depois de 1905, e 400 milhões de dólares no Case Bank, no National City Bank, no Guaranty Trust Bank, no Hanover Trust Bank e no Manufacturers Trust Bank, todos dos "Rockefellers".[195] (Será que esses depósitos totalizaram 1 bilhão de dólares, como dizem alguns? Seja como for, o que aconteceu com os depósitos do czar nos meses que se seguiram à sua execução?) O Grande Oriente gentio templário era ligado aos Warburgs e tinha o respaldo de Trotsky, de Lenin e dos bolcheviques – os jacobinos em pele russa – e culpavam os judeus pelas ações do Grande Oriente.

Nessa confusão, os dois principais participantes, o Priorado de Sião e os Templários, usaram os "Rothschilds", os "Rockefellers" e os judeus para os próprios fins, mudando as alianças como lhes convinha, na tentativa de manter os judeus dentro da Rússia (Priorado de Sião antizionista), de culpar os judeus pela Revolução Russa (Grande Oriente Templário usando os "Warburgs") ou de deixá-los sair ("Rothschilds" zionistas usando a Franco-Maçonaria inglesa). Neste caso, estaria o Grande Oriente usando Trotsky para culpar os judeus ou estariam os "Rothschilds" usando Kerensky para culpar o Grande Oriente? O Priorado de Sião parecia estar jogando um jogo muito esperto: aplicando a dialética de Hegel – tese-antítese-síntese –, esperavam que o candidato inglês da Franco-Maçonaria e dos "Rothschilds" (Kerensky) e os dois candidatos do Grande Oriente (Trotsky e Lenin) se eliminassem mutuamente antes de aparecer com o seu candidato, que já era candidato dos "Rockefellers" (Stálin). Pode-se enunciar essa emaranhado de alianças da seguinte maneira:

Contendor	Candidato	Financiador	Pró/ Anti Zionismo
Franco-Maçonaria inglesa	Kerensky	Milner (3 milhões) J. P. Morgan (1 milhão) em nome dos Rothschilds	Pró-zionista
Templários do Grande Oriente	Trotsky/ Lenin	Schiff (20 milhões) via "Warburgs" em nome dos "Rothschilds" e "Rockefellers"	Antizionista
Priorado de Sião	Stálin	"Rockefellers"	Antizionista

Os "Rockefellers" eram novatos no financiamento de movimentos revolucionários. Começaram como agentes dos "Rothschilds" nos Estados Unidos e ficaram ricos com empréstimos dos "Rothschilds". Vimos também que, em 1926, adquiriram os campos de petróleo russos dos "Rothschilds", num negócio em que se comprometiam a comercializar o petróleo soviético na Europa. Daí em diante, os "Rockefellers" passaram a competir com os "Rothschilds", e sua aliança com o Priorado de Sião começou com o financiamento dos Planos Quinquenais de Stálin. A partir da Primeira Guerra Mundial (que parece ter lhes valido 200 milhões de dólares[196]), os Rockefellers passaram a desempenhar um papel importante no impulso em direção à revolução mundial e ao governo mundial.

A ideia de progresso da Revolução Russa – o Comunismo sem classes utópico – acabou no Terror Vermelho e no Grande Expurgo. A ditadura do proletariado degenerou numa tirania: a ditadura de um só homem psicopata.

George Orwell ironizou esse igualitarismo na sátira *A Revolução dos Bichos*: "Todos os animais são iguais mas alguns são mais iguais do que os outros". A "nova classe" dos porcos (sob a liderança de um porco chamado Napoleão) governa os outros animais. Em *1984*, ele mostra o Big Brother, o Partido e O'Brien como os que são "mais iguais" do que Winston Smith, que teve que aprender (por controle mental) que 2 + 2 = 5: em outras palavras, teve que acreditar no que o Partido queria que acreditasse. O igualitarismo comunista se desintegrou numa lavagem mental coletiva.

Mesmo assim, a sociedade russa teve seus ganhos, embora a civilização bizantina-russa e sua religião ortodoxa continuassem a se desintegrar. A sociedade russa foi rapidamente industrializada e atingiu a alto custo – 12 milhões de mortos na coletivização – o que Bismarck atingiu com menos brutalidade na Alemanha. Mas, pode-se alegar que Stálin trouxe a Rússia agrária para o século XX.

Uma estimativa modesta torna Lenin responsável por 33 milhões de mortes e Stálin por mais 40 milhões[197] (sem falar em sua cumplicidade nos 33 milhões, quando atuava sob o comando de Lenin).

Podemos agora enunciar a dinâmica revolucionária das ideias por trás da Revolução Russa da seguinte maneira:

Inspiração herética oculta	Expressão intelectual	Expressão política	Consolidação física
Rebelião luciferiana para atingir a sociedade sem classes	Anarquismo, negação niilista, igualitarismo	Comunismo	Terror: 73 milhões de mortos, eliminação da burguesia e dos zionistas
(Weishaupt do Grande Oriente Orléanista)	(Marx/ Engels & Bakunin do Grande Oriente)	(Lenin/ Trotsky do Grande Oriente)	(Stálin, aliado dos "Rockefellers" e do Priorado de Sião)

Interesses ocultos:

"Rothschilds"	Anarquismo	Zionismo	Despopulação malthusiana?
		(Kerensky do Grande Oriente)	(Stálin, aliado do Priorado de Sião

No final do capítulo, perguntamos se o Comunismo socialista revolucionário e a ideia a ele vinculada de uma federação mundial de estados, ou estados unidos do mundo, desmoronaria da mesma maneira que a competição imperialista liberal capitalista tinha desmoronado como resultado da Primeira Guerra Mundial. Vimos o colapso do Comunismo soviético com a queda do Muro de Berlim em 1989, embora o Comunismo chinês ainda seja uma força a ser considerada. Sobre as perspectivas do Comunismo e dos estados unidos do mundo na nossa época, ver *A Corporação: A História Secreta do Século XX e o Início do Governo Mundial do Futuro.*

CAPÍTULO OITO

Conclusão: A Fonte Comum das Revoluções

Embora poucos maçons saibam disso, o deus da Maçonaria é Lúcifer. Qual a diferença entre Lúcifer e Satã? Os luciferianos pensam que estão fazendo o bem. Os satanistas sabem que são maus.

William Still, *New World Order: The Ancient Plan of Secret Societes*

Qualquer um que leia os sete capítulos anteriores não deixará de ficar surpreso e até mesmo espantado com o impacto das organizações secretas na história ocidental em épocas de rápidas mudanças nas civilizações europeia, norte-americana e bizantina-russa. Em cada revolução, uma organização secreta nos faz reavaliar quem eram os revolucionários: os reformadores da Reforma eram no geral cabalistas; os puritanos eram rosacrucianos, assim como os protestantes holandeses (e depois hanoverianos); os revolucionários norte-americanos eram na verdade templários; os revolucionários franceses eram iluministas, assim como os imperialistas e os revolucionários russos. Quando os livros de história falam de revolucionários, estão querendo dizer outra coisa.

Se isso é verdade a respeito da história por trás das revoluções, o que dizer de outras partes da história ocidental – as guerras e a criação de impérios que não foram cobertas nas páginas anteriores? Serão elas também a história das ações de uma mão oculta? Quanto ao período que este livro abrange (da Renascença ao século XX), essa parte da história ainda resta a ser contada. Quanto ao período que vai de 1900 até hoje, sua história pode ser encontrada em *A Corporação – A História Secreta do Século XX e o Início do Governo Mundial do Futuro*.

O que a nossa análise das organizações secretas nos disse sobre o padrão da história? Em retrospecto, podemos fazer algumas tentativas de generalização e chegar a várias conclusões – especialmente a uma conclusão geral.

Revoluções como Utopias Franco-Maçônicas Destrutivas

As civilizações europeia, norte-americana e russo-bizantina passaram por períodos de crises, que tiveram como resposta a revolução. Pode-se argumentar que todas as civilizações, em algum momento, têm uma revolução que traz uma rápida mudança nas condições sociais. Desde 1450, as revoluções têm sido contra opressores: a opressiva Igreja Católica (a Reforma e as Revoluções Gloriosas) e monarcas opressivos (Carlos I, George III, Luís XVI e os czares russos). Todos os opressores foram sem dúvida caricaturizados para mobilizar a fúria popular.

As revoluções são deflagradas com a esperança extravagante de trazer mudanças rápidas para a sociedade através de métodos violentos. Uma velha ordem tem que ser desmantelada para que uma nova ordem possa emergir. Nas revoluções que examinamos, a velha ordem é uma classe social – a nobreza e a burguesia na Revolução Francesa, a burguesia na Revolução Russa – e a destruição dessa classe permite que uma sociedade revolucionária avance – progrida – através de uma nova constituição e da garantia de novos direitos humanos protegidos pela lei.

No entanto, as mudanças são destrutivas para a civilização em que a sociedade revolucionária atua e, embora haja avanços no que diz respeito à liberdade individual, a ideia central ou essencial da civilização que contém a sociedade entra em decadência. Todas as civilizações começam com uma ideia metafísica,[1] e a substituição da religião pelas deusas na Razão, por exemplo, contribuiu para a erosão da ideia central da civilização europeia, essencialmente metafísica e religiosa.

Em suma, as revoluções trazem avanços para as liberdades individuais entre certas classes de cidadãos, mas aceleram o declínio de sua civilização ao desmantelar as instituições que favoreceram seu crescimento. As revoluções tendem a tornar os cidadãos mais seculares e a secularização das civilizações apressa sua decadência – o declínio da ideia metafísica central que inspirou seu crescimento.

Todas as revoluções que examinamos foram tramadas de fora por uma organização secreta ligada ao oculto. "O "gerador externo" é sempre uma força política, em oposição à força oculta. Mas, por trás da força política que causa a revolução, há sempre uma agência ou irmandade transnacional oculta (os rosa-cruzes e os maçons, por exemplo), como podemos ver ao listar nossas sete principais revoluções, o país a partir do qual o gerador externo (político) operou e a agência ou irmandade (oculta):

Revolução Política	País Gerador Externo	Agência/ Irmandade Oculta Externa
Reforma	França (cátaros)	Cabalistas luciferianos
Puritana	Holanda (judeus de Amsterdã)	Rosa-cruzes
Gloriosa	Holanda	Rosa-cruzes
Americana	Alemanha (Bavária/ França)	Illuminati/ Grande Oriente
Francesa	Alemanha (Bavária/ Berlim)	Illuminati/ Maçons Templários do Grande Oriente
Imperialista	França (Priorado) Itália (Mazzini)	Illuminati/ Maçons Templários do Grande Oriente
Russa	EUA/ Grã-Bretanha/ Alemanha (Warburgs)	Illuminati/ Maçons Templários do Grande Oriente

Podemos ver, na coluna "agência externa" que todas as revoluções têm fortes ligações franco-maçônicas. Foram inspiradas por uma Irmandade Secreta de cabalistas, rosa-cruzes, Illuminati e maçons templários ou do Grande Oriente: todas derivadas dos vários ramos da Franco-Maçonaria.

A Franco-Maçonaria, que busca criar um mundo melhor a partir de sua visão utópica, tem sido uma influência secularizadora sobre a idiossincrasia e integridade das civilizações, principalmente as civilizações europeia e norte-americana. A Franco-Maçonaria sustenta que, através da rebelião luciferiana, o homem se torna deus. (Ver epílogo de *A Corporação*.) Os maçons se transformam em bolcheviques iconoclásticos e derrubam a estrutura religiosa que inspirou o crescimento da civilização – para torná-la melhor para um determinado grupo ou classe social e, através disso, para a situação e os interesses da própria Franco-Maçonaria.

As ideias franco-maçônicas que inspiraram e guiaram as revoluções afetaram rapidamente outras sociedades e, nesse sentido, na Reforma e nas revoluções Puritana, Gloriosa, Americana, Francesa, Imperial e Russa, a revolução mostrou ser uma força motriz da história moderna, embora tenha entrado em conflito com o *élan* a longo prazo da civilização em que se originou. Todas as revoluções que examinamos têm uma dinâmica revolucionária de quatro estágios. Nos séculos XVI e XVII, as três revoluções foram contra a religião católica (suspeitava-se que Carlos I fosse católico). Nos séculos XVIII e XIX, as revoluções foram contra os monarcas.

A Franco-Maçonaria acumulou séculos de experiência revolucionária e preparou o terreno para as revoluções da nossa época que levaram à Nova Ordem Mundial contemporânea, cujo globalismo tem estado em evidência na Coalizão Global que fez a guerra no Afeganistão. (Ver *A Corporação*.)

As raízes da Nova Ordem Mundial são encontradas no desmantelamento da Europa católica, em primeiro lugar pela Revolução Protestante, que libertou práticas como a Franco-Maçonaria das garras da Inquisição e, em segundo lugar, por ações em direção ao republicanismo nas revoluções antimonarquistas: a Americana, a Francesa e a Russa.

Na superfície, as revoluções podem parecer avançadas e anti-imperialistas, e não necessariamente socialistas. (As forças do bem dentro delas têm beneficiado as sociedades e os direitos humanos.) No entanto, elas têm um lado escuro, tanto que elas mesmas foram imperialistas e abominavelmente cruéis. Vimos que, ao lado de sua visão utópica franco-maçônica idealista, que pretende fazer o bem, coexiste uma visão assassina que atinge seus fins matando. O Utopismo oculto de sua concepção e de sua ideia intelectual se corrompeu ao se enredar na organização política e na consolidação física. A intenção de libertar as pessoas acabou por escravizá-las.

Nosso estudo é cheio de ideias utópicas que falharam: progresso através da Reforma protestante que dividiu a Cristandade em seitas opostas; progresso através do Protetorado de Cromwell (Paraíso Perdido); progresso através da reforma constitucional holandesa protestante; progresso através do antibritanismo deísta templário; progresso através da Razão na França; progresso através da competição imperialista no século XIX e progresso através do igualitarismo comunista na Rússia.

O utopismo não tem que acabar em desastre (embora isso tenha acontecido com todas as revoluções utópicas até agora). Assim como a alquimia era o processo de transmutar metal comum em ouro, assim a revolução foi usada –

como agente alquímico – para transformar o metal comum da sociedade no ouro da Utopia. Será que os revolucionários – Lutero, Cromwell, Guilherme II, Washington, Robespierre, os "Rothschilds", Lenin e os "Rockefellers" – serão absolvidos por um novo utopismo que transmute seus fracassos num novo sucesso? Ver *A Corporação* para conhecer a resposta a essa pergunta.

Inspiração Luciferiana das Revoluções

Analisamos as principais revoluções dos últimos 550 anos. Quais são nossas descobertas? Todas elas têm uma fonte comum?

Estamos agora em posição de dizer que todas foram criadas por uma mão oculta. Os cabalistas, relativamente escondidos na sua época, moldaram a Reforma e dividiram a Cristandade; os maçons rosacrucianos de Amsterdã moldaram as revoluções Puritana e Gloriosa; os maçons templários do Grande Oriente Illuminati moldaram as revoluções Francesa, Imperialista-Prussiana e Russa, enquanto a Maçonaria Sionista rothschildiana moldou a Revolução Imperialista Britânica. Todas essas influências ocultas eram franco-maçônicas. Embora a Reforma tenha antedatado a fundação oficial da Franco-Maçonaria, o Cabalismo era uma influência oculta que teve impacto sobre o catarismo das escolas de Languedoc, e a tradição franco-maçônica é uma ramificação do Cabalismo: ambos contemplam o Templo de Salomão e a tradição do Antigo Testamento.

Pelo que mostra nosso estudo das revoluções, da Renascença à Revolução Russa, as influências desses levantes são franco-maçônicas. As sociedades secretas se reuniam a portas fechadas e incitavam a súbita mudança em suas sociedades. Os líderes tinham a segurança de operar em segredo, acreditando que sua fraternidade não os trairia. O mesmo princípio esteve por trás do crescimento da Nova Ordem Mundial no século XX, cujas raízes são franco-maçônicas.

Todas as nossas revoluções foram republicanas. A Franco-Maçonaria (excluindo sua forma sionista, que favorece a monarquia) é essencialmente republicana. Todas as nossas revoluções se inspiraram em Satã – ou Lúcifer, para lhe dar um nome mais aceitável – como exemplo a ser seguido. A Franco-Maçonaria é essencialmente luciferiana: o segredo ensinado no 32º e 33º graus maçons é que Lúcifer é o Arquiteto do Universo.[2] (Ver Epílogo de *A Corporação*.) Todas as nossas revoluções pretendiam introduzir o governo mundial de Lúcifer como metáfora e como realidade, em cuja vontade invisível acreditam.

É isso o que se vê na tradição cabalista gnóstica que investigamos. A crença em Lúcifer comprometeu a unidade da criação. No nível metafísico, a criação é uma só, uma unidade, uma não dualidade. Ao longo dos séculos, a pura visão espiritual e suas verdades simbólicas foram literalizadas e a unidade da criação se dividiu. Uma contrapartida oculta da visão espiritual se concentrou nessa divisão. A Cabala unitária original, a tradição oral judaica, corrompeu-se: uma falsa Cabala, oculta e dividida, que via o mundo em termos de judeus e gentios, deu origem ao Gnosticismo, do qual surgiu o mito de que o filho mais velho de Deus era Satanail ou Satã ("inimigo" ou "adversário" em hebraico), ou Lúcifer, um anjo que se rebelou e caiu. (Ver Apêndices B para mais detalhes.)

Os que sustentam a visão espiritual de amor universal – os autores de *Gênesis* e de *Isaías*, além de Milton – sabiam que sua apresentação da visão unitária seria entendida em termos literais, dualistas. Tinham consciência da coexistência de bem e mal, de nobreza e bestialidade, de amor puro e crueldade vil entre os homens, e sua apresentação envolvia todos os opostos, que se reconciliam na unidade da visão espiritual. Os opostos incluíam a revolta do homem contra Deus e a ordem natural do Universo, no exemplo do mítico Lúcifer.

Ao longo dos séculos, à medida que suas verdades simbólicas foram literalizadas, a visão oculta atribuiu poderes escuros a Satã/Lúcifer, que adquiriu uma realidade metafísica além de mitológica. À medida que o dualismo emergia, o poder escuro de Satã/Lúcifer se opôs a Deus. Para muitos, esse poder passou a ter uma força objetiva: o poder das trevas desafiava a realidade unitária e moldava a vida dos homens para o mal. Satã/Lúcifer podia proporcionar fama e fortuna a seus seguidores, como descobriu o Doutor Fausto de Marlowe. Satã/Lúcifer se tornou o deus do dinheiro e tinha um apelo óbvio para as famílias mais ricas do mundo. Satã/Lúcifer tinha se tornado o ícone da revolução mundial.

Lúcifer era a personificação da revolução. A lição que se tira da história de Lúcifer é que revolução envolve rebelião contra a ordem natural das coisas, que é a ordem de Deus. Sua rebelião contra os Céus é descrita em *Isaías*:

"Como caíste do céu, ó estrela d'alva, filho da aurora! Como foste atirado à terra, vencedor das nações!
E, no entanto, dizias no teu coração: 'Hei de subir até o céu, acima das estrelas de Deus colocarei o meu trono, estabelecer-me-ei na montanha da Assembleia, nos confins do norte. Subirei acima das nuvens, tornar-me-ei semelhante ao Altíssimo'.
E, contudo, foste precipitado ao Xeol, nas profundezas do abismo."
(Is 14,12-15)

Essa foi uma tentativa de revolução. Sendo apenas um acusador das fraquezas humanas, como em Jó – como um oficial persa que, para fortalecer o que é bom, andava pela terra delatando pessoas e atos de fraqueza para o rei –, ele pretendia ficar no lugar de Deus como Rei do Céu e transformar o Céu para seus seguidores. Foi uma revolução sem sucesso: ele acabou sendo jogado em trevas ainda mais distantes.

Segundo a lenda oculta e dualística, Lúcifer, o Anjo Satanail ou Satanael, era o filho mais velho de Deus (sendo Cristo o segundo filho de Deus). Como Príncipe dos Anjos, Lúcifer tinha amplos poderes, mas sua ambição de ser maior do que o Pai o destruiu. Tentou derrubar o poder de Deus e se tornar soberano do Céu e da Terra. O arcanjo Miguel o atirou no abismo e, quando caía, uma esmeralda se desprendeu de seu diadema e aterrissou nas Montanhas Hindu Kush (perto de onde Bin Laden tinha um esconderijo). Segundo uma teoria existente, essa história foi depois modificada e transformada na do Santo Graal.[3]

A nova tentativa de Lúcifer de derrubar a ordem estabelecida de Deus foi uma "revolução", porque pretendia transformar o Céu. Lúcifer/Satanail e Cristo, irmãos segundo a lenda, representam a rebelião contra a ordem estabelecida (Lúcifer/Satanail) e o seu favorecimento (Cristo). Esses dois irmãos/filhos de Deus personificam a divisão fundamental da psique humana e representam o eu dividido. As atitudes conflitantes dos dois irmãos ecoam através da literatura judaico-cristã, como no conflito entre Edmund e Edgard no *Rei Lear*, de Shakespeare.

Parte da tradição se inspira em Cristo e outra parte em Lúcifer/Satanail. Em todos os sentidos, Lúcifer/Satanail é o revolucionário arquetípico e todos os revolucionários nele se inspiram, como o pró-revolucionário Blake em suas aquarelas pró-Inferno, que mostram Satã erguendo uma espada e um escudo, os olhos cheios de energia e determinação. O alegre Satã de *Glad Day* proclama que "Energia é eterno prazer".[4]

Depois de ser jogado em trevas distantes, Lúcifer veio para a terra para se vingar de Deus, seu Pai, estragando sua criação, o homem. Diz o Gênesis que conseguiu entrar no Paraíso e, disfarçado de serpente, agora Satã, tentou Eva com uma maçã dizendo "... vós sereis como deuses..." (Gn 3.5) e a persuadiu a comer o fruto da Árvore do Conhecimento do Bem e do Mal. Com isso, ela perdeu sua inocência e Adão a seguiu. A Queda tinha acontecido, um recurso literário que chama a atenção para o fato de que a humanidade tem sempre presente a escolha entre dois caminhos: a obediência à autoridade de Deus ou a rebelião contra ela – o caminho luciferiano. Na época em que Milton recontou essa história em *Paraíso Perdido*, o exemplo de Lúcifer tinha inspirado a Revolução Puritana. (O Satã de Milton é inspirado em Cromwell.)

É preciso dizer que muitas obras literárias e artísticas que formam a vanguarda da nossa cultura tradicional e fazem parte dos currículos das universidades, foram produzidas no bojo dos movimentos que estivemos estudando, sendo que várias afirmam valores luciferianos ocultos. Vimos que vários autores, artistas e pensadores europeus precisam ser tratados com cautela, já que suas atitudes a respeito de temas luciferianos são ambivalentes. Estará o Grão-Mestre Botticelli (Sandro Felipeli) do lado do Inferno de Dante em seus croquis ou horrorizado com ele? Será que Marlowe, Milton e Blake simpatizam com Mefistófeles e Satã ou denunciam a leviandade das artes negras? Será que Goethe, o ex-Illuminatus Abaris, era a favor da necromancia de Fausto ou fez um retrospecto de sua juventude equivocada para transmitir uma advertência? Como Rousseau foi provavelmente influenciado por Charles de Lorraine e Goethe por Weishaupt, seria o Romantismo um movimento sionista? Será que Decartes "pensa" antes de declarar sua existência porque adota a visão rosacruciana do homem? Seriam os Grão-Mestres Newton e Darwin propagandistas rosacrucianos e não cientistas objetivos? Estará o Grão-Mestre Cocteau apresentando valores luciferianos em seu *Testamento de Orfeu*? Há uma saudável linha mística na cultura ocidental e uma linha corrompida, oculta e luciferiana, cujos praticantes estão ligados às organizações secretas e revoluções que estivemos estudando. Em poesia, essa é a diferença entre Eliot e Yeats, que era membro da Ordem Rosacruciana da Aurora Dourada e muito próximo do oculto. É a diferença entre Dostoievski, que condena o satânico Nechayev no romance *O Possuído* (ou *Os Demônios*), e Aleister Crowley, o satanista da Ordem da Aurora Dourada e da OTO, tão admirado por grupos de *rock* contemporâneos. É preciso dizer que a consciência moderna se identifica mais com a visão oculta do rebelde Lúcifer do que com a visão mística do Um: daí a prevalência de atitudes crowleyanas nas gerações mais jovens de hoje. Quantos escritores, artistas e pensadores consagrados em cursos universitários refletem essa tradição poluída e contaminam os jovens?

A visão espiritual "tudo é Um" implica que tudo e todos são parte de um todo maior e que, no nível espiritual, um certo igualitarismo é parte da ordem natural do Universo. No entanto, nem tudo e nem todos são iguais em termos de grau e hierarquia. Mas o revolucionário, como Lúcifer, busca usurpar o grau e a hierarquia existentes e substituí-los por uma visão fisicamente igualitária: o bando de anjos de Lúcifer pretendia transformar o Céu de modo que todos tivessem a sua parte em suas delícias depois que tomassem o poder.

Os que criaram a história de Lúcifer retratam esse revolucionário arquetípico como alguém que reclama para si (e para seus seguidores entre os anjos) o que é por direito de Deus. No caso de Lúcifer, isso é motivado por inveja e ambição mas, para justificar sua ação violenta, ele sem dúvida argumentaria que o Céu de Deus é imperfeito.[5] O efeito da revolução pretendida de Lúcifer era dividir o Céu. A Revolução divide a ordem e procura substituí-la.

Não é possível entender a Revolução sem fazer essa conexão com Lúcifer, o revolucionário arquetípico, pois é seu domínio que explica o extremismo dos estágios político e físico. A guilhotina de Robespierre e os pelotões de fuzilamento do rosa-cruz Stálin têm uma implacabilidade que só pode ser compreendida no nível satânico. Na fase de consolidação, a revolução é necessariamente destrutiva.

Mesmo assim, no contexto geral de todas as civilizações, as revoluções têm um lugar necessário. Como já vimos, elas fazem avançar suas civilizações e favorecem as liberdades individuais. No entanto, aumentam a secularização e favorecem a decadência da civilização. É como se as civilizações fossem uma luta entre dois princípios conflitantes e opostos: o princípio de ordem e o princípio de destruição e decadência. As revoluções são como o vento de outono que sacode violentamente as folhas das árvores – para que elas se renovem na primavera seguinte.

As revoluções destrutivas servem às civilizações criativas assim como Satã, pois suas tentações e crueldades (talvez sem perceber) fazem a vontade de Deus, o supremo Ser criativo e, portanto, positivo, que não poderia manter o Todo renovado e dinâmico sem a ajuda da destruição e da negatividade.

*

Examinamos longamente a história secreta das revoluções, sondando as organizações secretas sob sua superfície e redescobrindo o verdadeiro significado de acontecimentos que se destacam como rochas na praia depois que o mar recua. Reconstruímos a situação como ela era quando a maré estava alta.

Nossa narrativa contém uma mistura de fatos, evidências circunstanciais e especulações. Não baseamos nosso tema em suposições. Os acontecimentos das revoluções se deram todos e, reunindo dados circunstanciais a respeito do impacto sobre eles das organizações secretas, devolvemos a eles um significado que se perdeu nas décadas ou séculos que se passaram. Chegamos agora a uma compreensão profunda das políticas de nosso tempo, que incluem as raízes globalistas da Nova Ordem Mundial e o solo em que ela cresceu.

História é mais do que um simples enunciado de acontecimentos. "Por que eles aconteceram?" é o que os historiadores precisam perguntar. Novas respostas a essa pergunta se apresentaram no decorrer deste estudo: por causa do até agora desconhecido impacto de organizações secretas específicas. A história dos últimos 550 anos é uma advertência para a nossa época. Será levada em conta?

No decorrer dos últimos 550 anos, muitos líderes fizeram declarações, mas as organizações escondidas sob a superfície influenciaram essas declarações e é isso que estivemos examinando. A maioria dos líderes e organizações que consideramos esteve fora do processo democrático. Nos casos em que os líderes estavam sujeitos ao processo democrático, as decisões que tomaram foram muitas vezes baseadas em recomendações de organizações secretas que estavam fora do processo democrático, o que significa que o espírito do processo democrático foi ignorado. As pessoas não são tolas e, embora exijam evidências para acreditar numa conspiração, não aceitam prontamente alegações amenas de que nunca houve forças ocultas na história, trabalhando por interesses inconfessos – não mais.

Em *A Corporação – A História Secreta do Século XX e o Início do Governo Mundial do Futuro*, aplico esse princípio e essa perspectiva ao século XX e ao nosso tempo, com resultados extremamente reveladores. Concluo que as organizações secretas dos séculos XX e XXI estão roubando os Estados Unidos e a Grã-Bretanha através de roubo constitucional – planejando a última eleição norte-americana para 2016 e impondo a nova constituição europeia. Sua meta é dominar o mundo criando um governo mundial franco-maçônico através da revolução mundial. Peço que leiam *A Corporação* para acompanhar a história da mão oculta, de 1900 à situação precária em que vivemos neste mundo conturbado, quando a mão oculta parece pronta a golpear com punho de ferro e destruir nossa longa tradição e nossa história altaneira. Não podemos permitir que isso aconteça.

APÊNDICES

A
A MÃO OCULTA NA HISTÓRIA OCIDENTAL

APÊNDICE I

CONCEITO E DINÂMICA DE REVOLUÇÃO

As organizações secretas ficam dormentes na maior parte do tempo, escondidas como espiões, discretas e ignoradas. Então, de maneira súbita e dramática, como terroristas camuflados no ambiente, suas atividades se manifestam em tempos de revolução. Elas se revelam durante as revoluções. Fizemos muitas perguntas. Que organizações secretas influenciaram quais revoluções? Elas estão ligadas? Qual é a mão oculta que pode ser detectada por trás de cada uma das principais revoluções da história ocidental? Para responder a essas perguntas, nós nos concentramos nas revoluções tramadas por organizações secretas.

Mas há uma questão mais ampla que precisa ser discutida. Quando falamos de revolução, o que estamos querendo dizer? O que é uma revolução? Revolucionários como Cromwell, Robespierre e Lenin têm uma coisa em comum: procuram transformar a sociedade com mais urgência do que permitem os processos legais.

Essa transformação é um processo que começa com uma fase invisível de incubação, em que um pensador tem uma visão oculta de transformação que se difunde lentamente, no decorrer de anos ou até mesmo décadas, até conseguir a aceitação intelectual de um corpo de seguidores que pertencem a uma organização secreta. A visão e sua difusão são ocultas no sentido de que ficam escondidas, camufladas, mantidas em segredo, heréticas com relação à ortodoxia da Igreja estabelecida.

A visão oculta difere notoriamente da visão espiritual com que é muitas vezes confundida. Na visão espiritual, o eu se abre ao divino, ao UM, e canaliza energia divina. Ela pode se revelar fora da Igreja. Na verdade, como é mostrado em *The Fire and the Stones*, cada uma das 25 civilizações do mundo foi inspirada por uma visão espiritual de Deus como Luz (ver Apêndices A, Apêndice 2), e o espiritual é encontrado em todas as religiões do mundo, cujos místicos se abrem para a Luz, excluem o ego e canalizam revelações da energia divina para o mundo através da contemplação, da meditação e da prece – como força para o bem, para ajudar os outros. Na visão oculta, o eu encontra e controla psiquicamente uma escura energia luciferiana, que manipula para favorecer seu poder mundano – como força para promover os próprios interesses, para prejudicar os outros. Os ocultistas dizem que promovem o bem para seções da humanidade. Os que têm a visão de revolução buscam melhorar o mundo de Deus e transformá-lo na Utopia, suprimindo uma classe social que impede o avanço de outra classe social. Desafiam a visão espiritual da civilização que se tornou o *status quo*, opõem-se à religião de sua civilização, rebelam-se contra ela e procuram substituí-la, como Lúcifer, que pretendia ficar no lugar de Deus.

Os que têm a visão de revolução alegam ter a própria linha de acesso à "Luz". Como Weishaupt, orgulham-se do seu "Iluminismo". Na medida em que procuram controlar "a Luz" e usá-la no mundo de Deus que querem melhorar nos seus próprios termos, como lhes convém, eles são ocultistas. Como todos os ocultistas, tentam dominar essa mesma Luz, manipular sua energia, transformá-la de acordo com sua vontade. O ego do ocultista ou do mago está sempre no controle, enquanto o do místico é obliterado pela recepção da Luz, a visão de Deus. Ao tentar manipular a Luz divina, os ocultistas a transformam em energia escura, psíquica e demoníaca, que pode ser usada para o autoengrandecimento e o autoenriquecimento, a energia da magia negra e da bruxaria, de Satã-Lúcifer – uma força para o mal. Os que têm a visão de revolução, de se rebelar ou de tornar melhor o mundo de Deus, admiram Lúcifer e estão em rebelião contra Deus.

Alguns teólogos (como o finado Bede Griffiths), citando uma tradição específica de misticismo que remonta a Dionísio o Areopagita, sustentam que Deus é conhecido na escuridão e que a visão da Luz vem de Lúcifer. Essa visão não é criada pelo meu estudo das visões do divino que inspiraram as civilizações. Pode-se dizer que a visão de Deus é uma visão de Luz divina que os místicos recebem com alegria submissa e que os ocultistas tentam controlar e usar para os próprios fins, querendo ser Senhores da Criação, como deuses, Olímpicos.

É difícil generalizar quando se trata de encontrar um universalismo espiritual em todas as culturas e religiões e, em questões espirituais/ocultas, nada é simplesmente claro ou escuro, branco ou preto, mas cinza em vários tons, com ênfases diferentes. A visão oculta que leva à revolução é herética (isto é, fora da ortodoxia da religião/Igreja oficial), tem interesses particulares (em patrocinar uma determinada classe social) e manipuladora (ao pretender controlar a energia divina). O uso oculto da energia divina parece psíquico, até mesmo demoníaco ou escuro – luciferiano ou ostensivamente satânico – e se opõe ativamente à Igreja. Em suma, a energia espiritual se aproxima de Deus, a energia oculta se aproxima de Lúcifer/Satã e desafia a Igreja.

Descobrimos que os dois primeiros estágios de transformação da sociedade (a visão oculta e sua difusão intelectual) são seguidos pelos estágios político e físico: uma fase de mudança política muito rápida, seguida de um período de consolidação física que pode resultar em expurgos brutais de "inimigos da Revolução". Esses dois estágios podem envolver a derrubada da um governo obstrutivo que tornou a revolução necessária – ou governos, no caso da revolução mundial – e a mudança radical dos sistemas econômicos, da estrutura social e dos valores culturais da sociedade envolvida. Os revolucionários têm que usar a força ou aplicar pressão social para efetuar a mudança. Visam geralmente uma classe social, contra a qual declaram guerra.

Em todas há quatro estágios – oculto, intelectual, político e físico – já que o movimento vai de uma concepção interior de transformação à sua realização exterior no mundo externo. Esses estágios são parte do ciclo natural da vida intelectual, embora depois possa parecer que foram planejados. Fazem parte de uma dinâmica revolucionária, de um processo que vai da concepção à implementação. Os que tiveram a visão de transformação e a instigaram nos primeiros dois estágios fazem parte da mão oculta tanto quanto os que a realizaram e implementaram nos últimos dois estágios.

A visão espiritual original dos místicos é purista e inteiramente pacífica: nela, o visionário percebe a não dualidade do Universo, sua Unidade em que a humanidade pode viver em harmonia com a ordem natural, em bem-aventurança e graça universal, abrindo-se à vontade divina sem ser perseguida ou reprimida por nenhuma autoridade. A visão é de um mundo melhor do que aquele que existe e o visionário sonha em transformar o mundo para torná-lo um lugar melhor, que se preste a acomodar a visão de beleza.

A versão oculta dessa visão, que os revolucionários seguem, busca os benefícios dessa visão pura através da derrubada violenta de uma classe estabelecida que representa um obstáculo em seu caminho, assim como Lúcifer buscava a derrubada violenta dos Anjos de Deus. Na visão oculta, a Utopia é alcançada num salto súbito, com a eliminação da classe social contra a qual a guerra foi declarada: a nobreza ou a burguesia.

Os três estágios restantes marcam a degeneração progressiva dessa visão oculta na medida em que é cada vez mais interpretada em termos materiais e físicos. A visão intelectual é uma tentativa de traduzir a visão oculta num modelo para criar (ou recriar) o céu na terra para uma determinada classe social. Temos um desejo aparentemente inato de viver num mundo melhor, do tipo descrito na *República* de Platão, na *Utopia* de More e em outras obras, e a visão intelectual focaliza um tal mundo ideal, o Reino dos Céus na Terra. Descreve o Paraíso, a Terra Prometida, o Nirvana, Shambala e outros lugares ideais que refletem a visão espiritual, onde ela pode habitar em harmonia. A visão oculta é para um determinado segmento de um povo, cuja declaração de guerra contra os outros para atingir sua Utopia parodia a visão espiritual do Bem, e a intelectualização das condições ideais em que pode florescer tem inspirado todas as revoluções.

Descobrimos que a visão oculta inicial é interpretada por um intérprete oculto, cujo livro é implementado por um originador revolucionário em termos de uma tradição franco-maçônica. Um intérprete intelectual reflexivo leva a visão adiante e a transforma em ação, e um intérprete intelectual semipolítico assume e dá expressão política à visão, preparando o caminho para um estágio político. (Para uma explicação mais completa, ver Apêndices A, Apêndice 2, *Civilizações e Revoluções: Duas Dinâmicas.*)

O estágio político sempre compromete a visão. O que parecia tão perfeito e bem-aventurado no transe visionário é agora encaixado num estado político ideal que pode ser um regime totalitário, um império colonialista ou um governo religioso fundamentalista. O Estado é agora administrado por membros de uma organização secreta sob um líder político ou militar. A classe social que precisa ser eliminada é agora confrontada.

A consolidação física da revolução envolve o tipo de repressão associada a regimes revolucionários, como a URSS e a China Comunista. A mão oculta golpeia agora com punho de ferro. A classe social ofensora é agora suprimida, já que o derramamento de sangue é agora um meio para introduzir a visão oculta degenerada e, ao mesmo tempo, toda oposição à revolução é eliminada.

Os estágios intelectual, político e físico da dinâmica revolucionária separaram progressivamente cada revolução da sua visão oculta. Cada revolução é agora dominada por um líder político (e muitas vezes militar) que é membro de uma organização secreta e não um visionário ou pensador. Vemos que a plena dinâmica revolucionária das quatro principais revoluções pode ser enunciada da seguinte maneira:

Revolução	Inspiração herética oculta	Expressão intelectual	Expressão política	Consolidação física
Inglesa	Bacon/ Andreae Menasseh	Hartlib/ Cromwell (ou Menasseh)	Pym	Cromwell
Norte-americana	Bacon/ Weishaupt	Franklin/ Jefferson	Washington	Jackson
Francesa	Weishaupt/ Rousseau	Cagliostro/ Mirabeau	Robespierre	Napoleão
Russa	Hegel/ Marx/ Engels	Herzen/ Trotsky	Lenin	Stálin

Vimos também que todos os que estão aí mencionados pertenciam a organizações secretas.[1]

Uma revolução sugere o giro de uma roda em torno de um eixo, uma rotação. O movimento circular efetua uma completa mudança na sociedade, vira as coisas de cabeça para baixo, inverte – ou faz avançar – as condições. A roda gira e é posicionada de novo, assim como a Roda da Fortuna virou, trazendo mudanças. (Em *O Consolo da Filosofia*, Boécio descreve o giro da roda da Fortuna numa passagem que foi a fonte para todas as alusões medievais à Fortuna e sua roda, como o *Romance da Rosa*, Dante e Chaucer.) A roda é movida pela mão oculta de uma organização secreta.

O giro de uma "revolução" sugere rápidos estágios de transformação, uma tentativa de derrubar o governo ou o sistema político estabelecido. A palavra "revolução" é usada também a respeito de mudanças econômicas e sociais que sejam súbitas e dramáticas em seus efeitos, como a "Revolução Industrial", mas que levaram um tempo considerável para se desenvolver. (Exemplos disso em nosso tempo incluem os movimentos pelos direitos civis, o feminismo e os movimentos de independência das colônias, como o movimento de independência da Índia, que passou pela não violência de Ghandi.) Seja como for, a revolução envolve um processo de quatro estágios que culmina num afastamento súbito e radical do sistema anterior: e *todas* as revoluções estão sujeitas a essa dinâmica de quatro estágios, que é descrita na próxima seção. Uma revolução é um giro da sociedade, um processo que começa devagar e vem à tona mais ou menos de repente, transformando o sistema ou o padrão da sociedade.

Uma revolução é bem diferente de uma rebelião, que é uma resistência armada organizada a um governo estabelecido. No entanto, no caso da "Grande Rebelião" de Cromwell (1642-51), houve resistência armada a Carlos I *e* uma súbita transformação revolucionária na sociedade inglesa. A resistência armada de uma rebelião é como um motim e, se tiver sucesso, pode se tornar revolucionária. Um rebelde contra a Igreja estabelecida resiste abertamente à autoridade da Igreja. É o caso, por exemplo, de Ivan Karamazov, de Dostoievski, ao contar a sua história sobre o Grande Inquisidor. *L' Homme Revolté (O Homem Revoltado)* de Camus se concentra no homem que se rebela contra a "absurda" ordem das coisas em nome da justiça. Seja militar ou metafísica, a rebelião se concentra mais na resistência do rebelde do que na transformação da sociedade.

Uma revolta é como uma rebelião ou um levante. É um levante contra um governante e uma transferência de fidelidade a um poder rival. Como no caso da rebelião, pode levar a uma revolução, embora a Revolta dos Camponeses de 1381, liderada por Wat Tyler, nunca tenha se transformado em revolução.

A revolução tem também que ser diferenciada de um *coup d'état*, que é uma mudança de governo violenta e muitas vezes ilegal. Um golpe é, em geral, um ataque militar feito de surpresa por uma facção do exército ou do governo contra as outras facções e pode não transformar a sociedade e nem mudar o sistema. Muitas vezes, como resultado de um golpe, um novo rosto governa dentro do mesmo sistema. O golpe de estado é muitas vezes chamado de revolução, mas só se torna uma revolução quando a força usada transforma rapidamente a sociedade e produz uma mudança no seu sistema econômico, social e cultural.

As características de uma revolução são, então, as seguintes:

1. Ela transforma a sociedade (através do processo revolucionário, a sociedade é transformada);
2. Depois de uma incubação lenta, a transformação é relativamente rápida;
3. É usada a força (ou a pressão social);
4. Há uma completa mudança na estrutura econômica, social e cultural da sociedade;
5. Acima de tudo, por trás de seu desenrolar, podemos detectar a mão oculta de uma determinada organização secreta com um interesse destrutivo (acabar com a velha ordem).

Deixando de lado os revolucionários arquetípicos, mitológicos ou literários, como Lúcifer e Prometeu (que roubou o fogo de Zeus), e focalizando apenas a civilização ocidental mais recente, Pitágoras, o filósofo e matemático grego do século VI a.C., pode ter sido um dos primeiros revolucionários ocidentais. Sabe-se que ele se rebelou contra Policrates e foi exilado em 532 a.C., de Samos para Cróton, na Itália. Sua seita religiosa órfica, conhecida como irmandade pitagórica e influenciou o pensamento de Platão e Aristóteles, pode ter sido responsável por seu exílio, mas é possível também que fosse uma comuna utópica política e que ele tenha sido expulso por ser um subversivo político, assim como por razões religiosas.

Desde os tempos mais antigos, a revolução é vista como força destrutiva. Os gregos viram muitos exemplos de mudança de poder entre tiranos e cidades-estados. Atenas tinha conhecido o governo absoluto de Pisistratus, que tinha implementado as reformas de Sólon, e o governo oligárquico dos Trinta Tiranos depois da vitória de Esparta sobre Atenas em 404 a.C. Platão, que defendia o governo republicano estável, pergunta em sua *República* (livro 8, 545-6): "Será uma regra simples e invariável que, em toda a forma de governo, a revolução comece a partir da própria classe dominante quando a divergência surge, já que [...] é impossível a inovação?" Platão vê a revolução em termos de destruição. Defende a crença nos valores tradicionais contra os princípios morais e religiosos decadentes da sociedade, e espera que tal crença impeça a revolução. Aristóteles também definiu o ideal republicano e viu que, quando os valores de uma sociedade estão abalados, ela fica sujeita à revolução. Os romanos conheceram ditadores como Sulla e Júlio César. Viram a tentativa de revolução dos Gracos, que tentaram forçar a reforma agrária sem consultar o Senado. Tibério Semprônio Graco morreu linchado por uma multidão e, pelo consenso geral, era muito bom que a ordem estabelecida tivesse sido preservada.

O crescimento da Igreja abafou o sentimento revolucionário. Na Idade Média, a poderosa autoridade da Igreja, que consolidava o poder de Deus, impedia a revolução. As convicções e as formas de governo estabelecidas freavam e até suprimiam tentativas de revolução como a Revolução dos Camponeses, que nunca se tornou uma revolução. Acreditava-se, especialmente a Igreja, que os revolucionários (como o impostor Perkin Warbeck) buscavam a profanação da sociedade. Assim, não lhes era dada muita chance e o pensamento revolucionário não se desenvolveu.

Vimos que o conceito de revolução mudou durante a Renascença, quando o poder da Igreja declinou. A revolução reemergiu com o surgimento de valores seculares. O advento do humanismo secular se concentrou na condição humana e também na natureza do Estado, que tinha que ser capaz de suportar a ameaça de revolução. O pensamento de Nicolò Machiavelli foi crucial para esse desenvolvimento. Em dois livros quase contraditórios, escritos ao mesmo tempo, ele defendeu tanto os principados hereditários (*O Príncipe*, 1513, revisto em 1516) quanto as repúblicas (*Os Discursos*, 1513-1519). Defendia uma coisa ou outra, dependendo das circunstâncias. Os *Discursos* seguem o exemplo de Platão, considerando a república como o melhor de todos os mundos. Contêm conselhos sobre como evitar insurreições e manter a segurança interna. Machiavelli, que deteve o poder depois que os Medici deixaram Florença em 1598, defendia mudanças na estrutura do governo e, embora nunca tenha usado a palavra "revolução" nos seus escritos e estivesse preocupado em criar um Estado estável, colocou-se na linha de frente do pensamento revolucionário moderno. Vimos que a visão de Estado de Thomas Cromwell, na Inglaterra dos anos 1530, foi profundamente influenciada pelo tempo que viveu na Itália e pelo contato com as obras de Machiavelli. Uma mão oculta apoiava Lutero.

Nos anos 1630, o conceito de revolução tinha mudado fundamentalmente e John Milton tinha passado a acreditar que a revolução ajudava a sociedade a atingir seu verdadeiro potencial. Como vimos, Milton via a revolução como um direito da sociedade de enfrentar "tiranos" como Carlos I, ganhar liberdade e criar uma nova ordem que refletisse as necessidades do povo. Acreditava que o Paraíso na terra podia ser conquistado e lamentava o "Paraíso perdido" da revolução de Cromwell depois de seu colapso. Na realidade, a Utopia de Cromwell foi orquestrada pela mão oculta de uma organização secreta.

Vimos que, nos anos 1780, o conceito de revolução tinha mudado de novo. O pensamento revolucionário tinha se desenvolvido como resultado do filósofo alemão Immanuel Kant, segundo o qual as revoluções fazem a humanidade avançar e dão à sociedade uma fundamento ético superior. A revolução era o método pelo qual a liberdade era tomada dos líderes opressores. Na Revolução Americana (ou Guerra Revolucionária), a liberdade foi tomada do sistema colonial de George II e, na Revolução Francesa, da monarquia de Luís XVI. Em ambos os casos, determinadas organizações secretas estavam em ação.

Vimos que, no século XIX, o conceito de revolução tinha mudado mais uma vez. O pensamento revolucionário se desenvolveu através de outro filósofo alemão, Hegel, que via as revoluções como a realização do destino humano. O método dialético de Hegel (tese-antítese-síntese) foi adotado pelo judeu Moses Mordecai Levi, aliás Karl Marx, que via a revolução como uma luta de classes pela qual os trabalhadores (tese) eliminavam os capitalistas (antítese) e tomavam a economia da sociedade para criar o Paraíso na terra (síntese). Marx sustentava que o proletariado, ou classe trabalhadora, tinha que tomar os meios de produção. No século XX, seu pensamento levou a revoluções comunistas feitas por marxistas na Rússia, Iugoslávia, China, Vietnã e Cuba. Inspirou também supostas revoluções no Oriente Médio e no Extremo Oriente, na África e na América Latina, incluindo a revolução islâmica no Irã. Por trás de Marx e do marxismo, havia uma organização secreta.

Em todas as revoluções que mencionamos, há uma suposta ordem natural que é objeto de uma rebelião. Para a visão espiritual, toda a humanidade pertence a um todo maior e é igual no nível espiritual. Sua contrapartida oculta quer aplicar essa visão a uma classe social ou grupo específico. Essa visão oculta se torna corrompida no mundo humano físico e, ao expressar sua contrapartida física, os revolucionários têm princípios igualitários e buscam derrubar graus e hierarquias. Sem exceção, são antimonárquicos e anticonstitucionais, e buscam destruir sistemas sociais, fronteiras nacionais e culturas étnicas pré-existentes. No fundo, a revolução é anárquica: derruba as leis e normas existentes e as substitui pelas suas.

Na medida em que se remetem a uma Idade de Ouro, as revoluções são utópicas e regressivas. A palavra "Utopia" (do grego ou + topos, "nenhum lugar", mas também eu + topos, "bom lugar") foi usada pela primeira vez por *Sir* Thomas More. *Utopia* de *Sir* Thomas More (1516) descreve um lugar imaginário com um sistema social e político perfeito – um lugar idealmente perfeito. Bacon se remetia ao tempo de Salomão (a Casa de Salomão, em *A Nova Atlânti-*

da, sugere Salomão) e seu seguidor Oliver Cromwell se remetia ao povo de Israel. Franklin se remetia a uma Nova Atlântida baconiana em forma de uma democracia do Novo Mundo, uma visão utópica da Atlântida que afundou. (A Franco-Maçonaria planejava resgatar filosoficamente a Atlântida do fundo do mar e restabelecer a democracia como uma Ordem do Novo Mundo. Na verdade, a Franco-Maçonaria via sua origem no "Continente Perdido da Atlântida".)[2] Rousseau se remetia ao Bom Selvagem e a uma época em que não havia aristocratas. Lenin se remetia à Mãe Rússia Eslavófila. Todos pretendiam criar, a partir de sua referência passada, um sistema político e social perfeito.

Por que os revolucionários se rebelaram? Será que queriam espontaneamente um mundo melhor, uma sociedade utópica perfeita? Teriam todos uma visão idealista? Ou suas ações teriam outros motivos? Seriam afiliados a uma organização que dava as ordens e pela qual juraram fidelidade? Contra o que os revolucionários se rebelaram? A incompetência dos regimes? As monarquias? A corrupção das instituições de seu tempo? Teriam uma imagem caricaturesca de seus oponentes, vendo-os como nulidades inoportunas, estereótipos a serem vaiados diante da guilhotina? Ou será que os viam como pessoas reais, como seres humanos cheios de medo e de outros sentimentos?

Nas evidências que estudamos, os principais revolucionários tinham sonhos utópicos e detestavam as instituições que atrasavam o mundo. Tinham também ligações com organizações franco-maçônicas internacionais e obedeciam aos seus comandos (p. ex.: Trotsky, que foi mandado para a Rússia em 1905). A resposta a todas essas perguntas é inevitavelmente uma mistura, mas os revolucionários reconheceriam a maioria desses motivos como seus.

Todos os revolucionários responsáveis pelos estágios político e físico de uma revolução (como Cromwell, Lenin e Napoleão) retêm ainda uma centelha da visão franco-maçônica, oculta na qualidade messiânica de seu caráter. Essa centelha é claramente identificável em seu comportamento e seu messianismo os separa de outros líderes políticos. O "perfil revolucionário" de um líder responsável pela fase de transformação rápida inclui um fervor que pode ser considerado fanatismo. Isso pode ser atribuído ao espírito evangélico que sustenta a visão utópica.

Tais revolucionários têm olhos brilhantes e falam com o tipo de urgência e paixão messiânica que é mais comum no púlpito do que no palanque. Procuram converter o público à realidade (por mais corrupta que seja) de sua Utopia. Comunicam seu fervor ao público. "Bem-aventurança era estar vivo naquele amanhecer" ("Revolução Francesa na Visão dos Entusiastas") e "Glória e esperança à Liberdade recém-nascida!" (*Prelude*, livro 6, 442), escreveu Wordsworth a respeito dos impetuosos primeiros dias da Revolução Francesa, em termos que lembram o alegre *Glad Day* de Blake – mas, depois do Reinado do Terror, ele mudou de opinião. A fila da guilhotina não era o que ele tinha antecipado. Alguma coisa tinha dado muito errado.

Os líderes revolucionários messiânicos são intolerantes com os oponentes, ameaçando-os com execução e confinamento. Quando falam dos oponentes, não há como confundir os líderes revolucionários: Mao, Gaddafi e Khomenei, revolucionários da nossa época, eram todos conhecidos pela presteza ao convocar o pelotão de fuzilamento.

É instrutivo comparar o ideal utópico com o número de mortos em cada revolução:

Revolução	Ideal Utópico	Número de Mortos	População
Inglesa (1642-60)	Nova Jerusalém	830.725 (incluindo escoceses e irlandeses) 100.000* em guerras civis (1 em 50)	5 m
Americana (1775-83)	Nova Atlântida	25.000* (1 em 100)	2,5 m
Francesa (1789-1815)	Novo Éden do Bom Selvagem	1,3 m* (1 em 20)	26 m
Russa (1905-39)	Paraíso Comunista	1,3 m (excl. consolidação de Stálin) 16 m* (1905-39)[3] (1 em 10)	160 m

É interessante comparar esses números com os de três outras revoluções:

Revolução	Ideal Utópico	Número de Mortos	População
Mexicana (1910-34)	Novo México	2 m* (1 em 8,5)	26 m
Chinesa (1949-76)	Paraíso Comunista	60 m* (1 em 10)	600 m
Cambojana (Khmers Rouges, 1975-9)	Paraíso Comunista	2 m*[3] (1 em 3,5)	7 m

Vimos que outro aspecto das revoluções – e da revolução mundial – é a redução da população. O número de mortos não é uma consequência acidental das revoluções, mas parte de sua agenda e, em certos casos, pode ser sua *raison d'être*. Isso é inerente à visão oculta. Vimos que, em todas as revoluções, uma certa classe de pessoas (no caso da Revolução Russa, a burguesia) tem que ser eliminada para que o paraíso utópico possa ser introduzido (no caso da revolução russa, um paraíso proletário).

Todas as revoluções que mencionamos procuravam introduzir uma ideologia global. Derrubaram a tirania e a opressão na própria nação-estado, mas estenderam o princípio de revolução ao mundo todo. Assim, o Comunismo Soviético voltou sua atenção para fora, dirigindo seu zelo revolucionário para outras "tiranias" (identificadas como estados coloniais). A Revolução Americana engendrou o mesmo espírito missionário, apoiando todas as nações que lutavam para se libertar da tirania e da opressão. A Revolução Francesa exportou a Estátua da Liberdade para seus irmãos norte-americanos. Esse aspecto universal das revoluções significa que são imperialistas no sentido de procurar ampliar a sua visão para o mundo inteiro, e desprezam a soberania – no início a soberania que derrubam mas, depois, a soberania de outras nações-estado, a ser derrubada também, na fase de "extensão" internacionalista das revoluções.

Vimos que, em última instância, todas as revoluções fazem parte de um único impulso em direção à derrubada de governos nacionais através da revolução mundial e da instituição de um único governo mundial. É por essa razão que são internacionais e marcham sob o estandarte da irmandade dos homens. Vimos que as revoluções impõem um ideal para toda a humanidade, o que significa impor um igualitarismo totalitário (que seja subserviente ao Estado) onde podem.

Um tal idealismo pode ser válido no nível oculto mas, na esfera política, leva inevitavelmente à opressão, já que a liderança revolucionária recorria à coerção para implementar seus princípios utópicos. Os cidadãos eram compelidos, muitas vezes sob ameaça de morte, a aceitar a "sociedade perfeita" que as revoluções impõem a eles. O mesmo vale para a revolução mundial.

Na nossa época, estamos vendo a criação de uma Nova Ordem Mundial. O termo foi usado pela primeira vez na mídia moderna pelo governador de Nova York, Nelson Rockefeller que, segundo a *AP* (26 de julho de 1968), disse que pretendia "trabalhar em direção à criação internacional de 'uma nova ordem mundial'". A expressão foi muito usada depois da queda do Muro de Berlim, em 1989. O Presidente George Bush a usou várias vezes antes da Guerra do Golfo, como por exemplo: "Destes tempos turbulentos... uma Nova Ordem Mundial pode surgir" (11 de setembro de 1990). E a expressão tem sido muito usada depois dos ataques terroristas às Torres Gêmeas em Nova York e ao Pentágono, em Washington, no dia 11 de setembro de 2001, e a respeito da consequente guerra do Presidente George Bush no Afeganistão. Um novo arranjo mundial está em curso.

A Nova Ordem Mundial tem sido frequentemente associada ao domínio mundial norte-americano e ao aumento de poder das Nações Unidas. É essencialmente a criação de uma revolução mundial para formar os Estados Unidos do Mundo. Uma revolução mundial não pode acontecer simultaneamente em todos os lugares: pela própria natureza, é fragmentada, envolvendo revoluções componentes em locais específicos, ora aqui, ora lá. No livro que vem depois deste, *A Corporação*, mostrei que todas as revoluções dos tempos modernos nivelaram suas sociedades, não apenas com o objetivo de resolver problemas locais, mas também de preparar um futuro governo mundial.

Essa obra trata das raízes imediatas da Nova Ordem Mundial e descobre que aquilo que chamo de "Corporação" de famílias que comandam bancos e governos – que buscam o controle do petróleo mundial, em que os Rothschilds da Europa e os Rockefellers dos Estados Unidos foram as principais influências – vem tendo um impulso dinástico em direção a um regime mundial desde 1900. Esse impulso está ligado à Franco-Maçonaria Templária do Grande Oriente. Será que o mesmo princípio já agia em revoluções anteriores? Serão todos os revolucionários impulsionados pelo desejo de criar um governo único para o mundo?

Há outras questões. Será que as diversas revoluções estão ligadas? Haverá uma única onda percorrendo todas as revoluções desde a Renascença? Terão as revoluções individuais levado cumulativamente ao nosso atual globalismo? Seriam as revoluções dos últimos 550 anos ondas individuais de uma mesma maré alta de revolução mundial que está atingindo o nível de preamar no governo mundial dos nossos tempos? Estarão as organizações (como os Templários) dinasticamente envolvidas nas revoluções ao longo dos séculos? As respostas para essas perguntas assumiram uma nova urgência porque podemos ver uma Nova Ordem Mundial tomando forma nos nossos tempos e sendo usada como justificativa para guerras como as promovidas no Afeganistão contra o Talibã, e contra o Iraque. Segundo muitas fontes, a guerra no Afeganistão gerou 6 milhões de refugiados famintos, mais do que os 5 milhões de refugiados judeus que foram morrer nos campos de concentração de Hitler. Os 6 milhões de refugiados afegãos são justificados com a alegação de que a Nova Ordem Mundial não tinha outra alternativa além de fazer o que fez. Precisamos saber mais sobre a Nova Ordem Mundial, em cujo nome catástrofes humanitárias assustadoras estão ocorrendo. Ela justificou a guerra contra o Talibã, bin Laden e Saddan Hussein, com a alegação de que o Ocidente estava ameaçado pelas armas químicas e nucleares que até hoje não foram encontradas.

Para responder a essas perguntas, analisamos em profundidade as raízes da Nova Ordem Mundial. Não é suficiente voltar até 1900. Analisamos a história revolucionária dos últimos 550 anos para ver se todas têm uma fonte dinástica. Nossas descobertas revelaram que têm. Estamos agora em posição de fazer avaliações verdadeiras sobre a natureza da Nova Ordem Mundial e da revolução mundial que está perpetrando.

A revolução mundial, que vai das nações-estado à aldeia global, tornada possível pelos avanços tecnológicos do século XX, é um tipo de revolução diferente das revoluções de nações-estado contra velhas ordens, encontradas na história britânica, francesa e russa, e da revolução de nações-estado contra o domínio colonial, encontrada na história norte-americana. No entanto, como podemos ver em *A Corporação*, uma inspeção mais detalhada mostra que as mesmas forças estão por trás dela – e que as revoluções de nações-estado são degraus que levam à revolução mundial.

APÊNDICE 2

CIVILIZAÇÕES E REVOLUÇÕES: DUAS DINÂMICAS

A dinâmica revolucionária é uma versão concentrada e uma contrapartida oculta da dinâmica espiritual que impulsiona a ascensão e a queda das civilizações, como mostrei em *The Fire and the Stones*. As civilizações começam com uma visão espiritual inspirada, que funda uma nova religião – como a visão do Fogo de Maomé, que se tornou a primeira página do Alcorão – e ascendem à medida que essa visão é difundida.[4] Declinam à medida que a visão original desce para os domínios intelectuais e políticos e, depois de passar por várias fases, terminam durante uma fase muitas vezes brutal de conquista estrangeira física e severidade militar. Uma civilização cresce através de uma ideia metafísica e declina quando perde o contato com essa ideia e se torna secular. Assim como o metafísico inspira a ascensão de uma civilização, assim o secular (em outras palavras, a ausência do metafísico) é responsável por seu declínio e queda.

As civilizações mais antigas do Ocidente seguem esse padrão. As civilizações europeias surgiram em torno da ideia metafísica do Deus Cristão. Durante sua ascensão, a arte, a filosofia e a cultura estavam todas relacionadas à Igreja. A secularização iniciou seu declínio, mas com ela veio o progresso da sociedade e dos valores humanos. À medida que uma sociedade progride, a civilização que lhe é subjacente se afasta cada vez mais de sua ideia original e entra em declínio. Nas revoluções inglesa e francesa, a secularização desafiou as antigas religiões anglicana (inglesa) e católica (francesa) e fez a sociedade avançar, mas

435

a civilização subjacente se aproximou ainda mais do seu fim, entrando em declínio. Na civilização russo-bizantina, a Revolução Russa desafiou a antiga religião ortodoxa e fez a sociedade avançar, enquanto a civilização subjacente declinava ainda mais.

No caso da civilização norte-americana, mais jovem do que as outras (pode-se dizer que começou em 1607, data da expedição inglesa que deu origem a Jamestown), a Revolução é diferente: foi uma libertação do colonialismo e do imperialismo, uma descoberta da identidade nacional que gerou os novos Estados Unidos.

Uma revolução contra a ideia central da própria civilização seculariza; uma revolução contra um opressor externo ajuda a definir a nova ideia central da civilização que se inicia. Em ambos os casos, a revolução é um processo transformador súbito e violento, em que uma civilização passa de um estágio a outro – as civilizações europeia e russo-bizantina foram em direção ao secularismo; a civilização norte-americana foi em direção ao crescimento e à definição de sua ideia central universalista: a difusão de uma república democrática universal.

Em todas as sociedades pré-revolucionárias, a dinâmica revolucionária cresce dentro da visão espiritual da civilização. As revoluções começam com uma visão franco-maçônica, oculta e inspirada, que se espalha como um incêndio na floresta à medida que é transmitida de uma pessoa para outra. A visão enfraquece à medida que o sonho original oculto de Utopia declina, passando ao domínio intelectual e depois ao político. Finalmente, há uma fase física muitas vezes brutal, ou seja, ocorre a consolidação. É interessante notar que as quatro fases da dinâmica revolucionária correspondem aos quatro mundos da Cabala: o divino, o "espiritual" (ou "oculto"), o psicológico e o físico.

Como revelam nossas quatro principais revoluções – a inglesa, a norte-americana, a francesa e a russa –, as revoluções começam sob uma visão espiritual estabelecida da unidade da humanidade vivendo em harmonia com a ordem universal e aberta à vontade divina. Forma-se uma contrapartida oculta que inspira uma revolução. Ela reage contra o luxo da corte e da religião estabelecida e expressa essa reação de maneira puritana – rejeitando o luxo e as riquezas. A visão oculta é adaptada por um intérprete que reflete a visão oculta puritana. Essa visão interpretada é oposta à visão da religião estabelecida e é considerada herética pela ortodoxia religiosa da vez (Cristianismo), que inspirou o crescimento da civilização. É importante entender que a visão oculta que inspira a revolução reúne forças fora da tradição religiosa oficial.

A adaptação da visão é então corrompida por um originador revolucionário que interpreta a visão oculta em termos de uma *tradição* oculta, que mantém seu conhecimento em segredo em busca de invisibilidade (Rosacrucianismo, Maçonaria). Essa tradição defende uma certa dose de destruição e corre na direção contrária à visão espiritual de Luz criativa não dualista que inicia as civilizações. Não deveríamos ficar surpresos com isso. As revoluções no interior de nações-estado soberanas são destrutivas para as civilizações e favorecem seu declínio e desintegração quando uma heresia, uma nova tradição que se opõe à ortodoxia religiosa, dilui a religião ortodoxa da civilização. (A Revolução Americana, como vimos, não segue esse padrão na medida em que é essencialmente um movimento de independência que criou uma nova nação norte-americana em detrimento do colonialismo inglês.)

Essa variação da visão original, em termos de uma tradição franco-maçônica oculta ou secreta, é interpretada e adaptada, recebendo expressão intelectual de um intelectual reflexivo que segue a tradição secreta, cujo pensamento tem uma nova perspectiva. É então interpretada por um intelectual semipolítico que depois se torna um participante ativo na expressão política da revolução e atua como ponte para a fase seguinte da dinâmica revolucionária, sua expressão política.

Considerando uma por uma nossas quatro revoluções e identificando os estágios oculto e intelectual em cada uma delas, vimos que, na revolução inglesa, a mensagem oculta franco-maçônica cabalista foi interpretada por *Sir* Francis Bacon, uma mensagem rosacruciana adotada por Johann Valentin Andreae, cuja tradição oculta ou secreta era o Rosacrucianismo. A Inglaterra seria uma nova Israel. (Vimos que o ideal puritano nasceu dessa ideia.)

Na Revolução Americana, mais uma revolução política contra o colonialismo britânico do que uma transformação social, vimos que a visão oculta escocesa templária franco-maçônica cabalista foi interpretada por Bacon em termos de uma Nova Atlântida Utópica. A visão oculta do originador revolucionário, por outro lado, foi a visão de Adam Weishaupt de um governo mundial com base em princípios franco-maçônicos igualitários, que influenciaram todos os pais fundadores.

Na revolução francesa, vimos que a visão oculta franco-maçônica cátara/templária foi interpretada pelo maçom Rousseau e combinada à visão de Weishaupt, originada na tradição oculta franco-maçônica ou secreta da Ordem dos Illuminati, uma sociedade que se remetia ao tempo do Bom Selvagem e que não tinha hierarquia e nem aristocratas.

Vimos que a revolução russa nasceu da visão oculta de Weishaupt, interpretada por Hegel e corrompida pelos originadores revolucionários Marx e Engels, que a transformaram na filosofia revolucionária conhecida como Comunismo.

Vimos que o movimento no interior dos estágios oculto e intelectual da dinâmica revolucionária nas quatro principais revoluções pode ser resumido da seguinte maneira:

Revolução	Visão herética oculta	Intérprete herético oculto	Originador revolucionário oculto	Intérprete intelectual reflexivo	Intérprete intelectual semipolítico
Inglesa	Cabalismo franco-maçônico: visão puritana dos israelitas britânicos	Utopia de Bacon	Rosacrucianismo de Andreae/ Fludd	Hartlib	Pym (na Inglaterra)/ Menasseh (na Holanda)
Norte-Americana	Cabalismo franco-maçônico: visão puritana escocesa jacobina templária	Utopia de Bacon	Iluminismo de Weishaupt	Franklin	Jefferson
Francesa	Visão franco-maçônica cátara/ templária puritana	Paraíso de Rousseau	Iluminismo de Weishaupt	Cagliostro	Mirabeau
Russa	Visão franco-maçônica iluminista de Weishaupt	Síntese paradisíaca de mundo e espírito, de Hegel	Comunismo de Marx e Engels	Herzen	Trotsky

Ver os estágios político e físico da dinâmica revolucionária.

B

A MÃO OCULTA:
AS RAÍZES CABALÍSTICAS
DA REVOLUÇÃO

APÊNDICE 1

O CATIVEIRO BABILÔNICO DOS JUDEUS

No século X a.C., Salomão, filho e sucessor de Davi e o maior rei de Israel, herdou um império mercantil que se estendia do Egito ao Eufrates. Fundou a dinastia judaica e estabeleceu colônias israelitas. Em 1Reis, ficamos conhecendo seu estilo de vida. Era claramente um grande amante: tinha 700 esposas e 300 concubinas. Tinha várias cidades (incluindo Megiddo, depois Armageddon), 1.400 carruagens e 12.000 cavalos. Era um sábio cujos aforismos são encontrados no Livro dos Provérbios e que, segundo a tradição, é o autor de 1.500 letras de canções, incluindo a *Canção de Salomão*, um dos maiores poemas de amor da literatura. Salomão tinha também concluído um vasto programa de construção, erguendo fortalezas e guarnições em todo o reino – e, em Jerusalém, o palácio real e o famoso Templo.

O Templo judaico original tinha sido construído no Monte Moriah (Monte Zião), onde Deus testou a fé de Abraão, mandando-o sacrificar seu filho Isaac. O Templo de Salomão foi construído num terreno comprado por Davi, que tinha sido uma eira de Araúna, o Jebusita. Iniciado em 964 a.C. e projetado por Hiram Abiff, levou sete anos para ser construído por 200.000 homens. Foi erigido para abrigar a Arca da Aliança, o mais sagrado tesouro de Israel. Foi concluído em 957 a.C.

Quando dedicou o Templo ou "casa" ("um lugar para a arca"), Salomão rezou para o único Deus do Universo: "Em seguida, Salomão postou-se diante do altar de Iahweh, na presença de toda a assembleia de Israel; estendeu as mãos para o céu e disse: 'Iahweh, Deus de Israel! Não existe nenhum Deus semelhante a ti lá em cima nos céus, nem cá embaixo sobre a terra'". (1Reis 8,22-23)

Invocou bênçãos de Deus sobre o povo de Israel mas, sendo naturalmente um universalista que acreditava que a humanidade inteira adorava o mesmo e único Deus, construiu também santuários onde os estrangeiros pudessem rezar. Em sua prece, pediu que Deus atendesse às preces de "estranhos" (estrangeiros ou desconhecidos) que viessem dos confins do mundo para Jerusalém. Lembrou a Deus que ajudar esses estrangeiros fortaleceria a reputação de Deus e do seu Templo em todas as terras, pois os estrangeiros levariam consigo bons relatos quando voltassem para casa: "Mesmo o estrangeiro, que não pertence a Israel, teu povo, se vier de um país longínquo por causa do teu Nome – porque ouvirão falar do teu grande Nome, de tua mão forte e de teu braço estendido –, se ele vier orar neste Templo, escuta no céu onde resides, atende todos os pedidos do estrangeiro, a fim de que todos os povos da terra reconheçam teu Nome e te temam como o faz Israel, teu povo, e saibam eles que este Templo que edifiquei traz o teu Nome". (1Reis 8,41-43)

Salomão estava envolvido no comércio internacional e, assim, compreendia a necessidade de paz. Sua atitude refletia um Universalismo espiritual e intelectual. Estava muito além de seu tempo e levou séculos para que a universalidade de sua era se refletisse nas palavras dos profetas de Israel.

No século X a.C., no reinado de Salomão, o Deus Israelita pertencia a todos, judeus ou gentios. Toda a humanidade era acolhida na Jerusalém de Salomão. Sua atitude vinha da tradição oral que remontava ao tempo de Abraão (séculos XVII/ XVIII ou XIX a.C.) e de Moisés (século XIII a.C.), quando Deus reinava sobre todas as nações e era o pai de todos os homens, israelitas ou estrangeiros. Essa era a pura tradição (oral) não adulterada da antiga Israel, a Torá não escrita, ou revelação divina comunicada por Deus a Moisés e transmitida oralmente.

O Templo de Salomão foi destruído em 586 a.C., quando os babilônios invadiram Jerusalém. Os judeus foram deportados do reino sul de Judá e só voltaram em 539, com a permissão do conquistador da Babilônia, o persa Ciro o Grande.

O espírito moderno de revolução mundial remonta ao cativeiro dos judeus na Babilônia (587/6-538 a.C.). Muitos sacerdotes judeus exilados entraram em contato com a ciência caldeia e assim se formou a seita dos fariseus. Ao contrário dos saduceus, a facção de altos sacerdotes que baseavam seus ensinamentos na Torá ou Lei Escrita, os fariseus, sob a influência caldeia, voltaram à Lei oral que Deus comunicou a Moisés e, segundo a tradição, ao lendário Adão: os ensinamentos dos profetas e a tradição oral do povo judaico. Essa versão oral e muitas vezes secreta se transformou na antiga Cabala, a tradição dos fariseus que retornaram a Moisés. Ela desafiava a autoridade dos saduceus, que acabou perdendo a força depois que Tito, o imperador romano, destruiu o Templo em 70 d.C. A Cabala era então suprema.

A Cabala era originalmente espiritual e revelava o Deus de Moisés, que reinava sobre todas as nações e era o pai de todos os homens, e um Messias que redimiria o pecado de todos os homens do mundo, gentios ou judeus. Isso se reflete mais tarde no Deus e no Messias dos essênios, a seita que guardou os Pergaminhos do mar Morto nas cavernas de Qumran.

A perspectiva judaística passou por uma grande mudança como resultado do exílio dos judeus na Babilônia. Parte da população de Judá tinha sido deportada para a escravidão e os sacerdotes judeus exilados entraram em contato com os magos caldeus. Esses magos eram originalmente persas adoradores do fogo, que ensinavam o Fogo ou Luz Divina em escolas caldeias de mistério. Os caldeus reinaram na Mesopotâmia nos séculos VIII e VII a.C., até que o persa Ciro o Grande conquistou a Babilônia em 539 a.C. e os magos foram levados para lá. Os magos transmitiram a tradição iraniana, especialmente as crenças dos zoroastrianos, encontradas no *Zend Avesta*.

Como resultado, os judeus se abriram ao dualismo iraniano, em que a Luz combate as Trevas: Ahura Mazda combate o satã iraniano, Ahriman. Absorveram o monoteísmo iraniano de Ahura Mazda e uma hierarquia de anjos e demônios babilônios, e assimilaram o papel de Ahriman/Satã como responsável por tudo o que era mau e escuro no mundo. Ahriman passou a ser chamado A Mentira "que, independente, se opôs à Única Luz, Ahura, embora participe da criação."[5] Durante o cativeiro babilônico, a tradição unitária da Cabala e do universalismo de Salomão foi corrompida e degenerou em dualismo.

Ao longo dos séculos, a Tradição da Cabala se corrompeu e ofereceu um Deus mágico, que permitiria a dominação material do Universo pelos judeus, e o Messias se tornou um rei temporal dos judeus, que faria Israel dominar o mundo. Os fariseus passaram a ensinar um Deus vingativo, pró-judeu, e um Messias que agia só pelos judeus e que os ajudaria a tomar o poder político.

Essa virada aconteceu quando os judeus criaram o Gnosticismo. (Evidências da participação do Cabalismo judaico na criação do Gnosticismo foram encontradas na biblioteca de Naj-Hammadi ou Quenoboskion no Alto Egito, em 1945.) O Gnosticismo judaico era dualista e considerava que o mundo da matéria tinha sido criado por um antideus, ou Demiurgo platônico, que era Satã. Deus, o Pai Celestial do Novo Testamento, se opunha ao mundo da matéria, que era o domínio de Satã. O domínio divino da Luz se opunha ao cosmos, que era o domínio das trevas. A Cabala espiritual revelou o Deus da Luz; a Cabala mágica revelou Satã, governante do mundo material e das trevas, a Cabala Gnóstica transformou-se numa revolta teosófica contra o Cristianismo, que desafiou a Igreja. Na Idade Média, a Cabala espiritual foi aceita nos ensinamentos da Igreja; a ideia de Gnosticismo, por outro lado, era uma ideia de revolução mundial e buscava substituir o Cristianismo por uma alternativa que via o mundo como província de Satã.

A Cabala Gnóstica, mágica e oculta, deu origem a seitas medievais consideradas heréticas pela Igreja – como os Cátaros e os Templários –, que perpetuaram o desafio gnóstico à Cristandade, que viria à tona na Reforma (incluindo a teologia de Lutero). No século VIII, os cátaros, que eram dualistas, saíram do reino de Septimania, governado por judeus mas oficialmente visigótico (ver Apêndice 6) e, na primeira metade do século XI, apareceram nas escolas cabalistas de Languedoc, especialmente Narbonne. Os Templários saíram do Reino de Jerusalém: sua Ordem foi fundada em 1119 para proteger os peregrinos que iam a Jerusalém durante o reinado de Balduíno II e viviam no local no Velho Templo de Salomão. Eles também herdaram a tradição cabalística. Ambas as seitas preservaram a atitude revolucionária que viria à tona dramaticamente na moderna história revolucionária.

APÊNDICE 2

AS DUAS CABALAS

Na Babilônia, a Cabala original, a tradição oral de Salomão, se corrompeu ao longo do século VI a.C. (ver apêndice 1). Em reuniões secretas de algumas poucas centenas de adeptos, a seita dos fariseus, que veio à luz nessas condições adversas, mantinha a moral revivendo a fé ortodoxa – e o orgulho nacional. Nessa época difícil, a Cabala original deixou de ser interpretada universalmente e passou a ter uma aplicação racista, hebraica. Os fariseus a aplicavam de modo a beneficiar e favorecer os judeus. Uma nova tradição falsa (mágica) negava a universalidade de Deus e interpretava literalmente o "Deus de Israel" como Deus dos judeus. Os santuários que Salomão tinha construído para os estrangeiros foram esquecidos. Agora, Deus era antigentios. Em vez de se referir a um estado iluminado de consciência ao alcance de pessoas de todas as raças, a denominação "Filhos de Israel" limitou-se apenas à nação hebraica. A filosofia dos primeiros patriarcas – Adão, Noé, Enoque e Abraão – perdeu sua força simbólica e se tornou literal. Agora, os Filhos de Israel hebraicos esperavam um Messias que não era mais o Redentor do Mundo, mas o Salvador dos Judeus, um rei temporal que criaria um reino judaico na terra e traria o domínio universal aos judeus. Da mesma forma, a Terra Prometida, que representava a realidade da alma na Cabala universalista, transformou-se no sancionado Estado de Israel.

O General Netchvolodow escreveu sobre como os fariseus corromperam a Cabala. A seita dos fariseus surgiu durante o cativeiro babilônico e é mencionada pela primeira vez depois desse período, tanto no Antigo Testamento quanto nos escritos de historiadores judeus. Sua Cabala, ou "Tradição dos Fariseus", era transmitida oralmente no início. Seus preceitos acabaram formando o Talmud e receberam sua forma final no *Sepher ha Zohar*. Embora acatassem o caldeísmo panteísta, os fariseus preservaram seu orgulho étnico durante o cativeiro. Literalizando a religião do homem divinizado, que absorveram na Babilônia, eles a aplicavam apenas aos judeus. Interpretaram o reinado do universalista Deus de Moisés sobre as nações como o exclusivo Deus dos judeus, que daria a seu povo o domínio material. O Messias que esperavam não era mais um redentor espiritual, mas um rei temporal que serviria aos interesses da Israel judaica.[6]

Essa literalização de verdades simbólicas teve o efeito de dividir a unidade da Criação entre judeus e gentios. Um gnosticismo dualístico nasceu da divisão da falsa Cabala, como por exemplo o sistema oculto do judeu Simão o Mago (século I d.C.), um falso cabalista que "enfeitiçou" Samaria, fazendo com que todos acreditassem que tinha o "grande poder de Deus" – e tentou comprar dos apóstolos (origem da palavra "simonia"). O dualismo do Gnosticismo dividiu ainda mais a unidade da Criação e deu origem à figura literalizada de Lúcifer, que pretendia formalizar tal divisão com sua rebelião. Assim, a falsa Cabala pode ser considerada dualisticamente luciferiana.

Nesta Webster escreve de maneira perceptiva sobre a verdadeira e a falsa Cabala. O lado especulativo da Cabala judaica, vindo dos Magos persas, dos neoplatônicos e dos neopitagóricos, não era de origem puramente judaica.[7] Gougenot des Mousseaux alega que havia então duas Cabalas: a antiga tradição sagrada, legada pelos primeiros patriarcas, e uma Cabala oculta, do mal, em que a tradição sagrada foi misturada a superstições bárbaras pelos rabinos.[8] Drach se refere à antiga e verdadeira Cabala, baseada na revelação feita aos primeiros patriarcas, que deve ser separada da falsa Cabala moderna, obra dos rabinos que perverteram a tradição talmúdica. Sexto de Sena sustenta que há uma Cabala que elucida a Torá por analogia e uma falsa Cabala, cheia de falsidades (literalizadas).[9]

A falsa Cabala se entrega a especulações teosóficas teóricas (sobre as sefirot – os dez centros de força da psique cabalística –, a Árvore da Vida, anjos bons e maus, demônios e a aparência de Deus – o "Antigos dos Antigos" – alegando que Adão coabitava com demônios femininos e Eva com demônios masculinos e com a serpente) e a práticas mágicas que reduzem a Cabala a um sistema mágico oculto.

Bacon mantém a distinção entre a verdadeira e a falsa Cabala em *A Nova Atlântida*, onde relata um encontro com um mercador judeu chamado Joabin. Segundo este, "Moisés, através de uma cabala secreta, decretou as leis de Bensalém" e "quando o Messias viesse e se sentasse no trono de Jerusalém, o Rei de Bensalém sentaria a seus pés, mas os outros reis teriam que manter uma grande distância".

APÊNDICE 3

O MESSIAS ESSÊNIO

Parece que foi durante o difícil período do cativeiro babilônico que os essênios se formaram como uma Ordem rigorosa que manteria vivos os antigos ensinamentos de Salomão. Quando os judeus voltaram a Jerusalém depois das vitórias macabeias, os essênios ficaram chocados com o que o exílio tinha feito às suas crenças e desiludidos com sua falta de rigor. Parece que se retiraram para o deserto de Qumran para preservar a tradição oral de Abraão, Moisés e Salomão.

No deserto de Qumran, no século I a.C., os essênios aguardavam o Messias judeu. Eram versados na verdadeira Cabala – a tradição oral de Abraão, Moisés e Salomão – e antecipavam o Messias como Redentor do povo escolhido, os filhos de Abraão, "os filhos de Israel". Para os essênios, os "Filhos de Israel" eram os filhos iluminados do Deus de Salomão: que tinham alcançado um estado iluminado de consciência, independentemente de raça, sob a proteção de Deus, pai de toda a humanidade. Em *The Way of the Kabbalah*, Shimon Halevi escreve que o nome "Filhos de Israel" é um termo cabalístico exato, que se aplica a todos na terra, e não meramente ao povo de origem judaica.[10]

Os essênios já existiam muito tempo antes de serem conhecidos como "essênios", no século II a.C., supostamente porque se diziam descendentes de Esnoque (ou Enoque), "o fundador de nossa Irmandade" e tema de um texto essênio, *A Visão de Enoque*, ou porque descendiam de Esrael (ou Israel), os eleitos do povo, os 70 sábios que Moisés escolheu no Monte Sinai, no século

XIII a.C. Eram seguidores estritos da Lei, ou Torá, que Moisés ensinou, e há um livro essênio chamado *Livro de Moisés*. A tradição essênia esperava dois Messias, um espiritual e um político: um Messias sacerdote (da Casa de Aarão, irmão de Moisés) e um Messias Rei (do sangue real de Davi). O espiritual seria "o Filho do Homem" (o Juiz do mundo, de *Daniel* e *1Enoque*), cujo reino era o Céu, e o político seria "o Filho de Deus", o Messias real que seria Rei de Israel Livre, aguardado pelos zelotes, o movimento de libertação antirromano. Há referências ao "Filho do Homem", o Messias espiritual, em *1Enoque*, considerado por muitos uma obra judaica do século III a.C. As passagens messiânicas podem ter sido escritas entre 165 e 161 a.C.

Os essênios tinham preservado o Deus universal tradicional e o Messias espiritual, que julgaria o mundo. O advento desse Messias espiritual era esperado entre os judeus da Terra Santa antes do nascimento de Cristo. Mas, enquanto os essênios do século I a.C. mantinham viva a verdadeira tradição da Cabala oral, seus compatriotas em Jerusalém davam continuidade a uma versão corrompida da tradição.

Os essênios preservaram a verdadeira Cabala, embora tenham absorvido os anjos zoroastrianos do Céu e da Terra. Sobre essa tradição inalterada, Nesta Webster escreve que a Cabala dos essênios chegou a eles vinda de tempos pré-cristãos, não tendo sido contaminada pela tendência anticristã introduzida pelos rabinos depois da morte de Cristo.[11] Embora um Segundo Templo fosse construído – a pedra fundamental foi lançada por Zerubabel em 537 a.C., sob o comando do Rei Ciro da Pérsia, e sua consagração se deu em 515 a.C. – e os fariseus seguissem a Cabala em Jerusalém, os essênios se mantiveram à parte.

Na volta do exílio na Babilônia, as esperanças, as tradições, a filosofia e a religião dos judeus se concentravam num Messias que seria seu Redentor. É fácil então compreender a reação dos judeus a Jesus, que viam como um "falso" Messias porque não falava dos judeus como raça prometida: tinha vindo para redimir a humanidade inteira, de acordo com a verdadeira Cabala que os essênios seguiam.

A Tradição Oral dos fariseus já estava então corrompida e eles teriam liderado a condenação de Jesus. Jesus era um pregador itinerante com doze discípulos que proclamavam uma mensagem que devia muito a João Batista: que o Reino dos Céus (experiência da luz divina) poderia ser conhecido aqui e agora e que, sendo Deus o Pai Celestial (ou "Abba", que significa "papai"), então Jesus, como todos os "Filhos do Homem" e Filhos da Luz, era um "Filho de

Deus". Para Jesus, o título "Filho de Deus" expressava uma relação íntima com Deus: não indicava que ele era o Messias que seria o Rei dos Judeus.

Parece que Jesus não tinha pensado em si mesmo como Messias espiritual até o encontro com Caifás, o Alto Sacerdote saduceu. Caifás lhe pergunta se ele é o "Filho de Deus" (Mateus), "Filho do Abençoado" (Marcos) ou "o Cristo" (Lucas). Nesses três Evangelhos, ele diz que Caifás verá "o Filho do Homem" sentado "à mão direita do poder". Em João, Caifás lhe pergunta se ele é o "Rei dos Judeus". Todas as referências ao "Filho do Homem" (ou Messias espiritual) anteriores ao encontro com Caifás são textos corruptos adicionados pela Igreja. E as referências no *Evangelho da Paz* essênio, onde "Filho do Homem" aparece em praticamente todas as páginas, significam "homem" e não o Messias.

Os evangelhos essênios mostram Jesus como um Mestre essênio e os judeus – que esperavam um Messias político que seria "Rei dos Judeus" (como esperava Caifás, em João) e o "Filho de Deus" (nos três outros Evangelhos), um líder nacionalista – não aceitariam facilmente a tolerância de Jesus (que pregava "amai os vossos inimigos") e seu ensinamento do Caminho Espiritual da Cabala ("Eu sou a verdadeira vinha"). Em várias parábolas, Jesus pregou que todos os homens são capazes de atingir a iluminação, ser iluminado é mais importante do que ir à sinagoga ou aplaudir a águia romana. Para os judeus que esperavam um Messias político, a mensagem de Jesus enfraquecia a Ortodoxia Judaica de Caifás e a manutenção da ordem no Império Romano de Pilatos. Jesus declarou que o seu reino não era deste mundo. A Terra Prometida era uma realidade espiritual, não uma Israel se libertando de Roma. Para os judeus, ele era um falso Messias e, embora Pilatos não encontrasse nele nenhum erro, a multidão queria que Barrabás fosse libertado. Assim, pressionou Pilatos a crucificar Jesus sob o título "Rei dos Judeus", uma zombaria.

APÊNDICE 4

GNOSTICISMO

Os gnósticos eram várias seitas diferentes com uma perspectiva semelhante que surgiram na Síria e no Egito no I e no II séculos d.C. Nosso conhecimento do Gnosticismo aumentou muito depois da descoberta da biblioteca gnóstica em Naj-Hammadi (no Alto Egito), que confirmou que os elementos combinados na religião gnóstica sincretista vêm do Cabalismo judaico: dualismo iraniano, pensamento babilônico e indiano, platonismo grego, paganismo helênico e, é claro, Judaísmo.

O primeiro líder de uma seita gnóstica foi Simão o Mago, que operava na Suméria (século I d.C.). Era um adepto da Cabala que se autodenominava "Fausto" nos países latinos. Num bordel em Tiro, ele conheceu uma prostituta chamada Helena que, para ele, simbolizava o Pensamento (*Ennoia*) e que passou a viajar com ele como uma espécie de apoio visual. Segundo Hipólito, ele sustentava que o mundo foi criado por anjos babilônios-iranianos (uma clara influência cabalística). No século II, Basilides de Alexandria recorreu ao conceito budista de Nirvana (extinção do desejo). Outro alexandrino, Valentim, que viveu em Roma e depois na Palestina, sustentava que havia dois Absolutos. Marcião de Sinope ensinou que há um Pai Hostil e um Demiurgo. Há várias seitas obscuras. A Barbelo-gnose produziu o *Apócrifo de João*, ensinando que o Adão psíquico foi o Primeiro Homem, o que lembra o Adam Kadmon da Cabala. Os ofitas amaldiçoavam o Jesus físico assim como adoravam a Serpente. Os naassenos (de *nahash*, "serpente" em hebraico) alegavam que o *Evangelho de*

Tomé continha as palavras secretas de Jesus. Os mandeanos vieram da Síria-Palestina e reverenciavam João Batista.

Todos falavam de uma *pneuma* ou centelha, que entra na alma do homem que vive no mundo das Trevas e o faz desejar a Luz desaparecida. Todos sustentavam que há muitas emanações entre o homem e o Altíssimo (um eco das sefirot, as emanações do Cabalismo judaico). Todos negavam a divindade de Cristo, que foi transformado num mero iniciado. Eram dualistas (muitas vezes multiemanacionais): ou professavam dois Absolutos ou um Absoluto e um Demiurgo, que criou o Universo Escuro e que é acessível através da magia. Prescindiam da ideia de autoridade de Deus e da Igreja, e prescindiam também da graça, a doutrina pela qual Deus escolhe quem é iluminado pela Luz Divina. Como resultado, diziam que o homem, deificado pela Luz, não se subordina a Deus. Os gnósticos pregavam essa deificação da humanidade – como Lúcifer logo depois de se rebelar, cada homem é o próprio mestre, e a serpente não teria dito a Adão e Eva "sereis como deuses"? – e, sendo o homem agora um deus, aguardavam o Céu na Terra. Poderiam perguntar como o Fausto de Goethe: "Serei eu um deus? Eu sinto a Luz". Como revolucionários, esses heréticos se puseram contra a antiga Igreja e se organizaram em sociedades secretas, as seitas. Aos poucos, foram revelando ou "revolvendo" (*revolutum* em latim, sugerindo o giro da roda) o segredo que guardavam: o homem é deus e, como Lúcifer, tomou o lugar de Deus. (Dostoievski tinha isso em mente ao criar o revolucionário Kirilov, que proclamava o homem-deus no romance *O Possuído*.)

Essas primeiras seitas gnósticas tinham diferentes doutrinas e diferentes emanações e éons: Enoia (Pensamento), Sofia (Sabedoria), Pleroma, Arcontes e assim por diante. No entanto, podemos falar de uma heresia gnóstica (sincretística), já que todas essas seitas tinham os próprios ritos e locais de reunião, e enfatizavam a salvação e a revelação divina, assim como as diferentes seitas cristãs têm os próprios ritos e igrejas dentro da religião cristã. Nos séculos I e II d.C., um cabalista que fosse a qualquer grupo gnóstico entenderia imediatamente o que estava acontecendo.

No século III, a visão gnóstica foi cristianizada pela Escola Alexandrina (centrada na Escola Catequética Cristã, a primeira instituição cristã de ensino superior). Clemente de Alexandria, por exemplo, formulou um gnosticismo cristão em que *pistis* (fé) era a base da *gnose* (conhecimento). A visão gnóstica, por sua vez, se transformou no pensamento hermético, helenístico e pagão, de Hermes Trismegistus, que também ensinava na Escola Alexandrina e pode ser o autor de *Corpus Hermeticcum*; e no Neoplatonismo de Plotino (205-270), que estudou sob a orientação de Amônio Sacas na Escola Alexandrina. Os dois descrevem emanações que lembram as dez sefirot da Cabala: Hermes fala da Luz, da Vida e da Mente no diálogo *Poimandres*; Plotino descreve a Mente, a Alma e uma ordem hierárquica descendente de esferas do ser, expressas no labirinto do chão da Catedral de Chartres na forma de círculos concêntricos que se ampliam a partir de um ponto até se fundirem ao Um. Plotino se recusa a associar o Demiurgo ao mal e se concentra no "voo" da alma "para o Um".[12]

APÊNDICE 5

A DIÁSPORA

A Diáspora foi um processo que começou com o exílio babilônio em 586 a.C., quando parte da população judaica de Judá foi deportada em condições de escravidão. Embora Ciro tenha dado aos judeus permissão para voltar em 538 a.C., muitos preferiram ficar na Babilônia. No século I a.C., havia muitos judeus em Alexandria: na verdade, quase metade da população da Alexandria era judaica. Ainda nesse século, cinco milhões de judeus viviam fora da Palestina, excedendo em número os que viviam na Palestina. O censo claudiano de 48 d.C. descobriu que havia perto de 7 milhões de judeus no Império Romano, dos quais 2,5 milhões viviam na Palestina. Havia provavelmente mais um milhão vivendo fora do Império Romano.

Uma nova dispersão ocorreu no governo de Tito. A cooperação entre o saduceu Caifás e Pilatos, que condenaram Jesus, não durou. Depois de uma rebelião na guarnição romana em Massada, quando os judeus rebeldes passaram os romanos a fio de espada, e depois de um incidente semelhante na fortaleza romana de Antônia, os romanos decidiram tomar Jerusalém. Pediram que a cidade se entregasse, mas três facções judaicas estavam se atacando na cidade e os emissários romanos foram mortos. Em 70 d.C., sob o governo de Tito, os romanos saquearam Jerusalém e puseram abaixo o Segundo Templo (que tinha passado por uma restauração que começou com o Rei Herodes e durou 46 anos), deixando de pé apenas uma parte do muro ocidental (agora chamado de Muro das Lamentações). Quase um milhão de judeus morreram ou foram vendidos como escravos. O poder dos saduceus, os altos sacerdotes, estava agora no fim, deixando os fariseus no comando, como guardiões da verdadeira e da falsa Cabala. A reconstrução do Templo se transformaria no principal objetivo da Franco-Maçonaria.

A Palestina inteira estava agora sob o domínio romano, com exceção da fortaleza de Massada, que (como o forte cátaro de Montségur, quase 1.200 anos depois) resistiu por mais três anos, antes de se render em 73 d.C. Então, sem poder resistir por mais tempo, 950 homens, mulheres e crianças cometeram suicídio para não serem capturados.

O auge da Diáspora, a dispersão dos judeus pela Europa, veio depois dos judeus terem vivido em paz com os romanos durante prósperos 50 anos. Quando subiu ao trono, Adriano indispôs os judeus com dois decretos canhestros. Ordenou que uma nova cidade fosse construída sobre a ruínas de Jerusalém – seu nome seria *Aelia Capitolina* – e baniu a circuncisão como prática bárbara ("mutilação"). Os judeus se rebelaram sob a liderança de Simeão Bar Kokhba, que muitos julgavam ser o Messias. A essas alturas, a expectativa de um Messias terreno e a fundação de um reino judaico eram a maior motivação para uma revolução política judaica contra o Império Romano. Os rebeldes estavam convencidos de que Bar Kokhba criaria o reino de Deus na terra como Rei dos Judeus. Derrotaram as legiões romanas e expulsaram todos os romanos de Judá. Adriano ordenou que Severo voltasse da Grã-Bretanha, reprimiu a revolta e executou Bar Kokhba. Meio milhão de judeus foram mortos e os que escaparam da morte foram vendidos como escravos ou enviados para as arenas romanas. Um templo para Júpiter Capitolina foi construído no local do santuário e o nome Judá foi abolido. A província chamava-se agora Síria Palestina. Os judeus foram proibidos de entrar em Jerusalém[13] e o Imperador Adriano expulsou todos os judeus vivos da Palestina.

Todos os judeus da Diáspora viam a Palestina – sua terra natal, a Terra de Israel – como o centro de sua religião e de sua vida cultural. Depois da destruição de Jerusalém em 70 d.C., o centro judaico passou da Babilônia para a Pérsia, a Espanha, a França, a Alemanha, a Polônia, a Rússia e finalmente a Inglaterra e os Estados Unidos. Entre os judeus da Diáspora havia duas atitudes. Alguns, os zionistas, queriam voltar para a Palestina; outros consideravam a dispersão providencial, já que espalhava o monoteísmo pelo mundo.

Depois de serem perseguidos pelos romanos, os cristãos também se espalharam e começaram a difundir sua mensagem pelo mundo. Os exilados judeus da Diáspora entraram em rivalidade com os cristãos, também exilados do Império Romano. Como resultado, os ensinamentos cabalísticos, falsos desde o tempo do cativeiro babilônico, tornaram-se anticristãos, assim como o *Talmud Babilônico*, escrito no século VI d.C.

A partir dessa época, cresceu a ambição judaica de enfraquecer o Cristianismo e acabar com sua unidade através da formação se seitas heréticas. Esse anticristianismo já existia entre gnósticos cabalísticos judeus, que alegavam possuir versões verdadeiras dos Evangelhos cristãos. A falsa Cabala judaica e o Maniqueísmo Gnóstico representavam Adão e Eva como descendentes de demônios para que os cristãos acreditassem na origem satânica (luciferiana) da humanidade. Afirmavam que Adão e Eva coabitavam com demônios, como já vimos. Havia livros gnósticos apócrifos de Tomé e Judas. Os ebionitas tinham um evangelho corrompido de São Mateus, os marcosianos um evangelho corrompido de São Lucas, e os valentinianos um evangelho corrompido de São João. Todos alegavam que essas eram as verdadeiras versões dos Evangelhos cristãos. Textos ofitas descreviam a adoração à serpente. A falsa Cabala oculta judaica tirava sua força das atitudes anticristãs dos gnósticos e maniqueístas, cujas seitas tinha gerado.

Não há nada de antissemítico[14] em chamar a atenção para essa antiga linha anticristã no interior da falsa tradição cabalística, que entra em conflito com a política inclusiva de Salomão a respeito dos estrangeiros. Nem estamos sugerindo que haja uma conspiração judaica com o objetivo de dominar o mundo. (Como se pode ver em *A Corporação*, os judeus estão representados na Corporação que, no entanto, não é de modo algum uma operação judaica.) Os antigos textos rabínicos estão cheios dessa rivalidade anticristã pós-diáspora. A base do Judaísmo Rabínico é a ideia de que os judeus são o Povo Escolhido. O *Zohar* explica que a Festa dos Tabernáculos celebra o momento em que Israel triunfa sobre os outros povos do mundo: é o que demonstra o *lulav* (feixe de galhos de árvores) carregado como troféu. Segundo várias passagens da Cabala, todos os góis (gentios) serão varridos da face da terra quando Israel entrar no que é seu. O *Zohar* relata que o Messias declarará guerra ao mundo inteiro. "No momento em que o Santo [...] exterminar todos os *goyim* do mundo, só Israel subsistirá."[15]

Algumas passagens do *Talmud* dizem claramente como os judeus têm que se comportar a respeito dos cristãos. O *Zohar* diz aos judeus que "povos idólatras (os cristãos) emporcalham o mundo" (I, 131a); que "os cristãos têm que ser destruídos como idólatras" (I, 25a); que "o índice de natalidade dos cristãos tem que ser diminuído materialmente" (II, 64b); que os judeus têm sempre que tentar enganar os cristãos (I, 160c). Ou, como diz Shylock, de Shakespeare: "Eu o odeio porque é cristão." (II.iii.37).

À medida que crescia o poder da Igreja, surgiram seitas que desafiavam o Cristianismo, considerando-o herético. As atitudes dessas seitas, que foram transmitidas ao movimento revolucionário moderno, são encontradas na falsa Cabala oculta que, a partir do século VI a.C., concentrou-se no avanço dos hebreus, acabando por recomendar a hostilidade ao Cristianismo. Esse padrão continuou nos séculos que se seguiram à queda de Jerusalém e ao colapso de Judá. As seitas foram influenciadas pelo novo Cabalismo Judaico, também falso, e o efeito de sua existência era dividir e enfraquecer a Cristandade.

APÊNDICE 6

SEPTIMANIA

No século VIII, havia tantos judeus em Languedoc que foi criado um principado judaico em Septimania, em 768. Esse fato não é muito conhecido. O que se sabe é que, durante o reinado de Augusto, imperador romano, Septimania foi povoada por veteranos da Sétima Legião, ou Septimani. Essa foi a última região em Gaul a ser ocupada pelos visigodos espanhóis, que fizeram de Narbonne a sua capital depois de saquear Roma e tomar sete cidades ou dioceses: Narbonne, Nîmes, Béziers, Magulonne, Lodêve, Agde e Uzès (depois Elne e Carcassonne). Os mouros, ou sarracenos, invadiram o sul da França no início do século VIII e, de 720 a 759, a Septimania ficou em mãos islâmicas. Carlos Martel liderou a resistência franca, fazendo com que os mouros voltassem para Narbonne. Depois, tentou sem sucesso sitiar a cidade, defendida por mouros e judeus. O filho de Carlos Martel, Pepino o Breve, aceitou o desafio e, depois de um cerco de sete anos, fez um pacto com a população judaica da cidade. No guia turístico de Narbonne, a versão do que aconteceu é a seguinte: "Em 750, o rei franco Pepino o Breve, pai de Carlos Magno, entrou na cidade com a ajuda da população local. Narbonne se tornou então um posto de fronteira voltado para a Espanha, um baluarte da Cristandade contra o Islã". Outro guia local diz simplesmente: "Em 759, depois de um longo cerco, Pepino o Breve reconquistou Narbonne".

O que realmente aconteceu então é descrito pelos autores de *The Holy Blood and the Holy Graal*. O tema do livro – que Jesus sobreviveu à Crucificação, casou-se com Maria Madalena e formou uma família que deu origem à dinastia merovíngia – pode ser especulativo e sem provas (eles têm escrúpulos de falar em "hipótese"), mas a pesquisa sobre a Septimania é excelente. Pepino fez um pacto com a população judaica em 759: os judeus o endossariam como descendente de Davi e ele receberia ajuda judaica contra os mouros. Em troca, outorgaria aos judeus de Septimania um principado e um rei próprio.

Naquele mesmo ano, os judeus de Narbonne mataram os defensores muçulmanos da cidade, abriram os portões da fortaleza aos francos que faziam o cerco e reconheceram Pepino como seu chefe nominal. Em 768, Pepino criou um principado judaico em Septimania, que lhe devia fidelidade nominal mas era essencialmente independente. Um regente foi escolhido para ser o rei dos judeus. Nos romances, ele é chamado de Aymery. Foi recebido pela nobreza franca e adotou o nome de Teodorico ou Thierry. Foi reconhecido por Pepino e pelo califa de Bagdá como a "semente da casa real de Davi". Nos séculos que se seguiram, houve tentativas de eliminar dos registros qualquer traço do Reino Judaico de Septimania e a confusão de godos e judeus pode ser atribuída a essas tentativas.[16] O principado judaico de Septimania se tornou parte do reino de Aquitaine – Guillen de Gellone morreu em 812 e sua linhagem culminou nos primeiros Duques de Aquitaine – e, em 817, Carlos Magno criou o ducado de Gothie, com Narbonne como capital. Havia várias propriedades senhoriais: a cité pertencia ao arcebispo, o burgo ao Visconde e a Cidade Nova aos judeus, que ficaram por lá até o século XIV. Em 877, Gothie passou para os Condes de Toulouse. O nome perdurou ao longo da Idade Média.

Durante o período de governo judaico, comandado pelo Rei dos Judeus a partir de 768, a Septimania era como um ímã para os judeus da Diáspora, que se estabeleciam em Languedoc, trazendo consigo as visões cabalística-gnóstica e maniqueísta. A Cabala (que agora significava "recebida", sugerindo uma "tradição") já estava então bem estabelecida no sul da França no século XII. Depois de 1148, como resultado da Segunda Cruzada, houve um novo influxo de judeus vindos da Itália, que trouxeram a Cabala para as academias talmúdicas de Languedoc, Provence e Roussillon. Já os judeus árabes-espanhóis, refugiados da invasão berbere-muçulmana da Espanha por volta de 1147-8, trouxeram um novo influxo de tradição babilônica e de conhecimento persa do maniqueísmo. Houve uma mistura da tradição sefárdica dos judeus da Espanha árabe-muçulmana (prosa arábica e poesia hebraica) e a tradição Ashkenazic dos judeus da Alemanha e da França latino-cristã (escrita em hebraico). Nessa época, dizia-se que a Cabala tinha sido passada a Abrão por Melquisedeque, Rei de Salém ou de Jerusalém, ou pelo menos a Moisés, quando Deus se comunicou com ele no Monte Sinai.

Todas as vertentes ocultas dos dois milênios anteriores eram encontradas na Cabala do sul da França no século XII: o Zoroastrismo – uma tradição que o próprio Zoroastro tinha ensinado aos judeus exilados na Babilônia caldeia –, o Gnosticismo, o Neoplatonismo, a *Hermética* e o *Merkava* (hebraico para "veículo"), misticismo dos judeus que contemplava a visão de Ezequiel do trono divino (*Ez* 1;10). A maioria dessas vertentes aparece no *Sefer Yetzira*, do século X. Na França do século XII, havia duas escolas: a primeira – uma escola *Merkava* – produziu o *Sefer ha-Bahir* (ou *Livro da Claridade*, 1150-75); a segunda era neoplatônica e produziu um comentário sobre o *Sefer Yetzira*, mudando-se depois para a Espanha. A obra clássica da Cabala, o *Sefer ha-Zohar* (ou *Livro do Esplendor*), supostamente do século II, foi escrita na Espanha por volta de 1275 por Moisés de Leon e circulava em Castile nos anos 1280.[17]

A Septimania, berço da Era de Ouro judaica na França e na Espanha (séculos IX-XIII), da qual nasceu a antiga Renascença da literatura do Graal (c. 1190-1215) que inspirou Dante, tinha preservado o Maniqueísmo, que influenciou os cátaros revolucionários vindos de Septimania-Languedoc. Os autores de *The Holy Blood and the Holy Graal* afirmam que, segundo pesquisas recentes, os cátaros podem ter vindo de escolas cabalísticas-maniqueístas, muito antigas na França, e não do bogomilismo búlgaro.[18]

APÊNDICE 7

O PRIORADO E OS TEMPLÁRIOS

Aparentemente, o início da Ordem dos Templários tem ligação com São Bernardo de Clairvaux, um monge cisterciense (1091-1153). Os cistercienses tinham sido criados em 1098 e se espalharam rapidamente graças ao fervor dos cruzados. Bernardo, que renunciou à carreira como cavaleiro em 1122, tornou-se líder espiritual da Europa quando levou Inocente II ao Papado, defendeu o misticismo opondo-o ao racionalismo do Escoliasta Abelardo e promoveu a Segunda Cruzada. São Bernardo escreveu o Estatuto dos Templários e incentivou-os a proteger o recém-estabelecido Reino de Jerusalém, continuamente atormentado por exércitos muçulmanos. A fundação da Ordem dos Templários veio da decisão de proteger o Reino, tomada em 1113-5.

Os primeiros nove templários (que incluíam o tio de Bernardo, André de Montbard) chegaram a Jerusalém em 1119, e Balduíno II, Rei de Jerusalém, lhes cedeu o local do Templo de Salomão. Sua sede era no palácio real de Salomão, na área do Templo de Salomão sobre o Monte Zião ou Sião, que tinha abrigado a Arca desaparecida por volta de 586 a.C. Essa arca continha as tábuas dos Dez Mandamentos trazidas para Jerusalém por Davi. Os primeiros templários moravam num palácio oblongo, sustentado por colunas internas acima do estábulo de Salomão, que já tinha abrigado dez mil cavalos. Uma testemunha ocular relatou que estavam construindo um novo mosteiro e fazendo o alicerce de uma nova igreja. As escavações sugerem que os templários estavam procurando um tesouro no local do Templo de Salomão.

Na verdade, a Ordem dos Templários foi criada pela Ordem de Sião. Um dos nove templários originais foi o verdadeiro fundador, Hugues de Payens, que se tornou Grão-Mestre dos Cavaleiros Templários. A Ordem de Sião, mais tarde Prieuré Notre-Dame de Sion, era praticamente desconhecida até que os autores de *The Holy Blood and the Holy Graal* descobriram documentos relacionados a ela. Foi fundada em 1090 por Godfroi de Bouillon, que os cruzados católicos puseram no trono de Jerusalém. Alegando ser da linhagem de Davi e tutelado por Pedro o Eremita, Godfroi organizou uma sociedade secreta que o preparasse para ser o Rei de Jerusalém. Em 1095, o Papa Urbano II conclamou uma cruzada, uma guerra santa que tomaria a tumba de Cristo das mãos dos infiéis muçulmanos. Em 1099, Godfroi tomou Jerusalém. O trono lhe foi oferecido através de um conclave secreto que incluía Pedro o Eremita, que já estava em Jerusalém. A Ordem de Sião trabalhava agora para governar o mundo do Trono de Davi em Jerusalém, através da linhagem merovíngia. Godfroi ordenou a construção de uma abadia no Monte Zião para abrigar a Ordem de Sião. Mas morreu no ano seguinte, 1100, e foi sucedido por seu irmão mais novo, Balduíno, que se tornou Rei de Jerusalém. Foi então que a Ordem de Sião recomendou a Hugues de Payens que fundasse os Cavaleiros Templários. J. R. Church explica o motivo: "Os Cavaleiros Templários foram criados com o propósito secreto de preservar a linhagem merovíngia, na esperança de um dia instituir um governo mundial e levar seu rei ao trono – um rei que pudesse afirmar ser descendente direto de Jesus Cristo e Maria Madalena."[19] Em março de 1117, Balduíno I levou a constituição dos Cavaleiros Templários à Ordem de Sião, que a aprovou em 1118.

As escavações no palácio de Salomão parecem ter tido sua razão de ser: em 1104, Hugues de Payens relatou uma descoberta no local ao Conde de Champagne. O Conde partiu imediatamente para a Terra Santa e só voltou em 1108. Foi outra vez para Jerusalém em 1114, com o intuito de ser iniciado nos Cavaleiros Templários, e voltou no ano seguinte. Durante sua estadia em Jerusalém, por volta de 1114-5, ele e os outros nove Cavaleiros Templários descobriram o tesouro. O Conde voltou para a França e começou a preparar uma caixa-forte para guardá-lo. Em 1115, o dinheiro voltou para a Europa e para os cistercienses que, através de São Bernardo, endossaram a Ordem do Templo. Os sermões de Bernardo falavam cada vez mais de Salomão e, de 1130 a 1150, ele encomendou várias catedrais góticas cistercienses (cuja altura era uma característica islâmica), que foram construídas por uma guilda chamada "os Filhos de Salomão". Durante os dez anos seguintes, os templários se tornaram muito ricos – oficialmente porque eram pagos para proteger dezenas de milhares de cruzados. No entanto, ainda havia apenas nove templários: não parece provável que tantos fossem protegidos por tão poucos em troca de uma fortuna. Pressionados pelas autoridades fiscais, os templários disseram que tinham descoberto o segredo alquímico de transmutar metal em ouro.

Em 1146, os Templários adotaram a cruz merovíngia vermelha e acompanharam Luís VII da França na Segunda Cruzada. Em 1153, tinham um novo Grão-Mestre, Bertrand de Blanchefort, um nobre de família cátara cujo lar ancestral ficava no pico de uma montanha a poucos quilômetros de Rennes-le-Château, que fica a meio caminho entre Carcassonne e Montségur e que foi supostamente o lar de Jesus depois da crucificação. Segundo algumas versões, o tesouro templário foi enterrado em Rennes-le-Château. Logo depois, os templários começaram a decair para práticas pagãs mas, mesmo assim, Blanchefort os transformou numa sociedade disciplinada e bem organizada. Em 1156, trouxe mineiros de língua alemã para Rennes-le-Château para trabalhar nas minas de ouro do Monte Blanchefort, que tinham sido esgotadas pelos romanos. Na verdade, a intenção não era minerar, mas criar uma cripta ou depósito com galerias subterrâneas para guardar parte do tesouro retirado do Templo de Salomão, que tinham fundido e refinado.

Em pouco tempo, os Templários se tornaram banqueiros que atendiam todos os tronos da Europa. Emprestavam dinheiro para monarcas empobrecidos a juros baixos e transferiam dinheiro para comerciantes. Através de um sistema de notas promissórias, o dinheiro depositado numa cidade podia ser sacado em outra. Tornaram-se cambistas e poderosos capitalistas, que conduziam a diplomacia entre monarcas. Na Inglaterra, o Mestre do Templo tinha precedência sobre todos os outros curas e abades.

Como resultado dessas atividades bancárias na Europa, os templários negligenciaram sua função de guardiões da Ordem do Rei de Jerusalém Merovíngio de Sião, na Terra Santa. Em 1185, depois da morte de Balduíno IV, Rei de Jerusalém, o Grão-Mestre Gerard de Ridefort agravou a batalha da sucessão ao quebrar um juramento feito a Balduíno IV antes da sua morte e quase levou os cruzados à guerra civil. Sua maneira arrogante de tratar os sarracenos, por outro lado, pôs fim a uma longa trégua. Ele cometeu o erro de lutar em Hattin em julho de 1187 e foi derrotado. Já de posse do tesouro de Salomão, os templários não tinham mais muito a fazer em Jerusalém e começaram a se ressentir com a Ordem de Sião, que agora viam como rival. Na verdade, planejavam destruir a ordem de Sião e deixar a Terra Santa. Quando, dois meses depois, Saladim tomou Jerusalém, a Ordem de Sião culpou Ridefort pela perda e o acusou de traição, causando uma racha entre os Templários e Sião. Os *Dossiês Secretos* da Ordem de Sião registram a cisão, que envolveu um "corte do olmo" em Gisors, no norte da França, em 1188. Depois de uma batalha entre Henrique II da Inglaterra e Felipe II da França, houve uma trégua, e um olmo foi cortado como emblema do cisma. A trégua entre os templários e Sião permitia que cada grupo operasse independentemente.

A partir de 1188, o protetor da Ordem de Sião passou a ser o Rei da Inglaterra. Ela era agora chamada de Priorado de Sião. A sede templária continuou em Rennes-le-Château, onde a fortuna de Salomão estava supostamente escondida.

A luta Sião/Templária continuou ao longo dos 800 anos seguintes e esteve por trás das revoluções britânica, norte-americana, francesa e russa, como já vimos. Ela prefigura também o cisma, no governo mundial de hoje, entre Rockefellers e Rothschilds.[20] Logo depois de 1891, o Priorado de Sião conseguiu tomar a igreja de Rennes-le-Château dos Templários, quando o abade Bérenger Saunière, um jovem padre sem vintém, enviado em 1885 para uma paróquia assolada pela pobreza, que nunca tivera mais de duzentos paroquianos, embarcou de repente num extravagante programa de construção para restaurar sua igreja. (Segundo alguns documentos, só o trabalho de restauração custou 350 milhões de cêntimos, cerca de 700.000 libras em valores de hoje.) Isso gerou rumores no vilarejo de que ele tinha descoberto um tesouro numa tumba na cripta da igreja. A igreja tinha sido consagrada a Maria Madalena (a noiva de Cristo, segundo os merovíngios sionistas) em 1059. Segundo alguns, Saunière descobriu antigos documentos provando que Jesus sobreviveu à crucificação, casou-se com Maria Madalena e morreu na França – e o Vaticano comprou seu silêncio. Entre 1891 e sua morte em 1917, ele gastou uma fortuna e deixou criptogramas e códigos que talvez indiquem a fonte de sua súbita riqueza.

Em 1892, Saunière foi a Paris e conheceu o maçom Emile Hoffet e a cantora Emma Calvé, que era ligada a Joseph Péladan. Em 1891, Péladan tinha participado da fundação (com o Conde de Larochefoucauld) da cabalística Ordem Rosa-Cruz do Templo e do Graal. Os três eram convidados frequentes em Rennes-le-Château e, depois do trabalho de reconstrução feito por Saunière, a igreja deixou de ser a sede templária para ser a sede de Sião, graças ao tesouro que ele parece ter encontrado no local ou graças ao dinheiro do Vaticano para que se calasse. Os Templários podem ter cooperado permitindo essa mudança de ênfase.

O propósito da Ordem de Sião era, e ainda é, criar um Reino Mundial com Jerusalém como capital e um descendente direto de Davi no trono. Sobre o pórtico de entrada da igreja de Rennes-le-Château, em pleno país cátaro, estão entalhadas as palavras *Regnum Mundi* ou "Reino do Mundo". (Os cátaros chamavam o Demiurgo ou – na visão deles – o Deus mau da criação material, de *Rex Mundi*, "Rei do Mundo".) Esse é o texto completo sobre o pórtico:

"REGNUM MUNDI ET OMNEM ORNATUM SOECULI CONTEMPSI PROPTER ANOREM DOMINI MEI JESU CHRISTTI QUEM VIDI QUEN (SIC) AMAVI IN QUEM CREMINI QUEM DILEXI."

Há "erros" no latim e a inscrição não parece fazer sentido. No entanto, Saunière não cometia erros: fazia tudo deliberadamente. Isso parece sugerir que essa inscrição é um código (com 22 palavras e 114 letras) esperando para ser decifrado. Já foram feitas algumas tentativas de decifrá-lo.[21]

No decorrer de suas restaurações, Saunière afirmou ter encontrado quatro pergaminhos dentro do oco de um suporte de altar carolíngio, do século VIII. Nesses pergaminhos, haveria uma lista de Grão-Mestres dos Cavaleiros Templários e do Priorado de Sião, assim como uma história da linhagem merovíngia. Além disso, dois deles conteriam genealogias datadas de 1244 e 1644. Esses documentos antigos podem ter sido postos na cavidade pelo próprio Saunière, agindo em nome de dois rosa-cruzes cabalistas que eram muitas vezes seus convidados.[22]

Depois da separação entre os Templários e Sião em Gisors, Sião adotou o nome Ormus ("orme", francês para "olmo") e passou a seguir a religião do egípcio Ormus, um gnóstico alexandrino que se converteu ao Cristianismo em 46 d.C. e que usava como símbolo uma cruz vermelha. Merovée (que governou de 448 a 458 e cujo nome os reis merovíngios dos francos adotaram) nasceu com uma marca vermelha em forma de cruz sobre o coração. A pedido do Grão-Mestre de Sião, Jean de Gisors (1188-1220), o Priorado de Sião adotou a cruz vermelha de Ormus como emblema e passou a se denominar "L' Ordre de la Rose-Croix Veritas" (Ordem da Verdadeira Cruz Vermelha). Os sionistas alegam que foi Jean de Gisors que fundou o Rose-Croix ou Rosacrucianismo. Ao mesmo tempo, Sião adotou o "olho que tudo vê" de Osíris, que os Templários também adotaram. Tais similaridades permitiam aos sionistas penetrar nas reuniões templárias.

O Conde de Champagne, Hugues de Champagne, que participara da descoberta do tesouro templário, tinha uma parenta chamada Marie, Condessa de

Champagne, que era filha de Eleanor de Aquitaine (mulher de Luís VII da França e de Henrique II da Inglaterra). Chrétien de Troyes, o primeiro a narrar a história do Graal, vivia em sua corte. Philippe d'Alsace, Conde de Flanders, tinha tentado casar com Marie em 1182 (o poema *Percival* de Chrétien, ou *Le Conte du Graal*, é dedicado a ele). Será que Chrétien tomou conhecimento da taça do Graal através de Marie ou de Philippe, que por sua vez ouviram a história do seu descobridor, Hugues de Champagne?

Depois do cisma, os Templários se tornaram satanistas. Tinham conhecido mistérios orientais na Terra Santa, especialmente a falsa Cabala mágica e oculta, e seu contato com os cátaros tinha reforçado seu Gnosticismo. Usavam haxixe e praticavam magia negra e bruxaria. Viam Jesus e a Igreja Católica como inimigos. Cuspiam na cruz. Voltaram ao dualismo gnóstico, segundo o qual Deus tem dois filhos: Satanail/Lúcifer (o mais velho) e Jesus (o mais novo), dois quais só o mais velho deve ser reverenciado. Adoravam Lúcifer, o deus do mal, e se curvavam diante do Bafometo, um demônio representado por uma cabeça de bode dentro de uma estrela de cabeça para baixo, e adotaram o símbolo da caveira com os ossos cruzados.

Em 1291, em Acre, o último baluarte dos cruzados na Terra Santa foi tomado pelos sarracenos e o Reino de Jerusalém, que começou com Godfroi, deixou de existir. Os Templários tinham perdido seu local de operações e também sua *raison d'être*. Nos quinze anos que se seguiram, entraram em profundo declínio.

Sião não tinha fundos e tinha que fazer empréstimos com os Templários, que tinham lançado mão traiçoeiramente do tesouro de Salomão, que era seu por direito. Felipe IV da França era um monarca financeiramente inseguro que invejava a fortuna dos Templários e que estava determinado a destruir a Ordem com a ajuda clandestina de Sião, que conhecia suas senhas, e do Vaticano. Quando Clemente V se tornou papa, Felipe, que tinha nele um aliado, convenceu-o a ordenar a supressão dos Cavaleiros Templários. Felipe queria a fortuna dos Templários e Sião queria de volta o tesouro de Salomão, incluindo o Santo Graal, que os Templários supostamente tinham. (Diz uma tradição que Maria Madalena o levou com ela para a França em 70 d.C.) Um agente infiltrado (possivelmente sionista, certamente a serviço do rei francês) obteve uma confissão de um templário, que permitiu que Felipe agisse. No amanhecer do dia 13 de outubro de 1307, uma sexta-feira, todos os Templários da França seriam capturados e teriam seus bens confiscados.

Felipe nunca encontrou o ouro dos Templários. Esse ouro estava em Paris, onde os Templários operavam como banqueiros, atendendo toda a Europa. Dizem os rumores que, depois de um aviso, esse ouro foi levado para a base naval templária em La Rochelle e embarcado em 18 galeras: depois disso nunca mais foi visto. Pode ser que o Priorado de Sião tenha recuperado esse ouro em La Rochelle, ou mesmo depois, através dos Cavaleiros Hospitalários de São João, ordem controlada pelos ingleses, levando-o então para a Inglaterra, que rapidamente se tornou uma potência mundial, sendo durante 400 anos a nação mais poderosa e rica da terra. Hoje, a *City* de Londres ainda é o centro financeiro do mundo. Estaria o ouro templário no coração do Império Britânico? Se o ouro foi para a Inglaterra, isso explicaria por que os Templários fugiram para a Escócia e lutaram contra a Inglaterra em 1314, ao lado de Robert Bruce. Sua sede escocesa ficava na "preceptoria", em Rosslyn. Nenhum templário foi preso em Rennes-le-Château e nunca ficou claro o que aconteceu com o tesouro de Salomão. Em 1981, Pierre Plantard, Grão-Mestre do Priorado de Sião, declarou: "A Ordem está de posse do tesouro perdido do Templo de Jerusalém. Ele será devolvido para Israel na hora certa."[23] A hora certa pode ser quando um merovíngio subir ao trono de Davi e se tornar Rei de Jerusalém.

Jacques de Molay, último Grão-Mestre dos Templários, só foi capturado em 1314. Foi julgado e queimado em fogo lento na Île de la Cité, no Sena. Com ele estava Geoffroy de Charnay, então de posse do Sudário de Turim, roubado de Constantinopla. Já sufocando com a fumaça do fogo lento, De Molay amaldiçoou o papa e o rei, gritando que, em menos de um ano, Clemente e Felipe compareceriam diante de Deus para responder por seu ato. O papa morreu de disenteria no mês seguinte e o rei morreu com sintomas misteriosos (veneno templário ou de Sião?) antes do final do ano. A maldição lançada sobre a monarquia ecoou através da França pré-revolucionária e os jacobinos derivaram seu nome do primeiro nome de De Molay, Jacques. Os Bourbons eram ligados pelo casamento a Felipe IV. Assim, a execução do Bourbon Luís XVI pelos jacobinos e o fim da monarquia cumpriram a maldição de De Molay. (Conta-se que, quando a cabeça de Luís caiu, um maçom templário pulou sobre o cadafalso e gritou: "Jacques de Molay, você está vingado!")

Com a morte de Jacques de Molay, o Templo deixou oficialmente de existir. Acolhidos na Escócia por Robert Bruce, os Templários usaram o assassinato ritual de Hiram Abiff para simbolizar a morte de Jacques de Molay, introduzindo esse ritual na cerimônia de iniciação do "3º grau", o rito de iniciação para Mestre Maçom. Nos 400 anos que passaram na Escócia, os Templários controlaram a dinastia Stuart, incluindo Jaime VI da Escócia, que se tornou Jaime I da Inglaterra. Jaime I era um iniciado dos Templários Escoceses e levou a Ordem para Londres. Carlos I continuou a tradição templária Stuart. Os Templários acabariam sendo exilados para a França com os Stuarts em 1689.

Os Templários foram então uma seita herética cujo impacto foi totalmente fora de proporção com o número de seus membros. Influenciaram a Igreja da época de São Bernardo, emprestavam dinheiro para os reis da Europa e desafiaram a Cristandade. Como no caso dos cátaros, a espiritualidade e o misticismo dos Templários eram verdadeiros, mas suas ideias e sua religião foram corrompidas por práticas de magia oriental que lembravam a Cabala mágica, fundindo aos poucos diversos grupos heréticos para formar a Franco-Maçonaria moderna, com uma agenda de governo mundial.

O Priorado de Sião queria tomar a Inglaterra de volta dos Templários. A Inglaterra tinha sido sionista de 1188 até 1603 e, se os Templários levaram o tesouro de Salomão para a Inglaterra, o Priorado teria uma dupla razão para querer a Inglaterra de volta – e há evidências de que o Priorado estava envolvido na Revolução Puritana.

APÊNDICE 8

A INQUISIÇÃO ESPANHOLA

Os judeus sefarditas sofreram algumas perseguições depois de junho de 1391, quando turbas urbanas se revoltaram em Sevilla e assassinaram centenas de judeus. Nesse ano, os judeus foram obrigados a se converter do Judaísmo para o Cristianismo e houve assim "conversões" em massa. Mas, seus descendentes (também chamados *conversos*), vistos como cristãos inconfiáveis, chamaram a atenção da Inquisição, que vinha expulsando judeus de certas regiões desde 1481, o ano anterior à nomeação de Torquemada. O primeiro auto de fé e a proposta de expulsar todos os judeus que não se convertessem foram uma extensão dessa política. Num edital emitido em Aragão, o Rei Ferdinando deixou claro que a proposta vinha da Inquisição. Os judeus tinham sido expulsos da Provença e dos ducados italianos de Palma e Milão em 1488 e 1490, embora muitos tivessem se convertido. Estima-se que cerca de 170.000 famílias – 800.000 almas – deixaram Castilla e Aragão em 1492. Segundo outra estimativa, 300.000 judeus deixaram "todas as províncias do rei".[24] Seu sofrimento era muito grande. Antes de sair, tentaram vender suas casas: muitas vezes uma casa era trocada por um burro, um vinhedo por algumas roupas de cama. Não podiam levar ouro e nem prata. Os navios que aguardavam nos portos estavam superlotados e em más condições, e as tempestades fizeram com que muitos voltassem para a Espanha. Os judeus a bordo não tinham outra opção além de desembarcar na Espanha e se converter. Muitos que chegaram à África foram roubados e assassinados. Muitos judeus expulsos da Espanha emigraram para a Polônia, para a Itália e depois para a Holanda. Os que ficaram na Espanha abraçaram a fé católica e ficaram conhecidos como *marranos*.

Aparentemente, essas expulsões ocorreram porque os *conversos* não eram bons cristãos, mas a coroa não lucrava com isso: ao contrário, perdia dinheiro. O Sultão da Turquia estranhou a expulsão: "era como deportar riqueza". Depois de 1492, a prática do Judaísmo foi proibida na Espanha e em suas colônias, mas continuou em Milão (que estava sob domínio espanhol desde meados do século XVI) até os anos 1590.

O severo tratamento dado aos judeus pela Inquisição Espanhola gerou muita oposição à Igreja Católica, à qual pertenciam os inquisidores, e acelerou a demanda por reforma.

O ano de 1492 foi também aquele em que se mencionou pela primeira vez os "Alumbrados" ("iluminados", também traduzido por "iluministas"). Eram místicos franciscanos que enfatizavam a união passiva da alma com Deus enquanto Luz. Um desses grupos, patrocinado pelo Duque do Infantado, Mendoza, formou-se no palácio de Guadalajara, em torno de Isabel de la Cruz e Pedro Ruiz de Alcaraz. A Inquisição ficou alarmada, achando que as atividades dos iluministas podiam ser heréticas e, depois de um longo e paciente inquérito que durou vários anos, os líderes iluministas foram detidos. Isabel e Alcaraz foram presos em 1524. Em 1525, o Inquisidor Geral emitiu o "decreto dos Alumbrados", que os declarava heréticos. Isabel e Alcaraz foram sentenciados a comparecer a um auto de fé em Toledo, em 1529.

APÊNDICE 9

OS JUDEUS NA ESPANHA

Há algumas evidências de que os judeus tentaram enfraquecer a Igreja espanhola antes de 1492. Os judeus da Europa, alarmados com as expulsões e as perseguições, apelaram para o Sinédrio em Constantinopla. A carta foi assinada por Chemor, Rabino de Arles, Provença. Em novembro de 1489, a resposta chegou, assinada por "V.S.S.V.F.F., Príncipe dos Judeus". Aconselhava os judeus da Europa a adotar a tática do Cavalo de Troia: tornando-se advogados, médicos e sacerdotes cristãos, poderiam destruir a estrutura cristã de dentro para fora. Há uma versão de que os judeus *marrano* trabalhavam secretamente para destruir a Igreja na Espanha, e que a Inquisição Espanhola foi criada para livrar o país desses sabotadores. Depois de serem expulsos da Espanha, os judeus viajaram pela Europa com destino à Holanda. Precisavam se ligar a uma nação com uma forte navegação, de onde pudessem estabelecer o comércio com todas as partes do globo. A Holanda era uma potência naval emergente mas, depois da derrota da Armada espanhola e das viagens para a América, a Inglaterra tinha uma estrutura naval internacional melhor, em que a navegação mercantil poderia operar. Além disso, já estava dividida entre protestantes e católicos e agora entre protestantes e puritanos. Os judeus poderiam explorar essas divisões da Cristandade, vingar-se da expulsão de 1290 (e dos autos de fé que tinham vitimado o pai de Menasseh, por exemplo) e expandir o comércio judaico através das frotas britânicas. Os financistas judeus de Amsterdã tiveram provavelmente vários motivos combinados para apoiar Cromwell na derrubada do rei.

APÊNDICE 10

A ISRAEL BRITÂNICA NA REFORMA E AS REVOLUÇÕES PURITANAS

Os povos celto-anglo-saxônicos que habitam as Ilhas Britânicas e seus territórios de língua inglesa (Estados Unidos, Canadá, África do Sul, Austrália e Nova Zelândia), assim como partes da Holanda protestante, são vistos por alguns como os israelitas "perdidos" da profecia bíblica. Essas ideia tem suas raízes na consciência popular da Grã-Bretanha, assim como os relatos da visita de Cristo à parte ocidental da Inglaterra. Não se sabe até que ponto essas tradições floresceram na Idade das Trevas mas, na época da Reforma na Inglaterra (1500-1650), a ideia de que a aliança de Deus com Abraão tivesse sido herdada pelos povos britânicos se expressava na literatura e na política da nação-estado. O Direito Comum, implementado pelo Rei Alfredo, era claramente baseado nos Dez Mandamentos, passados por Deus a Moisés.

Evidências referentes à "teoria da Israel Britânica", como passou a ser conhecida, podem ser encontradas nos três grandes livros de literatura/profecia da língua inglesa: *The Book of Common Prayer* (1549), *King James Bible* (1611) – a teoria é encontrada também em versões anteriores da Bíblia, como a de Tyndale – e *First Folio* (1623) de Shakespeare. Em *The Book of Common Prayer*, os ingleses são identificados com povos de Israel e chamados de cordeiros nos pastos de Deus. Quando o Sacerdote diz "Investe teus ministros com retidão", a congregação responde "E faz teu povo escolhido feliz". Em *My Past Atheism*, a teosofista Annie Besant ataca esse livro dizendo que, nele, os ingleses fazem

475

reivindicações que nada têm a ver com sua raça, "a menos que tenha razão quem diz que a nação inglesa provém das Dez Tribos perdidas".

O Arcebispo Cranmer compilou o *Prayer Book* em 1549 e, no prefácio, diz que pode provar que seu conteúdo já estava em uso na Igreja Britânica há mais de 1.500 anos. Tanto ele quanto William Tyndale, o "Apóstolo da Inglaterra", acreditavam na Israel Britânica e na origem apostólica da Igreja na Grã-Bretanha. Com a difusão das Escrituras em inglês, graças em grande parte a Tyndale, surgiu entre os ingleses a noção de que eram mesmo israelitas. Acreditavam também que o monarca inglês era da linhagem real de Davi e que, ao ser coroado, sentava-se na Pedra do Destino (travesseiro de Jacó), o que confirmava a visão britânica israelita. Muito da força da cultura elisabetana veio dessa noção. A própria Elizabeth era conhecida como "A Luz de Israel" e Francis Drake, numa carta a John Fox (autor de *The Book of Martyrs*), exortou-o a rezar da seguinte maneira: "Que Deus seja glorificado, que sua igreja, nossa rainha e nosso país sejam preservados, que os inimigos da verdade sejam derrotados, e que tenhamos paz contínua em Israel".

A Israel Britânica, fosse essa ideia consciente ou subliminar, incentivou o nacionalismo Tudor, especialmente no reinado de Elizabeth I. Jaime I era visto como israelita britânico mas, para ele, isso pode ter sido mais uma fantasia intelectual do que uma crença profunda. Embora dissesse que o Senhor tinha feito dele o "Rei sobre Israel" e tivesse o apelido de "Salomão Escocês", é preciso lembrar que Jaime não foi educado sob a Lei Comum Inglesa, mas sob a Lei Civil dos escoceses, que punha o rei acima da lei. Assim, pode ser que não conhecesse em profundidade os fundamentos mosaicos da lei inglesa e tivesse pela ideia da Israel Britânica apenas uma simpatia superficial. Cromwell, um Israelita Britânico radical, revivia esse novo patriotismo em sua reverência declarada pela idade de ouro de Elizabeth. (Presidia celebrações nacionais todos os anos no aniversário de sua ascensão ao trono.)

C

A POLÍTICA EXTERNA VENEZIANA E A MAÇONARIA ROSACRUCIANA

Segundo algumas versões, Veneza estaria por trás das organizações secretas que descrevemos. No século XV, as conquistas militares e econômicas tinham levado o poder da república veneziana através do Adriático, para o sudeste da Grécia e para Creta. Depois de repelir ameaças vindas da Sicília normanda, de Gênova e Pisa, Veneza se via agora diante dos exércitos do Islã.

O impacto de Veneza sobre a Europa Ocidental remonta à Universidade de Pádua, que educava a elite veneziana. Galileu ensinou ali de 1590 a 1610. Na Universidade, Aristóteles substituiu Platão: o foco passou a ser o homem separado do Criador, sujeito à ética e não à moralidade, já que não há certo nem errado e nem uma verdade cognoscível.

Depois da Liga de Cambrai (uma aliança contra Veneza entre o papa, o sacro imperador romano e os reis da França e Aragão) quase destruir Veneza, entre 1509 e 1513, o Cardeal Gasparo Contarini, um humanista veneziano pupilo de Pietro Pompanazi, o principal aristotélico da Universidade de Pádua, fundou o *Il Spirituali* para fazer frente ao hedonismo veneziano e criar reformadores protestantes dentro da Igreja Católica. Temendo que a Espanha ameaçasse Veneza por terra, Contarini e seus associados buscaram uma aliança com Lutero para enfraquecer a Espanha nas terras dos Habsburgo. Como tinham entrado em conflito com Lutero, reconciliaram-se com os luteranos e formularam uma teologia da salvação aceitável para eles. Como Contarino esperava, Lutero foi chamado para se explicar com o Imperador Carlos V, o primeiro Habsburgo espanhol. Com isso, a reputação de Lutero cresceu através da Europa.

Veneza voltou então a atenção para a Inglaterra, onde Henrique VIII, casado com a tia de Carlos V, Catarina de Aragão, tinha ficado do lado da Espanha contra a França. Quando o Sacro Imperador Romano espanhol, Carlos V, derrotou a França na batalha de Pavia (em 1525) e saqueou Roma (em 1527), Veneza entrou em pânico e tentou formar uma cisão entre a Espanha e a Inglaterra. O plano era induzir Henrique VIII a se divorciar de Catarina e fazer com que Thomas Cromwell, agente veneziano treinado em Veneza, se tornasse um dos conselheiros do rei. (Ele tinha viajado na juventude e vivido algum tempo na Itália.)

Em 1529, Francesco Zorzi (ou Georgi), amigo e parente de Contarini, um cabalista cristão, foi para a Inglaterra e conversou com Thomas Cranner, arcebispo de Canterbury, sobre o Antigo Testamento hebraico. Sua tarefa era descobrir se o casamento de Henrique com Catarina era válido, já que Catarina tinha sido casada por alguns meses com o irmão mais velho de Henry, Artur, pouco antes dele morrer. Catarina dizia que o casamento não tinha sido consumado. No Antigo Testamento há passagens conflitantes: uma diz que um homem é obrigado a casar com a viúva do irmão e outra o proíbe. Zorzi disse a Henrique que a passagem da proibição era a oficial e que a outra (que tinha o apoio do papa) não era apropriada. Argumentou que Henrique nunca tinha sido legalmente casado com Catarina.

A principal obra de Zorzi, *De Harmonia Mundi* (1525), defendia a aceitação do Um neoplatônico que, alegava ele, é diretamente cognoscível, e atacava Nicolas de Cusa (1401?-1461), que defendia a *Docta ignorantia* do *Parmênides* de Platão (ou seja, qualquer tentativa de resolver o paradoxo do Um leva à contradição). A crítica de Zorzi, diminuindo Platão em favor de Aristóteles, era uma tentativa veneziana de destruir a Cristandade. Em 1536, ele escreveu *Scripturam Sacram Problemata*, um manual de magia. Zorzi foi uma referência para Dee, que foi uma referência (Yates, em *The Occult Philosophy in the Elizabethan Age*, diz "a referência") para os Manifestos Rosacrucianos. Zorzi, parente de Contarini, pode assim ter sido o originador veneziano do Rosacrucianismo.

Relatórios de embaixadores venezianos ao Senado veneziano deixam claro que, como Flanders e os Países Baixos eram espanhóis, controlar o Canal era a chave para destruir a Espanha. A fundação da Igreja Anglicana por Henrique VIII dividiu os homens da Renascença. Erasmo dedicou *Enquirídio do Cristão Militante* a Henrique VIII e *Educação de um Príncipe Cristão* a Carlos V, rei espanhol e Sacro Imperador Romano.

Há uma versão de que a Renascença não veio apenas de um retorno oculto a religiões pré-cristãs e de um renascimento do neoplatonismo, como sugerem os livros de Frances Yates e a obra de Ficino. Erasmo, por exemplo, veio de uma escola chamada Irmãos da Vida Comum. Com o ataque da Renascença contra os escolásticos aristotélicos, formaram-se grupos em torno de Erasmo de *Sir* Thomas More que, segundo essa versão, levaram ao florescimento da Cristandade e da cultura que levou a Shakespeare. No entanto, a obra de Shakespeare está cheia de referências ocultas e neoplatônicas. A introdução de Platão, traduzida por Ficino (que era financiado por Cosimo de Medici), veio como um alívio para homens como Erasmo e More mas, junto com as obras de Platão, veio a tradução de *Poimandres*, obra atribuída a Hermes Trismegistus, que teria vivido por volta de 1500 a.C., mas que na verdade viveu no século II d.C. Sua pretensa antiguidade era o resultado de uma nova fraude platonista. Ficino, que escreveu um prefácio à tradução, não sabia disso. Traduziu obras herméticas e neoplatônicas, em que a alma fica a meio caminho entre o espírito e a matéria, sendo que o homem pode atrair o espírito para a matéria através do uso mágico da alma, segundo a crença renascentista. Pico negava a alma individual e alegava que o homem é um receptáculo da alma do mundial, sustentando que a Cabala é a fonte da sabedoria antiga.

Os aristotélicos da Igreja, treinados em Pádua, acusavam a Renascença de pagã e humanística, esperando destruir a visão de Nicolas de Cusa e a Cristandade. Os cabalistas e neoplatonistas ocultos afluíram para a Inglaterra e influenciaram os poetas *Sir* Philip Sidney, um seguidor de Zorzi, e Spenser (que faz alusões ao destino imperial da Inglaterra e à Israel Britânica). Por outro lado, Marlowe atacou – ou refletiu – os escolásticos aristotélicos ("viva e morra nas obras de Aristóteles") e a necromancia na corte de Elizabeth I na peça *Dr. Faustus*, cujo herói faz um pacto com o diabo. O Fausto de Marlowe se refere na verdade a Zorzi quando diz a Mefistófeles: "Vá, e volte um frade franciscano/ Essa forma santa vai bem num diabo". (Essa peça foi escrita logo depois de 1587 e, segundo relatos, Marlowe foi assassinado em 1593.) Pode ser que Shakespeare estivesse atacando – ou refletindo – a influência de Zorzi em *Otelo, o Mouro de Veneza* e em *A Tempestade*, onde Ariel, um espírito do ar, e a magia de Próspero sugerem a visão de mundo rosacruciana, que surgiu logo depois.

Nos anos 1580, depois da derrota da Armada espanhola pelos ingleses, um grupo veneziano, formado em torno do Frade Paolo Sarpi, enfrentou o Papa Paulo VI. O papa tinha exigido que Veneza revogasse uma lei que restringia a construção de igrejas e entregasse para a Igreja dois padres que estavam presos. Com a recusa de Veneza, o Senado e o Doge (chefe de estado veneziano) foram excomungados, assim como Sarpi. Sarpi contestou o papa em seus panfletos, alegando que os príncipes derivam o poder de Deus e não do papa. Recusou-se a comparecer diante da Inquisição romana e (tendo Veneza desafiado com sucesso o papa) foi apunhalado na rua em 1607. Jaime I ficou muito interessado na posição de Veneza contra o papa, já que era semelhante à posição dos anglicanos no reinado de Henrique VIII. Sarpi tinha muitos admiradores na Inglaterra, incluindo Henry Wotton (várias vezes embaixador inglês em Veneza, entre 1604 e 1623, que esperava persuadir Veneza a adotar uma reforma semelhante à reforma anglicana),[25] Donne (que chamou Elizabeth Stuart de "uma nova estrela" e que tinha um retrato de Sarpi pendurado no escritório) e Bacon, que se tornou seu amigo.

Do ponto de vista de Veneza, o casamento de Frederico V, Eleitor Palatino, com a filha de Jaime I, Elizabeth Stuart ("o casamento do Tâmisa e do Reno"), em 1613, era um casamento protestante-anglicano que parecia contrabalançar os Habsburgos espanhóis católicos.

Em 1614, apareceram os dois primeiros tratados rosacrucianos, *Fama Fraternitatis* (que propõe a formação da Irmandade da Rosa-Cruz – seu subtítulo era *Ou uma Descoberta da Fraternidade da Mais Nobre Ordem da Rosa-Cruz*) e *Confessio* (que chama o papa de anticristo), que eram obras neoplatônicas-cabalistas. O túmulo de Christian Rosenkreutz era uma construção abobadada com sete lados, em que brilhavam diferentes sóis: uma imagem neoplatônica. Na sequência desses dois tratados, Fludd esclareceu a relação entre microcosmo e macrocosmo em sua obra. Veneza esperava que Frederico V formasse uma Liga Protestante, tomasse a coroa boêmia e derrotasse os Habsburgos católicos. O conselheiro de Frederico V, Christian Anhalt, era amigo de Sarpi – e de Henry Wotton (que visitava Heidelberg em suas viagens, indo e vindo de Veneza). Na verdade, Frederico V foi derrotado porque o rei inglês Jaime I e seu sogro não o apoiavam. Como resultado, os venezianos acharam melhor expulsar os Stuarts e levar ao poder um governo inglês mais radical. Veneza apoiava Oliver Cromwell e é preciso procurar uma ligação entre Veneza e a Sinagoga Mulheim, que financiava o Novo Exército.

Sarpi mantinha contato com Bacon, cujo método indutivo foi tirado de *Arte di ben Pensare* e de outras obras de Sarpi, e com Hobbes – às vezes acompanhado de William Cavendish, Duque de Deconshire. Hobbes traduziu cartas italianas, incluindo 77 cartas de Micanzo para Cavendish ("Candiscio"). Cavendish e Hobbes visitaram Veneza em setembro de 1614 e estiveram provavelmente com Sarpi e Micanzo.

Foi das reuniões desse grupo, que incluía Bacon, Fludd e Descartes, que veio a Maçonaria rosacruciana. O grupo fundou também a Royal Society, que começou em 1640 (o primeiro ano do Parlamento Longo). Com a derrota do Palatinado, Hartlib e Comenius, da Boêmia, chegaram à Inglaterra. Hartlib escreveu *Macaria* e Comenius *O Caminho da Luz*. Ambos recorrem a um código rosacruciano para se referir a um "Colégio Invisível". Em 1645, Theodore Haak do Palatinado conheceu o Dr. John Wilkins, capelão do Eleitor Palatino, que, em *Mathematical Magic* (1648), menciona a Rosa-Cruz, Fludd e Dee. Wilkins e Boyle (que em cartas de 1646 se referia a um "Colégio Invisível") estavam por trás das reuniões de Oxford, que levaram à fundação da Royal Society Inglesa, em 1660. Em 1654, Elias Ashmole escreveu uma carta para pedir "aos rosacruzes que lhe permitissem entrar para a fraternidade". Newton era cofundador da Royal Society: tinha em seu poder cópias dos tratados *Fama Fraternitatis* e *Confessio* e era rosa-cruz. Yates, citando De Quincey, diz: "A Franco-Maçonaria nada mais é do que Rosacrucianismo modificado por aqueles que o transplantaram para a Inglaterra, de onde foi re-exportado para outros países da Europa".

Milton também era admirador de Sarpi. Puritano pró-Veneza, sustentava que o Filho de Deus era inferior ao Pai e não necessariamente ao Cristianismo. Foi contemporâneo de Sabbatai Zevi, o falso messias de Smyrna, Turquia, cujo pai era agente de mercadores ingleses puritanos. Milton pode ter baseado *Paraíso Recuperado* na vida de Sabbatai Zevi.

Veneza, que pode estar por trás da Maçonaria Rosacruciana e da Royal Society, pode estar também na base da "Revolução Gloriosa" (talvez uma expressão veneziana) manipulando os rosa-cruzes holandeses para que apoiassem Guilherme II, John Locke e o arquiteto do Banco de Londres, Charles Montagu, que depois se tornou embaixador britânico em Veneza. Há uma versão de que o Banco da Inglaterra era uma gigantesca operação de "recunhagem" fraudulenta conduzida por Veneza – o dinheiro inglês em circulação era reduzido à metade e novas taxas oprimiam a economia inglesa em colapso. Além disso, especula-se que Newton, que superintendia o Banco da Inglaterra e que permitiu que sua sobrinha fosse amante de Montagu, servia ao novo Estado inglês rosacruciano, como Locke. Este último defendia a agiotagem e seu conceito de contrato social justificou a usurpação do trono inglês por Guilherme: Jaime II, dizia ele, tinha rompido o contrato. Em 1697, Veneza controlava possivelmente as finanças britânicas. Em 1701, Locke defendeu a revogação das cartas de independência das colônias norte-americanas e a centralização da atividade econômica nas mãos de Guilherme, em mais uma tentativa de controlar as finanças inglesas.

Leibniz é um enigma. No nível filosófico, contestava o empirismo aristotélico de Bacon, Hobbes, Descartes, Newton e Locke. Swift retoma sua contestação em "Uma Digressão sobre a Loucura" em *A Tale of a Tub* (1696), alegando que "os grandes introdutores de novos esquemas em filosofia" eram "pessoas enlouquecidas ou fora de si". No entanto, como já vimos, Leibniz, mesmo com a objeção de Newton, entrou para uma Sociedade Rosacruciana e foi contratado por rosa-cruzes. Seu trabalho influenciou o *Act of Settlement* de 1701, que permitiu que Sophie, chefe da Casa de Hanover, sucedesse a Rainha Anne, levando os rosa-cruzes hanoverianos de língua alemã ao trono inglês – como Veneza queria que fosse. Leibniz era simpatizante da postura antiaristotélica dos rosa-cruzes.

Embora sua posição internacional tivesse decaído, Veneza apoiou famílias oligárquicas de importância-chave, como os Spencers e os Churchills. Os venezianos queriam destruir a França, a maior potência econômica da Europa. Em 1701, a Inglaterra começou uma guerra em que John Churchill, o primeiro Duque de Marlborough, brilhou. A Rainha Anne foi muito influenciada na corte pelo Duque e pela Duquesa de Marlborough, o que Swift não via com bons olhos. Swift se aliou a Leibniz, conselheiro de Sophia de Hanover, e os dois levaram o compositor Handel de Hanover para Londres em 1710.

Há uma versão de que a Rainha Anne morreu envenenada aos 49 anos. Será que foi envenenada a mando de Veneza, para que os rosa-cruzes hanoverianos subissem ao trono? O Duque de Marlborough, que estava exilado, desembarcou no mesmo dia e George de Hanover foi proclamado rei. A Rainha Anne foi enterrada secretamente à noite, na Abadia de Westminster, abaixo da tumba de Mary, Rainha da Escócia. Nenhuma pedra ou lápide marca seu túmulo. Swift, nomeado Deão da Catedral de St. Patrick em Dublin pela Rainha Anne, tornou-se líder de toda a Irlanda nos anos 1720, com panfletos como *Uma Proposta Modesta*, e estendeu o conceito de Leibniz da busca da felicidade através da liberdade e da soberania. Na Inglaterra, os Clubes Hell-Fire (Clubes do Fogo do Inferno), de influência veneziana, se espalhavam. *Sir* Francis Dashwood, superior de Benjamim Franklin, era chefe do Clube do Fogo do Inferno.

É razoável supor que Veneza estivesse na base da Reforma, do movimento rosacruciano e da Franco-Maçonaria que dominam a Inglaterra. Pode ter estado também por trás da revolução de Cromwell. A Franco-Maçonaria Rosacruciana criou a Royal Society inglesa, que usava o empirismo aristotélico para atacar a influência platonista de Nicolas de Cusa sobre Kepler e Leibniz. A Franco-Maçonaria se dedica à destruição da religião monoteísta, incluindo o Cristianismo, e a volta ao paganismo. Criou os Illuminati que, na Inglaterra, através de Jeremy Benthan e Lorde Shelburne (William Petty Fitzmaurice, Marquês de Lansdowne, que foi Primeiro-Ministro inglês, de julho de 1782 a fevereiro de 1783, e negociou o tratado de Paris, que pôs fim à Revolução Americana), deram origem aos jacobinos e, através do Ministério do Exterior de Palmerston e de sua colaboração com Mazzini, criou tanto o Comunismo quanto o Fascismo. A Franco-Maçonaria criou também a Nova Era na Inglaterra, que busca o retorno ao paganismo e a destruição das religiões monoteístas, incluindo o Cristianismo. Do empirismo racional da Maçonaria Rosacruciana, vieram Bacon, Hobbes, Locke e Hume em filosofia e, na nossa época, o racionalismo oculto de Bertrand Russell, Aldous Huxley e Aleister Crowley.

Veneza desempenhou, no mínimo, um papel importante na difusão das crenças ocultas que impregnaram os movimentos revolucionários. A política externa de Veneza é parte do quadro europeu, o que não pode ser totalmente negligenciado.

Com base no que foi dito acima, cabe agora um estudo detalhado comprobatório do impacto de Veneza sobre as organizações secretas franco-maçônicas que estiveram por trás das antigas revoluções.[26]

NOTA AO LEITOR SOBRE AS NOTAS/FONTES

Neste trabalho, apresento o impacto das organizações secretas sobre a história ocidental, em particular sobre as revoluções ocidentais, cujos padrões moldaram. Assim, é mais importante apresentar fontes relativas ao impacto das organizações secretas e aos padrões das revoluções do que aos inúmeros acontecimentos históricos sobre os quais incide o impacto das organizações secretas e que fornecem grande parte dos detalhes dos padrões.

As fontes relativas às organizações secretas são encontradas em inúmeros livros. Para simplificar as coisas para o leitor, limitei as referências a livros específicos, de modo que os fatos possam ser prontamente verificados. Seria possível fornecer referências de meia dúzia de obras para cada acontecimento histórico mencionado, mas isso aumentaria a complexidade, reduziria a acessibilidade e acabaria por afastar o leitor. Assim, incluí referências à *Enciclopédia Britânica*, que é de domínio público e onde os elementos dos padrões (datas, pessoas, feitos) podem ser rapidamente verificados e sua exatidão comprovada. O leitor terá em mente que cada referência à *Enciclopédia Britânica* poderia ser substituída por inúmeras referências – que não atingiriam o meu objetivo de corroborar sucintamente as evidências.

Este trabalho interpreta a história para chegar a uma nova maneira de ver acontecimentos históricos conhecidos. Minhas principais fontes são, portanto, trabalhos interpretativos de autores que refletiram profundamente sobre a história secreta durante décadas: Frances Yates, Christopher Hill, Nesta Webster; Michael Baigent, Richard Leigh e Henry Lincoln; Antony Sutton, Emanuel Josephson e, mais recentemente, Gary Allen, Des Griffin, David Rivera, William Still e John Daniel. Através de suas investigações e de sua determinação a expor a verdade, consegui mostrar que as organizações estão na raiz de acontecimentos conhecidos. Devo muito a minhas fontes, que me ajudaram a oferecer um retrato perturbador da cultura ocidental. Espero que isso funcione como um aviso e que uma nova geração purifique a nossa cultura de suas influências mais dúbias.

Escolhi esses trabalhos pelo seguinte critério: minhas fontes interpretativas teriam que ter feito décadas de pesquisa e apresentar sua abordagem de modo convincente. Mas todas as abordagens são parciais: este é o primeiro livro a cobrir o campo inteiro das organizações secretas e das revoluções. Embora parciais, essas fontes vislumbram o todo, distante como o cume de uma montanha. Por exemplo: Baigent, Leigh e Lincoln nem mesmo mencionam Weishaupt e Nesta Webster mal menciona Cromwell, mas deixam claro que há organizações secretas promovendo o "Rei de Jerusalém". Nenhuma das fontes que escolhi se refere à dinâmica revolucionária detalhando como as organizações secretas influenciam a história. A dinâmica revolucionária é exclusivamente trabalho meu.

Todos os *websites* estavam ativos quando essas notas foram compiladas.

NOTAS/FONTES

PARTE UM:
A REVOLUÇÃO PROTESTANTE

Capítulo Um: A Revolução da Reforma

1. Sobre Maniqueísmo e Mani, Marcion, Bardesanes e o "Navio de Luz", ver Hans Jonas, *The Gnostic Religion*. Ver também Hagger, *The Fire and the Stones*, pp134-6.

2. As fontes cátaras podem ser encontradas em Arthur Gurdham, *The Great Heresy, The History and Beliefs of the Cathars*. Tirei muitas informações de livros que comprei durante uma visita à região de Languedoc, na França: Bély, *The Cathars*; Aubarbaier, Binet e Bouchard, *Wonderful Cathar Country*; Aué, *Discover Cathar Country*. Ver a seção sobre o Graal em Hagger, *The Fire and the Stones, op. cit.*, pp188-197.

3. Aubarbaier, Binet e Bouchard, *op. cit.*, p80: "Os inimigos do Catarismo tinham apelidado Montségur de 'Vaticano da Heresia', 'Cabeça do Dragão' e 'Sinagoga de Satã'." Referências a "Sinagoga de Satã" foram feitas também em 1243 (ver três parágrafos abaixo): "Num conclave católico, reunido em Béziers na primavera de 1243, foi emitido um apelo para se derrubar a 'sinagoga de Satã' em Montségur." Ver http://www.russianbooks.org/montsegur/montsegur3.htm

4. Ver a seção O Graal em Hagger, *The Fire and the Stones, op. cit.*, pp188-197.

5. J.M. Church, *Guardians of the Grail*, p25.

6. Sobre a história de Rennes-le-Château, ver Apêndices B, Apêndice 7, pp353-355. A história pode ser encontrada em Fanthorpe, *Rennes-le-*

Château, Its Mysteries and Secrets e James, *The Treasure Maps of Rennes-le-Château.*

7. Laurence Gardner, *Bloodline of the Holy Grail*, p340.

8. Sobre Wycliffe e Hus, ver Stuart Easton, *A Brief History of the Western World*, pp210-211; e muitos livros sobre a Reforma.

9. Minha visão da Renascença é baseada em meus muitos livros sobre a família Medici e num material adquirido em Florença, quando visitei a *villa* da família em Careggi. Sobre Ficino, ver *Selected Letters of Marsilio Ficino* e também *The Letters of Marsilio Ficino*, vols 1-7. Sobre Pico ver Yates, *The Occult Philosophy in the Elizabethan Age*, pp17-22.

10. Ver John Daniel, *Scarlet and the Beast*, vol 1, pp78-80.

11. Comparar nota 6. As genealogias relativas ao Priorado de Sião compiladas por Henry Lobenau (um pseudônimo, segundo alguns, de Leo Schidlof) e incluídas nos registros secretos do Priorado de Sião, foram supostamente descobertas pelo Padre Saunière em Rennes-le-Château. Há quem diga que os *Dossiês Secretos* sejam uma falsificação. A descoberta dos *Dossiês* foi amplamente investigada pelos autores de *The Holy Blood and the Holy Grail*, e a própria alegação de que são uma falsificação deve ser tratada com algum ceticismo. Se o Priorado de Sião existe, e há muitas evidências sugerindo que sim, alegaria que os *Dossiês Secretos* são uma falsificação para restaurar o segredo revelado por *The Holy Blood and the Holy Grail*.

12. Sobre Savonarola, ver Villari, *Life and Times of Girolamo Savonarola*.

13. Para uma visão geral da Reforma Protestante, ver Easton, *op. cit.*, pp209-220.

14. Kim Dowley (org.), *The History of Christianity*, p360.

15. Daniel, *Scarlet and the Beast*, vol 1, p398.

16. Nesta H, Webster, *Secret Societies and Subversive Movements*, p21.

17. Os anabatistas formavam um movimento radical de esquerda cujas comunas, na Transilvânia e na Hungria, eram conhecidas pelo passivismo, pelo trabalho duro e pelo amor fraternal. Em Zurique, eram mais extremistas do que os seguidores de Zwingli. Defendiam o batismo adulto, argumentando que o batismo infantil é inválido, já que as crianças não sabem o que estão prometendo. Eram antiestado – o Estado punia os pecadores e a Igreja devia ser separada do Estado – e não faziam juramentos civis. O anabatista Thomas Müntzer afirmou que a Luz Interior, e não a Bíblia, era a verdadeira autoridade espiritual na terra, e declarou que estava vivendo perto do fim do mundo. Levou os camponeses turíngios à revolta em 1525 e foi executado. Milhares de anabatistas foram mortos, mas a seita se fortaleceu nos Baíses Baixos e no norte da Alemanha.

18. Mencionado em Capitão A. H. M. Ramsay, *The Nameless War*, p11. Uma reportagem da *Catholic Gazette*, de fevereiro de 1936, também alega que Calvino era de origem judaica.

19. Isaac D'Israeli, *Life of Charles the First*, dois volumes. Suas informações vieram dos registros de Melquior de Salom, enviado francês na Inglaterra na época de Carlos I.

20. Matthew Brook, Mestre do Trinity College, Cambridge, para o Arcebispo Abbott, 12 de dezembro de 1630, citado por P. Heylyn, *Historical and Miscellaneous Tracts*, p539.

21. Sobre Henrique VIII, Thomas Cromwell e *Sir* Thomas More, ver qualquer história geral da época, como *Henry VIII*, do Book Club Associates. Sobre a pintura de Holbein, ver John North, *The Ambassadors' Secret*.

22. Para uma visão geral da Contrarreforma, ver Easton, *op. cit.*, pp220-3.

23. Esses dois poemas, *Non So Se S'è* e *Vorrei, Voler, Signore*, podem ser encontrados em *Michelangelo, a Self-Portrait*, Ed. Clements, pp93, 69.

24. Inácio de Loyola, *Testament*, cap. 3.

25. Mencionado em Nesta Webster, *Secret Societies and Subversive Movements, op. cit.*, p125, citando manuscritos do Príncipe de Hesse, publicados por Lecouteulx de Canteleu.

26. Sobre Elizabeth I e Cecil, ver Neville Williams, *Elizabeth I*. Sobre Dee, ver nota 37.

27. Alan Gordon Smith, *William Cecil, the Power behind Elizabeth*, p3.

28. Michael Howard, *The Occult Conspiracy, Secret Societies – Their Influence and Power in World History*, p52.

29. Ver Michael Baigent, Richard Leigh e Henry Lincoln, *The Holy Blood and the Holy Grail*, p452.

30. Baigent, Leigh e Lincoln, *The Holy Blood and the Holy Grail, op. cit.*, pp39-41. Mencionei o trocadilho Arques/Arcadia. Ver também nota 6.

31. Baseado em minha pesquisa. Visitei o estúdio.

32. Robert Lacey, *Sir Walter Raleigh*, p341.

33. Lacey, *op. cit.*, pp340, 344-5.

34. Pesquisei as viagens europeias e inglesas como arrendatário de Otley Hall.

35. O livro de Everett Hale, *Prospero's Island*, expõe com detalhes a ligação entre a viagem de 1602, de Gosnold, e a geografia de *A Tempestade*, de Shakespeare. Ver também Gookin e Barbour, *Bartholomew Gosnold*.

36. Comyns Beaumont, *The Private Life of the Virgin Queen*, p115.

37. Extraído de *Collected Works*, de Frederico o Grande.

38. Peter French, *John Dee, The World of an Elizabethan Magus*, pp31, 195-7.

Capítulo Dois: A Revolução Puritana

1. Sobre a ideia de que a Grã-Bretanha *era* realmente Israel porque os britânicos descendiam dos israelitas, e de que Londres era a Nova Jerusalém, ver Adrian Gilbert, *The New Jerusalem*, pp4-5, 45-6 e cap. 13 ('The Rise and Fall of British Israel'). Em muitos livros, há referências ao vestuário judaico.

2. Sobre Tyndale como "arqui-herético", ver A. W. Reed, "William Tindale" (sic) *in* Garvin, *The Great Tudors*, pp119-130. Sobre Niclaes (próximo parágrafo), ver *Enciclopédia Britânica*, "Familistas".

3. Diarmaid MacCulloch, *Tudor Church Militant, Edward VI and the Protestant Reformation*, pp14-15, 18. Sobre a ascensão do Puritanismo, ver *Enciclopédia Britânica*, "Protestantismo, A Ascensão do Puritanismo".

4. Ver, por exemplo, Francis Edwards S.J., *Guy Fawkes: The Real Story of the Gunpowder Plot?*

5. Citado em Brinton, *The Anatomy of Revolution*, p61.

6. Há inúmeras fontes sobre a crença de Bacon de que os ingleses eram israelitas, por exemplo Gibert, *op. cit.*, pp142-4. Em *A Nova Atlântida*, Bacon descreve a ilha alegórica de Bensalem, que significa "Filho de (Jeru)Salem". Acreditava-se que a Grã-Bretanha, local de reunião das tribos de Israel, era o filho de Jerusalém. A utopia de Bensalem foi fortemente influenciada pelo castelo em Heidelberg (pp48, 54-5).

7. Sobre todos os pontos deste parágrafo, ver Howard, *op. cit.*, p48.

8. Sobre todos os pontos deste parágrafo, ver George V. Tudhope, *Bacon Masonry*, pp26, 30-1.

9. Alfred Dodd, *Francis Bacon's Personal Life-Story*, pp140-2.

10. Todos os pontos sobre Frederico V e a ascensão e declínio do Rosacrucianismo, Andreae e Fludd, podem ser encontrados em Frances A. Yates, *The Rosicrucian Enlightnment*.

11. Yates, *The Rosicrucian Enlightenment, op. cit.*, p90.

12. Daniel, *op. cit.*, p683.

13. Wittemans, *Histoire des Rose Croix*, p71, citado em Lady Queenborough, *Occult Theocrasy*, p153. Sobre os acontecimentos da vida de Lutero, ver *Enciclopédia Britânica*, "Lutero".

14. Yates, *The Rosicrucian Enlightenment, op. cit.*, p119.

15. Idem, p125.

16. Idem, Ibidem.

17. Manly Hall, *The Secret Teachings of All Ages*, ppCXL111-CXL1V.

18. Yates, *The Rosicrucian Enlightenment, op. cit.*, pp103-4.

19. Charlotte Stopes, *The Third Earl of Southampton*, pp361-2.
20. Yates, *The Rosicrucian Enlightenment, op. cit.*, p127.
21. Manly Hall, *The Secret Teachings of All Ages, op. cit.*, p143.
22. Tudhope, *op. cit.*, p32.
23. R. Warwick Bond, *The Complete Work of John Lyly*, p34.
24. Bond, *op. cit.*, p46,62.
25. Kate H. Prescott, *Reminiscences of a Baconian*, pp60-61.
26. Tudhope, *op. cit.*, p38.
27. Manly Hall, *The Secret Teachings of All Ages, op. cit.*, p168. Também Tudhope, *op. cit.*, p120.
28. Lady Queenborough, *op. cit.*, pp152-3.
29. Frances Yates, *The Occult Philosophy in the Elizabethan Age*, p181.
30. Christopher Hill, *Milton and the English Revolution*, p146. Sobre os rosa-cruzes refugiados, mencionados no parágrafo anterior, ver Baigent, Leigh e Lincoln, *The Holy Blood and the Holy Grail, op. cit.*, p147.
31. G. H. Turnbull, *Hartlib, Dury and Comenius*, p74ss. Os textos latinos das duas obras, acompanhados de sua tradução para o inglês, feita por Hall, são reproduzidos no artigo de G. H. Turnbull, "Johann Valentin Andreae's Societas Christiana", Zeitschrift für Deutsch Philologie, 73, 1954, pp407-32; 74, 1955, pp151-85. Ver também Baigent, Leigh e Lincoln, *The Holy Blood and the Holy Grail, op. cit.*, pp146-7.
32. Margery Purver, *The Royal Society: Concept and Creation*, pp222-3.
33. Keith Feiling, *A History of England*, p454.
34. Charles Webster, *The Great Instauration: Science, Medicine and Reform, 1626-1660*, p42, referindo-se a *Letters from Pym to Hartlib, 1636-1642*, HP XXXI 3: HDC, p270.
35. H. R. Trevor-Roper, *Religion, the Reformation and Social Change*, p256.
36. G. H. Turnbull, *op. cit.*, pp127ss; Trevor-Roper, *op. cit.*, pp251ss.
37. Yates, *The Rosicrucian Enlightenment, op. cit.*, p115.
38. Idem, pp169-70.
39. Hill, *Milton and the English Revolution, op. cit.*, pp298-304.
40. Para histórias da vida de Cromwell, ver Firth, *Oliver Cromwell and the Rule of the Puritans in England*, e Antonia Fraser, *Cromwell, Our Chief of Men*. Para detalhes da vida de Carlos I, ver Derek Wilson, *The King and the Gentleman*. Sobre a ligação de Cromwell com o Socinianismo, ver Dillon, *Grand Orient Freemansory Unmasked*, pp11-13.
41. Ver Firth, *op. cit.*, pp39 (conversão de Cromwell) e 470-2.
42. J. S. Morrill, *The Nature of the English Revolution*, 1993, pp141-2; citado in Wilson, *The King and the Gentleman, op. cit.*, p280.

43. Hill, *Milton and the English Revolution, op. cit.*, p283. Sobre a participação de Cromwell na Coroa, ver Daniel, *op. cit.*, p820, citando Darrah, *History and Evolution of Freemansory*, p174.

44. Para detalhes da vida de Menasseh, ver Cecil Roth, *Menasseh ben Israel*, e Hill, *Religion and Politics in 17th-century England*.

45. Hill, *op. cit.*, pp3-33.

46. Roth, *op. cit.*, p66.

47. Ramsay, *op. cit.*, pp13-4.

48. Isaac D'Israeli, *op. cit.*

49. Sobre a origem da Royal Society no Colégio Invisível, ver Tudhope, *op. cit.*, p116.

50. Purver, *op. cit.* (O conceito lembra o avanço do aprendizado, de Bacon.)

51. Citado em Yates, *The Rosicrucian Enlightenment, op. cit.*, p183. Sobre a missão espacial de Wilkins, ver *Independent on Sunday*, 10 de outubro de 2004: "Cromwell's moon shot: how one Jacobean scientist tried to kick off the space race".

52. Yates, *The Rosicrucian Enlightenment, op. cit.*, p175.

53. H. R. Trevor-Roper, p256.

54. Charles Webster, *op. cit.*, pp57-63.

55. Idem, p473.

56. Graham Edwards, *The Last Days of Charles I*, p174. Os outros três homens suspeitos de serem os executores eram: Richard Brandon, carrasco experiente; Hugh Peters, ministro religioso independente; sargento William Hulet. John Alured e Phineas Payne chegaram a se vangloriar de terem executado Carlos I, mas descobriu-se que tinham inventado a história.

57. Clements R. Markham, *The Fighting Veres*, pp370-5. Sobre Mulheim ficar no Ducado de Brg, ver http://38.1911encyclopedia.org/M/MU/MULHEIM_AN_ DE_R_RUHR.htm. Sobre Mulheim pertencer ao Palatinado, ver http://www.fact-index.com/b/be/berg_german_region_html; também http://wwww.infoplease.com/ce6/history/A0812557.html.

58. Nesta Webster, *Secret Societies and Subversive Movements, op. cit.*, p126.

59. Roth, *op. cit.*, p188.

60. Por exemplo Hollis e Ludlow.

61. R. W. Blencowe (org.), *Sidney Papers*, 1825, p237. Citado em Fraser, *op. cit.*, p282.

62. *King Charles his Trial at the High Court of Justice*, 2ª edição, Londres 1650, impresso em Dee Lagomarsino e C. T. Wood, *A Documentary History of the Trial of Charles I*, pp138-44.

63. O Bispo Juxon foi feito Arcebispo de Canterbury por Carlos II e devolveu o anel. Carlos II o deu a seu filho com Nell Gwyn. Está agora em posse do Duque de St. Albans, descendente do filho de Nell Gwyn.

64. *King Charles his Trial at the High Court of Justice, op. cit.*, pp138-44.

65. Isaac D'Israeli, *op. cit.*, vol. 1, pp vi, 4, vol. 2, pp568-73.

66. De *A Declaration of the Lord Lieutenant of Ireland... in answer to certain late Declarations and Acts, framed by the Irish Popish Prelates and Clergy, in a Conventicle at Clonmacnoise*, reimpresso in *Oliver Cromwell's Letters and Speeches*, editado por Thomas Carlyle, p108.

67. Ludlow, I, p370; C. S. Domestic, 1653-4, p297; Abbott, IV, p417. Citado in Draser, *op. cit.*, pp448-9.

68. Fraser, *op. cit.*, p558.

69. Roth, *op. cit.*, p189.

70. Hill, *Religion and Politics in 17th Century England, op. cit.*, p284.

71. Para um relato da missão de Menasseh na Inglaterra, ver Roth, *op. cit.*, especialmente p251; e Lucian Wolf (org.), *Menasseh ben Israel's mission to Oliver Cromwell*, 1901, especialmente pXLVII. Sobre o Milenarismo na época de Cromwell, ver Hill, *Religion and Politics in 17th Century England, op. cit.*, pp269-92.

72. Um relato mais completo das informações deste capítulo e de grande parte desta seção pode ser encontrado em Hill, *Religion and Politics in 17th Century England, op. cit.*

73. G. W. Phillips, *Lord Burghley in Shakespeare*, pp190-5.

74. Menasseh ben Israel, *Humble Addresses*, p75.

75. Para uma versão mais completa dos acontecimentos desta seção, ver Fraser, *op. cit.*, pp561-6.

76. Roth, *op. cit.*, pxi.

77. C. S. P. Venetian 1655-6, p160. Relatado ceticamente numa nota de rodapé in Fraser, *op. cit.*, p563.

78. Darrah, *History and Evolution of Freemasonry, op. cit.*, p174.

79. Albert G. Mackey, *Mackey's Encyclopedia of Freemasonry*, 5ª ed. 3 vols, *op. cit.*, "Cromwell".

80. Lady Queenborough, *op. cit.*, p157.

81. Roy MacGregor-Hastie, *Nell Gwyn*, p121. Marvell/"Mr Thomas" atuou numa quinta coluna com base da Holanda, antifrancesa e anticatólica, durante a guerra com a França, de 1672 a 1674. Era de fato um agente duplo, já que trabalhava para John Thurloe, então chefe do Serviço Secreto Britânico. Os holandeses eram aliados dos britânicos na guerra contra a França. Ele promoveu os interesses holandeses na Inglaterra e mantinha contato com agentes secretos holandeses. Foi mencionado por

espiões do governo como membro de uma quinta coluna holandesa na Inglaterra. Ver http://www.cuchw.net/pmarvel.html.

Capítulo Três: A Revolução Gloriosa

1. Para detalhes do retorno de Carlos II, ver Arthur Bryant, *King Charles II*, cap. 3.
2. Bryant, *op. cit.*, p77.
3. Tudhope, *op. cit.*, p117.
4. Para detalhes da vida de Carlos II e Shaftesbury, ver Christopher Falkus, *The Life and Times of Charles II*. Sobre os acontecimentos da vida de Shaftesbury, ver *Enciclopédia Britânica*, "Shaftesbury, 1º Conde de".
5. Citado *in* David S. Katz, *The Jews in the History of England, 1485-1850*, p143.
6. Kanoop, Jones e Hammer, *Early Masonic Pamphlets*, Manchester 1945, p31; citado *in* Yates, *The Rosicrucian Enlightenment, op. cit.*, p211.
7. North, *Examen*, p95; citado em Francis S. Ronalds, *The Attempted Whig Revolution of 1678-1681*, p75.
8. Howell, *State Trials* vol IX, p490; Ralph, *History of England*, vol I, p539; citado *in* Ronalds, *op. cit.*, p75.
9. As duas citações deste parágrafo são citadas *in* Faulkus, *op. cit.*, p180.
10. Para detalhes da vida de Monmouth, ver David G. Chandler, *Sedgemoor 1685*.
11. Manuscritos Sloane. 4194, f.404 (Biblioteca Britânica). Citado na p81 de Chandler, *op. cit.*, que traz um relato completo do fim de Monmouth.
12. W. Turner, *James II*, Londres, p279; citado *in* Chandler, *op. cit.*, p81.
13. Sobre os acontecimentos da vida de Guilherme III, ver *Enciclopédia Britânica*, "Guilherme III" e John Miller, *The Life and Times of William and Mary*. Ver também *Enciclopédia Britânica*, "Guilherme I o Taciturno, Príncipe de Orange".
14. C.V. Wedgewood, *William the Silent*.
15. Katz, *op. cit.*, p157. Sobre de Witt, ver *Enciclopédia Britânica*, "Witt, Johan de".
16. Citado *in* Miller, *op. cit.*, p85.
17. Miller, *op. cit.*, p85.
18. Citado *in* Miller, *op. cit.*, p95.
19. Sobre Solomon Medina, Machado e Pereira, ver a entrada "Medina" da *The Jewish Encyclopedia*.
20. Citado *in* Katz, *op. cit.*, p157.

21. Nesta Webster, *Secret Societies and Subversive Movements, op. cit.*, pp179-80.

22. Stephen Knight, *The Brotherhood*, pp21-22.

23. Citado *in* Miller, *op. cit.*, p95.

24. Evelyn, *Diary*, v.25/6 (18 de junho de 1690); citado *in* Katz, *op. cit.*, pp173-4. Sobre os dois tratados do parágrafo anterior, ver Baigent, Leigh e Lincoln, *The Holy Blood and the Holy Grail, op. cit.*, pp453-5.

25. Eustace Budgell, *Memoirs of the Lives and Characters of the Illustrious Family of the Boyles*, Londres, 1737, p25; citado *in* Katz, *op. cit.*, p174.

26. Katz, *op. cit.*, pp158-61. Ver também Mullins, *The World Order, Our Secret Rulers*, p28.

27. Para um relato completo da Batalha do Boyne, ver John Kinross, *The Boyne and Aughrim*.

28. Des Griffin, *Fourth Reich of the Rich*, p177, que cita Christopher Hollis, *The Breakdown of Money*, sobre o 1,2 milhão de libras oferecido por um grupo de homens sob a liderança de William Paterson. Ver Gerry Rough, http://www.floodlight.org/theory/bofe3.html, sobre a versão de que apenas 720.000 libras foram realmente investidas. Ver também Mullins, *op. cit.*, pp28-31, que explica que a Carta do Banco da Inglaterra, concedida por Guilherme em 1694, foi apresentada como parte da Lei da Tonelagem. Os acionistas do Banco da Inglaterra eram uma "Sociedade de umas 1.300 pessoas" e Mullins menciona os judeus portugueses e espanhois que compraram ações: Medina, dois Da Costas, Fonseca, Henriquez, Mendez, Nunes, Roderiquez, Salvador Teixeira de Mattos, Jacob e Theodore Jabocs, Moses e Jacob Abrabanel e Francis Pereira.

29. Mullins, *op. cit.*, pp28-31.

30. Idem, pp29-31. Sobre os acontecimentos da vida de Locke mencionados neste capítulo, ver *Enciclopédia Britânica*, "Locke";

31. Baigent, Leigh e Lincoln, *The Holy Blood and the Holy Grail, op. cit.*, p456.

32. Idem, p457.

33. Ramsay, *op. cit.*, pp18-9.

34. Sobre o papel de Leibniz na sucessão dos hanoverianos ao trono inglês, ver Mullins, *op. cit.*, p27; H. Graham Lowry, "How the Venetian Virus Infected and Took Over England", Executive Intelligence Review, 15 de abril de 1994, encontrado *in* http://members.tripod.com/~american_almanac/venlowry.htm. Sobre os acontecimentos da vida de Leibniz, ver *Enciclopédia Britânica*, "Leibniz". Para um relato completo sobre a conexão entre Leibniz e a Casa de Brunswick, ver "The House of Brunswick, The Leibniz Connection", http://www.hfac.uh.edu/gbrown/philosophers/leibniz/Brunswick/LeibnizConnection.h...

35. L. Couturat, *La Logique de Leibniz*, Hildesheim, 1961; citado *in* Yates, *The Rosicrucian Enlightment, op. cit.*, cap. 11; Mullins, *op. cit.*, p27: "O filho de Sophie, agora Eleitor de Hanover, conseguiu superar os outros requerentes por causa dos relatórios de Leibniz, cuidadosamente documentados. Leibniz não levou apenas os Hanover para a Inglaterra, mas também a Franco-Maçonaria. Suas conexões rosacrucianas [...] puseram um maçom no trono da Inglaterra. Adotando o nome George I, Hanover não falava inglês e se recusava indignado a aprender a língua de seu novo domínio".

36. Ver Mullins, *op. cit.*, p27, sobre o papel de Leibniz no *Act of Settlement* de 1701 e na sucessão hanoveriana (dois parágrafos anteriores). Ver também a entrada sobre "Leibniz" da *Enciclopédia Britânica*, que diz modestamente: "Coube a Leibniz, jurista e historiador, desenvolver seus argumentos sobre os direitos da Casa de Braunschwig-Lüneburg a respeito dessa sucessão". A verdade é que Leibniz passou vinte anos documentando a requisição da família Brunswick, que o acolheu como amigo em 1676 – o primeiro contato foi na verdade em 1669 – e o empregou a partir de 1685. Foi um golpe alemão – já que George I não falava inglês. Tendo posto George I no trono, Leibniz lhe dirigiu um pedido através de Caroline e do Primeiro-ministro hanoveriano: queria trabalhar como historiógrafo da Inglaterra, alegando que sua história da Casa de Brunswick exigiu dele o conhecimento da história da Inglaterra. George I se recusou a convidar Leibniz para ir à Inglaterra.

37. Nesta Webster, *Secret Societies and Subversive Movements, op. cit.*, p123.

PARTE DOIS:
RUMO A UMA REPÚBLICA UNIVERSAL

Capítulo Quatro: A Revolução Americana

1. Sobre a ligação entre os maçons e o Chá de Boston, ver Michael Baigent e Richard Leigh, *The Temple and the Lodge*, pp221-5 e Daniel, *op. cit.*, pp688-9.

2. Ver Baigent e Leigh, *The Temple and the Lodge, op. cit.*, p287 para uma lista de participantes do Chá de Boston que eram também membros da Loja St. Andrew.

3. Tudhope, *op. cit.*, p26.

4. Manly Hall, *The Secret Teachings of All Ages*, p10.

5. Manly Hall, *The Adepts in the Western Esoteric Tradition*, pp59-60.
6. William Strachey, *The Historie of Travel into Virginia Britania*, org. L. B. Wright e Virginia Freund, Hakluyt Society, pp150-1.
7. Daniel, *op. cit.*, p32-33, 89-90.
8. Idem, pp32, 90.
9. Idem, p90.
10. MacCulloch, *op. cit.*, p14.
11. Já se sugeriu que os vinte homens, e outros 500 nos anos seguintes, morreram envenenados por arsênico, que era usado em pequenas quantidades para purificar a água. É possível que a facção templária tenha eliminado os não templários.
12. Daniel, *op. cit.*, p136.
13. Para detalhes da vida de Charles Radclyffe, ver Baigent, Leigh e Lincoln, *The Holy Blood and the Holy Grail, op. cit.*, pp148-54; ver também Daniel, *op. cit.*, pp135-42, e Baigent e Leigh, *The Temple and the Lodge, op. cit.*, caps 12 e 13. Sobre a ligação sanguínea entre Radclyffe e Charles II (fim do parágrafo), ver Baigent, Leigh e Lincoln, *The Holy Blood and the Holy Grail, op. cit.*, p148.
14. Daniel, *op. cit.*, p137.
15. Ver Baigent, Leigh e Lincoln, *The Holy Blood and the Holy Grail, op. cit.*, pp149-54. Sobre Radclyffe e Hund, ver Daniel, *op. cit.*, pp138-9.
16. Baigent, Leigh e Lincoln, *The Holy Blood and the Holy Grail, op. cit.*, p149.
17. Daniel, *op. cit.*, p142.
18. Idem, Ibidem.
19. Idem, p143.
20. Baigent, Leigh e Lincolns, *The Holy Blood and the Holy Grail, op. cit.*, p150.
21. Daniel, *op. cit.*, p144 sobre todos os pontos deste parágrafo.
22. Idem, p149. Para detalhes do trabalho de Weishaupt, ver Idem, pp145-52; David Allen Rivera, *Final Warning, A History of the New World Order*, cap 1; Nesta Webster, *World Revolution*, cap. 1; Howard, *op. cit.*, pp61-4.
23. Rivera, *op. cit.*, p6. Sobre a origem de *mayday* (como sinal de radiotelefonia e como feriado norte-americano), ver Daniel, *op. cit.*, p161.
24. Salem Kirban, *Satan's Angels Exposed*. Ver também Nesta Webster, *World Revolution op. cit.* p22.
25. Daniel, *op. cit.*, p146, pp79-80.
26. Idem, p149.
27. Idem, pp149-151.
28. Idem, pp146-147.
29. Idem, pp162-3.

30. Idem, p162.

31. Idem, p684.

32. Idem, p684.

33. Baigent e Leigh, *The Temple and the Lodge, op. cit.*, pp202, 233; e Daniel, *op. cit.*, p686.

34. Para mais informações sobre a Aliança Anglo-Iroquois e sobre o Plano de União de Franklin, ver Robert Hieronimus, *America's Secret Destiny*, pp7-13.

35. A. Kennedy, *The Importance of Gaining and Preserving the Friendship of the Indians to the British Interest Considered*, Nova York, 1751; citado em Hieronimus, *op. cit.*, p11.

36. Daniel, *op. cit.*, p167.

37. Idem, Ibidem, p167.

38. Idem, pp686-7.

39. Idem, pp687-8.

40. Idem, p688.

41. Baigent e Leigh, *The Temple and the Lodge, op. cit.*, p233 e Daniel, *op. cit.*, pp688-9.

42. Para detalhes sobre o Chá de Boston, ver Baigent e Leigh, *The Temple and the Lodge, op. cit.*, pp223-5; e Charles Bahne, *The Complete Guide to Boston's Freedom Trail*.

43. Barros, *Discover-It-Yourself Guide to Boston's Freedom Trail*, p31.

44. Citado em Bahne, *op. cit.*, p24.

45. Baigent e Leigh, *The Temple and the Lodge, op. cit.*, pp224.

46. Bahne, *op. cit.*, p25.

47. Idem, Ibidem, p25.

48. *The History of the American Revolution*, p3; e Daniel, *op. cit.*, p689.

49. Daniel, *op. cit.*, p689.

50. Idem, Ibidem, p689.

51. John Adams falou na Sala de Assembleias da State House.

52. *The History of the American Revolution, op. cit.*, pp4-5.

53. Daniel, *op. cit.*, p686 e 166.

54. Kinbrough, *Four Americans in Paris*.

55. Daniel, *op. cit.*, p688.

56. Still, *New World Order: The Ancient Plan of Secret Societies*, p60; ver também Roberts, *G. Washington – Master Mason*.

57. Daniel, *op. cit.*, p692.

58. Os extratos das cartas de Washington para Snyder são citados em Still, *op. cit.*, pp60-1.

59. Ver *The History of the American Revolution* para um resumo das campanhas militares de Washington e também Baigent e Leigh, *The Temple and the Lodge, op. cit.*, cap 15.
60. Ver *A Letter from Cicero to the Right Hon. Lord Visount Howe*, Londres, 1781; citado em Baigent e Leigh. *The Temple and the Lodge, op. cit.*, p236.
61. Raymond E. Capt, *Our Great Seal: The Symbols of our Heritage and our Destiny*, p11; citado em Daniel, *op. cit.*, p708.
62. Para detalhes a respeito da escolha e da criação do Grande Selo neste parágrafo e nos quatro seguintes, ver Capt, *op. cit.*; Hieronimus, *op. cit.*, pp48-56 e 63-92; Daniel, *op. cit.*, p709 e Still, *op. cit.*, pp65-8.
63. William Guy Carr, *The Conspiracy to Destroy all Existing Governments and Religions*, pXIII.
64. Still, *op. cit.*, p41; Daniel, *op. cit.*, p679.
65. Daniel, *op. cit.*, pp167-8, 684-5.
66. Idem, p708.
67. Still, *op. cit.*, p65; Daniel, *op. cit.* p713.
68. Hieronimus, *op. cit.*, pp48-56; Daniel, *op. cit.*, p709.
69. Daniel, *op. cit.*, pp166, 688.
70. Hieronimus, *op. cit.*, p39. Ver na fig. 6 *in* Hieronimus uma ilustração desse código rosacruciano.
71. Daniel, *op. cit.*, pp165-6.
72. V. Stauffer, *New England and the Bavarian Illuminati*, p312.
73. Citado em Hieronimus, *op. cit.*, p38.
74. Paul Bessel sustenta que apenas nove dos 56 que assinaram a Declaração da Independência eram maçons, e que apenas 13 dos 39 que assinaram a Constituição norte-americana eram maçons. Ver: http://bessel.org/decl-mas.htm. Bessel é uma fonte maçônica, mas Baigent e Leigh *in The Temple and the Lodge, op. cit.*, p219, apoiam essa versão. Still, *op. cit.*, p61, afirma que 53 dos 56 que assinaram a Declaração da Independência eram maçons, segundo a edição maçônica de 1951 da Bíblia Sagrada. Para mais detalhes, ver cap. 4, nota 2 em Hagger, *The Syndicate*.
75. Sobre Washington e a Convenção Constitucional, ver Baigent e Leigh, *The Temple and the Lodge, op. cit.*, p256-8; e Morris, *The Framing of the Federal Constitution*, p6ss.
76. H.C. Clausen, *Masons Who Helped Shape Our Nation*.
77. Edward Decker, *Freemasonry: Satan's Door to America*, citado em Daniel, *op. cit.*, p707.
78. Baigent e Leigh, *The Temple and the Lodge, op. cit.*, p262.
79. Esse parágrafo é baseado em livros sobre Monticello, à venda no local.

80. Barry Schwartz, *George Washington, The Making of an American Symbol*, pp172-3; que usa como referência Mason L. Weens, *A History of Life and Death, Virtues and Exploits of General George Washington*, pp14, 15, 60. 61, 66.
81. Schwartz, *op. cit.*, pp79-80.
82. Para um relato completo sobre Andrew Jackson, ver Kierner, *Revolutionary America 1750-1815*, pp273-285. Para um relato mais completo das atividades de Andrew Jackson, ver Paul Johnson, *A History of the American People*, pp273-85.

Capítulo Cinco: A Revolução Francesa

1. Abade Edgeworth de Firmont, *The Last Hours of Louis XVI, King of France*, publicado em Cléry, *A Journal of the Terror*.
2. Ver Henri Gaston Gouhier *Les Premières Pensées de Descartes*, 1958, sobre o material no diário, ou livro de notas, de Decartes. Gouhier não revela onde adquiriu o diário nem a sua atual localização. Ver Garry L. Stewart, *Awakened Attitude*, no *website* da Biblioteca Rosacruciana, http://www.crcsitre.org/affiliation.htm, parágrafos 8-12, segundo o qual Nicolaes Wassenar e Charles Adam, o historiador francês, acreditam que Decartes era rosa-cruz. Diz, no entanto, que, embora Descartes tivesse interesse no Rosacrucianismo na juventude e vivesse cercado por rosa-cruzes, não há evidências conclusivas de sua fidelidade rosacruciana.
3. Ver *Enciclopédia Britânica*, "Diderot", sobre Panier Fleuri. Nesta Webster, *Secret Policies and Subversive Movements*, *op. cit.*, p162.
4. Sobre acontecimentos da vida de Rousseau, ver *Enciclopédia Britânica*, "Rousseau". Comparar com Nesta Webster, *World Revolution*, *op. cit.*, pp1-2.
5. Still, *op. cit.*, p69: "Weishaupt adotou os ensinamentos de filósofos franceses radicais, como Jean-Jacques Rousseau."
6. Nesta Webster, *World Revolution*, *op. cit.*, p1.
7. Howard, *op. cit.*, p61.
8. Para detalhes da vida de Weishaupt, ver Daniel, *op. cit.*, pp145-51; Rivera, *op. cit.*, pp5-9; Nesta Webster, *World Revolution*, *op. cit.*, p8ss; Still, *op. cit.*, pp69-82; Howard, *op. cit.*, pp61-4.
9. Rivera, *op. cit.*, p5.
10. Carr, *The Conspiracy to Destroy all Existing Governments and Religions*, *op. cit.*, p1.
11. Neal Wilgus, *The Illuminoids*, p154.

12. Howard, *op. cit.*, p63.
13. Nesta Webster, *World Revolution, op. cit.*, p11. Sobre o calendário persa, ver Nesta Webster, *Secret Societies and Subversive Movements, op. cit.*, p201.
14. Nesta Webster, *World Revolution, op. cit.*, pp1-2.
15. Weishaupt, *Nachtrag... Originalschriften (des Illuminaten Ordens)*. Zweit Abtheilung, p65; citado em Nestra Webster, *World Revolution, op. cit.*, p10.
16. Ver Nesta Webster, *World Revolution, op. cit.*, p22.
17. Nesta Webster, *World Revolution, op. cit.*, p17; Daniel, *op. cit.*, p148.
18. Nesta Webster, *World Revolution, op. cit.*, p17; Rivera, *op. cit.*, p7.
19. John Robison, *Proofs of a Conspiracy*, p112.
20. Rivera, *op. cit.*, p7.
21. Idem, p8.
22. Idem, Ibidem, p8.
23. Nesta Webster, *World Revolution, op. cit.*, p16.
24. Rivera, *op. cit.*, p8.
25. Idem, Ibidem, p8.
26. Idem, pp6-7.
27. Nesta Webster, *World Revolution, op. cit.*, p15.
28. Idem, p16.
29. Rivera, *op. cit.*, pp8-9.
30. Idem, p9.
31. Baigent, Leigh e Lincoln, *The Holy Blood and the Holy Grail, op. cit.*, p72: "O tesouro templário pode ter sido embarcado em dezoito galeras na base naval templária em La Rochelle, de onde chegou à Escócia". Ver também Sinclair, *The Sword and the Grail*, p42. Sobre o tesouro templário ter sido embarcado em La Rochelle, ver http://home.gwi.net/ages/Main%20Body/History/Templar%20Origins.html; e http://www.electricscotland.com/history/kt12.htm.
32. Albert Pike, *Morals and Dogma of the Ancient and Accepted Scottish Rite of Freemasonry*, pp821, 823-4.
33. Nesta Webster, *Secret Societies and Subversive Movements, op. cit.*, pp132-3.
34. Dillon, *op. cit.*, p19. Sobre a conversão da Franco-Maçonaria francesa à Franco-Maçonaria do Grande Oriente, ver Ramsay, *op. cit.*, p26.
35. Saint-Martin, *Des Erreurs et la Vérité*, 1775, *op. cit.*
36. Nesta Webster, *World Revolution, op. cit.*, p7.
37. Rivera, *op,. cit,.* p9; Nesta Webster, *World Revolution, op. cit.*, p18-19.
38. Rivera, *op. cit.*, p9.
39. Daniel, *op. cit.*, pp147, 162.

40. Nesta Webster, *World Revolution, op. cit.*, p31; ver também Ramsay, *op.cit.*, p27.

41. Sobre a destituição de Necker, ver Brinton, *op. cit.*, pp77, 85, 87. *Enciclopédia Britânica*, "História da França".

42. Daniel, *op. cit.*, p150.

43. Rivera, *op. cit.*, p10.

44. Nesta Webster, *Secret Societies and Subversive Movements, op. cit.*, p233.

45. Daniel, *op. cit.*, pp151, 187-8.

46. Idem, pp262-3, 264-5.

47. Idem, p263.

48. Sobre o episódio do colar, ver Nesta Webster, *Secret Societies and Subversive Movements, op. cit.*, pp234-5; Howard, *op. cit.*, pp65-6; Daniel, *op. cit.*, p265; Ramsay, *op. cit.*, p29.

49. Nesta Webster, *Secret Societies and Subversive Movements, op. cit.*, p235; Daniel, *op. cit.*, pp265-6.

50. Nesta Webster, *Secret Societies and Subversive Movements, op. cit.*, p235; Daniel, *op. cit.*, pp263-4.

51. Rivera, *op. cit.*, pp20-1.

52. Daniel, *op. cit.* p264.

53. Idem, p266.

54. Idem, pp266, 269.

55. Rivera, *op. cit.*, p22.

56. Howard, *op. cit.*, p69.

57. Dillon, *op. cit.*, p46.

58. Nesta Webster, *World Revolution, op. cit.*, p20.

59. Daniel, *op. cit.*, p190.

60. Idem, pp190-1, 195.

61. *Enciclopédia Britânica*, "Mirabeau"; Nesta Webster, *World Revolution, op. cit.*, pp27-8; Nesta Webster, *Secret Societies and Subversive Movements, op. cit.*, pp236-7; Rivera, *op. cit.*, pp23-4.

62. Daniel, *op. cit.*, pp195-6; Billington, *Fire in the Minds of Men: Origins of the Revolutionary Faith*, p96.

63. Barruel, citado in Frost, *Secret Societies of the European Revolution*. Citado in Nesta Webster, *World Revolution, op. cit.*, p28.

64. Daniel, *op. cit.*, pp260-1.

65. Nesta Webster, *World Revolution, op. cit.*, pp30-2; *Enciclopédia Britânica*, "Orléans".

66. *Enciclopédia Britânica*, "História da França".

67. Brinton, *op. cit.*, pp70-1.

68. *Enciclopédia Britânica*, "França"; *Enciclopédia Britânica*, "História da França".

69. Billington, *op. cit.*, pp26, 42, 96-7.

70. *Enciclopédia Britânica*, "História da França"; *Enciclopédia Britânica*, "França".

71. Nesta Webster, *World Revolution, op. cit.*, pp31-2.

72. Idem, p32; *Enciclopédia Britânica*, "História da França".

73. Sobre os relatos conflitantes a respeito da decapitação dos dois soldados, ver Steven Blakemore e Fred Hembree, *Historian*, primavera de 2001, http://www.findarticles.com/p/articles/mi_m2082/is_3_63/ai_75162013/pg_2. Guia de Versalles; Levy, *Legacy of Death*.

74. *Enciclopédia Britânica*, "Clube Jacobino"; Rivera, *op. cit.*, p24; Daniel, *op. cit.*, p292.

75. Billington, *op. cit.*, p35.

76. Idem, p35, 104, 116.

77. Idem, p79, 85, 103.

78. *Enciclopédia Britânica*, "História da França".

79. *Enciclopédia Britânica*, "Mirabeau". Sobre o suposto envenenamento de Mirabeau, ver Ramsay, *op. cit.*, p31.

80. *Enciclopédia Britânica,* "História da França"; Levy, *op. cit.*

81. Rivera, *op. cit.*, p5 e24: "Robespierre... foi feito chefe da Revolução de Weishaupt".

82. Easton, *op. cit.*, pp282-3; *Enciclopédia Britânica*, "História da França".

83. *Enciclopédia Britânica*, "História da França".

84. Ver John Hardman, *Louis XVI*, sobre Luís e Maria Antonieta durante a época girondista e sobre os acontecimentos que culminaram na derrubada da monarquia em 10 de agosto e os meses que levaram ao julgamento de Luís XVI. Ver também Levy, *op. cit.*

85. Nesta Webster, *World Revolution, op. cit.*, p34; Daniel, *op. cit.*, p292.

86. Nesta Webster, *World Revolution, op. cit.*, p35.

87. Thomas Carlyle, *The French Revolution*, vol II, p118.

88. Jean-Babtiste Cléry, *A Journal of the Terror*.

89. Abade Edgeworth de Firmont, *op. cit.*

90. Levy, *op. cit.*, pp115-6. As citações restantes desta seção vêm dessa obra.

91. Baigent, Leigh e Lincoln, *The Holy Blood and the Holy Grail, op. cit.*, p77; Daniel, *op. cit.*, p292.

92. Ver *Enciclopédia Britânica*, "Robespierre", sobre a terceira revolução jacobina.

93. Ver Nesta Webster, *World Revolution, op. cit.*, pp45-6 sobre os números da despopulação. Segundo Webster, Dubois Crancé considerou seriamente reduzir a população francesa a 14 milhões.

94. *Enciclopédia Britânica*, "Revolução Francesa, guerra, regicídio e o Reinado do Terror".

95. Nesta Webster, *World Revolution, op. cit.*, p35; *Enciclopédia Britânica*, "História da França". Sobre os Banquetes da Razão, ver Still, *op. cit.*, p87.

96. *Enciclopédia Britânica*, "História da França". Sobre a estimativa de 17.000, ver *Enciclopédia Britânica*, "Revolução Francesa, guerra, regicídio e o Reinado do Terror".

97. *Enciclopédia Britânica*, "Robespierre".

98. *Enciclopédia Britânica*, "História da França".

99. Nesta Webster, *World Revolution, op. cit.*, p47, citando Prudhomme, *Crimes de la Révolution*, vol. vi, Tabela VI.

100. *Enciclopédia Britânica*, "Paine".

101. Sobre a história de Babeuf, "Conspiracy of the Equals", ver Nesta Webster, *World Revolution, op. cit.* pp52-72.

102. Sobre a ligação de Babeuf com Weishaupt, ver Nesta Webster, *World Revolution, op. cit.*, pp55-6.

103. Sobre a marcha e as execuções, ver Nesta Webster, *World Revolution, op. cit.*, pp67-72.

104. Daniel, *op. cit.*, p304.

105. Dillon, *op. cit.*, pp34-5.

106. Daniel, *op. cit.*, p305.

107. Idem, Ibidem, p305.

108. Sobre este parágrafo e os dois seguintes, ver Idem, pp306-10.

109. Ver Baigent, Leigh e Lincoln, *The Holy Blood and the Holy Grail, op. cit.*, p157: havia pelo menos três grupos denominados Filadélfios – um deles pode ter sido fundado em Narbonne em 1780; outro que Nordier criou em 1793 e um terceiro fundado em 1797.

110. Daniel, *op. cit.*, pp306-7.

111. Idem, p307.

112. Rivera, *op. cit.*, p25.

113. Easton, *op. cit.*, pp284-5; e os acontecimentos deste parágrafo e dos dois parágrafos seguintes podem ser encontrados in *Enciclopédia Britânica*, "Napoleão".

114. Daniel, *op. cit.*, p307, citando Dillon, *op. cit.*, pp35, 38.

115. Daniel, *op. cit.*, p307.

116. Idem, p307.

117. Idem, Ibidem.

118. Daniel, *op. cit.*, pp307.

119. Easton, *op. cit.*, pp289-90.

120. Daniel, *op. cit.*, p308. Sobre a estimativa de 500.000, ver *Enciclopédia Britânica*, "Guerra revolucionária francesa e guerra napoleônica".

121. Daniel, *op. cit.*, p308.

122. Idem, Ibidem, p308. Ver *Enciclopédia Britânica*, "Guerra revolucionária francesa e guerra napoleônica" sobre os 500.000 homens de Napoleão em -35° centígrados.

123. Daniel, *op. cit.*, pp308, 311.

124. Sobre os acontecimentos deste parágrafo e dos dois seguintes, ver Daniel, *op. cit.*, pp311-2. Ver também Hagger, *The Syndicate*, pp7-10.

125. Daniel, *op. cit.*, p312.

126. Idem, p313.

127. Idem, pp315-7, 322-3.

128. Idem, pp317, 321, 324-5. Ver também, sobre o Congresso de Viena, Easton, *op. cit.*, pp305-7 e 310-1. Ver Daniel, *op. cit.*, p317 sobre os países envolvidos no plano de Metternich (Suécia, Dinamarca etc.), que eram todos monarquias.

129. Daniel, *op. cit.*, p325.

Capítulo Seis: A Revolução Imperialista na Grã-Bretanha e na Germânia

1. Sobre as origens dos Rothschilds, ver Derek Wilson, *Rothschild, A Story of Wealth and Power*, pp9-33; Frederick Morton, *The Rothschilds*, pp17-36; Conde Egon Caesar Corti, *The Rise of the House of Rothschild*, pp1-26; George Armstrong, *The Rothschild Money Trust*, pp21-2; Niall Ferguson, *The World's Banker, The History of the House of Rothschild*.

2. Carr, *op. cit.*, p1. Ver também Hagger, *The Syndicate, op. cit.*, cap 2.

3. Wilgus, *op. cit.*, p1. Ver também Hagger, *The Syndicate, op. cit.*, cap 2.

4. Muitas fontes, por exemplo Rivera, *op. cit.*, p6.

5. Muitas fontes, por exemplo Daniel, *op. cit.*, p198.

6. Armstrong, *op. cit.*, p21; Wilson, *Rothschild, A Story of Wealth and Power, op. cit.*, p32.

7. Daniel, *op. cit.*, p198. Napoleão insistiu em aplicar aos judeus de Frankfurt a liberdade plena garantida pelo Código de Napoleão. Sua boa vontade com os judeus se explica porque "a história revela que Rothschild emprestava dinheiro para os dois lados" (Daniel). Daniel diz que Napo-

leão fez o primeiro avanço e que Rothschild reagiu para salvar a vida dos judeus em Frankfurt.

8 . Nathan Mayer Rothschild foi iniciado na Franco-Maçonaria na Loja Emulation, nº12, Londres, no dia 24 de outubro de 1802 – ver Daniel, *op. cit*, p199. James era um maçom de 33º grau – ver Daniel, *op. cit.*, p312. Napoleão era um jacobino templário da Loja Strassburg em março de 1807, quando foi brindado como "irmão" – ver Daniel, *op. cit.*, p305. Os Templários tinham levado Napoleão ao poder – ver Daniel, *op. cit.*, p306. A Franco-Maçonaria estava do lado de Napoleão até 1810 – ver Daniel, *op. cit.*, p307. Com todas essas conexões, teria sido relativamente simples para Metternich, um maçom, apresentar James Rothschild a Napoleão.

9. *The Jewish Encyclopedia.*

10. Soult era chefe de pessoal de Napoleão em Waterloo. Em 1808, foi encarregado de todos os exércitos franceses envolvidos na Guerra Peninsular (1808-14) na Espanha, onde enfrentou os ingleses chefiados por Arthur Wellesley (depois Duque de Wellington). Wellesley o derrotou em Toulose, em abril de 1814. Napoleão cometeu dois grandes erros em Waterloo. Retardou o primeiro ataque contra Wellington até o meio do dia, para deixar o chão secar. Essa demora deu às tropas prussianas de Blücher tempo para chegar a Waterloo em apoio a Wallington. Por volta das 6 da tarde, o Marechal Ney pediu reforços. O pedido foi recusado porque Napoleão estava preocupado com o ataque prussiano. Napoleão liberou os reforços depois das 7 horas, mas Wellington já tinha reorganizado suas defesas. Tanto o Priorado quanto os Rothschilds ingleses se puseram contra Napoleão, e Charles Nodier esteve envolvido em duas tramas contra ele, em 1804 e outra vez em 1812. A partir de 1810, o Priorado passou a apoiar a deposição de Napoleão. Isso não impediu que James Rothshild financiasse Napoleão e suas ligações com o Marechal Soult – Soult recebia ordens dos Rothschilds na medida em que James Rothschild, por financiar Napoleão, podia opinar sobre o destino do dinheiro – podem ter contribuído para erros propositais na batalha de Waterloo. Com o mercado de ações desabando em Londres e uma fortuna a ser ganha, fazia sentido, do ponto de vista dos Rothschilds, determinar com antecedência o resultado de Waterloo, manipulando Soult.

11. Armstrong, *op. cit.*, p24.

12. Ferguson, *op. cit.*, pp78-9.

13. Rivera, *op. cit.*, p11.

14. Sobre Metternich como agente dos Rothschilds, ver Rivera, *op. cit.*, p31 e Daniel, *op. cit.*, pp322-3. Dizia-se que Metternich tinha organizado a expulsão de Napoleão para a Córsega armando uma aliança entre a Rússia,

a Prússia, a Áustria e a Grã-Bretanha. Seu plano para uma Federação Unida da Europa antecipou a União Europeia, uma antiga aspiração dos Rothschilds. É possível que o plano de Metternich fosse uma implementação de uma ideia dos Rothschilds. Nathan Rothschild não foi ao Congresso de Viena, o que levou Corti a escrever (pp149-50): "Não há provas de que Rothschild tivesse qualquer influência específica sobre o ministro (ou seja, Metternich) naquela época". Muitos pensam diferente – tanto os Rothschilds quanto Metternich eram sionistas e o banco S. M. von Rothschild, na Áustria, financiava Metternich. Salomon era conhecido como "Imperador da Áustria". Ver Wilson, *Rothschild, A Story of Wealth and Power, op. cit.*, p77 sobre o estreito vínculo entre Salomon e Metternich, o homem mais poderoso da Europa.

15. Rivera, *op. cit.*, p31. Ver Daniel, *op. cit.*, p474 sobre a vontade de vingança dos sionistas contra a Rússia, e em particular contra os não cooperativos Romanovs (que não eram de sangue merovíngeo) por sabotar o plano de Metternich de uma Federação Unida da Europa monárquica no Congresso de Viena.

16. Wilson, *Rothschild, A Story of Wealth and Power, op. cit.*, p55.

17. Daniel, *op. cit.*, p327.

18. Armstrong, *op. cit.*, p35. Ver também Hagger, *The Syndicate, op. cit.*, cap. 2.

19. Ver Ferguson, *op. cit.*, p103.

20. Rivera, *op. cit.*, p11.

21. Citado em Wilson, *Rothschild, A Story of Wealth and Power*, citando E. Corti, *The Rise of the House of Rothschild*, trad. Crian e Beatrix Lunn, I, 1928, p458.

22. Ferguson, *op. cit.*, p1.035.

23. Daniel, *op. cit.*, pp308-14 (sobre a aliança dos Rothschilds com Sião) e 327 (sobre a aliança de Luís XVIII com o Grande Oriente templário).

24. *Enciclopédia Britânica*, "França, a Revolução de 1830"; e Wilson, *Rothschild, A Story of Wealth and Power, op. cit.*, pp97-8. Sobre a Revolução Industrial, ver Easton, *op. cit.*, pp295-302.

25. Daniel, *op. cit.*, pp328-9. Sobre as ligações entre os cinco irmãos mencionadas no próximo parágrafo, ver Morton, *op. cit.*, pp104-5.

26. Wilson, *Rothschild, a Story of Wealth and Power, op. cit.*, pp128-32.

27. Ver A. N. Whitehead, *Science and the Modern World*, cap 5, "The Romantic Reaction", sobre a ligação entre Wordsworth, Shelley e o materialismo científico.

28. Rivera, *op. cit.*, p33.

29. Daniel, *op. cit.*, pp329-330, 331-2.

30. Idem, pp330-1.

31. Idem, p331.
32. Idem, p32.
33. Idem, p336.
34. Rivera, *op. cit.*, p33.
35. Idem, p34. Versão na Internet: http://user.pa.net/~drivera/fw7.htm. Rivera fala de "Nathan" – obviamente não do Nathan que morreu em 1836, mas possivelmente de um Nathaniel (abreviado para Nathan). Os cheques podem ter sido assinados por N. M. Rothschild, ou seja, pela firma. No entanto, Gary Thorn, arquivista do Museu Britânico, não tinha conhecimento de sua existência em 2004. Comparar cap. 3, nota 11, em Hagger, *The Syndicate*.
36. Daniel, *op. cit.*, p336.
37. *Enciclopédia Britânica*, "França, a Revolução de 1848".
38. *Enciclopédia Britânica*, "França, a Segunda República, 1848-52".
39. Nesta Webster, *World Revolution, op. cit.*, p155; Daniel, *op. cit.*, p336.
40. *Enciclopédia Britânica*, "Itália e Sicília, uma História de" e "Áustria".
41. *Enciclopédia Britânica*, "Alemanha" e "Áustria".
42. *Enciclopédia Britânica*, "Itália e Sicília" e "Áustria".
43. Daniel, *op. cit.*, pp337.
44. Idem, pp332-3.
45. Dillon, *op. cit.*, pp71-88.
46. Ver Nesta Webster, *World Revolution, op. cit.*, pp86-7 sobre Alta Vendita, Nubius e os fatos deste parágrafo. Ver também Still, *op. cit.*, pp120-1.
47. Dillon, *op. cit.*, p84; Daniel, *op. cit.*, pp447-8.
48. *The Jewish Encyclopedia*, citado em Armstrong, *op. cit.*, p28. Sobre o "quase monopólio" dos Rothschilds sobre as finanças de guerra inglesas, ver Ferguson, *op. cit.*, pp582-3.
49. Daniel, *op. cit.*, p334.
50. Idem, p448.
51. Ver W. R. Thompson, introdução a *On the Origin of the Species*, 6ª edição.
52. *Encilopédia Britânica*, "Darwin": "A primeira edição esgotou imediatamente". Sobre a vendagem do livro de Charles Darwin, esgotado no dia da publicação, ver http://www.amazon.com/exec/obidos/tg/detail/-0517123207/103-2030278-8347854?v=glance. A suposta compra feita pelos grupos de "Jovens" Illuminati é mencionada em várias fontes encontradas pelo autor no decorrer de sua pesquisa. Sobre a ligação entre Small e Erasmus Darwin, ver http://www.tribwatch.com/utopia.htm.
53. Daniel, *op. cit.*, p448.
54. Rivera, *op. cit.*, p-39-40.
55. Idem, p40.

56. Rivera, *op. cit.*, p41.
57. Idem, Ibidem, p41.
58. Daniel, *op. cit.*, p387.
59. Rivera, *op. cit.*, p41.
60. Idem, pp41-2.
61. Idem, p43.
62. Ver Hagger, *The Syndicate, op. cit.*
63. Daniel, *op. cit.*, pp449, 448.
64. Pesquisa do autor para *Overlord*, livro 3, linhas 16-20: "... Weishaupt te chamou de Ábaris/ Como o druída-sacerdote hiperbóreo/ Enviado por Apolo para procurar Pitágoras". Ver Paul Nettl, *Mozart and Masonry*, p10 sobre Goethe como Ábaris. Sobre Ábaris como astrônomo e druída inglês, ver o relato de Strabo, citado *in* Isabel Hill Elder, *Celt, Druid and Culdee*, pp58-9. Em hebraico, Ábaris é "Rabino". Ver também Rivera, *op. cit.*, p19.
65. Nesta Webster, *World Revolution, op. cit.*, p159.
66. Idem, pp159, 167.
67. Idem, p166.
68. Easton, *op. cit.*, pp319-20.
69. Wilson, *Rothschild, a Story of Wealth and Power, op. cit.*, p215.
70. Wilson, *Rothschild, a Story of Wealth and Power, op. cit.*, pp212-3.
71. Nesta Webster, *World Revolution, op. cit.*, p211.
72. Idem, p207.
73. Idem, pp205-6, 214.
74. Idem, p213.
75. Idem, pp214 e 213.
76. Daniel, *op. cit.*, pp448-9.
77. Rivera, *op. cit.*, pp34-5; Daniel, *op. cit.*, pp391-4, 400-1.
78. Daniel, *op. cit.*, pp400-1, 449.
79. Rivera, *op. cit.*, p35.
80. Myron Fagan, *The Illuminati*, gravação de 1967-8 (transcrito de dois audiocassetes de *Sons of Liberty*, 1985); citado *in* Daniel, *op. cit.*, p445 e Rivera, *op. cit.*, p35. Essa carta esteve exposta na Biblioteca do Museu Britânico e está catalogada.
81. Daniel, *op. cit.*, pp445-6; Rivera, *op. cit.*, p35-6.
82. Daniel, *op. cit.*, pp446-7.
83. Kirban, *op. cit.*
84. Daniel, *op. cit.*, pp387, 393-4; Rivera, *op. cit.*, p36.
85. Rivera, *op. cit.*, p36.
86. Daniel, *op. cit.*, p449.

87. Daniel, *op. cit.*, pp448-9.
88. Sobre a história da compra do Canal de Suez, ver Frederic Morton, *The Rothschilds, A Family Portrait*, pp150-2.
89. Wilson, *Rothschild, a Story of Wealth and Power, op. cit.*, p102.
90. Easton, *op. cit.*, pp338-41.
91. Baseado em Wilson, *Rothschild, a Story of Wealth and Power, op. cit.*, passim; também *Enciclopédia Britânica*. Ver Hagger, *The Syndicate, op. cit.*, pp8-9.
92. *Enciclopédia Britânica*, "Rhodes".
93. Wilson, *Rothschild, a Story of Wealth and Power, op. cit.*, pp304-5.
94. *Enciclopédia Britânica*, "Reino Unido, imperialismo e política britânica".
95. Para fatos relacionados ao Império Alemão, ver *Enciclopédia Britânica*, "Alemanha" e "Bismarck".
96. Wilson, *Rothschild, a Story of Wealth and Power, op. cit.*, p263.
97. Daniel, *op. cit.*, pp449-50.
98. Idem, pp450-2.
99. Idem, p450.
100. Idem, pp453-4.
101. Idem, pp445-6.
102. Idem, pp456-7.
103. Idem, pp457-8.
104. Idem, pp460-1.
105. Sobre os acontecimentos que levaram à deflagração da Primeira Guerra Mundial, ver *Enciclopédia Britânica*.
106. Daniel, *op. cit.*, p461.
107. Idem, p499.
108. Idem, pp571-2.
109. Idem, p461.
110. Idem, p462.
111. Josephson, *Rockefeller "Internationalist"*, p4; Allen, *None Dare Call It Conspiracy*, p83. Ver também Hagger, *The Syndicate, op. cit.*, p18.
112. Sobre as palavras de Wilson, ver Rivera, *op. cit.*, p78. Sobre os 2 milhões de homens, ver *Enciclopédia Britânica*, "Wilson Woodrow"; Allen, *op. cit.*, p64.
113. Daniel, *op. cit.*, p462.
114. *Enciclopédia Britânica*, "Guerras Mundiais", Tabela 4.
115. Morton, *op. cit.*, p159; Ferguson, *op. cit.*, pp634-5.
116. *Enciclopédia Britânica*, "Sul da África".
117. Nesta Webster, *World Revolution, op. cit.*, p47, citando Prudhomme, *Crimes de la Révolution*, vol. vi, Tabela VI.

Capítulo Sete: A Revolução Russa

1. Sobre as origens do Comunismo discutidas neste parágrafo, ver Rivera, *op. cit.*, p119.
2. Idem, Ibidem, p119.
3. Sobre as palavras de Weishaupt, ver Idem, Ibidem, p120.
4. Idem.
5. Sobre eslavófilos e ocidentalistas, ver *Enciclopédia Britânica*, "União das Repúblicas Socialistas Soviéticas, educação e vida intelectual".
6. Sobre os acontecimentos da vida de Hegel, ver *Enciclopédia Britânica*, "Hegel, Vida e Pensamento".
7. Ver cap. 6, nota 64. A filosofia de Hegel tem uma base gnóstica e weishauptiana oculta.
8. *Enciclopédia Britânica*, "Marx".
9. *Enciclopédia Britânica*, "Marxismo".
10. Daniel, *op. cit.*, p236.
11. Wurmbrand, *Was Karl Marx A Satanist?*, p7; citado in Ralph Epperson, *The Unseen Hand*, p91. Ver também Rivera, *op. cit.*, p123.
12. Rivera, *op. cit.*, p123-4; Daniel, *op. cit.*, p236.
13. Daniel, *op. cit.*, p238.
14. *Enciclopédia Britânica*, "Engels".
15. Idem.
16. Idem.
17. Daniel, *op. cit.*, p239.
18. Idem.
19. Idem.
20. *Enciclopédia Britânica*, "Engels".
21. Rivera, *op. cit.*, p124.
22. Daniel, *op. cit.*, p236.
23. *Enciclopédia Britânica*, "Engels" e "Marxismo".
24. Rivera, *op. cit.*, p124.
25. Daniel, *op. cit.*, p239.
26. Sobre esse *Comunicado* e muitos pontos dos dois parágrafos anteriores, ver *Enciclopédia Britânica*, "Marxismo".
27. *Enciclopédia Britânica*, "Engels" e "Marxismo". Ver também Rivera, *op. cit.*, p124.
28. Rivera, *op. cit.*, p125.
29. Idem, Ibidem; *Enciclopédia Britânica*, "Engels".
30. Sobre os acontecimentos da vida de Herzen discutidos nesta seção, ver *Enciclopédia Britânica*, "Herzen".

31. *Enciclopédia Britânica*, "Alexandre II".
32. Sobre niilistas e anarquistas e sobre os acontecimentos discutidos nas próximas páginas, ver Ronald Hingley, *Nihilists*. Ver também *Enciclopédia Britânica*, "Niilismo".
33. Daniel, *op. cit.*, pp479-81.
34. *Enciclopédia Britânica*, "Bakunin".
35. Daniel, *op. cit.*, pp481-2, citando Baigent, Leigh e Lincolns, *The Messianic Legacy*, pp186-7: "Bakunin era um satanista autoproclamado".
36. Epperson, *The New World Order*, p67; citado em Daniel, *op. cit.*, p482.
37. Sobre os pontos tratados neste capítulo e nos quatro anteriores, ver *Enciclopédia Britânica*, "Bakunin".
38. Ver *Enciclopédia Britânica*, "Nechayev"; ver também Hingley, *op. cit.*
39. *Enciclopédia Britânica*, "Kropotkin, Peter".
40. Sobre essas frases, ver Camus, *O Rebelde*. Ver também Hingley, *op. cit.*
41. Camus, *op. cit.*; Hingley, *op. cit.*
42. Hingley, *op. cit.*
43. Daniel, *op. cit.*, p482.
44. Sobre pontos tratados neste parágrafo e nos anteriores, ver *Enciclopédia Britânica*, "Marxismo".
45. Sobre os acontecimentos mencionados neste parágrafo e nos próximos 17, ver Hingley, *op. cit.*
46. *Enciclopédia Britânica*, "Alexandre III"; Hingley, *op. cit.*
47. *Enciclopédia Britânica*, "Witte, Sergey Yulyevich".
48. Daniel, *op. cit.*, pp484-5.
49. Rivera, *op. cit.*, p127.
50. Josephson, *Rockefeller "Internationalist"*, *op. cit.*, p204.
51. Hagger, *The Syndicate*, *op. cit.*, p14; Josephson, *Rockefeller "Internationalist"*, *op. cit.*, p187; F. William Engdahl, *A Century of War, Anglo-American Oil Politics and the New World Order*, p29.
52. Josephson, *Rockefeller "Internationalist"*, *op. cit.*, pp204-5; Daniel, *op. cit.*, pp493-4, 497-8.
53. Rivera, *op. cit.*, p127.
54. Josephson, *Rockefeller "Internationalist"*, *op. cit.*, p204.
55. Sobre alguns pontos tratados neste parágrafo, ver *Enciclopédia Britânica*, "Trotsky".
56. Daniel, *op. cit.*, p487.
57. Idem, Ibidem, p487.
58. Idem, Ibidem.
59. Idem, Ibidem; *Enciclopédia Britânica*, "Trotsky".

60. Em 1905, Trotsky era financiado pelos Rockefellers via Kuhn, Loeb. Hagger, *The Syndicate, op. cit.*, p20; Josephson, *The Truth About Rockefeller, Public Enemy Nº1*, p19; Josephson, *Rockefeller "Internationalist", op. cit.*, p204. Sobre indícios de que Trotsky era também financiado por Warburg, ver Daniel, *op. cit.*, p487.

61. Idem, pp487-8.

62. Idem, pp483-4 (com duas correções: o irmão de Lenin tentou assassinar Alexandre III, não Alexandre II, quando Lenin tinha 17 anos, não 11). Ver *Enciclopédia Britânica*, "Lenin". Sobre *Que Fazer?*, ver *Enciclopédia Britânica*, "Lenin".

63. *Enciclopédia Britânica*, "Domingo Sangrento".

64. *Enciclopédia Britânica*", "Revolução Russa de 1905".

65. Daniel, *op. cit.*, p485.

66. *Enciclopédia Britânica*, "Revolução Russa de 1905".

67. *Enciclopédia Britânica*, "Alexandre II".

68. *Enciclopédia Britânica*, "Revolução Russa de 1905".

69. Camus, *op. cit.*

70. Daniel, *op. cit.*, p491.

71. Idem, pp352, 379-81. Ver também Introdução aos *Protocolos dos Sábios de Zião*.

72. Sobre Golovinsky, ver *Daily Telegraph*, 19 de novembro de 1999 (http://www.telegraph.co.uk), citando as descobertas de Lepekhine publicadas na revista francesa *L'Express*, de 18 de novembro de 1999. Sobre Napoleão III como alvo, ver Daniel, *op. cit.*, p366.

73. Daniel, *op. cit.*, pp353-6, 362-8, 490-3.

74. Idem, p359.

75. Idem, p491.

76. Idem, pp351, 484, 487, 494.

77. Idem, pp351, 489.

78. Idem, pp487-9.

79. Idem, pp491-2; *Enciclopédia Britânica*, "Rasputin".

80. Idem, p493.

81. *Enciclopédia Britânica*, "Trotsky"; Daniel, *op. cit.*, pp487, 492-3.

82. Hagger, *The Syndicate, op. cit.*, p21/cap 2, nota 77: http://jerusalem.indymedia.org/news/2004/02/130046.php.

83. Daniel, *op. cit.*, pp493-4.

84. Ferguson, *op. cit.*, p881; Hagger, *The Syndicate, op. cit.*, p16.

85. Hagger, *The Syndicagte, op. cit.*, pp18-19; Josephson, *The "Federal" Reserve Conspiracy and Rockefeller, op. cit.*, p75; Josephson, *The Strange Death*

of Franklin D. Roosevelt, op. cit., p71. Ver também Engdahl, *op. cit.*, cap 4, "Oil Becomes the Weapon, the Near East the Battleground."

86. Hagger, *The Syndicate, op. cit.*, p16; Ferguson, *op. cit.*, p881.

87. Daniel, *op. cit.*, pp493-4.

88. Idem, p494; Rivera, *op. cit.*, p127.

89. Josephson, *The Truth About Rockefeller, Public Enemy N°1, op. cit.*, p44. Ver também Hagger, *The Syndicate, op. cit.*, p20. Ver também Daniel, *op. cit.*, pp498-9; Rivera, *op. cit.*, p127.

90. Daniel, *op. cit.*, p494.

91. *Enciclopédia Britânica*, "Rasputin"; investigação do autor na cena do crime em St. Petersburg. Uma reportagem do *Sunday Telegraph* (19 de setembro de 2004) de Londres, alega que Oswald Rayner, um membro britânico do *Bureau* de Inteligência que trabalhava na corte russa em St. Petersburg, foi um dos três atiradores que mataram Rasputin; os outros dois eram Vladimir Purishkevich e o Príncipe Yusupov. Rayner teria dado o tiro fatal na testa de Rasputin. Rayner pode ser uma ligação entre Rothschild/Milner e Yusupov/Kerensky.

92. Daniel, *op. cit.*, p494, citando *Macmillan's History of the Times*, 1912-1920, vol IV, p244.

93. Pesquisa do autor; e Coleman, *Diplomacy by Deception*, p128.

94. *Enciclopédia Britânica*, "Revolução Russa de 1917".

95. *Enciclopédia Britânica*, "União das Repúblicas Socialistas Soviéticas"; Daniel, *op. cit.*, p497.

96. Documentos revelam que a organização de J. P. Morgan deu pelo menos 1 milhão de dólares. Ver Sutton, *Wall Street and the Bolshevik Revolution*, pp18, 91, 97-8, 111 sobre o pedido (com a data de 2 de dezembro de 1917, num telegrama de Petrogrado) de William Boyce Thompson, diretor do Banco Central (Federal Reserve Bank) em Nova York, a Thomas W. Lamont, sócio da organização Morgan que estava em Paris com o Coronel House. Lamont influenciou Lloyd George e o Ministério da Guerra britânico a modificar a política britânica com relação a Kerensky. Thompson também apoiou Kerensky com 1 milhão de dólares do próprio dinheiro, que foi para um fundo para a liberdade da Rússia com o objetivo de manter a Rússia na Primeira Guerra Mundial, de modo que a Alemanha não a invadisse e tomasse para si o mercado russo pós-guera, em detrimento do Banco Central (Federal Reserve) em Nova York, aliado dos Rothschilds. O empréstimo de 1 milhão de dólares de Morgan para Kerensky tem a mesma justificativa.

97. Daniel, *op. cit.*, p497.

98. Idem, pp495-6.

99. Idem, p496.
100. Idem, pp496-7.
101. Idem, p497
102. Idem, pp497-8.
103. Idem, p502.
104. Idem, p498.
105. Idem, Ibidem.
106. Idem, p499; Rivera, *op. cit.*, p127. Além disso, "O neto de Jacob, John Schiff, estima hoje que o velho gastou cerca de 20 milhões de dólares para o triunfo final do Bolchevismo na Rússia", *New York Journal-American*, 3 de fevereiro de 1949; citado em René Wormser, *Foundations, Their Power and Influence*.
107. Daniel, *op. cit.*, p499.
108. Allen, *op. cit.*, p68; Rivera, *op. cit.*, p128. Ver também Hagger, *The Syndicate, op. cit.*, p21 e *Bankers and the Russian Revolution*: http://wsi.,atriots.com/Bankers/RusRev.html.
109. Daniel, *op. cit.*, p501.
110. Ex-comissário russo, *Trotsky e os judeus por trás da Revolução Russa*, 1937, pp30-1.
111. Antony C. Sutton, *Wall Street and the Bolshevik Revolution*, p49.
112. Dos recursos de Morgan, 400 milhões de dólares vieram de juros sobre empréstimos para compra de armas em 1917 (2% dos 20 bilhões de dólares em armas). Ver Hagger, *The Syndicate, op. cit.*, p18. Sobre os 5 bilhões de dólares dos Rockefeler, ver Hagger, *The Syndicate, op. cit.*, p15, citando Josephson, *Rockefeller "Internationalist", op. cit.*, p24 e Kutz, *Rockefeller Power*, p87 nota. Sobre os 500 bilhões de dólares dos Rothschilds, ver Armstrong, *op. cit.*, p36 e Hagger, *The Syndicate, op. cit.*, p8.
113. Ver Sutton, *op. cit.*, cap 4 e em outras partes para obter mais detalhes sobre pontos discutidos neste parágrafo.
114. *Enciclopédia Britânica*, "União das Repúblicas Socialistas Soviéticas".
115. *Enciclopédia Britânica*, "Revolução Russa de 1917".
116. *Enciclopédia Britânica*, "Trotsky".
117. *Enciclopédia Britânica*, "Lenin".
118. Daniel, *op. cit.*, pp501-2.
119. *Enciclopédia Britânica*, "Trotsky".
120. *Enciclopédia Britânica*, "Revolução Russa de 1917".
121. *Enciclopédia Britânica*, "Lenin" e "União das Repúblicas Socialistas Soviéticas".
122. *Enciclopédia Britânica*, "Lenin".
123. *Enciclopédia Britânica*, "Trotsky".

124. *Enciclopédia Britânica*, "Lenin".

125. *Enciclopédia Britânica*, "Trotsky".

126. Daniel, *op. cit.*, p502.

127. *Enciclopédia Britânica*, "Lenin".

128. *Enciclopédia Britânica*, "União das Repúblicas Socialistas Soviéticas".

129. Idem.

130. *Enciclopédia Britânica*, "Lenin".

131. *Enciclopédia Britânica*, "União das Repúblicas Socialistas Soviéticas".

132. Daniel, *op. cit.*, p506.

133. Idem, p504.

134. Idem, p506.

135. Idem, pp498, 503.

136. Idem, p506.

137. Rivera, *op. cit.*, p129.

138. Daniel, *op. cit.*, p506.

139. Idem, pp506-7.

140. *Enciclopédia Britânica*, "União das Repúblicas Socialistas Soviéticas".

141. Daniel, *op. cit.*, pp352, 516.

142. *Enciclopédia Britânica*, "Lenin".

143. *Enciclopédia Britânica*, "União das Repúblicas Socialistas Soviéticas".

144. *Enciclopédia Britânica*, "Lenin".

145. *Enciclopédia Britânica*, "União das Repúblicas Socialistas Soviéticas"; Daniel, *op. cit.*, p510.

146. *Enciclopédia Britânica*, "União das Repúblicas Socialistas Soviéticas".

147. Daniel, *op. cit.*, p521.

148. Idem, pp526-7.

149. *Enciclopédia Britânica*, "Lenin".

150. *Enciclopédia Britânica*, "União das Repúblicas Socialistas Soviéticas".

151. Daniel, *op. cit.*, p506.

152. Idem, p509.

153. Idem, pp509-11.

154. Idem, pp510-11.

155. *Enciclopédia Britânica*, "União das Repúblicas Socialistas Soviéticas".

156. *Enciclopédia Britânica*, "Lenin".

157. Idem, "Lenin".

158. *Enciclopédia Britânica*, "União das Repúblicas Socialistas Soviéticas".

159. *Enciclopédia Britânica*, "União das Repúblicas Socialistas Soviéticas", "Lenin" e "Trotsky".

160. Still, *op. cit.*, p142.

161. Daniel, *op. cit.*, p512.

162. Daniel, *op. cit.*, pp512, 515.
163. *Enciclopédia Britânica*, "Stálin".
164. Baigent, Leigh e Lincoln, *The Messianic Legacy, op. cit.*, p187; Daniel, *op. cit.*, pp572-3.
165. *Enciclopédia Britânica*, "Stálin".
166. Daniel, *op. cit.*, pp512, 573.
167. *Enciclopédia Britânica*, "Stálin" e "Trotsky".
168. *Enciclopédia Britânica*, "Trotsky".
169. *Enciclopédia Britânica*, "Stálin".
170. Daniel, *op. cit.*, p513.
171. Periódico maçônico *Builder*, junho e agosto de 1927.
172. Daniel, *op. cit.*, p513.
173. Idem, pp513-4
174. Idem, pp516-7.
175. Idem, p514.
176. Idem, pp515-6.
177. Em conversa com Nicholas Hagger.
178. Hagger, *The Syndicate, op. cit.*, pp14-5.
179. Josephson, *Rockefeller "Internationalist", op. cit.*, pp204-5; Hagger, *The Syndicate, op. cit.*, p20.
180. Hagger, *The Syndicate, op. cit.*, p20; Josephson, *The "Federal" Reserve Conspiracy and Rockefeller, op. cit.*, pp74-5; Josephson, *The Strange Death of Franklin D. Roosevelt, op. cit.*, pp70-1; Josephson, *Rockefeller "Internationalist", op. cit.*, p205.
181. Josephson, *Rockefeller "Internationalist", op. cit.*, pp205-6.
182. Idem, pp206, 209, 211-2.
183. Idem, p212.
184. Hagger, *The Syndicate, op. cit.*, p22; Josephson, *Rockefeller "Internationalist", op. cit.*, pp204-31, particularmente p212; Josephson, *The Truth About Rockefeller, Public Enemy Nº 1, op. cit.*, pp44, 133.
185. Hagger, *The Syndicate, op. cit.*, p22; Josephson, *Rockefeller "Internationalist", op. cit.*, p212.
186. Daniel, *op. cit.*, p515.
187. *Enciclopédia Britânica*, "União das Repúblicas Socialistas Soviéticas" e "Trotsky"; ver também Daniel, *op. cit.*, p515.
188. *Enciclopédia Britânica*, "Trotsky".
189. *Enciclopédia Britânica*, "União das Repúblicas Socialistas Soviéticas".
190. Svetlana Stálin, filha de Stálin, em conversa com Nicholas Hagger, a quem passou documentos mostrando que sua mãe cometeu suicídio como um ato de contestação.

191. *Enciclopédia Britânica*, "Stálin".
192. *Enciclopédia Britânica*, "Stálin" e "União das Repúblicas Socialistas Soviéticas".
193. Daniel, *op. cit.*, p512.
194. John Erickson e David Dilks, orgs., *Barbarossa, The Axis and The Allies*, pp256-8.
195. Rivera, *op. cit.*, p127.
196. Rivera, *op. cit.*, p78.
197. Daniel, *op. cit.*, p512.

Capítulo Oito: Conclusão

1. Hagger, *The Fire and the Stones, op. cit.*
2. Still, *op. cit.*, pp26-7, 31-31, 33-4; Daniel, *op. cit.*, p393 e *Passim*.
3. J. M. Church, *op. cit.*, p25.
4. Blake, *Marriage of Heaven and Hell*.
5. Comparar o Satã de Nicholas Hagger em *Overlord*. Ele também acha que o céu de Deus é imperfeito.

Apêndices

A

A Mão Oculta na História Ocidental

1. Embora não consiga alcançar o ponto fundamental a respeito da inspiração e da dinâmica das revoluções, *The Anatomy of Revolution*, de Crane Brinton, oferece uma análise excelente das sociedades que precederam as revoluções inglesa, norte-americana, francesa e russa, das tensões políticas e sociais que levaram a uma quebra de autoridade política: com isso, o governo passou a recorrer à força para se manter no poder.
Nos quatro casos, era o governo que estava com dificuldades financeiras e não a sociedade que, em todos eles, era próspera e estava em ascensão. Como resultado de tais tensões, o governo dessas quatro sociedades favoreceu um grupo de interesses econômicos (esquemas feudais existentes que beneficiavam a classe aristocrática dominante) contra outro (interes-

ses de capitalistas e comerciantes das classes médias), fazendo com que certos grupos (as classes médias e baixas) sentissem que suas oportunidades de avanço estavam sendo tolhidas por políticas do governo. (Ver Brinton, *The Anatomy of Revolution*, pp34-7.) Em todos os casos, o governo era ineficiente e havia confusão e até mesmo caos administrativo – por exemplo, o sistema inadequado de coleta de impostos de Jaime I. Consequentemente, houve tentativas de reformar a máquina do governo. (Ao contrário do que se pensa comumente, os antigos regimes poucas vezes são totalmente tirânicos. São ineficientes e corruptos e suas tentativas de reforma são ineficazes.)

Surgiram então reformadores que enfatizaram a corrupção da autoridade política. Havia um sentimento entre os intelectuais (escritores, artistas e professores) de que as coisas não estavam certas. Os intelectuais criticavam o governo e retiraram seu apoio, dando força à ideia de que os membros da elite não mereciam suas posições. As distinções de classe deixaram de ser vistas como barreiras que só os espertos e ambiciosos podiam transpor: passaram a ser vistas como privilégios injustos e não naturais, que homens maus tinham adquirido por acidente ou por traição, contra a vontade de Deus. Enquanto antes os pobres sonhavam em se juntar à classe dominante, agora queriam desalojá-la. Como resultado, a classe dominante (políticos, funcionários públicos importantes, banqueiros, proprietários de terras, o clero e os líderes intelectuais) perdeu a confiança em si mesma. Os membros da classe dominante foram convertidos à crença de que seus privilégios eram injustos ou nocivos à sociedades. Assim, alguns membros da elite passaram para o lado dos menos favorecidos, tornando-se assim ainda menos adequados para governar.

Confrontada com esse mal-estar pré-revolucionário, a ordem política começou a perder o controle sobre a autoridade. Nas quatro sociedades, os acontecimentos se precipitaram e os diferentes grupos dissidentes se juntaram para derrubar a autoridade. Depois da revolução, houve um período de idealismo otimista. Este arrefeceu diante das dificuldades práticas de se administrar um país pós-revolucionário. Facções começaram a lutar pelo poder e a guerra civil se tornou iminente. Para vencer, uma facção tinha que usar a força contra as outras. As primeiras metas da revolução arrefeceram e, em cada uma dessas quatro sociedades, um regime totalitário assumiu o controle. Este incorporou alguns, mas não todos os princípios do movimento revolucionário original.

O que Brinton não percebeu, no entanto, é que cada uma das quatro maiores revoluções foi inspirada pela visão oculta de uma sociedade secreta, que desencadeou o que eu chamo de "dinâmica revolucionária". Em cada uma delas, havia uma forte mensagem oculta.

2. George H. Steinmetz, *Freemasonry: Its Hidden Meaning*, p33.
3. Os números marcados com asterisco foram tirados de *Revolution*, de Mark Almond.
4. Ver Nicholas Hagger, *The Fire and the Stones: A Grand Unified Theory of World History and Religion*, no qual explico a dinâmica que governa as civilizações e mostro que a visão espiritual que impele as civilizações é uma visão de pura Luz divina.

B

A Mão Oculta: As Raízes Cabalísticas da Revolução

Os acontecimentos mencionados nestes apêndices podem ser verificados na *Enciclopédia Britânica*; em *Secret Societies and Subversive Movements*, de Nesta Webster, caps. 1, 2, 3 e 8; em *Occult Theocrasy*, de Lady Queenborough, cap. 7, e em *Scarlet and the Beast*, de Daniel, vol 1.

5. Hagger, *Overlord, op. cit.*, lv. 1, 201-2.
6. General Netchvolodow, *Nicolas II e les Juifs*, 1924, p139ss; citado em Lady Queenborough, *Occult Theocrasy*, cap 7, "Judaism, The Pharisees", p76. Sobre os fariseus, ver esse trabalho.
7. Nesta Webster, *Secret Societies and Subversive Movements, op. cit.*, p11.
8. Idem, Ibidem.
9. Idem, pp11-12; P. L. B. Drach, *De l'Harmonie entre l'Église et la Synagogue*, 1844, vol I pXIII e vol II pXIX.
10. Shimon Halevi, *Way of the Kabbalah, op. cit.*, p70.
11. Nesta Webster, *Secret Societies and Subversive Movements, op. cit.*, p27.
12. Para uma exposição mais completa do Gnosticismo, ver Hagger, *The Fire and the Stones, op. cit.*, pp119-124.
13. Ver Andrew J. Hurley, *Israel and the New World Order*, cap. 2, sobre pontos discutidos neste parágrafo.
14. Quem me julgar antissemita, que leia o livro 5 do meu *Overlord*. Esse livro narra uma revolta heroica dos judeus contra a SS nazista em Auschwitz, que levou Himmler a suspender o Holocausto.
15. Nesta Webster, *Secret Societies and Subversive Movements, op. cit.*, cap. 15, pp370, 371, 374, 378.

16. Baigent, Leigh e Lincoln, *The Holy Blood and the Holy Grail, op. cit.*, pp415, 419.

17. Para uma lista mais completa dos livros da Cabala Clássica, ver Hagger, *The Fire and the Stones, op. cit.*, pp197-204.

18. Baigent, Leigh e Lincoln, *The Holy Blood and The Holy Grail, op. cit.*, p407.

19. Church, *op. cit.*, p25.

20. Ver Hagger, *The Syndicate, op. cit.*

21. Por exemplo, Lionel e Patricia Fanthorpe, *Rennes-le-Château, Its Mysteries and Secrets*, e Stanley James, *The Treasure Maps of Rennes-le-Château.*

22. Para uma explicação menos cética, ver o subtítulo "Sidney e o Círculo de Raleigh" no cap 1.

23. Baigent, Leigh e Lincoln, *The Messianic Legacy, op. cit.*, pxvi.

24. Henry Kamen, *The Spanish Inquisition*, p23.

C

A Política Externa Veneziana e a Maçonaria Rosacruciana

25. Yates, *The Rosicrucian Enlightenment, op. cit.*, cap. 10.

26. Ver Gerry Rose, comunicado de 5 de setembro de 1993, http://members,tripod.com/~american_almanac/venfreem.htm. Ver também H. Graham Lowry, *Executive Intelligence Review*, 15 de abril de 1994, http://members,tripod.com/~almanac/venlowry.htm. Yates, em *The Rosicrucian Enlightenment, op. cit.*, cap. 10, escreve: "Nenhum historiador parece ter examinado as conexões desse movimento (veneziano) com os movimentos em torno do Eleitor Palatino". Ela observa que não são mencionados *in* W. J. Bouwsma, *Venice and the Defence of Republican Liberty.*

BIBLIOGRAFIA

Allen, Gary, *None Dare Call It Conspiracy*, Concord Press, 1972.

Almond, Mark, *Revolution*, De Agostini Editions, 1996.

Armstrong, George, *The Rothschild Money Trust*, Omni Publications, Califórnia, 1940.

Aubarbaier, Jean-Luc; Binet, Michel; Bouchard, Jean-Pierre, *Wonderful Cathar Country*, Ouest-France, 1994.

Aué, Michèle, *Discover Cathar Country*, MSM, 1999.

Bahane, Charles, *The Complete Guide to Boston's Freedom Trail*, Newtowne Publishing, Massachusetts, 1990.

Baigent, Michael; Leigh, Richard; Lincoln, Henry, *The Holy Blood and The Holy Grail*, Corgi Books, 1982.

Baigent, Michael; Leigh, Richard e Lincoln, Henry, *The Messianic Legacy*, Corgi Books, 1987.

Baignet, Michael e Leigh, Richard, *The Temple and The Lodge*, Arcade Publishing, Nova York, 1989.

Barros, Barbara L., *Discover-It-Yourself Guide to Boston's Freedom Trail*, Beacon Guides, 1987.

Beaumont, Comyns, *The Private Life of the Virgin Queen*, Comyns (Editores).

Bély, Lucien, *The Cathars*, Sud Ouest, 1995.

Billington, James H., *Fire in the Minds of Men: Origins of the Revolucionary Faith*, Transaction, EUA, 1999.

Blake, William, "Marriage of Heaven and Hell", *in Collected Poems*, Dover Pubns, 1994.

Bond, R. Warwick, *The Complete Works of John Lyly*, Oxford University Press, 1902.

Bouwsma, W. J., *Venice and the Defence of Republican Liberty*, University of California Press, 1968.

Brinton, Crane, *The Anatomy of Revolution*, Vintage Books, Nova York, 1957.

Bryant, Arthur, *King Charles II*, Logmans Green & Co, 1946.

Builder, periódico maçônico, junho e agosto de 1927.

Camus, Albert, *The Rebel*, Vintage Books, 1956.

Capt, Raymond E., *Our Great Seal: The Symbols of our Heritage and our Destiny*, Thousand Oaks, CA: Artisan Sales, 1979.

Carlyle, Thomas (org.), *Oliver Cromwell's Letters and Speeches*, Chapman and Hall, Londres, 1888.

Carlyle, Thomas. *The French Revolution*, OUP, The World's Classics, edição 1989, vol II.

Carr, William Guy, *The Conspiracy to Destroy all Existing Governments and Religions*, Canadá, 1959.

Catholic Gazette, fevereiro de 1936.

Chandler, David G., *Sedgemoor 1685*, Anthony Mott, Londres, 1985.

Church, J. M., *Guardians of the Grail*, Oklahoma City, OK: Prophecy Publications, 1989.

Clausen, H. C., *Masons Who Helped Shape Our Nation*, Washington, 1976.

Clements, Robert J. (org.), *Michelangelo, a Self-Portrait*, Prentice Hall, USA, 1963.

Cléry, Jean-Babtiste, *A Journal of the Terror*, J. M. Dent, 1974.

Coleman, Dr. John, *Diplomacy by Deception*, Joseph Publishing Co., 1993.

Corti, Egon Caesar, *The Rise of the House of Rothschild*, Western Islands, EUA, 1928, 1972.

Daniel, John, *Scarlet and the Beast*, vol. 1, John Kregel, Texas, 1995.

Darrah, *History and Evolution of Freemansonry*, 1954, Chicago, Powner, 1979.

Dillon, George E., *Grand Orient Freemasonay Unmasked as the Secret Power Behind Communism*, Metairie: Sons of Liberty, 1885.

D'Israeli, Isaac, *Life of Charles the First*, dois volumes, Henry Colburn, New Burlington Street, Londres, 1828 e 1851.

Dodd, Alfred, *Francis Bacon's Personal Life-Story*, Rider, 1986.

Dowley, Kim, (org.), *The History of Christianity*, Lion Publishing, 1977.

Drach, P. L. B., *De l'Harmonie entre l'Église et la Synagogue*, 1844, vol I pXIII e vol II pXIX.

Easton, Stewart C., *A Brief History of Western World*, Barnes and Noble, 1962.

Edwards, Francis, *Guy Fawkes: The Real Story of the Gunpowder Plot?*, Rupert Hart-Davis, Londres, 1969.

Edwards, Graham, *The Last Days of Charles I*, Sutton Publishing, 1999.

Elder, Isabel Hill, *Celt, Druid and Culdee*, Covenant, Londres, 1973.

Epperson, Ralph, *The New World Order*, Publius Press, 1990.

Epperson, Ralph, *The Unseen Hand*, Publius Press, 1985.

Erickson, John e Dilks, David (orgs.), *Barbarossa, The Axis and The Allies*, Edinburgh University Press, 1994.

Fagan, Myron, *The Illuminati*, gravação de 1967 (transcrito de dois audiocassetes de *Sons of Liberty*, 1985).

Falkus, Christopher, *The Life and Times of Charles II*, Weidenfeld and Nicolson, 1972.

Fanthorpe, Lionel e Patricia, *Rennes-le-Château, Its Mysteries and Secrets*, Bellevue Books, Reino Unido, 1991.

Feiling, Keith, *A History of England*, Book Club Associates, 1970.

Ferguson, Niall, *The World's Banker, The History of the House of Rothschild*, Weindelfeld and Nicolson, 1998.

Ficino, Marsilio, *Selected Letters of: Meditations on the Soul*, Shepheard-Walwyn, 2002.

Ficino, Marsilio, *The Letters of*, vols 1-7, Shepheard-Walwin, 1975-2003.

Firth, *Sir* Charles, *Oliver Cromwell and the Rule of the Puritans in England*, The World's Classics, 1900 e 1961/University Press of the Pacific, 2003.

Ex-comissário russo, *Trotsky and the Jews Behind the Russian Revolution*, 1937, Metairie, LA: Sons of Liberty, 1980.

Fraser, Antonia, *Cromwell, Our Chief of Men*, Mandarin Paperbacks, Reino Unido, 1993.

Frederico II da Prússia (Frederico o Grande), *Collected Works*, 31 vols, 1846-57.

French, Peter, *John Dee, The World of an Elizabethan Magus*, Dorset Press, 1972.

Gardner, Laurence, *Bloodline of the Holy Grail*, brochura, Element, 1996.

Garvin, Katharine, *The Great Tudors*, Fulcroft Library Editions, 1974.

Gilbert, Adrian, *The New Jerusalem*, Bantam Press, 2002.

Gookin, Warner F. e Barbour, Philip L., *Bartholomew Gosnold*, Archon Books, 1963.

Gouhier, Henri Gaston, *Les Premières Pensées de Descartes*, Paris, 1958.

Gurdham, Arthur, *The Great Heresy, The History and Beliefs of the Cathars*, Neville Spearman, Reino Unido, 1977.

Hagger, Nicholas, *Overlord*, Element, 1995-7.

Hagger, Nicholas, *The Fire and the Stones: A Grand Unified Theory of World History and Religion*, Element, 1991.

Hagger, Nicholas, *The Syndicate*, John Hunt, 2004. (www.thesyndicate.biz). (*A Corporação*, publicado pela Editora Cultrix, SP, 2009.)

Halevi, Shimon, *Way of the Kabbalah*, Red Wheel/Weiser, 1991.

Hall, Manly, *The Adepts in the Western Esoteric Tradition*, The Philosophical Research Society, LA, 1949.

Hall, Manly, *The Secret Teaching of All Ages, An Encyclopedic Outline of Masonic, Hermetic, Qabbalistic and Rosicrucian Symbolic Philosophy*, The Philosophical Research Society Inc, Califórnia, 1988.

Hardman, John, *Louis XVI*, Yale University Press, 1993.

Heylyn, P., *Historical and Miscellaneous Tracts*, 1681.

Hieronimus, Robert, *America's Secret Destiny*, Destiny Books, 1989.

Hill, Christopher, *Milton and the English Revolution*, Faber, 1977.

Hill, Christopher, *Religion and Politics in 17th-century England*, Harvester Press, 1986.

Hingley, Ronald, *Nihilists*, Weidenfeld & Nicolson, 1967.

Howard, Michael, *The Occult Conspiracy, Secret Societies – Their Influence and Power in World History*, Destiny Books, 1989.

Hurley, Andrew J., *Israel and the New World Order*, Fithian Press/Foundation for a New World Order, 1991.

James, Stanley, *The Treasure Maps of Rennes-le-Château*, Seven Lights, 1984.

Johnson, Paul, *A History of the American People*, Phoenix Giant, 1998.

Jonas, Hans, *The Gnostic Religion*, Beacon, EUA, 1963.

Josephson, Emanuel M., *Rockefeller 'Internationalist', The Man who Misrules the World*, Chedney Press, Nova York, 1952.

Josephson, Emanuel M., *The 'Federal' Reserve Conspiracy and Rockefeller*, Chedney Press, Nova York, 1948.

Josephson Emanuel M., *The Strange Death of Franklin D. Roosevelt*, Chedney Press, Nova York, 1948.

Josephson, Emanuel M., *The Truth About Rockefeller, Public Enemy nº 1*, Chedney Press, 1964.

Kamen, Henry, *The Spanish Inquisition*, Weidenfeld and Nicolson, 1965.

Katz, David S., *The Jews in the History of England, 1485-1850*, Clarendon Press, Oxford, 1994.

Kierner, Cynthia A., *Revolutionary America 1750-1815*, Prentice Hall, 2002.

Kinbrough, Sara Dodge, *Four Americans in Paris*, University Press of Mississipi, 1976.

Kinross, John, *The Boyne and Aughrim, The War of the Two Kings*, Windrush Press, 1997.

Kirban, Salem, *Satan's Angels Exposed*, Rossville, GA: Grapevine Book Distributors, 1980.

Knight, Stephen, *The Brotherhood*, Panther Books, 1985.

Kutz, Myer, *Rockefeller Power*, Pinnacle Books, Nova York, 1974.

Lacey, Robert, *Sir Walter Raleigh*, Nova York, 1973.

Lagomarsino, Dee e Wood, C. T., *A Documentary History of the Trail of Charles I*, University Press of New England, Dartmouth College, 1989.

Levy, Barbara, *Legacy of Death*, Saxon House, 1973.

MacCulloch, Diarmaid, *Tudor Church Militant, Edward VI and the Protestant Reformation*, Allen Lane, 1999.

MacGregor-Hastie, Roy, *Nell Gwyn*, Robert Hale, Londres, 1987.

Mackey, Albert G., *Mackey's Encyclopedia of Freemasonry*, 5ª ed. 3 vols, Chicago: The Masonic *History* Company, 1950, "Cromwell".

Markham, Clements R., *The Fighting Veres*, Houghton Mifflin, Boston e Nova York, 1888.

Menasseh ben Israel, *Humble Addresses to the Lord Protector*, 1655.

Miller, John, *The Life and Times of William and Mary*, Weidenfeld & Nicolson, 1974.

Morris, Richard B., *The Framing of the Federal Constitution*, Divisão de Publicações, National Parks Service, 1986.

Morton, Frederic, *The Rothschilds, A Family Portrait*, Atheneum, Nova York, 1962.

Mullins, Eustace, *The World Order, Our Secret Rulers*, Ezra Pound Institute of Civilization, 1992.

Netchvolodow, Lt Gen, *Nicolas II e les Juifs*, 1924.

Nettl, Paul, *Mozart and Masonry*, The Philosophical Library, Nova York, 1957.

North, John, *The Ambassadors' Secret, Holbein and the World of Renaissance*, Hambledon & London, 2002.

Phillips, G. W., *Lord Burghley in Shakespeare*, Londres, 1936.

Pike, Albert, *Morals and Dogma, of the Ancient and Accepted Scottish Rite of Freemasonry*, Richmond, L. H. Jenkins, 1871/1921.

Prescott, Kate H., *Reminiscences of a Baconian*, Haven Press, Nova York, 1949.

Protocols of the Learned Elders of Zion: World Conquest through World Government, trad. por Victor E. Marsden, Eyre and Spottiswoode, 1968.

Purver, Margery, *The Royal Society: Concept and Creation*, Londres, 1967.

Queenborough, Lady, *Occult Theocrasy*, Emissary Publications, EUA, 1981.

Ramsay, Capitão A. H. M., *The Nameless War*, Britons Publishing Company, Devon, Reino Unido, 1968.

Reed, A. W., *The Great Tudors*, Ivor Nicholson and Watson, Londres, 1935.

Rivera, David Allen, *Final Warning, A History of the New World Order*, Rivera Enterprises, 1984, 1994.

Roberts, Allen E., *G. Washington: Master Mason*, Macoy Pub. e Masonic Supply Co., 1976.

Robison, John, *Proofs of a Conspiracy*, Americanist Classics, 1798/1967.

Ronalds, Francis S., *The Attempeted Whig Revolution of 1678-1681*, Rowman & Littlefield, New Jersey e The Boydell Press, Ipswich, 1937.

Roth, Cecil, *Menasseh ben Israel*, Jewish Publication Society of America, Filadélfia, 1934. Saint-Martin, *Des Erreurs et de la Vérité*, 1775.

Schwartz, Barry, *George Washington, The Making of an American Symbol*, The Free Press, 1987.

Sinclair, Andrew, *The Sword and the Grail*, Crown Publishers, Nova York, 1992.

Smith, Alan Gordon, *William Cecil, The Power behind Elizabeth*, Londres, 1934.

Stauffer, V., *New England and the Bavarian Illuminati*, Columbia University Press, Nova York, 1918.

Steinmetz, George H., *Freemasonry: Its Hidden Meaning*, Richmond: Macoy, 1948, reimpresso em 1976.

Still, William T., *New World Order: The Ancient Plan of Secret Societies*, Huntingdon House, 1990.

Stopes, Charlotte, *The Third Earl of Southampton*, Cambridge University Press, 1922.

Strachery, William, *The Historie of Travel into Virginia Britania*, escrito em 1612, (org.) L. B. Wright e Virginia Freund, Hakluyt Society, 1953.

Sutton, Antony C., *Wall Street and the Bolshevik Revolution*, Veritas, 1981.

The History of the American Revolution, Highlights of the Important Battles and Documents of Freedom, Historical Documents Co., 1993.

The Jewish Encyclopaedia.

Thompson, W. R., Introdução a *On the Origin of the Species*, 6ª edição, E. P. Dutton & Co., Nova York, 1956.

Trevor-Roper, H. R., *Religion, the Reformation, and Social Change*, Londres, 1967.

Tudhope, George V., *Bacon Masonry*, 1954, reimpresso por Health Research, 1989.

Turnbull, G. H., *Hartlib, Dury and Comenius*, Liverpool, 1947.

Villari, Pasquale, *Life and Times of Girolamo Savonarola*, trad. Linda Villari, T. Fisher Unwin, Londres, 1888, reimpresso.

Webster, Charles, *The Great Instauration: Science, Medicine and Reform, 1626-1660*, Duckworth, 1975.

Webster, Nesta H., *Secret Societies and Subversive Movements*, Christian Book Club of America, 1925.

Webster, Nesta H., *World Revolution*, Constable, 1921.

Wedgewood. C. V., *William the Silent*, Jonathan Cape, 1944.

Weems, Mason L., *A History of the Life and Death, Virtues and Exploits of General George Washington*, Georgetown, D. C., Green & English, 1800.

Whitehead, A. N., *Science and the Modern World*, Free Press, reedição, 1997.

Wilgus, Neal, *The Illuminoids*, Nova York: Pocket Books, 1979.

Williams, Neville, *Elizabeth I*, Book Club Associates, 1972.

Wilson, Derek, *Rothschild, A Story of Wealth and Power*, Mandarin, 1988.

Wilson, Derek, *The King and the Gentleman*, Hutchinson, Londres, 1999.

Wolf, Lucian, (org.), *Menasseh ben Israel's mission to Oliver Cromwell*, 1901.

Wurmbrand, Richard, *Was Karl Marx a Satanist?*, Diane Books, Glendale CA, 1976.

Yates, Frances A., *The Occult Philosophy in the Elizabethan Age*, Routledge, Londres, 1979.

Yates. Frances A., *The Rosicrucian Enlightenment*, Routledge & Kegan Paul, 1971, reimpresso em 1998.